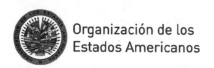
Organización de los
Estados Americanos

W9-DIR-195
CIDH Interamericana de
Derechos Humanos

COMISIÓN INTERAMERICANA DE DERECHOS HUMANOS

OEA/Ser.L/V/II.
Doc. 64
31 diciembre 2011
Original: Español

INFORME SOBRE LOS DERECHOS HUMANOS DE LAS PERSONAS PRIVADAS DE LIBERTAD EN LAS AMÉRICAS

2011
Internet: www.cidh.org

OAS Cataloging-in-Publication Data

Inter-American Commission on Human Rights
Informe sobre los derechos humanos de las personas privadas de libertad en las Américas /
Comisión Interamericana de Derechos Humanos.
v. ; cm. (OEA documentos oficiales ; OEA/Ser.L)
ISBN 978-0-8270-5743-2
1. Human rights--Americas. 2. Civil rights--America 3. Imprisonment--America. 4. Detention of persons--America.
5. Prisoners--Legal status, laws, etc.--America. 6. Prisons--Law and legislation--America. I. Title. II. Escobar Gil, Rodrigo.
III. Series. IV. Series. OAS official records ; OEA/Ser.L.

OEA/Ser.L/V/II. Doc.64

Documento publicado gracias al apoyo financiero de España.
Las opiniones aquí expresadas pertenecen exclusivamente a la CIDH
y no reflejan la postura de España.

Aprobado por la Comisión Interamericana de Derechos Humanos el 31 de diciembre de 2011

COMISIÓN INTERAMERICANA DE DERECHOS HUMANOS

MIEMBROS

Dinah Shelton

José de Jesús Orozco Henríquez

Rodrigo Escobar Gil

Paulo Sérgio Pinheiro

Felipe González

Luz Patricia Mejía Guerrero

María Silvia Guillén

******

Secretario Ejecutivo: Santiago A. Canton

Secretaria Ejecutiva Adjunta: Elizabeth Abi-Mershed

INFORME SOBRE LOS DERECHOS HUMANOS DE LAS PERSONAS PRIVADAS DE LIBERTAD EN LAS AMÉRICAS

ÍNDICE

PREFACIO

Desde su creación la Comisión Interamericana de Derechos Humanos ha dedicado particular atención a la situación de las personas privadas de libertad en las Américas. Así, desde sus primeros informes especiales de país relativos a Cuba y a República Dominicana, hasta los más recientes, referentes a Venezuela y Honduras, la Comisión Interamericana se ha venido refiriendo consistentemente a los derechos de las personas privadas de libertad. En este sentido, las visitas a centros de detención han sido una constante en las más de 90 visitas *in loco* que ha realizado en los últimos 50 años. Asimismo, la Comisión Interamericana ha aprobado una gran cantidad de informes de casos contenciosos y ha otorgado un número importante de medidas cautelares dirigidas a la protección de personas privadas de libertad en las Américas.

La Comisión Interamericana ha constatado que el respeto a los derechos de las personas privadas de libertad es uno de los principales desafíos que enfrentan los Estados miembros de la Organización de los Estados Americanos. Es un asunto complejo que requiere del diseño e implementación de políticas públicas a mediano y largo plazo, así como de la adopción de medidas inmediatas, necesarias para hacer frente a situaciones actuales y urgentes que afectan gravemente derechos humanos fundamentales de la población reclusa.

La naturaleza de los problemas identificados en el presente informe revela la existencia de serias deficiencias estructurales que afectan gravemente derechos humanos inderogables, como el derecho a la vida y a la integridad personal de los reclusos, e impiden que en la práctica las penas privativas de la libertad cumplan con la finalidad esencial que establece la Convención Americana: la reforma y la readaptación social de los condenados. Por lo tanto, para que los sistemas penitenciarios, y en definitiva la privación de libertad como respuesta al delito, cumplan con su finalidad esencial, es imprescindible que los Estados adopten medidas concretas orientadas a hacer frente a estas deficiencias estructurales.

En estas circunstancias, la Comisión Interamericana de Derechos Humanos presenta este informe con el propósito de ayudar a los Estados miembros de la Organización de los Estados Americanos en el cumplimiento de sus obligaciones internacionales, y de proveer de una herramienta útil para el trabajo de aquellas instituciones y organizaciones comprometidas con la promoción y defensa de los derechos de las personas privadas de libertad.

La Comisión destaca y reconoce la labor del Comisionado Rodrigo Escobar Gil, Relator sobre los Derechos de las Personas Privadas de Libertad en la dirección de este informe. Asimismo, la Comisión agradece la contribución de la Organización Panamericana de la Salud en todos los temas relacionados con el derecho a la atención médica de las personas privadas de libertad; y del Centro de Estudios de Derecho Internacional de la Universidad Javeriana de Colombia en materia de derecho constitucional comparado.

La elaboración del presente informe fue posible gracias al valioso apoyo financiero del Gobierno de España.

INFORME SOBRE LOS DERECHOS HUMANOS DE LAS PERSONAS PRIVADAS DE LIBERTAD EN LAS AMÉRICAS

I.   INTRODUCCIÓN

A.   Contexto y propósito del presente informe

1.   Desde hace cinco décadas la Comisión Interamericana de Derechos Humanos (en adelante "la Comisión", "la Comisión Interamericana" o "la CIDH") ha venido dando seguimiento a la situación de las personas privadas de libertad en las Américas por medio de sus distintos mecanismos; sobre todo, a partir del establecimiento en marzo del 2004, de su Relatoría sobre los Derechos de las Personas Privadas de Libertad (en adelante "la Relatoría de PPL" o "la Relatoría")[1].

2.   Así, la CIDH ha observado que los problemas más graves y extendidos en la región son:

(a)   el hacinamiento y la sobrepoblación;

(b)   las deficientes condiciones de reclusión, tanto físicas, como relativas a la falta de provisión de servicios básicos;

(c)   los altos índices de violencia carcelaria y la falta de control efectivo de las autoridades;

(d)   el empleo de la tortura con fines de investigación criminal;

(e)   el uso excesivo de la fuerza por parte de los cuerpos de seguridad en los centros penales;

(f)   el uso excesivo de la detención preventiva, lo cual repercute directamente en la sobrepoblación carcelaria[2];

(g)   la ausencia de medidas efectivas para la protección de grupos vulnerables;

(h)   la falta de programas laborales y educativos, y la ausencia de transparencia en los mecanismos de acceso a estos programas; y

(i)   la corrupción y falta de trasparencia en la gestión penitenciaria.

---

[1] Durante el período 2004-2011 la Relatoría realizó veinte visitas de trabajo a quince países del hemisferio: Uruguay (julio 2011); (Suriname (mayo 2011); El Salvador (octubre 2010); Argentina (junio 2010); Ecuador (mayo 2010); Uruguay (mayo 2009); Argentina (abril 2009); Paraguay (septiembre 2008); Chile (agosto 2008); México (agosto 2007); Haití (junio 2007); Argentina (diciembre 2006); Bolivia (noviembre 2006); Brasil (septiembre 2006); República Dominicana (agosto 2006); Colombia (noviembre 2005); Honduras (diciembre 2004); Brasil (junio 2005); Argentina (diciembre 2004); y Guatemala (noviembre 2004). En el curso de estas misiones de trabajo se realizan visitas a penitenciarías, centros de detención, comisarías, estaciones de policía, entre otros, con el objeto de verificar la situación de las personas privadas de libertad en esos lugares; asimismo, se sostienen reuniones con autoridades de alto nivel y organizaciones de la sociedad civil comprometidas con la situación de las personas privadas de libertad. La página Web oficial de la Relatoría está disponible en: http://www.oas.org/es/cidh/ppl/default.asp.

[2] El uso excesivo de la detención preventiva es otro de los graves problemas presentes en la absoluta mayoría de los países de la región, éste es a su vez la causa de otros serios problemas como el hacinamiento y la falta de separación entre procesados y condenados. El uso excesivo de esta medida es un tema amplio y complejo al que la Comisión le dedicará próximamente un informe temático.

3.   Estos desafíos en el respeto y garantía de los derechos de las personas privadas de libertad identificados por la CIDH son fundamentalmente los mismos que han sido sistemáticamente observados en las Américas por los mecanismos de monitoreo de las Naciones Unidas que realizan visitas a cárceles y centros de detención[3]. La naturaleza de esta situación revela la existencia de serias deficiencias estructurales que afectan gravemente derechos humanos inderogables, como los derechos a la vida y a la integridad personal de los reclusos, e impiden que en la práctica las penas privativas de la libertad cumplan con la finalidad esencial que establece la Convención Americana: la reforma y la readaptación social de los condenados.

4.   La Comisión Interamericana considera que esta realidad estacionaria es el resultado de décadas de desatención del problema carcelario por parte de los sucesivos gobiernos de los Estados de la región, y de la apatía de las sociedades, que tradicionalmente han preferido no mirar hacia las cárceles. Así, los centros de privación de libertad se han convertido en ámbitos carentes de monitoreo y fiscalización en los que tradicionalmente ha imperado la arbitrariedad, la corrupción y la violencia.

5.   El hecho de que las personas en custodia del Estado se encuentren en una situación de especial vulnerabilidad, aunado a la frecuente falta de políticas públicas al respecto, ha significado frecuentemente que las condiciones en las que se mantiene a estas personas se caractericen por la violación sistemática de sus derechos humanos[4]. Por lo tanto, para que los sistemas penitenciarios, y en definitiva la privación de libertad como respuesta al delito, cumplan con su finalidad esencial, es imprescindible que los Estados adopten medidas concretas orientadas a hacer frente a estas deficiencias estructurales.

6.   En este contexto, los Estados Miembros de la Organización de los Estados Americanos (en adelante "OEA") en el marco de la Asamblea General han observado con preocupación "la crítica situación de violencia y hacinamiento de los lugares de privación de libertad en las Américas", destacando "la necesidad de tomar acciones concretas para prevenir tal situación, a fin de garantizar el respeto de los derechos humanos de las personas privadas de libertad"[5]. En consideración de lo cual, la Asamblea General ha

---

[3] Por otro lado, la CIDH observa que el Instituto Latinoamericano de las Naciones Unidas para la Prevención del Delito y el Tratamiento del Delincuente (ILANUD), en su reciente publicación *Cárcel y Justicia Penal en América Latina y el Caribe* plantea que los cinco problemas o necesidades principales de los sistemas penitenciarios de América Latina son: (a) la ausencia de políticas integrales (criminológicas, de derechos humanos, penitenciarias, de rehabilitación, de género, de justicia penal); (b) el hacinamiento carcelario, originado en reducidos presupuestos y en la falta de adecuada infraestructura; (c) la deficiente calidad de vida en las prisiones; (d) la insuficiencia de personal penitenciario y su falta de capacitación adecuada; y (e) la falta de programas de capacitación y de trabajo para las personas presas. Instituto Latinoamericano de las Naciones Unidas para la Prevención del Delito y el Tratamiento del Delincuente (ILANUD), *Cárcel y Justicia Penal en America Latina y el Caribe*, 2009, págs. 28-31.

[4] CIDH, *Segundo Informe sobre la Situación de los Derechos Humanos en Perú*, OEA/Ser.L/V/II.106. Doc. 59 rev., adoptado el 2 de junio de 2000, (en adelante "*Segundo Informe sobre la Situación de los Derechos Humanos en Perú*"), Cap. IX, párr. 1.

[5] OEA, Resolución de la Asamblea General, AG/RES. 2668 (XLI-O/11), aprobada el 7 de junio de 2011; OEA, Resolución de la Asamblea General, AG/RES. 2592 (XL-O/10), aprobada el 8 de junio de 2010; OEA, Resolución de la Asamblea General, AG/RES. 2510 (XXXIX-O/09), aprobada el 4 de junio de 2009; OEA, Resolución de la Asamblea General, AG/RES. 2403 (XXXVIII-O/08), aprobada el 13 de junio de 2008; OEA, Resolución de la

Continúa...

solicitado a la CIDH que "continúe informando sobre la situación en la que se encuentran las personas sometidas a cualquier forma de detención y reclusión en el Hemisferio y que, tomando como base su trabajo sobre el tema, siga refiriéndose a los problemas y buenas prácticas que observe"[6].

7.   En atención al contexto presentado, la Comisión Interamericana ha elaborado el presente informe, en el cual se identifican los principales patrones de violación de los derechos humanos de las personas privadas de libertad en la región, y se analizan cuáles son los estándares internaciones aplicables a los mismos. Esto con el objetivo fundamental de formular recomendaciones concretas a los Estados, orientadas a coadyuvar con el pleno respeto y garantía de los derechos de los reclusos. Este informe está dirigido en primer lugar a las autoridades públicas, pero también a las organizaciones de la sociedad civil y otros actores vinculados al trabajo con personas privadas de libertad. La Comisión aclara que este es un informe marco que abarca una variedad de temas que posteriormente podrán ser desarrollados con mayor amplitud en informes temáticos posteriores.

B.   Principios en los que se sustenta y contenidos fundamentales

8.   Este informe se sustenta en el principio fundamental de que el Estado se encuentra en una posición especial de garante frente a las personas privadas de libertad, y que como tal, asume deberes específicos de respeto y garantía de los derechos fundamentales de estas personas; en particular, de los derechos a la vida y a la integridad personal, cuya realización es condición indispensable para el logro de los fines esenciales de la pena privativa de libertad: la reforma y la readaptación social de los condenados. Así, el ejercicio del poder de custodia lleva consigo la responsabilidad especial de asegurar que la privación de la libertad sirva a su propósito y que no conduzca a la violación de otros derechos básicos[7].

9.   Además, y al igual que los *Principios y Buenas Prácticas sobre la Protección de las Personas Privadas de Libertad en las Américas* (en adelante también "los

---

...continuación
Asamblea General, AG/RES. 2283 (XXXVII-O/07), aprobada el 5 de junio de 2007; y OEA, Resolución de la Asamblea General, AG/RES. 2233 (XXXVI-O/06), aprobada el 6 de junio de 2006.

[6] OEA, Resolución de la Asamblea General, AG/RES. 2668 (XLI-O/11), aprobada el 7 de junio de 2011, punto resolutivo 3; OEA, Resolución de la Asamblea General, AG/RES. 2592 (XL-O/10), aprobada el 8 de junio de 2010, punto resolutivo 3; OEA, Resolución de la Asamblea General, AG/RES. 2510 (XXXIX-O/09), aprobada el 4 de junio de 2009, punto resolutivo 3; OEA, Resolución de la Asamblea General, AG/RES. 2403 (XXXVIII-O/08), aprobada el 13 de junio de 2008, punto resolutivo 3; OEA, Resolución de la Asamblea General, AG/RES. 2283 (XXXVII-O/07), aprobada el 5 de junio de 2007, punto resolutivo 3; OEA, Resolución de la Asamblea General, AG/RES. 2233 (XXXVI-O/06), aprobada el 6 de junio de 2006, punto resolutivo 3; OEA, Resolución de la Asamblea General, AG/RES. 2125 (XXXV-O/05), aprobada el 7 de junio de 2005, punto resolutivo 11; OEA, Resolución de la Asamblea General, AG/RES. 2037 (XXXIV-O/04), aprobada el 8 de junio de 2004, punto resolutivo 3; y OEA, Resolución de la Asamblea General, AG/RES. 1927 (XXXIII-O/03), aprobada el 10 de junio de 2003, punto resolutivo 3.

[7] CIDH, *Quinto Informe sobre la Situación de los Derechos Humanos en Guatemala*, OEA/Ser.L/V/II.111. Doc. 21 rev., adoptado el 6 de abril de 2001, (en adelante "*Quinto Informe sobre la Situación de los Derechos Humanos en Guatemala*"), Cap. VIII, párr. 1.

Principios y Buenas Prácticas de la CIDH"), este informe parte del principio del trato humano, según el cual, toda persona privada de libertad será tratada humanamente, con respeto irrestricto de su dignidad inherente, de sus derechos y garantías fundamentales, y con estricto apego a los instrumentos internacionales sobre derechos humanos[8]. Este principio fundamental es ampliamente aceptado en el derecho internacional.

10.   Asimismo, se sustenta en la idea fundamental de que el respeto a los derechos fundamentales de las personas privadas de libertad no está en conflicto con los fines de la seguridad ciudadana, sino que por el contrario es un elemento esencial para su realización. En este sentido, la Comisión Interamericana en su *informe sobre Seguridad Ciudadana y Derechos Humanos*, indicó que:

> [L]a situación que actualmente puede verificarse en la mayoría de los establecimientos carcelarios de la región, opera como un factor de reproducción permanente de la situación de violencia que enfrentan las sociedades del hemisferio. A juicio de la Comisión, las políticas públicas sobre seguridad ciudadana que implementen los Estados de la región deben contemplar, de manera prioritaria, acciones de prevención de la violencia y el delito en las tres dimensiones clásicamente reconocidas: (1) prevención primaria, referida a aquellas medidas dirigidas a toda la población, que tienen que ver con los programas de salud pública, educación, empleo, y formación para el respeto a los derechos humanos y construcción de ciudadanía democrática; (2) prevención secundaria, que incorpora medidas destinadas a personas o grupos en situación de mayor vulnerabilidad frente a la violencia y el delito, procurando, mediante programas focalizados disminuir los factores de riesgo y generar oportunidades sociales; y (3) prevención terciaria: relacionadas con acciones individualizadas dirigidas a personas ya involucradas en conductas delictivas, que se encuentran cumpliendo una sanción penal, o que han culminado de cumplirla recientemente. En estos casos adquieren especial relevancia los programas destinados a las personas que cumplen sanciones penales privados de libertad[9].

11.   Un sistema penitenciario que funcione de forma adecuada es un aspecto necesario para garantizar la seguridad de la ciudadanía y la buena administración de la justicia. Por el contrario, cuando las cárceles no reciben la atención o los recursos necesarios, su función se distorsiona, en vez de proporcionar protección, se convierten en

---

[8] CIDH, *Principios y Buenas Prácticas sobre la Protección de las Personas Privadas de Libertad en las Américas*, aprobado por la CIDH mediante Resolución 1/08 en su 131º período ordinario de sesiones, celebrado del 3 al 14 de marzo de 2008, (en adelante *"Principios y Buenas Prácticas sobre la Protección de las Personas Privadas de Libertad en las Américas"*), (Principio I).

[9] CIDH, *Informe sobre Seguridad Ciudadana y Derechos Humanos*, OEA/Ser.L/V/II. Doc.57, adoptado el 31 de diciembre de 2009, (en adelante *"Informe sobre Seguridad Ciudadana y Derechos Humanos"*), párr. 155.

escuelas de delincuencia y comportamiento antisocial, que propician la reincidencia en vez de la rehabilitación[10].

12.   En cuanto a sus contenidos, el presente informe se estructura en seis capítulos en los que la Comisión Interamericana se refiere a aquellos problemas que considera son los más graves y extendidos de la región, aquellos que afectan de forma más contundente los derechos fundamentales de la generalidad de las personas privadas de libertad. Sin desconocer que esta realidad también incluye otros elementos y que por lo tanto existen otros temas de gran importancia que si bien no son abordados directamente en esta ocasión, sí serán analizados en eventuales informes temáticos posteriores.

13.   El Capítulo II relativo a *La posición de garante del Estado frente a las personas privadas de libertad*, parte de la idea fundamental de que el Estado al privar de la libertad a una persona asume una responsabilidad especial de la que surgen deberes concretos de respeto y garantía de sus derechos, y de la que surge una fuerte presunción de responsabilidad internacional del Estado con respecto a los daños que sufren las personas mientras se encuentren bajo su custodia.

14.   En este sentido, se establece claramente que el primer deber del Estado como garante de las personas sometidas a su custodia, es precisamente el deber de ejercer el control efectivo y la seguridad interna de los centros penales; si esta condición esencial no se cumple es muy difícil que el Estado pueda asegurar mínimamente los derechos fundamentales de las personas bajo su custodia. A este respecto, es inaceptable desde todo punto de vista que existan un buen número de cárceles en la región que se rigen por sistemas de "autogobierno", en los que el control efectivo de todos los aspectos internos está en manos de determinados reclusos o bandas criminales; o por sistemas de "gobierno compartido", en las que estas mafias comparten este poder y sus beneficios con las autoridades penitenciarias. Cuando esto ocurre, el Estado se torna incapaz de garantizar mínimamente los derechos humanos de los reclusos y se trastoca y desnaturaliza totalmente el objeto y fin de las penas privativas de la libertad. En estos casos aumentan los índices de violencia y muertes en las cárceles; se generan peligrosos círculos de corrupción, entre otras muchas consecuencias del descontrol institucional en las cárceles.

15.   Asimismo, se hace referencia a los altos índices de violencia carcelaria en algunos países de la región, como por ejemplo Venezuela, en el que según información aportada por el propio Estado hubo 1,865 muertos y 4,358 heridos en hechos de violencia (motines, riñas y peleas) en cárceles en el periodo 2005-2009. A este respecto, se recomiendan como medidas de prevención de la violencia: reducir el hacinamiento y la sobrepoblación; evitar de manera efectiva el ingreso de armas, drogas, alcohol y otras sustancias ilícitas a los centros penales; establecer una clasificación y separación adecuada de los reclusos; asegurar la capacitación y formación continua y apropiada del personal penitenciario; y erradicar la impunidad, investigando y sancionando los actos de violencia que se cometan.

---

[10] CIDH, *Quinto Informe sobre la Situación de los Derechos Humanos en Guatemala*, Cap. VIII, párrs. 68 y 69.

16.   De igual forma, en este capítulo inicial se desarrollan otros deberes básicos del Estado derivados de su posición de garante de los derechos de las personas privadas de libertad, como lo son: (a) el asegurar un control judicial pronto y efectivo de la detención, como garantía fundamental de los derechos a la vida e integridad personal de los detenidos; (b) el deber de mantener registros completos, organizados y confiables del ingreso de personas a los centros de privación de libertad, y el deber de realizar un examen médico inicial de los detenidos en el que se determine la posible existencia de signos de violencia y la presencia de enfermedades transmisibles o que ameriten un tratamiento específico; (c) la necesidad de contar con personal penitenciario idóneo, capacitado y que ejerza sus funciones en condiciones adecuadas, el cual deberá ser de naturaleza civil e institucionalmente distinto de la policía o el ejército –en particular si está en contacto directo con los reclusos o sus familias–; el deber de recurrir al uso de la fuerza –letal y no letal– sólo cuando sea estrictamente necesario, de forma proporcional a la naturaleza de la situación que se busca controlar, de acuerdo con protocolos previamente establecidos para tal fin, y asegurando que tales acciones sean objeto de controles institucionales y judiciales; y el deber de establecer recursos judiciales idóneos y sistemas de quejas efectivos ante posibles violaciones a los derechos humanos derivadas de las condiciones de reclusión.

17.   En el Capítulo III relativo al *Derecho a la vida*, se analizan las principales situaciones en las que la Comisión ha observado que la vida de las personas privadas de libertad se encuentra en riesgo, la principal, los actos de violencia carcelaria entre internos. Luego hay una amplia gama de escenarios que van desde aquellos en los que las propias autoridades son directamente responsables de la muerte de los reclusos (como ejecuciones extrajudiciales, desapariciones forzadas y muertes producto del uso excesivo de la fuerza), hasta los supuestos en los que los propios reclusos recurren al suicidio, pasando por situaciones en las que la muerte de la víctima se debió, por ejemplo, a la falta de atención médica oportuna.

18.   En este contexto, la mayor cantidad de muertes se producen por hechos de violencia entre internos. Así por ejemplo, de acuerdo con información oficial recopilada en el marco del presente informe, las cifras de muertes violentas en cárceles en algunos Estados, además del ya mencionado caso de Venezuela, fue la siguiente: Chile 203 (2005-2009); Ecuador 172 (2005-junio 2010), y Colombia 113 (2005-2009). En este capítulo, se subraya que en todos estos casos el Estado, como garante de los derechos de las personas bajo su custodia, tiene el deber de investigar de oficio y con la debida diligencia la muerte de todas aquellas personas que perdieron la vida estando bajo su custodia, aún en aquellos casos en los que inicialmente se presenten como suicidios o como muertes naturales.

19.   En el Capítulo IV sobre *Derecho a la integridad personal*, se pone de relieve que actualmente la causa más extendida y común para el empleo de la tortura son los fines de investigación criminal, situación que ha sido ampliamente documentada, tanto por la CIDH, como por otros mecanismos internacionales de monitoreo, en países como México, Paraguay, Ecuador, Brasil y de forma muy concreta en la base naval de Guantánamo en territorio de los Estados Unidos, entre otros. En esta sección se analizan como causas principales de este fenómeno: la existencia de prácticas institucionales heredadas y una cultura de violencia firmemente arraigada en las fuerzas de seguridad del

Estado; la impunidad en la que se mantienen estos actos; la falta de capacitación, equipos y recursos necesarios para que los cuerpos de seguridad encargados de investigar los delitos tengan las herramientas adecuadas para cumplir con sus funciones; las políticas de "mano dura" o "tolerancia 0"; y el conceder valor probatorio a las pruebas obtenidas bajo tortura. A este respecto, la CIDH plantea la adopción de medidas concretas de prevención de la tortura, el control judicial efectivo de las detenciones, la investigación diligente y efectiva de estos actos, y la necesidad de que las autoridades del Estado envíen un mensaje claro, decidido y enérgico de repudio a la tortura y a los tratos crueles, inhumanos y degradantes.

20.   Asimismo, se presentan en este capítulo los principales estándares internacionales que deben regir el ejercicio de las funciones disciplinarias en los centros penales, se hace énfasis en el deber de establecer una normativa legal y reglamentaria que defina con claridad cuáles son las conductas susceptibles de ser castigadas y cuáles son las posibles sanciones, además que se contemple un proceso, que aunque sencillo, que asegure determinadas garantías mínimas que protejan al individuo contra el ejercicio arbitrario de los poderes disciplinarios. En este sentido, la existencia de sistemas disciplinarios ágiles y eficaces, que sirvan realmente para mantener el orden interno en los centros penales es fundamental para el funcionamiento adecuado de los mismos.

21.   El derecho a la integridad personal de los presos también puede verse vulnerado por las graves condiciones de reclusión en las que se les mantiene. En este sentido, el hacinamiento, genera una serie de condiciones que son contrarias al objeto mismo de la privación de libertad como pena. El hacinamiento, aumenta las fricciones y los brotes de violencia entre los reclusos, propicia la propagación de enfermedades, dificulta el acceso a los servicios básicos y de salud de las cárceles, constituye un factor de riesgo para la ocurrencia de incendios y otras calamidades, e impide el acceso a los programas de rehabilitación, entre otros graves efectos. Este problema, común a todos los países de la región es a su vez la consecuencia de otras graves deficiencias estructurales, como el empleo excesivo de la detención preventiva, el uso del encarcelamiento como respuesta única a las necesidades de seguridad ciudadana y la falta de instalaciones físicas adecuadas para alojar a los reclusos.

22.   En el Capítulo V sobre *Atención médica*, se establece que el deber del Estado de proveer servicios de salud a las personas sometidas a su custodia es una obligación que deriva directamente de su deber de garantizar los derechos a la vida e integridad personal de los reclusos, y que dicha responsabilidad internacional se mantiene aun en el supuesto de que tales servicios sean proveídos en las cárceles por agentes privados. Asimismo, se analizan varios de los principales obstáculos que enfrentan las personas privadas de libertad cuando requieren atención médica, como por ejemplo, la falta de personal e insumos suficientes para cubrir la demanda real.

23.   En el Capítulo VI sobre las *Relaciones familiares de los internos*, se reconoce que el mantenimiento del contacto y las relaciones familiares de las personas privadas de libertad, no sólo es un derecho protegido por el derecho internacional de los derechos humanos, sino que es una condición indispensable para su resocialización y reincorporación a la sociedad. Por otro lado, dado que en muchos centros de privación de

libertad, los recursos y servicios básicos no reúnen los estándares mínimos, los familiares de los internos se ven obligados a cubrir estas necesidades.

24.   La CIDH subraya que los Estados deben crear las condiciones necesarias para que las visitas familiares se desarrollen dignamente, es decir en condiciones de seguridad, privacidad e higiene; además, el personal de los centros penales debe estar debidamente capacitado para tratar con los familiares de los presos, en particular evitar el empleo de registros corporales e inspecciones vejatorias, sobre todo en el cuerpo de las mujeres que acuden a las visitas. Los Estados deben utilizar medios tecnológicos u otros métodos apropiados, incluyendo la requisa al propio personal, para evitar al máximo este tipo de procedimientos vejatorios.

25.   En el capítulo conclusivo, la Comisión resalta que la reforma y readaptación social de los condenados, como finalidad esencial de las penas privativas de la libertad (artículo 5.6 de la Convención Americana), son tanto garantías de la seguridad ciudadana[11], como derechos de las personas privadas de libertad. Por lo tanto, esta disposición es una norma con contenido y alcances propios de la que se deriva la correspondiente obligación del Estado de implementar programas de trabajo, estudio y otros servicios necesarios para que las personas privadas de libertad puedan tener opción a un proyecto de vida digna. Este deber del Estado es particularmente relevante si se toma en cuenta que en la mayoría de los países de la región las cárceles están pobladas mayoritariamente por personas jóvenes que se encuentran en las etapas más productivas de sus vidas.

26.   Por otro lado, la Comisión Interamericana considera positivamente la transparencia de muchos Estados en reconocer la presencia de importantes desafíos en esta materia, así como la necesidad de realizar reformas significativas para superarlos. En este sentido, al realizar el estudio correspondiente a la elaboración del presente informe la CIDH ha tomado nota de todas aquellas medidas e iniciativas que los Estados han señalado como avances recientes en relación con el cumplimiento de sus obligaciones internaciones frente a las personas privadas de libertad. A este respecto, se han observado iniciativas interesantes relacionadas con la provisión de servicios médicos en las cárceles, con la firma de acuerdos de cooperación con instituciones educativas; la creación de propuestas para fomentar la creación de nuevas opciones de trabajo para los internos; e incluso se han tenido en consideración opciones interesantes sobre apoyo y seguimiento post-penitenciario. Todo lo cual permite concluir que sí es posible generar cambios positivos en este ámbito y hacer frente a los importantes desafíos que enfrentan los Estados Miembros de la OEA.

C.   **Marco jurídico**

27.   Los tratados internacionales de derechos humanos consagran derechos que los Estados deben garantizar a todas las personas bajo su jurisdicción. Así, los tratados

---

[11] CIDH, *Acceso a la Justicia e Inclusión Social: el Camino hacia el Fortalecimiento de la Democracia en Bolivia*, OEA/Ser.L/V/II. Doc. 34, adoptado el 28 de junio de 2007, (en adelante *"Acceso a la Justicia e Inclusión Social: el Camino hacia el Fortalecimiento de la Democracia en Bolivia"*), Cap. III, párr. 209.

internacionales de derechos humanos se inspiran en valores comunes superiores, centrados en la protección del ser humano; se aplican de conformidad con la noción de garantía colectiva; consagran obligaciones de carácter esencialmente objetivo; y cuentan con mecanismos de supervisión específicos[12]. Además, al ratificar los tratados de derechos humanos los Estados se comprometen a interpretar y aplicar sus disposiciones de modo que las garantías que aquellos establecen sean verdaderamente prácticas y eficaces[13]; es decir, deben ser cumplidos de buena fe, de forma tal que tengan un efecto útil y que sirvan al propósito para el cual fueron adoptados.

28.   En el Sistema Interamericano los derechos de las personas privadas de libertad están tutelados fundamentalmente en la Convención Americana sobre Derechos Humanos (en adelante "la Convención" o "la Convención Americana"), que entró en vigor en julio de 1978 y que actualmente es vinculante para veinticuatro Estados Miembros de la OEA[14]. En el caso de los restantes Estados, el instrumento fundamental es la Declaración Americana de los Derechos y Deberes del Hombre (en adelante "la Declaración Americana)[15], adoptada en 1948 e incorporada a la Carta de la Organización de Estados Americanos mediante el Protocolo de Buenos Aires, adoptado en febrero de 1967. Asimismo, todos los demás tratados que conforman el régimen jurídico interamericano de protección de los derechos humanos contienen disposiciones aplicables a la tutela de los derechos de personas privadas de libertad, fundamentalmente, la Convención Interamericana para Prevenir y Sancionar la Tortura, que entró en vigor en febrero de 1987 y que actualmente ha sido ratificada por dieciocho Estados Miembros de la OEA[16].

29.   Además de estas obligaciones internacionales adquiridas por los Estados de la región en el marco de la Organización de los Estados Americanos, la mayoría de estos Estados también son Partes de tratados análogos adoptados en el contexto de la Organización de Naciones Unidas (en adelante también "el Sistema Universal");

---

[12] Corte I.D.H., *Control de Legalidad en el Ejercicio de las Atribuciones de la Comisión Interamericana de Derechos Humanos (arts. 41 y 44 de la Convención Americana sobre Derechos Humanos)*. Opinión Consultiva OC-19/05 de 28 de noviembre de 2005. Serie A No. 19, párr. 21.

[13] Corte I.D.H., *Caso Baena Ricardo y otros Vs. Panamá. Competencia*. Sentencia de 28 de noviembre de 2003. Serie C No. 104, párr. 66; Corte I.D.H., *Caso Ivcher Bronstein Vs. Perú. Competencia*. Sentencia de 24 de septiembre de 1999. Serie C No. 54, párr. 37. Corte I.D.H., *Caso del Tribunal Constitucional Vs. Perú. Competencia*. Sentencia de 24 de septiembre de 1999. Serie C No. 55, párr. 36.

[14] Estos son: Argentina, Barbados, Bolivia, Brasil, Chile, Colombia, Costa Rica, Dominica, Ecuador, El Salvador, Grenada, Guatemala, Haití, Honduras, Jamaica, México, Nicaragua, Panamá, Paraguay, Perú, República Dominicana, Suriname, Uruguay y Venezuela.

[15] Cuya aplicación a las personas privadas de libertad ha sido consistentemente reafirmada por los Estados miembros de la OEA en el marco de su Asamblea General. Véase al respecto: OEA, Resolución de la Asamblea General, AG/RES. 2668 (XLI-O/11), aprobada el 7 de junio de 2011; OEA, Resolución de la Asamblea General, AG/RES. 2592 (XL-O/10), aprobada el 8 de junio de 2010; OEA, Resolución de la Asamblea General, AG/RES. 2510 (XXXIX-O/09), aprobada el 4 de junio de 2009; OEA, Resolución de la Asamblea General, AG/RES. 2403 (XXXVIII-O/08), aprobada el 13 de junio de 2008; OEA, Resolución de la Asamblea General, AG/RES. 2283 (XXXVII-O/07), aprobada el 5 de junio de 2007; y OEA, Resolución de la Asamblea General, AG/RES. 2233 (XXXVI-O/06), aprobada el 6 de junio de 2006; y OEA, Resolución de la Asamblea General, AG/RES. 2125 (XXXV-O/05), aprobada el 7 de junio de 2005.

[16] Estos son: Argentina, Bolivia, Brasil, Chile, Colombia, Costa Rica, Ecuador, El Salvador, Guatemala, México, Nicaragua, Panamá, Paraguay, Perú, República Dominicana, Suriname, Uruguay y Venezuela.

particularmente, del Pacto de Derechos Civiles y Políticos, que entró en vigor en marzo de 1976, y que a la fecha ha sido ratificado por treinta Estados de las Américas[17], y la Convención contra la Tortura y otros Tratos o Penas Crueles, Inhumanos o Degradantes, que entró en vigencia en junio de 1987 y de la cual son parte veintitrés Estados de esta región[18]. Lo mismo ocurre con relación a otros tratados adoptados en el marco de la ONU que también contienen disposiciones directamente aplicables a la población reclusa, como por ejemplo, la Convención de los Derechos del Niño, que es fundamental en la protección de este sector de la población penitenciaria, y que ha sido ratificada por todos los Estados de la región excepto por los Estados Unidos de América.

30.   La Comisión Interamericana reafirma que el derecho internacional de los derechos humanos exige al Estado garantizar los derechos de las personas que se encuentran bajo su custodia[19]. Consecuentemente, uno de los más importantes predicados de la responsabilidad internacional de los Estados en relación a los derechos humanos es velar por la vida y la integridad física y mental de las personas privadas de libertad[20].

31.   Asimismo, todas las Constituciones de los Estados miembros de la OEA contienen normas que directa o indirectamente son aplicables a aspectos esenciales de la privación de libertad. En este sentido, la mayoría absoluta de las Constituciones de la región contienen disposiciones generales dirigidas a tutelar los derechos a la vida e integridad personal de sus habitantes, y algunas de ellas hacen referencia específica al respeto de este derecho de las personas en condición de encierro o en custodia[21]. Asimismo, varias de estas Constituciones establecen expresamente que las penas privativas de libertad, o los sistemas penitenciarios, estarán orientados o tendrán como finalidad la reeducación y/o reinserción social de los condenados[22].

---

[17] Estos son: Argentina, Bahamas, Barbados, Belice, Bolivia, Brasil, Canadá, Chile, Colombia, Costa Rica, Dominica, República Dominicana, Ecuador, El Salvador, Guatemala, Guyana, Haití, Honduras, Jamaica, México, Nicaragua, Panamá, Paraguay, Perú, San Vicente y las Granadinas, Suriname, Trinidad y Tobago, Estados Unidos de América, Uruguay y Venezuela.

[18] Estos son: Antigua y Barbuda, Argentina, Belice, Bolivia, Brasil, Canadá, Chile, Colombia, Costa Rica, Cuba, Ecuador, El Salvador, Guatemala, Guyana, Honduras, México, Nicaragua, Panamá, Paraguay, Perú, San Vicente y las Granadinas, Uruguay y Venezuela.

[19] CIDH, *Democracia y Derechos Humanos en Venezuela*, OEA/Ser.L/V/II. Doc. 54, adoptado el 30 de diciembre de 2009, (en adelante *"Democracia y Derechos Humanos en Venezuela"*), Cap. VI, párr. 814.

[20] CIDH, Informe No. 60/99, Caso 11.516, Fondo, Ovelário Tames, Brasil, 13 de abril de 1999, párr. 39.

[21] Ver por ejemplo: Constitución de la Nación Argentina, Art. 18; Constitución del Estado Plurinacional de Bolivia, Art. 73; Constitución de la República Federativa de Brasil, Título II, Cap. I, Art. 5.XLIX; Constitución de la República de Cuba, Art. 58; Constitución Política de la República de Guatemala, Art. 19.a; Constitución de la República de Haití, Art. 25; Constitución de la República de Honduras, Art. 68; Constitución de la República de Panamá, Art. 28; Constitución de la República Oriental del Uruguay, Art. 26; y Constitución de la República Bolivariana de Venezuela, Art. 46.

[22] A este respecto véase por ejemplo: Constitución del Estado Plurinacional de Bolivia, Art. 74; Constitución de la República del Ecuador, Art. 201; Constitución de la República de El Salvador, Art. 27(3); Constitución de la República de Guatemala, Art. 19; Constitución de los Estados Unidos Mexicanos, Art. 18; Constitución de la República de Nicaragua, Art. 39; Constitución de la República de Panamá, Art. 28; Constitución del Perú, Art. 139.22; Constitución de la República Oriental del Uruguay, Art. 26; y Constitución de la República Bolivariana de Venezuela, Art. 272.

32.   Incluso algunos Estados han elevado a rango constitucional salvaguardas más concretas relativas, por ejemplo, a la admisión y registro de personas que ingresan a centros penitenciarios[23]; a la separación y diferencia de trato entre procesados y condenados[24]; a la separación entre niños o adolescentes y adultos[25], y entre hombres y mujeres[26]; y al mantenimiento de la comunicación de los reclusos con sus familiares[27], entre otras.

33.   El marco jurídico internacional tomado en consideración para la elaboración del presente informe temático está conformado fundamentalmente por los instrumentos internacionales de derechos adoptados en el marco del Sistema Interamericano, fundamentalmente: la Declaración Americana[28], la Convención Americana[29], y la Convención Interamericana para Prevenir y Sancionar la Tortura[30]. Asimismo, en la medida que resulten aplicables: el Protocolo Adicional a la Convención Americana en Materia de Derechos Económicos, Sociales y Culturales "Protocolo de San Salvador"[31], la Convención Interamericana para Prevenir, Sancionar y Erradicar la Violencia contra la Mujer (en adelante "Convención de Belém do Pará")[32]; la Convención Americana

---

[23] A este respecto véase por ejemplo: Constitución del Estado Plurinacional de Bolivia, Art.23 (VI); y Constitución de la República de Chile, Art. 19.7(d).

[24] A este respecto véase por ejemplo: Constitución de la República del Ecuador, Art. 77.2; Constitución de la República de Guatemala, Art. 10; Constitución de la República de Haití, Art. 44; Constitución de la República de Honduras, Art. 86; Constitución de los Estados Unidos Mexicanos, Art. 18; Constitución de la República de Nicaragua, Art. 33.5; y Constitución de la República del Paraguay, Art. 21.

[25] A este respecto véase por ejemplo: Constitución del Estado Plurinacional de Bolivia, Art. 23.II; Constitución de la República Federativa de Brasil, Título II, Cap. I, Art. 5.XLVIII; Constitución de la República de Nicaragua, Art. 35; Constitución de la República de Panamá, Art. 28; Constitución de la República de Paraguay, Art. 21; y Constitución de la República Oriental del Uruguay, Art. 43.

[26] A este respecto véase por ejemplo: Constitución de la República Federativa de Brasil, Título II, Cap. I, Art. 5.XLVIII; Constitución de los Estados Unidos Mexicanos, Art. 18; Constitución de la República de Nicaragua, Art. 39; Constitución de la República del Paraguay, Art. 21; y Constitución de la República Oriental de Uruguay, Art. 43.

[27] A este respecto véase por ejemplo: Constitución de la República del Ecuador, Art. 51.2; y Constitución de la República de Guatemala, Art. 19.c.

[28] OEA, *Declaración Americana de los Derechos y Deberes del Hombre*, aprobada en la Novena Conferencia Internacional Americana celebrada en Bogotá, Colombia, 1948.

[29] OEA, *Convención Americana sobre Derechos Humanos*, suscrita en San José, Costa Rica el 22 de noviembre de 1969, en la Conferencia Especializada Interamericana sobre Derechos Humanos.

[30] OEA, *Convención Interamericana para Prevenir y Sancionar la Tortura*, aprobada en Cartagena de Indias, Colombia, el 9 de diciembre de 1985 en el decimoquinto periodo ordinario de sesiones de la Asamblea General.

[31] OEA, *Protocolo Adicional a la Convención Americana sobre Derechos Humanos en Materia de Derechos Económicos, Sociales y Culturales "Protocolo de San Salvador"*, adoptado en San Salvador, El Salvador, el 17 de noviembre de 1988, en el decimoctavo período ordinario de sesiones de la Asamblea General.

[32] OEA, *Convención Interamericana para Prevenir, Sancionar y Erradicar la Violencia contra la Mujer "Convención de Belém do Pará"*, adoptada en Belém do Pará, Brasil, el 9 de junio de 1994 en el vigésimo cuarto período ordinario de sesiones de la Asamblea General.

sobre Desaparición Forzada de Personas[33]; y la Convención Interamericana para la Eliminación de Todas las Formas de Discriminación contra las Personas con Discapacidad[34].

34.   Son particularmente relevantes para el análisis del presente informe los *Principios y Buenas Prácticas sobre la Protección de las Personas Privadas de Libertad en las Américas*, adoptados por la Comisión Interamericana en marzo de 2008 en el marco de su 131º período ordinario de sesiones. Este documento es una revisión de los estándares internaciones vigentes en la materia y de los criterios emitidos por los órganos del Sistema Interamericano relativos a personas privadas de libertad. Además, en su elaboración se tomaron en cuenta aportes de los Estados miembros de la OEA, de expertos y de organizaciones de la sociedad civil.

35.   También forman parte del marco jurídico del presente informe los tratados correspondientes adoptados en el marco de la Organización de las Naciones Unidas, particularmente: el Pacto Internacional de Derechos Civiles y Políticos[35], la Convención contra la Tortura y Otros Tratos o Penas Crueles, Inhumanos o Degradantes[36], y su Protocolo Opcional[37], y la Convención sobre los Derechos del Niño[38].

36.   Además de otros tratados e instrumentos internacionales relevantes, como: las Reglas Mínimas para el Tratamiento de los Reclusos[39]; los Principios Básicos para el Tratamiento de los Reclusos[40]; el Conjunto de Principios para la Protección de Todas las Personas Sometidas a Cualquier Forma de Detención o Prisión[41]; las Reglas de las Naciones

---

[33] OEA, *Convención Interamericana sobre Desaparición Forzada de Personas*, adoptada en Belém do Pará, Brasil, el 9 de junio de 1994, en el vigésimo cuarto período ordinario de sesiones de la Asamblea General.

[34] OEA, *Convención Interamericana para la Eliminación de Todas las Formas de Discriminación contra las Personas con Discapacidad*, aprobada en Ciudad de Guatemala, Guatemala el 7 de junio de 1999, en el vigésimo noveno período ordinario de sesiones de la Asamblea General.

[35] ONU, Pacto Internacional de Derechos Civiles y Políticos, aprobado y abierto a la firma, ratificación y adhesión por la Asamblea General en su Resolución 2200 A (XXI), de 16 de diciembre de 1966.

[36] ONU, Convención contra la Tortura y otros Tratos o Penas Crueles, Inhumanos o Degradantes, aprobada y abierta a la firma, ratificación y adhesión por la Asamblea General en su Resolución 39/46, de 10 de diciembre de 1984.

[37] ONU, Protocolo Facultativo de la Convención contra la Tortura y otros Tratos o Penas Crueles, Inhumanos o Degradantes, aprobado por la Asamblea General en su Resolución 57/199, de 18 de diciembre de 2002.

[38] ONU, Convención sobre los Derechos del Niño, aprobada y abierta a la firma y ratificación por la Asamblea General en su Resolución 44/25, de 20 de noviembre de 1989.

[39] ONU, Reglas Mínimas para el Tratamiento de los Reclusos, adoptadas en el Primer Congreso de las Naciones Unidas sobre Prevención del Delito y Tratamiento del Delincuente, celebrado en Ginebra en 1955, y aprobadas por el Consejo Económico y Social en sus resoluciones 663C (XXIV) de 31 de junio de 1957 y 2076 (LXII) de 13 de mayo de 1977.

[40] ONU, Principios Básicos para el Tratamiento de los Reclusos, adoptados y proclamados por la Asamblea General en su Resolución 45/111, de 14 de diciembre de 1990.

[41] ONU, Conjunto de Principios para la Protección de Todas las Personas Sometidas a Cualquier Forma de Detención o Prisión, adoptado por la Asamblea General de la ONU en su Resolución 43/173, del 9 de diciembre de 1988.

Unidas para la Protección de los Menores Privados de Libertad[42]; los Principios de Ética Médica Aplicables a la Función del Personal de Salud, especialmente los Médicos, en la Protección de Personas Presas y Detenidas contra la Tortura y otros Tratos o Penas Crueles, Inhumanas o Degradantes[43]; el Código de Conducta para Funcionarios Encargados de Hacer Cumplir la Ley[44]; los Principios Básicos sobre el Empleo de la Fuerza y de Armas de Fuego por los Funcionarios Encargados de Hacer Cumplir la Ley[45]; las Reglas Mínimas de las Naciones Unidas sobre las Medidas no Privativas de la Libertad (Reglas de Tokio)[46]; y las Reglas Mínimas de las Naciones Unidas para la Administración de la Justicia de Menores (Reglas de Beijing)[47].

37.   Estos instrumentos internacionales han sido utilizados consistentemente, tanto por la Comisión, como por la Corte Interamericana (en adelante también "la Corte", como pauta de interpretación en la determinación del contenido y alcances de las disposiciones de la Convención Americana en casos de personas privadas de libertad; en particular las Reglas Mínimas para el Tratamiento de Reclusos, cuya relevancia y universalidad ha sido reconocida, tanto por la Corte[48], como por la Comisión[49].

---

[42] ONU, Reglas de las Naciones Unidas para la Protección de los Menores Privados de Libertad, adoptadas por la Asamblea General en su Resolución 45/113, de 14 de diciembre de 1990.

[43] ONU, Principios de Ética Médica Aplicables a la Función del Personal de Salud, Especialmente los Médicos, en la protección de Personas Presas y Detenidas contra la Tortura y otros Tratos o Penas Crueles, Inhumanas o Degradantes, adoptados por la Asamblea General de la ONU, en su Resolución 37/194, del 18 de diciembre de 1982.

[44] ONU, Código de Conducta para Funcionarios Encargados de Hacer Cumplir la Ley, adoptado por la Asamblea General mediante Resolución 34/169, del 17 de diciembre de 1979.

[45] ONU, Principios Básicos sobre el Empleo de la Fuerza y de Armas de Fuego por los Funcionarios Encargados de hacer Cumplir la Ley, adoptados por el Octavo Congreso de las Naciones Unidas sobre Prevención del Delito y Tratamiento del Delincuente, celebrado en La Habana, Cuba, del 27 de agosto al 7 de septiembre de 1990.

[46] ONU, Reglas Mínimas de las Naciones Unidas sobre las Medidas no Privativas de la Libertad (Reglas de Tokio), Adoptadas por la Asamblea General en su Resolución 45/110, del 14 de diciembre de 1990.

[47] ONU, Reglas Mínimas de las Naciones Unidas para la Administración de Justicia de Menores (Reglas de Beijing), adoptadas por la Asamblea General en su Resolución 40/33, del 29 de noviembre de 1985.

[48] Véase por ejemplo, Corte I.D.H., *Caso Raxcacó Reyes Vs. Guatemala*. Sentencia de 15 de septiembre de 2005. Serie C No. 133, párr. 99.

[49] A este respecto véase por ejemplo: *Informe Especial sobre la Situación de los Derechos Humanos en la Cárcel de Challapalca*, OEA/Ser.L/V/II.118, doc. 3, adoptado el 9 de octubre de 2003, (en adelante "*Informe Especial sobre la Situación de los Derechos Humanos en la Cárcel de Challapalca*"), párrs. 16 y 17; CIDH, Informe No. 28/09, Fondo, Dexter Lendore, Trinidad y Tobago, 20 de marzo de 2009, párrs. 30 y 31; CIDH, Informe No. 78/07, Fondo, Chad Roger Goodman, Bahamas, 15 de octubre de 2007, párrs. 86-87; CIDH, Informe No. 67/06, Caso 12.476, Fondo, Oscar Elías Biscet y otros, Cuba, 21 de octubre de 2006, párr. 152; CIDH, Informe No. 76/02, Caso 12.347, Fondo, Dave Sewell, Jamaica, 27 de diciembre de 2002, párrs. 114 y 115; CIDH, Informe No. 58/02, Caso 12.275, Fondo, Denton Aitken, Jamaica, 21 de octubre de 2002, párr. 134 y 135; Informe No. 127/01, Caso 12.183, Fondo, Joseph Thomas, Jamaica, 3 de diciembre de 2001, párr. 133; CIDH, Informe No. 49/01, Casos 11.826, 11.843, 11.846, 11.847, Fondo, Leroy Lamey, Kevin Mykoo, Milton Montique, Dalton Daley, Jamaica, 4 de abril de 2001, párr. 204; CIDH, Informe No. 48/01, Fondo, Casos 12.067, 12.068 y 12.086, Michael Edwards, Omar Hall, Brian Schroeter y Jerónimo Bowleg, Bahamas, 4 de abril de 2001, párr. 195; y CIDH, Informe No. 41/00, Casos 12.023, 12.044, 12.107, 12.126, 12.146, Fondo, Desmond McKenzie y otros, Jamaica, 13 de abril de 200, párr. 289. Además, en sus Informes de País la CIDH ha usado reiteradamente, tanto las Reglas Mínimas, como el resto de los mencionados instrumentos internacionales.

D. Alcance del concepto de privación de libertad

38. Si bien el presente informe se enfoca principalmente en la situación de las personas privadas de libertad en penitenciarías, centros de detención provisional, y comisarías y estaciones de policía, la Comisión Interamericana subraya que el concepto de "privación de libertad" abarca:

> Cualquier forma de detención, encarcelamiento, institucionalización, o custodia de una persona, por razones de asistencia humanitaria, tratamiento, tutela, protección, o por delitos e infracciones a la ley, ordenada por o bajo el control *de facto* de una autoridad judicial o administrativa o cualquier otra autoridad, ya sea en una institución pública o privada, en la cual no pueda disponer de su libertad ambulatoria. Se entiende entre esta categoría de personas, no sólo a las personas privadas de libertad por delitos o por infracciones e incumplimientos a la ley, ya sean éstas procesadas o condenadas, sino también a las personas que están bajo la custodia y la responsabilidad de ciertas instituciones, tales como: hospitales psiquiátricos y otros establecimientos para personas con discapacidades físicas, mentales o sensoriales; instituciones para niños, niñas y adultos mayores; centros para migrantes, refugiados, solicitantes de asilo o refugio, apátridas e indocumentados; y cualquier otra institución similar destinada a la privación de libertad de personas[50].

Por lo tanto, las consideraciones que se hacen en este informe son aplicables también a estos otros ámbitos en lo que corresponda. En efecto, la privación de libertad de una persona es una condición que puede darse en distintos ámbitos; por lo tanto, las obligaciones de respeto y garantía a cargo de los Estados trascienden lo meramente penitenciario y policial[51].

39. En la práctica, la Comisión Interamericana ha decidido varios casos en los que los hechos denunciados ocurrieron en lugares distintos a centros penitenciarios, como por ejemplo: aeropuertos[52], retenes militares[53], instalaciones de la INTERPOL[54], bases

---

[50] CIDH, *Principios y Buenas Prácticas sobre la Protección de las Personas Privadas de Libertad en las Américas*, Disposición general.

[51] Esta concepción amplia de la privación de libertad se ve reflejada en varios instrumentos internacionales. Así por ejemplo, el Protocolo Facultativo de la Convención contra la Tortura y otros Tratos o Penas Crueles, Inhumanos o Degradantes (OP-CAT) dispone que a sus efectos se entiende por privación de libertad, "cualquier forma de detención o encarcelamiento o de custodia de una persona en una institución pública o privada de la cual no pueda salir libremente, por orden de una autoridad judicial o administrativa o de otra autoridad pública" (artículo 4.2).

[52] A este respecto véase por ejemplo: CIDH, Informe No. 84/09, Caso 12.525, Fondo, Nelson Iván Serrano Sáenz, Ecuador, 6 de agosto de 2009.

[53] A este respecto véase por ejemplo: CIDH, Informe No. 53/01, Caso 11.565, Fondo, Ana Beatriz y Celia González Pérez, México, 4 de abril de 2001.

[54] A este respecto véase por ejemplo: CIDH, Informe No. 64/99, Caso 11.778, Fondo, Ruth del Rosario Garcés Valladares, Ecuador, 13 de abril de 1999.

navales[55], centros clandestinos de detención[56], y hospitales psiquiátricos[57], entre otros. Asimismo, ha otorgado medidas cautelares para proteger a personas que al momento de los hechos estaban recluidas en hospitales psiquiátricos[58], hospitales militares[59] y orfanatos[60]. Además, en distintos informes se ha referido a las condiciones de detención en centros de migrantes[61].

E.   Metodología y terminología

40.   Como parte de la elaboración de este informe la CIDH publicó un cuestionario que fue enviado a los Estados Miembros de la OEA y a otros actores relevantes vinculados al tema. Dicho cuestionario fue contestado por un total de 20 Estados Miembros de la OEA, y por un importante número de organizaciones de la sociedad civil, expertos y entidades académicas. Además, se realizó un Seminario Regional sobre Buenas Prácticas Penitenciarias, celebrado en Buenos Aires del 12 al 16 de noviembre de 2007, el cual contó con la participación de Organizaciones No Gubernamentales, universidades y centros académicos, organismos internacionales y la participación de representantes de dieciséis Estados de Latinoamérica[62].

41.   Con respecto a la base fáctica de los temas abordados en este informe, se han considerado de manera fundamental las observaciones realizadas directamente por la CIDH en sus *visitas in loco*, y por su Relatoría de Personas Privadas de Libertad en el curso de sus visitas de trabajo. Además, todas aquellas situaciones y tendencias registradas por la CIDH en el ejercicio de su competencia con respecto a peticiones y casos; y en el contexto de sus mecanismos de monitoreo inmediato, como los comunicados de prensa y las solicitudes de información a los Estados realizadas con base en las facultades otorgadas a la CIDH por el artículo 41 de la Convención Americana. Asimismo, se toma nota de los pronunciamientos relativos a personas privadas de libertad emitidos por la CIDH en el Capítulo IV de sus Informes Anuales, relativo a países que presentan desafíos importantes en el respeto de los derechos humanos de las personas bajo su jurisdicción.

---

[55] A este respecto véase por ejemplo: CIDH, Informe No. 1/97, Caso 10.258, Fondo, Manuel García Franco, 18 de febrero de 1998.

[56] A este respecto véase por ejemplo: CIDH, Informe No. 31/96, Caso 10.526, Fondo, Diana Ortiz, Guatemala, 16 de octubre de 1996.

[57] A este respecto véase por ejemplo: CIDH, Demanda ante la Corte I.D.H. en el Caso de Damiao Ximenes Lopes, Caso No. 12.237, Brasil, 1 de octubre de 2004.

[58] A este respecto véase por ejemplo: Medidas Cautelares MC-277-07, *Hospital Neuropsiquiátrico*, Paraguay.

[59] A este respecto véase por ejemplo: Medidas Cautelares MC-209-09, *Franklin José Brito Rodríguez*, Venezuela.

[60] A este respecto véase por ejemplo: Medidas Cautelares MC-554-03, *"Michael Roberts"*, Jamaica.

[61] A este respecto véase en general la página oficial de la Relatoría sobre Trabajadores Migratorios y los Miembros de sus Familias, disponible en: http://www.cidh.oas.org/Migrantes/Default.htm.

[62] Las memorias y conclusiones del Seminario Latinoamericano de Buenas Prácticas Penitenciarias están disponibles en: http://www.oas.org/es/cidh/ppl/actividades/seminario_conclusiones.asp.

42.   De igual forma, se considera relevante la información obtenida por mecanismos de Naciones Unidas en sus misiones a Estados americanos, en particular por el Grupo de Trabajo sobre Detenciones Arbitrarias[63], el Relator Especial sobre la Cuestión de la Tortura y Otros Tratos o Penas Crueles, Inhumanos o Degradantes de la Organización de las Naciones Unidas (en adelante también "Relator sobre la Tortura de la ONU")[64], y el Subcomité contra la Tortura (en adelante también "SPT")[65]. Es decir, este informe se construye fundamentalmente sobre la base de la realidad constatada directamente en el terreno.

43.   También se toman en consideración los informes propios del monitoreo que realizan el Comité de Derechos Humanos (en adelante también "HRC") y el Comité contra la Tortura (en adelante también "CAT"), con respecto al cumplimiento del Pacto Internacional de Derechos Civiles y Políticos y de la Convención contra la Tortura y otros Tratos o Penas Crueles, Inhumanos o Degradantes.

44.   Asimismo, se ha tomado en cuenta la información aportada por distintas organizaciones de la sociedad civil que a lo largo de los últimos años han presentado a la Comisión Interamericana más de cincuenta audiencias temáticas relativas a temas de personas privadas de libertad. La CIDH toma nota también de los estudios e informes preparados por agencias especializadas como la Oficina de las Naciones Unidas para la Droga y el Crimen (UNODC); el Programa de las Naciones Unidas para el Desarrollo (PNUD); el Instituto Latinoamericano de las Naciones Unidas para la Prevención del Delito y para el Tratamiento del Delincuente (ILANUD), y el Departamento de Seguridad Pública de la OEA; y otros documentos relevantes de actualidad, como los producidos en el marco del 12º Congreso de las Naciones Unidas sobre Prevención del Delito y Justicia Penal.

45.   En el presente informe se utilizan los siguientes términos:

(a)   Por "persona detenida o detenido" se entiende toda persona privada penalmente de su libertad, salvo cuando ello haya resultado de una sentencia.

(b)   Por "persona presa o preso", se entiende toda persona privada de su libertad como resultado de una sentencia.

(c)   Por "persona privada de libertad", "recluso" o "interno" se entiende genéricamente toda persona privada de libertad en cualquiera de los dos supuestos anteriores, estos términos se refieren en forma amplia a personas sometidas a cualquier forma de reclusión o prisión.

---

[63] El cual ha realizado ocho visitas de monitoreo en las Américas a los siguientes Estados: Colombia (2008), Honduras (2006), Nicaragua (2006), Ecuador (2006), Canadá (2005), Argentina (2003), México (2002), y Perú (1998).

[64] El cual ha realizado siete visitas a los siguientes Estados: Uruguay (2009), Paraguay (2006), Brasil (2000), Chile (1995), Colombia (1994), México (1997), y Venezuela (1996).

[65] El cual a la fecha ha publicado tres informes sobre visitas de monitoreo a países de la región: Honduras (2009), Paraguay (2009) y México (2008).

(d)   Por "arresto" se entiende el acto de aprehender a una persona con motivo de la supuesta comisión de un delito o por acto de autoridad.

(e)   Por "centro de detención" se entiende todos aquellos establecimientos destinados a recluir personas que aún no han sido condenadas penalmente.

(f)   Por "penitenciaría", "prisión" o "centro penitenciario" se entiende aquellos establecimientos destinados a personas condenadas penalmente.

(g)   Por "cárcel", "centro penal" o "centro de reclusión" se entiende, tanto aquellos establecimientos destinados a la detención provisional o preventiva de personas, como a aquellos destinados al alojamiento de reos condenados.

(h)   Por "sistema penitenciario" se entiende, tanto la institución encargada de la administración de las cárceles, como al conjunto de los establecimientos carcelarios.

II.   LA POSICIÓN DE GARANTE DEL ESTADO FRENTE A LAS PERSONAS PRIVADAS DE LIBERTAD

46.   La Convención Americana sobre Derechos Humanos establece en su artículo 1.1, como base de las obligaciones internacionales asumidas por los Estados partes "que éstos se comprometen a respetar los derechos y libertades reconocidos en ella y a garantizar su libre y pleno ejercicio a toda persona que esté sujeta a su jurisdicción" sin discriminación alguna. Estas obligaciones generales de *respeto* y *garantía*, vinculantes para el Estado con respecto a toda persona, implican para éste un mayor nivel de compromiso al tratarse de personas en situación de riesgo o vulnerabilidad.

47.   El respeto a los derechos humanos –cuyo fundamento es el reconocimiento de la dignidad inherente al ser humano– constituye un límite a la actividad estatal, lo cual vale para todo órgano o funcionario que se encuentre en una situación de poder frente al individuo. La obligación de garantizar implica que el Estado debe tomar todas las "medidas necesarias" para procurar que las personas sujetas a su jurisdicción puedan disfrutar efectivamente de sus derechos[66]. En atención a esta obligación los Estados deben prevenir, investigar, sancionar y reparar toda violación a los derechos humanos.

48.   En este sentido, la Corte Interamericana ha establecido que, "de las obligaciones generales de respetar y garantizar los derechos, derivan deberes especiales, determinables en función de las particulares necesidades de protección del sujeto de derecho, ya sea por su condición personal o por la situación específica en que se

---

[66] Corte I.D.H., *Excepciones al Agotamiento de los Recursos Internos* (Arts. 46.1, 46.2.a y 46.2.b Convención Americana sobre Derechos Humanos). Opinión Consultiva OC-11/90 del 10 de agosto de 1990. Serie A No. 11, párr. 34.

encuentre"[67]. Tal es el caso de las personas privadas de libertad, las cuales mientras dure el periodo de su detención o prisión están sujetas al control efectivo del Estado.

49.   En efecto, el principal elemento que define la privación de libertad es la dependencia del sujeto a las decisiones que adopte el personal del establecimiento donde éste se encuentra recluido[68]. Es decir, las autoridades estatales ejercen un control total sobre la persona que se encuentra sujeta a su custodia[69]. Este particular contexto de subordinación del recluso frente al Estado –que constituye una relación jurídica de derecho público– se encuadra dentro de la categoría *ius administrativista* conocida como relación de sujeción especial, en virtud de la cual el Estado, al privar de libertad a una persona, se constituye en *garante* de todos aquellos derechos que no quedan restringidos por el acto mismo de la privación de libertad; y el recluso, por su parte, queda sujeto a determinadas obligaciones legales y reglamentarias que debe observar.

50.   Esta posición de garante en la que se coloca el Estado es el fundamento de todas aquellas medidas, que de acuerdo con el derecho internacional de los derechos humanos, aquel debe adoptar con el fin de respetar y garantizar los derechos de las personas privadas de libertad.

51.   La Corte Interamericana –siguiendo criterios de la Corte Europea de Derechos Humanos (en adelante "la CEDH" o "CEDH")– estableció, a partir del caso *Neira Alegría y otros*, que "toda persona privada de libertad tiene derecho a vivir en condiciones de detención compatibles con su dignidad personal y el Estado debe garantizarle el derecho a la vida y a la integridad personal. En consecuencia, el Estado, como responsable de los establecimientos de detención, es el garante de estos derechos de los detenidos"[70].

52.   Posteriormente, en el caso del *"Instituto de Reeducación del Menor"*, la Corte desarrolló aun más este concepto, y agregó *inter alia* que:

Ante esta relación e interacción especial de sujeción entre el interno y el Estado, este último debe asumir una serie de responsabilidades particulares y tomar diversas iniciativas especiales para garantizar a los

---

[67] Corte I.D.H., *Caso Vélez Loor Vs. Panamá*. Excepciones Preliminares, Fondo, Reparaciones y Costas. Sentencia de 23 de noviembre de 2010 Serie C No. 218, párr. 98; Corte I.D.H., *Caso de la Masacre de Pueblo Bello Vs. Colombia*. Sentencia de 31 de enero de 2006. Serie C No. 140, párr. 111; Corte I.D.H., *Caso González y otras ("Campo Algodonero") Vs. México*. Excepción Preliminar, Fondo, Reparaciones y Costas. Sentencia de 16 de noviembre de 2009. Serie C No. 205, párr. 243.

[68] ONU, Grupo de Trabajo sobre Detenciones Arbitrarias, Informe presentado al Consejo de Derechos Humanos, A/HRC/10/21, adoptado el 16 de febrero de 2009, Cap. III: *Consideraciones* temáticas, párr. 46.

[69] Corte I.D.H., Asunto María Lourdes Afiuni respecto Venezuela, Resolución del Presidente de la Corte Interamericana de Derechos Humanos de 10 de diciembre de 2010, Considerando 11; Corte I.D.H., *Caso Bulacio Vs. Argentina*. Sentencia de 18 de septiembre de 2003. Serie C No. 100, párr. 126.

[70] Corte I.D.H., *Caso Neira Alegría y otros Vs. Perú*. Sentencia de 19 de enero de 1995. Serie C No. 20, párr. 60. Este criterio fundamental ha sido reiterado consistentemente por la Corte Interamericana, tanto en sus sentencias, como en sus resoluciones de medidas provisionales; con respecto a estas últimas a partir de su resolución de otorgamiento de las medidas provisionales de la Cárcel de Urso Branco, Brasil, Resolución de la Corte Interamericana de Derechos Humanos de 18 de junio de 2002, Considerando 8.

reclusos las condiciones necesarias para desarrollar una vida digna y contribuir al goce efectivo de aquellos derechos que bajo ninguna circunstancia pueden restringirse o de aquéllos cuya restricción no deriva necesariamente de la privación de libertad y que, por tanto, no es permisible. De no ser así, ello implicaría que la privación de libertad despoja a la persona de su titularidad respecto de todos los derechos humanos, lo que no es posible aceptar[71].

53.   De igual forma, la Comisión Interamericana estableció hace más de una década en su Informe de Fondo No. 41/99 del caso de los *Menores Detenidos* que:

[E]l Estado, al privar de libertad a una persona, se coloca en una especial posición de garante de su vida e integridad física. Al momento de detener a un individuo, el Estado lo introduce en una "institución total", como es la prisión, en la cual los diversos aspectos de su vida se someten a una regulación fija, y se produce un alejamiento de su entorno natural y social, un control absoluto, una pérdida de intimidad, una limitación del espacio vital y, sobre todo, una radical disminución de las posibilidades de autoprotección. Todo ello hace que el acto de reclusión implique un compromiso específico y material de proteger la dignidad humana del recluso mientras esté bajo su custodia, lo que incluye su protección frente a las posibles circunstancias que puedan poner en peligro su vida, salud e integridad personal, entre otros derechos[72].

54.   El ejercicio de la posición de garante del Estado se mantiene en situaciones tales como el internamiento en hospitales psiquiátricos e instituciones para personas con discapacidades; instituciones para niños, niñas y adultos mayores; centros para migrantes, refugiados, solicitantes de asilo, apátridas e indocumentados; y cualquier otra institución similar destinada a la privación de libertad de personas[73]. En cada uno de estos supuestos las medidas concretas que adopte el Estado estarán determinadas por las condiciones y necesidades particulares del grupo que se trate.

55.   De igual forma, el deber del Estado de respetar y garantizar los derechos de las personas privadas de libertad tampoco se limita a lo que acontezca al interior de las instituciones mencionadas, sino que se mantiene en circunstancias tales como el traslado de reclusos de un establecimiento a otro; su conducción a diligencias judiciales; o cuando son llevados a centros hospitalarios externos.

---

[71] Corte I.D.H., *Caso "Instituto de Reeducación del Menor" Vs. Paraguay.* Sentencia de 2 de septiembre de 2004. Serie C No. 112, párrs. 152 y 153. Véase también, Corte I.D.H., *Caso Montero Aranguren y otros (Retén de Catia).* Sentencia de 5 de julio de 2006. Serie C No. 150, párr. 87.

[72] CIDH, *Informe Especial sobre la Situación de los Derechos Humanos en la Cárcel de Challapalca,* párr. 113; CIDH, Informe No. 41/99, Caso 11.491, Fondo, Menores Detenidos, Honduras, 10 de marzo de 1999, párr. 135.

[73] CIDH, *Principios y Buenas Prácticas sobre la Protección de las Personas Privadas de Libertad en las Américas,* Disposición general.

56.   Asimismo, en aquellos casos en los que la provisión de determinados servicios básicos en las cárceles, como el suministro de alimentos o de atención médica, haya sido delegado o concesionado a personas privadas, el Estado debe ejercer la supervisión y control de las condiciones en las se proveen tales servicios.

57.   Otra de las consecuencias jurídicas propias de la privación de libertad es la presunción *iuris tantum* de que el Estado es internacionalmente responsable por las violaciones a los derechos a la vida o a la integridad personal que se cometan contra personas que se encuentran bajo su custodia, correspondiéndole al Estado desvirtuar tal presunción con pruebas suficientemente eficaces. Así, el Estado tiene, tanto la responsabilidad de garantizar los derechos de los individuos bajo su custodia, como la de proveer la información y las pruebas relativas a lo que a éstos les suceda[74].

58.   Por otro lado, la Comisión considera que el ejercicio por parte del Estado de su *posición de garante* de los derechos de las personas privadas de libertad es una tarea compleja en la que confluyen competencias de distintas instituciones del Estado. Que van, desde los órganos ejecutivo y legislativo, encargados de trazar políticas penitenciarias y legislar el ordenamiento jurídico necesario para la implementación de tales políticas, hasta entidades administrativas y autoridades que ejercen sus funciones directamente en las cárceles[75]. Está en manos de la judicatura, además de la tramitación de las causas penales; el control de la legalidad del acto de la detención; la tutela judicial de las condiciones de reclusión; y el control judicial de la ejecución de la pena privativa de la libertad. En este sentido, la CIDH ha constatado que las deficiencias de las instituciones judiciales tienen un

---

[74] Corte I.D.H., *Caso Tibi Vs. Ecuador*. Sentencia de 7 de septiembre de 2004. Serie C No. 114, párr. 129; Corte I.D.H., *Caso Bulacio Vs. Argentina*. Sentencia de 18 de septiembre de 2003. Serie C No. 100, párr. 126. Esta presunción fue reconocida por la Corte Interamericana a partir de su resolución de otorgamiento de medidas provisionales en el asunto de la cárcel de Urso Branco, en Brasil, en la que el Tribunal dijo que,

> [E]n virtud de la responsabilidad del Estado de adoptar medidas de seguridad para proteger a las personas que estén sujetas a su jurisdicción, la Corte estima que este deber es más evidente al tratarse de personas recluidas en un centro de detención estatal, caso en el cual se debe presumir la responsabilidad estatal en lo que les ocurra a las personas que están bajo su custodia[74]. Corte I.D.H., Asunto de la Cárcel de Urso Branco respecto Brasil, Resolución de la Corte Interamericana de Derechos Humanos de 18 de junio de 2002, Considerando 8.

[75] Así, por ejemplo, la CIDH en su informe *Acceso a la Justicia e Inclusión Social: El Camino hacia el Fortalecimiento de la Democracia en Bolivia*, luego de analizar los distintos desafíos que enfrenta el Estado boliviano en cuanto a su gestión penitenciaria, concluyó:

> La situación carcelaria observada en Bolivia y los problemas resultantes son complejos y demandan respuestas gubernamentales dialogadas y coordinadas entre los tres poderes del Estado, algunas de las cuales deben implementarse inmediatamente, y otras a mediano y largo plazo. En ese sentido, la Comisión insta a los Poderes Ejecutivo, Judicial y Legislativo de Bolivia a que promuevan un diálogo y debate interinstitucional con vista a remediar la situación de los derechos humanos de las personas privadas de libertad, de manera integral y consensuada por todos los sectores involucrados. CIDH, Informe de País de Bolivia: *Acceso a la Justicia e Inclusión Social: el Camino hacia el Fortalecimiento de la Democracia en Bolivia*, OEA/Ser.L/V/II. Doc. 34, adoptado el 28 de junio de 2007, Cap. III, párr. 214.

impacto directo, tanto en la situación individual de los privados de libertad, como en la situación general de los sistemas penitenciarios[76].

59.   Con relación a este punto, es particularmente ilustrativo el análisis que realiza el Relator sobre la Tortura de las Naciones Unidas en su informe sobre su visita a Uruguay en el que concluye que "[m]uchos de los problemas con que se enfrentan el sistema penitenciario y el sistema de justicia de menores, si no todos, son resultado directo de la falta de una política global de justicia penal"[77]. Igualmente, el Grupo de Trabajo sobre las Detenciones Arbitrarias observó tras su misión a Ecuador que:

> La ausencia de una real administración en la función judicial, la insuficiencia de los recursos asignados y la percepción generalizada de falta de independencia, de politización y de corrupción en las instituciones judiciales, policiales y penitenciarias han tenido un significativo impacto en el disfrute de los derechos humanos, afectando principalmente a los más pobres, quienes constituyen la gran mayoría de la población penal[78].

60.   Además de la voluntad política de los Estados de hacer frente a los desafíos que plantea la situación de las cárceles, y de las medidas que puedan adoptarse en los planos normativo e institucional, es fundamental que se reconozca la importancia de una adecuada asignación de recursos que posibilite la implementación de las políticas penitenciarias[79]. En efecto, la adopción de medidas concretas destinadas a solucionar las deficiencias estructurales de las cárceles requiere de una importante determinación de recursos, necesarios para cubrir, desde necesidades tan básicas como la provisión de alimentos, agua potable y servicios higiénicos; hasta la implementación de programas laborales y educativos que son fundamentales para el cumplimiento de los objetivos de la pena. Además de ser imprescindible para cubrir adecuadamente los costos operativos de los sistemas penitenciarios.

---

[76] A este respecto véase por ejemplo: CIDH, *Quinto Informe sobre la Situación de los Derechos Humanos en Guatemala*, Cap. VIII, párr. 2; CIDH, *Informe sobre la Situación de los Derechos Humanos en Ecuador*, OEA/Ser.L/V/II.96. Doc. 10 rev. 1, adoptado el 24 de abril de 1997, (en adelante "*Informe sobre la Situación de los Derechos Humanos en Ecuador*"), Cap. VI.

[77] ONU, Relator Especial sobre la Tortura y otros Tratos o Penas Crueles, Inhumanos o Degradantes, Informe de la Misión a Uruguay, A/HRC/13/39/Add.2, adoptado el 21 de diciembre de 2009, Cap. IV: *Administración de justicia penal: causas subyacentes del colapso de los sistemas penitenciario y de administración de justicia*, párr. 77. Los problemas que el Relator de Naciones Unidas identificó en Uruguay, como la lentitud del sistema judicial, la utilización habitual de la prisión preventiva y la aplicación de una política penitenciaria de naturaleza punitiva son comunes en muchos países de la región.

[78] ONU, Grupo de Trabajo sobre Detenciones Arbitrarias, *Informe sobre Misión a Ecuador*, A/HRC/4/40/Add.2, adoptado el 26 de octubre de 2006, párr. 98.

[79] A este respecto véase por ejemplo: CIDH, *Informe sobre la Situación de los Derechos Humanos en Ecuador*, Cap. VI; y CIDH, *Informe sobre la Situación de los Derechos Humanos en Brasil*, OEA/Ser.L/V/II.97. Doc. 29 rev. 1, adoptado el 29 de septiembre de 1997, (en adelante "*Informe sobre la Situación de los Derechos Humanos en Brasil*"), Cap. IV.

61.   Asimismo, la falta de recursos económicos no justifica la violación por parte del Estado de derechos inderogables de las personas privadas de libertad[80]. En este sentido, la Corte Interamericana ha manifestado consistentemente que "[l]os Estados no pueden invocar privaciones económicas para justificar condiciones de detención que no cumplan con los estándares mínimos internacionales en esta área y no respeten la dignidad del ser humano"[81].

62.   La Comisión Interamericana, se ha manifestado en el mismo sentido en varias ocasiones[82]; por ejemplo, al referirse a las condiciones de detención de niños y adolescentes privados de libertad en Haití, donde llegó a afirmar que "no es posible esperar a que se resuelvan los complejos conflictos político-sociales de Haití para empezar a otorgar adecuada atención a los derechos de los niños y adolescentes haitianos"[83]. Asimismo, la CIDH en informes de fondo relativos a Jamaica ha indicado que las normas de tratamiento previstas en el artículo 5 de la Convención Americana se aplican independientemente del nivel de desarrollo del Estado Parte de la Convención[84], y aunque las circunstancias económicas o presupuestarias del Estado Parte puedan dificultar su observancia[85].

63.   A este respecto, uno de los puntos del cuestionario enviado a los Estados con motivo del presente informe se refería al porcentaje del presupuesto nacional destinado a los sistemas penitenciarios. Los Estados que respondieron esta pregunta aportaron la siguiente información:

Argentina	El presupuesto asignado para el Servicio Penitenciario Federal en el ejercicio 2010, representa un 0,56% del total del Presupuesto General para la Administración Pública Nacional.
Bahamas	Para el periodo 2008/09 se destinó el 1.25% del presupuesto nacional (22,881,955 dólares) al servicio penitenciario.

---

[80] ONU, Comité de Derechos Humanos, Observación General No. 21: Trato humano de las personas privadas de libertad, adoptado en el 44º periodo de sesiones (1992), párr. 4. En Recopilación de las Observaciones Generales y Recomendaciones Generales Adoptadas por Órganos Creados en Virtud de Tratados de Derechos Humanos Volumen I, HRI/GEN/1/Rev.9 (Vol. I) adoptado el 27 de mayo de 2008, pág. 242.

[81] Corte I.D.H., *Caso Vélez Loor Vs. Panamá*. Sentencia de Excepciones Preliminares, Fondo, Reparaciones y Costas. Sentencia de 23 de noviembre de 2010. Serie C. No. 218, párr. 198; Corte I.D.H., *Caso Boyce et al. Vs. Barbados*. Excepción Preliminar, Fondo, Reparaciones y Costas. Sentencia de 20 de noviembre de 2007. Serie C No. 169, párr. 88; Corte I.D.H., *Caso Montero Aranguren y otros (Retén de Catia) Vs. Venezuela*. Sentencia de 5 de julio de 2006. Serie C No. 150, párr. 85; Corte I.D.H., *Caso Raxcacó Reyes Vs. Guatemala*. Sentencia de 15 de septiembre de 2005. Serie C No. 133, párr. 96.

[82] Véase como ejemplo reciente: CIDH, Comunicado de Prensa 104/10 – Relatoría de la CIDH constata deficiencias estructurales de sistema penitenciario de El Salvador. Washington, D.C., 20 de octubre de 2010.

[83] CIDH, *Informe Anual 2006*, Capítulo IV, Haití, OEA/Ser.L/V/II.127. Doc. 4 ver. 1, adoptado el 3 de marzo de 2007, párr. 129; CIDH, *Informe Anual 2005*, Capítulo IV, Haití, OEA/Ser.L/V/II.124. Doc. 7, adoptado el 27 de febrero de 2006, párr. 245.

[84] CIDH, Informe No. 49/01, Casos 11.826, 11.843, 11.846, 11.847, Fondo, Leroy Lamey, Kevin Mykoo, Milton Montique, Dalton Daley, Jamaica, 4 de abril de 2001, párr. 203.

[85] CIDH, Informe No. 50/01, Caso 12.069, Fondo, Damion Thomas, Jamaica, 4 de abril de 2001, párr. 37.

Bolivia	El presupuesto asignado, según lo manifestado por la Dirección General del Régimen Penitenciario a nivel nacional alcanza la suma de 33,368,146 bolivianos).
Chile	El porcentaje del presupuesto nacional destinado al sistema penitenciario es de un 0,792% (fuente DIPRES), de acuerdo al siguiente detalle: Ley de presupuesto del Sector Público año 2010: 25.046.832.028.000 pesos; Presupuesto Gendarmería de Chile año 2010: 198.472.578.000 pesos; y Porcentaje del presupuesto del Sector Público año 2010, asignado a Gendarmería de Chile año 2010 es: 0,792%.
Colombia	En el 2010 el porcentaje del presupuesto nacional asignado al Instituto Nacional Penitenciario (INPEC) fue de 0.68%, lo que equivale a: 1.009.364.822.282 pesos.
Costa Rica	En el 2010 el presupuesto asignado a la administración penitenciaria fue de 50.298.953.000 colones, lo que representa el 1.1% del presupuesto total de la República.
Ecuador	El porcentaje del presupuesto nacional destinado al sistema penitenciario es del 0.33%.
El Salvador	El presupuesto nacional destinado para el Sistema Penitenciario asciende a un total de 28,670,365 dólares, lo que equivale al 0.7% del presupuesto nacional para el ejercicio fiscal 2010.
Guatemala	Del presupuesto general del Estado para el ejercicio fiscal 2010, que asciende a 49,723,107,632 quetzales, la Dirección General del Sistema Penitenciario tiene asignados 249 millones de quetzales equivalentes al 0.50% de los egresos definidos.
Guyana	El presupuesto destinado al Servicio Penitenciario de Guyana para el 2010 fue de 982 millones de dólares de Guyana.
México	El porcentaje del Presupuesto Nacional destinado al Sistema Penitenciario en el ámbito federal e incluyendo el apoyo a los estados por concepto de Socorro de Ley, representa el 0.23%.
Nicaragua	El porcentaje del presupuesto designado para el Sistema Penitenciario Nacional es de 0.45%.
Panamá	El porcentaje del presupuesto general del Estado destinado al Sistema Penitenciario es más o menos (sic) de 0.35%. El presupuesto del Sistema Penitenciario es de 21,111,671.00 dólares.
Perú	El porcentaje del presupuesto nacional destinado al Sistema Penitenciario es de: 378,994,950 de soles lo que representa el 0.38% del total del presupuesto de la República.
Trinidad y Tobago	El porcentaje del presupuesto nacional para el año fiscal 2009 destinado al sistema penitenciario es del 0.88%.
Uruguay	El total del gasto en Sistema Penitenciario (Ejecución 2009 de la D.N. de Cárceles y Cárceles Jefaturas, CNR y Patronato) es de 1.496.918.000 pesos, lo que representa el 0.21 del PIB de Uruguay en el 2009.
Venezuela	La asignación total del Estado para el Sistema Penitenciario en el año fiscal 2010 fue de 395.607.899 bolívares fuertes, lo que representa el 0.25% del Presupuesto Nacional.

64.   Por otro lado, la necesidad de adoptar políticas penitenciarias integrales que planteen la adopción de distintas medidas por parte de distintas instituciones es aún más evidente en aquellos Estados en los que se han observado serias deficiencias estructurales en sus sistemas de reclusión. En algunos casos, la naturaleza de la situación, no sólo requiere del diseño de políticas o planes a largo plazo, sino que demanda la adaptación de medidas concretas a corto plazo para hacer frente a situaciones graves y urgentes[86].

65.   En suma, la CIDH considera que, en función de lo dispuesto en los artículos 1.1 y 2 de la Convención Americana, corresponde a los Estados de la región adoptar políticas públicas que incluyan, tanto medidas de adopción inmediata, como planes, programas y proyectos a largo plazo; así como también, la adecuación de la legislación y el sistema procesal penal para que sea compatible con la libertad personal y las garantías judiciales establecidas en los tratados internacionales de derechos humanos, lo cual debe ser asumido como una prioridad del Estado que no dependa del mayor o menor interés que coyunturalmente pueda darle los gobiernos de turno, ni de los avatares de la opinión pública; sino que debe constituir un compromiso que vincule a todas las ramas del poder público, tanto el legislativo, como el ejecutivo y el judicial, como también a la sociedad civil, en el propósito de construir un sistema basado en la dignidad humana y que propenda por el mejoramiento de la sociedad y del Estado democrático de derecho.

A.   El principio del trato humano

66.   El reconocimiento de la dignidad inherente a toda persona con independencia de sus condiciones personales o su situación jurídica es el fundamento del desarrollo y tutela internacional de los derechos humanos. Con lo cual, el ejercicio de la función pública tiene unos límites que derivan de que los derechos humanos son atributos inherentes a la dignidad humana. La protección de los derechos humanos parte de la afirmación de la existencia de ciertos atributos inviolables de la persona humana que no pueden ser legalmente menoscabados por ejercicio del poder público.

67.   El derecho de las personas privadas de libertad a recibir un trato humano mientras se hallen bajo custodia del Estado es una norma universalmente aceptada en el derecho internacional[87]. En el ámbito del Sistema Interamericano este principio está consagrado fundamentalmente en el artículo XXV de la Declaración Americana, que dispone que "[t]odo individuo que haya sido privado de su libertad [...] tiene derecho a un tratamiento humano durante la privación de su libertad". Además, el trato humano debido a las personas privadas de libertad es un presupuesto esencial del artículo 5, numerales 1 y 2, de la Convención Americana que tutela el derecho a la integridad personal de toda persona sujeta a la jurisdicción de un Estado parte.

---

[86] A este respecto véase por ejemplo: *Democracia y Derechos Humanos en Venezuela*, Cap. VI, párr. 905; y CIDH, *Informe Anual 2008*, Capítulo IV, Venezuela, OEA/Ser.L/II.134, Doc. 5 Rev.1, adoptado el 25 de febrero de 2009, párr. 430.

[87] CIDH, *Informe sobre Terrorismo y Derechos Humanos*, OEA/Ser.L/V/II.116. Doc. 5 rev. 1 corr., adoptado el 22 de octubre de 2002, (en adelante "*Informe sobre Terrorismo y Derechos Humanos*"), párr. 147.

68.   Además, como ya se mencionó, los *Principios y Buenas Prácticas sobre la Protección de las Personas Privadas de Libertad en las Américas* se sustentan en la idea fundamental de que:

> Toda persona privada de libertad que esté sujeta a la jurisdicción de cualquiera de los Estados Miembros de la Organización de los Estados Americanos será tratada humanamente, con irrestricto respeto a su dignidad inherente, a sus derechos y garantías fundamentales, y con estricto apego a los instrumentos internacionales sobre derechos humanos.
>
> En particular, y tomando en cuenta la posición especial de garante de los Estados frente a las personas privadas de libertad, se les respetará y garantizará su vida e integridad personal, y se asegurarán condiciones mínimas que sean compatibles con su dignidad (Principio I).

69.   En el ámbito del Sistema Universal, el Pacto Internacional de Derechos Civiles y Políticos consagra expresamente el principio del trato humano como eje fundamental de su artículo 10, que establece las normas fundamentales aplicables a las personas privadas de libertad.   Así, el numeral 1 de ese artículo dispone que, "[t]oda persona privada de libertad será tratada humanamente y con el respeto debido a la dignidad inherente al ser humano" (artículo 10.1)[88].

70.   Las sanciones penales son una expresión de la potestad punitiva del Estado e implican menoscabo, privación o alteración de los derechos de las personas, como consecuencia de una conducta ilícita[89]. La rigurosidad de la respuesta penal a una determinada conducta punible viene dada por la gravedad de la sanción que el propio derecho penal prescribe para tal conducta. Lo cual ya está determinado previamente por la ley. Por lo tanto, el Estado como garante de los derechos de toda persona que se halle bajo su custodia tiene el deber de garantizar que la manera y el método de privación de libertad no excedan el nivel de sufrimiento inherente a la reclusión[90].

---

[88] Este Principio es desarrollado con mayor amplitud por otros instrumentos internacionales adoptados en el marco de las Naciones Unidas, como las Reglas Mínimas para el Tratamiento de Reclusos, Regla 57; el Conjunto de Principios para la Protección de Todas las Personas Sometidas a Cualquier Forma de Detención o Prisión, Principio 1; y los Principios Básicos de la ONU para el Tratamiento de Reclusos, Principios 1 y 5. A este respecto véase también: ONU, Comité de Derechos Humanos, Observación General No. 21: Trato humano de las personas privadas de libertad, adoptado en el 44º periodo se sesiones (1992), párrs. 2-4. En Recopilación de las Observaciones Generales y Recomendaciones Generales Adoptadas por Órganos Creados en Virtud de Tratados de Derechos Humanos Volumen I, HRI/GEN/1/Rev.9 (Vol. I) adoptado el 27 de mayo de 2008, pág. 242.

[89] Corte I.D.H., *Caso García Asto y Ramírez Rojas Vs. Perú*. Sentencia de 25 de noviembre de 2005. Serie C No. 137, párr. 223; Corte I.D.H., *Caso Lori Berenson Mejía Vs. Perú*. Sentencia de 25 de noviembre de 2004. Serie C No. 119, párr. 101.

[90] Corte I.D.H., *Caso Vélez Loor Vs. Panamá*. Sentencia de Excepciones Preliminares, Fondo, Reparaciones y Costas. Sentencia de 23 de noviembre de 2010. Serie C. No. 218, párr. 198; Corte I.D.H., *Caso Yvon Neptune Vs. Haití*. Fondo, Reparaciones y Costas. Sentencia de 6 de mayo de 2008. Serie C No. 180; párr. 130; Corte I.D.H., *Caso Boyce et al. Vs. Barbados*. Excepción Preliminar, Fondo, Reparaciones y Costas. Sentencia de 20 de noviembre de 2007. Serie C No. 169; párr. 88.

71.   En este sentido, la Comisión Interamericana ha considerado que:

[R]esulta fundamental que la privación de libertad tenga objetivos bien determinados, que no puedan ser excedidos por la actividad de las autoridades penitenciarias ni aún bajo el manto del poder disciplinario que les compete y por tanto, el recluso no deberá ser marginado ni discriminado sino reinsertado en la sociedad. En otras palabras, la práctica penitenciaria deberá cumplir un principio básico: no debe añadirse a la privación de libertad mayor sufrimiento del que ésta representa. Esto es, que el preso deberá ser tratado humanamente, con toda la magnitud de la dignidad de su persona, al tiempo que el sistema debe procurar su reinserción social[91].

B.   El deber del Estado de ejercer el control efectivo de los centros penitenciarios y de prevenir hechos de violencia

72.   Como ya se ha mencionado, el Estado al privar de libertad a una persona asume un compromiso específico y material de respetar y garantizar sus derechos[92], particularmente los derechos a la vida e integridad personal. Los cuales, además de ser inderogables, son fundamentales y básicos para el ejercicio de todos los otros derechos y constituyen mínimos indispensables para el ejercicio de cualquier actividad[93].

73.   El deber del Estado de proteger la vida e integridad personal de toda persona privada de libertad incluye la obligación positiva de tomar todas las medidas preventivas para proteger a los reclusos de los ataques o atentados que puedan provenir de los propios agentes del Estado o terceros, incluso de otros reclusos[94]. En efecto, siendo la prisión un lugar donde el Estado tiene control total sobre la vida de los reclusos, éste tiene la obligación de protegerlos contra actos de violencia provenientes de cualquier fuente[95].

74.   Asimismo, la Corte Interamericana ha establecido que las obligaciones *erga omnes* que tienen los Estados de respetar y garantizar las normas de protección, y de asegurar la efectividad de los derechos, proyectan sus efectos más allá de la relación entre sus agentes y las personas sometidas a su jurisdicción, pues se manifiestan en la obligación positiva del Estado de adoptar las medidas necesarias para asegurar en determinadas

---

[91] CIDH, *Informe Anual 2002*, Capítulo IV, Cuba, OEA/Ser.L/V/II.117, Doc. 1 Rev. 1, adoptado el 7 de marzo de 2003, párr. 73; CIDH, *Informe Anual 2001*, Capítulo IV(c), Cuba, OEA/Ser.L/V/II.114, Doc. 5 Rev., adoptado el 16 de abril de 2002, párr. 76.

[92] CIDH, *Informe Especial sobre la Situación de los Derechos Humanos en la Cárcel de Challapalca en Perú*, párr. 113; CIDH, Informe No. 41/99, Caso 11.491, Fondo, Menores Detenidos, Honduras, 10 de marzo de 1999, párr. 135.

[93] CIDH, *Democracia y Derechos Humanos en Venezuela*, Cap. VI, párr. 667.

[94] CIDH, Informe No. 41/99, Caso 11.491, Fondo, Menores Detenidos, Honduras, 10 de marzo de 1999, párrs. 136 y 140.

[95] CIDH, Informe No. 67/06, Caso 12.476, Fondo, Oscar Elías Biscet y otros, Cuba, 21 de octubre de 2006, párr. 149.

circunstancias la protección efectiva de los derechos humanos en las relaciones inter-individuales. De ahí que pueda generarse la responsabilidad internacional del Estado por omisiones en su deber de prevenir las violaciones a los derechos humanos cometidas por terceros[96].

75.   Con respecto a este deber del Estado de proteger de manera efectiva a las personas privadas de libertad, incluso frente a terceros, la Comisión Interamericana también ha señalado que,

> [E]n materia penitenciaria, además de un marco normativo adecuado resulta urgente la implementación de acciones y políticas concretas que tengan un impacto inmediato en la situación de riesgo en que se encuentran las personas privadas de libertad. La obligación del Estado frente a las personas privadas de libertad no se limita únicamente a la promulgación de normas que los protejan ni es suficiente que los agentes del Estado se abstengan de realizar actos que puedan causar violaciones a la vida e integridad física de los detenidos, sino que el derecho internacional de los derechos humanos exige al Estado adoptar todas las medidas a su alcance para garantizar la vida e integridad personal de las personas privadas de la libertad[97].

76.   En este sentido, para que el Estado pueda garantizar efectivamente los derechos de los reclusos es preciso que ejerza el control efectivo de los centros penitenciarios. Es decir, que debe ser el propio Estado el que se encargue de administrar los aspectos fundamentales de la gestión penitenciaria; por ejemplo, el mantenimiento de la seguridad interna y externa; la provisión de los elementos básicos necesarios para la vida de los reclusos; y la prevención de delitos cometidos desde las cárceles. A este respecto, la Corte Interamericana ha reconocido la existencia de la facultad e incluso la obligación del Estado de garantizar la seguridad y mantener el orden público, en especial dentro de las

---

[96] Corte I.D.H., *Caso Ximenes Lopes Vs. Brasil*. Sentencia de 4 de julio de 2006. Serie C No. 149, párrs. 85 y 86. Se cita este caso como representativo debido a los hechos que lo motivaron, sin embargo, esta doctrina sobre los supuestos en los que se genera responsabilidad internacional del Estado por acciones de terceros viene siendo desarrollado por la Corte desde su primera sentencia de fondo, véase: Corte I.D.H., *Caso Velásquez Rodríguez Vs. Honduras*. Sentencia de 29 de julio de 1988. Serie C No. 4, párr. 172. Además, esta doctrina ha sido reiterada sistemáticamente por la Corte Interamericana en el contexto de las medidas provisionales otorgadas con respecto a cárceles, véase por ejemplo: Corte I.D.H., Asunto Centro Penitenciario de Aragua "Cárcel de Tocorón" respecto Venezuela, Resolución del Presidente de la Corte Interamericana de Derechos Humanos de 1 de noviembre de 2010, Considerando 13; Corte I.D.H., Asunto del Internado Judicial Capital El Rodeo I y El Rodeo II respecto Venezuela, Resolución de la Corte Interamericana de Derechos Humanos de 8 de febrero de 2008, Considerando 11; Corte I.D.H., Asunto Centro Penitenciario de la Región Centro Occidental: Cárcel de Uribana respecto Venezuela, Resolución de la Corte Interamericana de 2 de febrero de 2007, Considerando 5; Corte I.D.H., Asunto del Centro Penitenciario Región Capital Yare I y Yare II respecto Venezuela, Resolución de la Corte Interamericana de Derechos Humanos de 30 de marzo de 2006, Considerando 14, Corte I.D.H., Asunto del Internado Judicial de Monagas ("La Pica") respecto Venezuela, Resolución del Presidente de la Corte Interamericana de Derechos Humanos de 13 de enero de 2006, Considerando 14; y Corte I.D.H., Asunto de las Penitenciarías de Mendoza respecto Argentina, Resolución de la Corte Interamericana de Derechos Humanos de 22 de noviembre de 2004, Considerando 12. En el otorgamiento de estas medidas provisionales la Corte tomó en consideración los niveles alarmantes de violencia entre internos en las referidas cárceles.

[97] CIDH, *Democracia y Derechos Humanos en Venezuela*, Cap. VI, párr. 826.

cárceles, utilizando métodos que se ajusten a las normas de protección de los derechos humanos aplicables a la materia[98].

77.   Así, el que el Estado ejerza el control efectivo de los centros penitenciarios implica, fundamentalmente que éste debe ser capaz de mantener el orden y la seguridad a lo interno de las cárceles, sin limitarse a la custodia externa. Es decir, que debe ser capaz de garantizar en todo momento la seguridad de los reclusos, sus familiares, las visitas y de las personas que laboran en los centros penitenciarios. No es admisible bajo ninguna circunstancia que las autoridades penitenciarias se limiten a la vigilancia externa o perimetral, y dejen el interior de las instalaciones en manos de los reclusos. Cuando esto ocurre, el Estado coloca a los reclusos en una situación permanente de riesgo, exponiéndolos a la violencia carcelaria y a los abusos de otros internos más poderosos o de los grupos delictivos que operan estos recintos.

78.   De igual forma, el que el Estado ejerza el control efectivo de los centros de privación de libertad implica también que éste debe adoptar las medidas necesarias para prevenir que los reclusos cometan, dirijan u ordenen la comisión de actos delictivos desde los propios centros penitenciarios.

1.   Consecuencias de la falta de control efectivo de los centros penales

79.   En los hechos, cuando el Estado no ejerce el control efectivo de los centros penales en los tres niveles fundamentales mencionados, se producen graves situaciones que ponen en riesgo la vida e integridad personal de los reclusos, e incluso de terceras personas, tales como: los sistemas de "autogobierno" o "gobierno compartido", producto también de la corrupción endémica en muchos sistemas; los altos índices de violencia carcelaria; y la organización y dirección de hechos delictivos desde las cárceles.

80.   La Comisión Interamericana en el ejercicio de su función de monitoreo ha observado con preocupación situaciones de este tipo en varios países de la región. Así por ejemplo, la CIDH pudo constatar en su visita a Bolivia de 2006 que,

> [E]n la práctica la seguridad interna de las prisiones está a cargo generalmente de las propias personas privadas de libertad. En la Cárcel de San Pedro, por ejemplo, los miembros de la Policía Nacional parecían no entrar con frecuencia al sector intramuros, limitándose a realizar la seguridad externa y las requisas. Dentro de la cárcel, los hombres privados de libertad, sus esposas o compañeras, sus hijos e hijas, se encuentran a merced de su propia suerte. Las propias autoridades del establecimiento carcelario reconocieron y la Comisión pudo constatar que las celdas son alquiladas o vendidas por los propios reclusos. Es decir,

---

[98] Corte I.D.H., *Caso del Penal Miguel Castro Castro Vs. Perú*. Sentencia de 25 de noviembre de 2006. Serie C No. 160, párr. 240; Corte I.D.H., *Caso Montero Aranguren y otros (Retén de Catia) Vs. Venezuela*. Sentencia de 5 de julio de 2006. Serie C No. 150, párr. 70; Corte I.D.H., Asunto del Centro Penitenciario Región Capital Yare I y Yare II respecto Venezuela, Resolución de la Corte Interamericana de Derechos Humanos de 30 de marzo de 2006, Considerando 15.

un interno no tiene el derecho a una celda, pues tiene que pagar para tener donde dormir, de lo contrario tiene que hacerlo en un pasillo o en uno de los patios a la intemperie. En la cárcel de Chonchocorro, por su parte, la delegación de la Comisión fue informada de que el gimnasio deportivo para actividades de esparcimiento era de propiedad de un interno, quien cobra una especie de membresía de 20 bolivianos por mes a los que quieran utilizarlo[99].

81.　　Asimismo, durante su visita *in loco* a Guatemala en 1998, la CIDH comprobó que en los Centros Penales de Pavón y Pavoncito,

[L]os guardias no entran en las áreas donde viven los reclusos. La autoridad disciplinaria en los centros penales es ejercida por los propios detenidos y reclusos a través de los llamados "Comités de Orden y Disciplina". Estos Comités están dirigidos por un recluso que, según se informa, es escogido "unánimemente" por el resto de la población carcelaria y que ejerce su autoridad principalmente por medio de la violencia y las amenazas.

[...]

En Pavón, el jefe del Comité de Orden y Disciplina mismo acompañó a la Comisión en su recorrido por las instalaciones a solicitud de las autoridades. Cuando visitó Pavoncito, la Comisión estuvo escoltada todo el tiempo por los 140 miembros del Comité, armados con palos, como parte de una, por cierto intimidatoria, muestra de autoridad. Cuando la Comisión preguntó sobre el propósito de las armas, uno de los líderes del Comité explicó "es para un respeto".

La Comisión se encuentra sumamente preocupada por la información recibida que señala que estos comités en muchos casos abusan y persiguen a los reclusos más vulnerables, y por la abdicación abierta del poder oficial de custodia en algunas instalaciones penitenciarias y su impacto en el trato imparcial que deben recibir los reclusos y en la protección de su derecho a la vida, la integridad física y a no ser discriminados[100].

Posteriormente, en el contexto de una audiencia temática celebrada en el 2006, durante el 124º período ordinario de sesiones, se informó a la CIDH que en la mayoría de los centros penales guatemaltecos las funciones disciplinarias aún eran ejercidas por grupos de internos conocidos como "comités de orden y disciplina", y que las "sanciones" que éstos aplicaban iban desde el aislamiento indefinido hasta golpizas con resultado muerte.

---

[99] CIDH, *Acceso a la Justicia e Inclusión Social: El Camino hacia el Fortalecimiento de la Democracia en Bolivia*, Cap. III, párrs. 201 y 202.

[100] CIDH, *Quinto Informe sobre la Situación de los Derechos Humanos en Guatemala*, Cap. VIII, párrs. 25, 26, 27.

Además, identificaron la inconformidad con los comités de orden y disciplina como causa de motines[101].

82.   Además de estas situaciones observadas en Bolivia y Guatemala, la Comisión Interamericana registró situaciones similares en sus Informes Especiales de País de Colombia (1999) y México (1998). En el primero, la CIDH se refirió a la delegación en "internos jefes" del control de determinadas zonas en algunos centros penales, creándose "minifundios con atribuciones de hecho que permiten que se exijan pagos para el acceso, protección, etc..."[102]. Por su parte, en su Informe sobre la Situación de los Derechos Humanos en México, la CIDH registró que,

> La corrupción, la insuficiencia de recursos o el proceder irreflexivo, han propiciado que, en muchos casos, grupos de internos asuman indebidamente decisiones de administración y mando. Es lo que se conoce como el "autogobierno carcelario". Tal situación rompe el principio de autoridad necesario, y con las condiciones de igualdad que deben prevalecer entre los internos, propiciando abusos ilimitados.

> Estos grupos de poder se conforman por aquellas personas (reclusos) con posibilidades económicas o con apoyo de algunos funcionarios, que contratan a otros internos que ante la imposibilidad de contar con un trabajo bien remunerado por el Centro Penitenciario, optan por trabajar para otro interno, sin importar que se trate de actividades ilícitas (venta de droga, prostitución, etc.)[103].

83.   Por su parte, los mecanismos de protección de Naciones Unidas también han constatado este tipo de situaciones en países de la región. Así por ejemplo, el Subcomité contra la Tortura, luego de una misión a México en el 2008, se refirió extensamente a los regímenes de "autogobierno" o "gobierno compartido" existentes en varios centros penales de ese Estado, pronunciándose así en sentido concordante con lo reportado por la CIDH una década antes. El Subcomité contra la Tortura pudo constatar durante sus visitas a centros penitenciarios que estas prácticas se denominan "costumbres internas" o "liderazgo", y representan un factor grave de riesgo para muchas personas privadas de libertad que pueden llegar a ser sometidas, por parte de los "líderes" de cada dormitorio o pabellón, a castigos, sanciones disciplinarias y otro tipo de vejámenes. Además, indican que en muchos de estos centros se realizan todo tipo de transacciones comerciales, incluyendo el pago por determinados espacios o dormitorios preferenciales y

---

[101] CIDH, Audiencia Temática: *Situación del Sistema Penitenciario en Guatemala*, 124º período ordinario de sesiones, solicitada por el Instituto de Estudios Comparados en Ciencias Penales de Guatemala, 6 de marzo de 2006.

[102] CIDH, *Tercer Informe sobre la Situación de los Derechos Humanos en Colombia*, OEA/Ser.L/V/II.102. Doc. 9 rev. 1, adoptado el 26 de febrero de 1999, (en adelante "*Tercer Informe sobre la Situación de los Derechos Humanos en Colombia*"), Cap. XIV, párr. 7.

[103] CIDH, *Informe sobre la Situación de los Derechos Humanos en México*, OEA/Ser.L/V/II.100. Doc. 7 rev. 1, adoptado el 24 de septiembre de 1998, (en adelante "*Informe sobre la Situación de los Derechos Humanos en México*"), Cap. III, párrs. 262 y 263.

todo un sistema de privilegios del que no pueden beneficiarse todas las personas privadas de libertad[104].

84.   El siguiente pasaje del mencionado informe del Subcomité contra la Tortura se refiere a lo observado en el Centro Penitenciario Santa María Ixcotel en Oaxaca, y es particularmente ilustrativo de la naturaleza de los problemas aquí planteados:

> Las condiciones en que se encontraban las personas privadas de libertad de ese centro variaban considerablemente dependiendo de si podían pagar o no las cuotas que se les exigían. [...] En la zona "privilegiada", el ambiente era inigualable. Las familias visitaban a los internos a diario, cocinaban juntos, trabajaban e incluso tenían a su cargo negocios dentro del propio centro que les permitían vivir. [...] Según ellos mismos explicaron (los jefes de los dormitorios), los jefes de cada dormitorio eran elegidos de forma democrática por los propios reclusos. Reiteraron cómo todos se esforzaban por mantener un equilibrio dentro del centro, se respetaban y cumplían con las normas internas. [...]
>
> En el mismo centro, los miembros visitaron el dormitorio No. 19 y quedaron profundamente consternados con las condiciones negativas de vida de las personas privadas de libertad que allí se encontraban. [...] Los dormitorios no tenían ventilación y todas las torres donde se encontraban los internos estaban sobrepobladas. La delegación pudo constatar cómo, en caso de que se produjera un incendio, sería difícil evacuar esos lugares [...]. Esas personas se encontraban en situación extrema de hacinamiento. No tenían contacto con la zona "privilegiada". [...] Se les comunicó confidencialmente a los miembros de la delegación que los mismos encargados del centro estaban al corriente de esta situación de autogobierno que se daba internamente y que incluso muchas de las reglas internas las decidían entre los jefes internos y el personal a cargo de la institución, beneficiándose ambas partes. La delegación también constató que el personal del centro no era suficiente para poder evitar una situación de conflicto entre los internos.

85.   La Comisión Interamericana observa que otro de los Estados en los que se ha documentado ampliamente la existencia de este tipo de patrones de autogobierno y falta de control efectivo de las autoridades, es Honduras. A este respecto, el Subcomité contra la Tortura en su informe sobre Honduras de 2010 se refirió en detalle a los principales desafíos que enfrenta la gestión penitenciaria de ese Estado:

> El SPT observó que el escaso personal asignado a ambos centros (Penitenciarías Marco Aurelio Soto en Tegucigalpa y la de San Pedro Sula) desemboca en una situación de autogobierno a través de las figuras de "coordinadores" y "subcoordinadores", quienes son presos que actúan

---

[104] ONU, Subcomité para la Prevención de la Tortura, *Informe sobre la visita a México del SPT*, CAT/OP/MEX/1, adoptado el 27 de mayo de 2009, párr. 167.

como interlocutores entre la autoridad y el resto de la población penitenciaria. [...] Mediante las entrevistas con los detenidos, el SPT se percató de que los coordinadores y subcoordinadores tienen el control del orden y de la asignación de espacios al interior de cada pabellón. Esto fue aceptado por el personal penitenciario entrevistado, quien además indicó que nunca penetra en ciertos pabellones tales como aquellos en los que se encuentran los integrantes de las maras.

El SPT constató que en las penitenciarías visitadas, la corrupción se instrumentaliza a través de un sistema sofisticado que incluye procedimientos, etapas y plazos. [...] A través de las entrevistas mantenidas con un gran número de reclusos, constató que estos deben pagar una cantidad considerable de lempiras para poder gozar de cualquier tipo de beneficio, incluyendo una celda o un espacio para dormir.

[...]

El sistema de corrupción y privilegios descrito se extiende a todas las áreas de la vida diaria de las cárceles, incluida la adquisición de camas, colchones, alimentos, sistema de aire acondicionado, televisiones y radios. Según alegaciones reiteradas y coincidentes de los reclusos en ambas penitenciarías existen cuotas semanales que varían entre 15 o 25 lempiras, a pagar a los coordinadores para el mantenimiento de la limpieza y el orden del pabellón.

El autogobierno se manifiesta también en cuanto a la alimentación, ya que el personal de las penitenciarías admitió que la entrega de las porciones alimenticias se hace en su totalidad y directamente a los coordinadores, quienes se encargan de la distribución. Según ciertas personas entrevistadas una parte de la comida es distribuida, y otra vendida a los presos.

Varios de los internos entrevistados afirmaron ser golpeados como castigo por otros presos o personal penitenciario por orden de los coordinadores y que en ocasiones es el mismo coordinador quien "castiga"[105].

---

[105] ONU, Subcomité para la Prevención de la Tortura, *Informe sobre la visita a Honduras del SPT*, CAT/OP/HND/1, adoptado el 10 de febrero de 2010, párrs. 205-207, 229 y 236. Igualmente, el Grupo de Trabajo sobre las Detenciones Arbitrarias registró en el informe sobre su visita a Honduras del 2006, que en los hechos las autoridades no ejercen de manera efectiva la administración de los centros penales. Y concluyó que las limitaciones presupuestarias con que cuenta el sistema penitenciario, "no justifican que las autoridades hayan abdicado de su responsabilidad de proporcionar servicios básicos a los detenidos, que sólo pueden obtenerlos realizando constantes pagos ilícitos y mediante una lucrativa red de negocios establecidos por otros reclusos". ONU, Grupo de Trabajo sobre Detenciones Arbitrarias, *Informe sobre Misión a Honduras*, A/HRC/4/40/Add.4, adoptado el 1 de diciembre de 2006, párr. 77.

86.   En este sentido, el Centro de Prevención, Tratamiento y Rehabilitación de las Víctimas de la Tortura (CPTRTR), en su respuesta al cuestionario girado con motivo de este informe, señaló entre los principales problemas que enfrenta el sistema penitenciario hondureño, "la figura de los *coordinadores* de los módulos u hogares, en todos los centros penales, quienes castigan físicamente a los demás privados de libertad", y "los cobros ilegales para poder permanecer en un determinado módulo u hogar, por parte de los coordinadores de los módulos, de hasta 250 dólares"[106].

87.   Otro Estado de la región en el que la CIDH y los mecanismos de Naciones Unidas han sido coincidentes en identificar graves problemas estructurales, incluyendo situaciones de autogobierno y sistemas de beneficios, es Paraguay.

88.   Al respecto, el Relator sobre la Tortura de la ONU, constató que en general, tanto en las cárceles más antiguas, como en las recién construidas, existe un suministro inadecuado de alimentos, ropa y atención médica, lo que empuja a los reclusos a buscar otras formas de lograr una existencia digna. Por lo que los detenidos que carecen de apoyo externo y de recursos financieros se ven obligados a ofrecer su trabajo a detenidos en mejores condiciones económicas y están completamente a su merced. Lo que resulta en situaciones extremas de desigualdad entre aquellos que tienen los recursos para procurarse amplias comodidades y los que deben resignarse a vivir en condiciones inhumanas[107].

89.   En el mismo sentido, el Subcomité contra la Tortura en su informe de misión a Paraguay describe cómo en la Penitenciaría Nacional de Tacumbú opera un sistema en el que determinados internos, denominados "capataces", junto con los agentes penitenciarios cobran por el ingreso y permanencia en los distintos pabellones de esa cárcel, estableciendo un sistema de precios acorde con las condiciones del pabellón respectivo. Además, de existir cánones semanales para mantenimiento del orden y la limpieza, cuyo no pago al "capataz" acarrea la expulsión del pabellón[108].

90.   Como se pone de manifiesto en los ejemplos presentados, la falta de control efectivo por parte de las autoridades de lo que ocurre en los centros penales puede conducir a situaciones realmente graves y complejas, en las que es imposible que la pena privativa de libertad cumpla sus fines. Las cárceles se convierten entonces, como ya ha dicho la CIDH, "en escuelas de delincuencia y comportamiento antisocial que propician la reincidencia en vez de la rehabilitación"[109], y en lugares donde sistemáticamente se violan los derechos humanos de los reclusos y sus familias, especialmente de aquellos en condiciones de vulnerabilidad.

---

[106] Respuesta enviada por el CPTRT al cuestionario del informe, recibida vía correo electrónico el 24 de mayo de 2010.

[107] ONU, Relator Especial sobre la Tortura y otros Tratos o Penas Crueles, Inhumanos o Degradantes, Informe de la Misión a Paraguay, A/HRC/7/3/Add.3, adoptado el 1 de octubre de 2007, Cap. IV: *Condiciones de la detención*, párrs. 67 y 68.

[108] ONU, Subcomité para la Prevención de la Tortura, *Informe sobre la visita a Paraguay del SPT*, CAT/OP/PRY/1, adoptado el 7 de junio de 2010, párrs. 158 y 161.

[109] CIDH, *Quinto Informe sobre la Situación de los Derechos Humanos en Guatemala*, Cap. VIII, párr. 69.

91.   La Comisión Interamericana reconoce la necesidad de que los reclusos tengan la posibilidad y los espacios para organizar por sí mismos actividades deportivas, religiosas, culturales, musicales, e incluso de coordinar determinados aspectos de su convivencia[110]. Lo cual es favorable para el cumplimiento de los objetivos de la pena, y en definitiva para el mantenimiento de la armonía y buena marcha de los centros penales. Sin embargo, la Comisión enfatiza el principio fundamental de que el Estado, como garante de los derechos de las personas privadas de libertad, no debe incentivar ni permitir que determinados reclusos tengan poder sobre aspectos fundamentales de la vida de otros reclusos.

92.   Es contrario al derecho internacional de los derechos humanos, e inadmisible desde todo punto de vista, que una persona privada de libertad tenga que pagar o someterse a otros abusos para obtener los elementos básicos necesarios para vivir en condiciones dignas.

93.   Asimismo, el que el Estado permita o tolere sistemas de privilegios en los que cierta clase de reclusos con mayor poder adquisitivo puedan acaparar los mejores espacios y recursos de los centros penales en detrimento de otros reclusos –la mayoría– que no están en las mismas condiciones, también es inadmisible. Cuando esto sucede, las personas más vulnerables se ven relegadas a espacios hacinados, insalubres e inseguros. Y en definitiva, lo que se produce es el traslado de los cuadros de desigualdad y marginación presentes en la sociedad, a lo interno de las prisiones. Además, se envía el mensaje a la población penitenciaria, y a la sociedad en general, de que la administración de justicia –y en definitiva la respuesta del Estado frente al delito– no opera igual para todas las personas. Esta percepción afecta seriamente las expectativas de rehabilitación y reinserción social de las personas sometidas a penas privativas de libertad. A este respecto, el Grupo de Trabajo sobre Detenciones Arbitrarias ha considerado que,

> Cuando los funcionarios de policía, el personal de la administración penitenciaria, los funcionarios judiciales, los jueces, los fiscales y los abogados se dirigen a las personas privadas de libertad de manera diferente según hayan o no recibido de ellas sobornos u otros pagos o favores irregulares, entonces todo el sistema de garantías pierde su contenido y se vuelve vacuo y carente de sentido; quienes no puedan o no quieran pagar lo que se les pide quedan en posición de indefensión, y se reduce aún más la credibilidad de todo el sistema de administración de justicia[111].

---

[110] Véase en este sentido, Regla 28(2) de las Reglas Mínimas de las Naciones Unidas para el Tratamiento de Reclusos.

[111] ONU, Grupo de Trabajo sobre Detenciones Arbitrarias, Informe presentado al Consejo de Derechos Humanos, A/HRC/10/21, adoptado el 16 de febrero de 2009, Cap. III: *Consideraciones* temáticas, párr. 60.

94.   Por otro lado, el ejercicio del control efectivo de los centros penales conlleva que el Estado debe adoptar las medidas necesarias para prevenir que los internos, o las bandas delictivas que operan al interior de las cárceles, organicen, dirijan o cometan hechos punibles desde las cárceles.

95.   A este respecto la CIDH se pronunció en su Comunicado de Prensa No. 98/10 acerca de la existencia de una red de pornografía infantil que operaba en la Penitenciaría Nacional de Tacumbú. Según la información analizada por la CIDH –y de amplia difusión, tanto en Paraguay, como internacionalmente– un grupo de presos de ese centro penitenciario contactaban menores de edad vía Internet, y mediante amenazas conseguían que éstas visitaran la cárcel, donde luego las obligaban a practicar actos sexuales que eran filmados y fotografiados. Todo esto dentro del propio centro penitenciario[112].

96.   En el mismo sentido, la administración de operaciones ilícitas por los propios presos desde los centros penales, como consecuencia de la falta de capacidad y recursos para controlar la seguridad, fue uno de los temas de preocupación de la CIDH en el seguimiento de la situación de los derechos humanos en Bolivia[113].

97.   Asimismo, la Relatoría sobre los Derechos de las Personas Privadas de Libertad pudo constatar en su visita a El Salvador de octubre 2010, que uno de los principales desafíos que enfrenta ese Estado es precisamente la prevención de actividades delictivas dirigidas y organizadas desde las cárceles, fundamentalmente por miembros de pandillas o *maras*. Los dirigentes de estos grupos ordenan y dirigen desde las cárceles la comisión de delitos como homicidios y extorsiones, utilizando métodos cada vez más sofisticados e incluso utilizando a sus propios familiares como vehículo para transmitir o ejecutar tales órdenes.

2.   Violencia carcelaria, causas y medidas de prevención

98.   Los altos índices de violencia carcelaria representan uno de los principales problemas que enfrentan los centros penales de la región. Esta realidad, como se menciona *supra* (véase párr. 6), ha sido observada con preocupación reiteradamente por la Asamblea General de la OEA[114].

---

[112] CIDH, Comunicado de Prensa 98/10 – CIDH expresa profunda preocupación por situación en cárcel de Paraguay. Washington, D.C., 24 de septiembre de 2010.

[113] CIDH, Informe de Seguimiento - *Acceso a la Justicia e Inclusión Social: El Camino hacia el Fortalecimiento de la Democracia en Bolivia*, OEA/Ser/L/V/II.135. Doc. 40, adoptado el 7 de agosto de 2009, Cap. V, párr. 117.

[114] OEA, Resolución de la Asamblea General, AG/RES. 2510 (XXXIX-O/09), aprobada el 4 de junio de 2009; OEA, Resolución de la Asamblea General, AG/RES. 2403 (XXXVIII-O/08), aprobada el 13 de junio de 2008; OEA, Resolución de la Asamblea General, AG/RES. 2283 (XXXVII-O/07), aprobada el 5 de junio de 2007; y OEA, Resolución de la Asamblea General, AG/RES. 2233 (XXXVI-O/06), aprobada el 6 de junio de 2006.

99.	A este respecto, uno de los puntos del cuestionario de consulta enviado a los Estados miembros con motivo del presente informe se refería a los índices de violencia carcelaria, incluyendo el número de muertes, durante los últimos cinco años. La información oficial aportada por los Estados que enviaron sus respuestas es la siguiente:

Argentina	En el periodo comprendido entre el 2006 y el 2009, hubo 201 muertes en unidades del Servicio Penitenciario Federal, de las cuales 26 se señalan como producto de hechos de violencia.
Bahamas	En el periodo 2008-2009 se produjeron 140 actos de violencia entre internos (76 calificados de *assault* y 64 de *personal violence*) y 7 actos de violencia de internos hacia agentes de seguridad (4 calificados de *assault* y 3 de *personal violence*). Se destaca como hecho extraordinario que el 17 de enero de 2006 hubo un intento de fuga en el que perdió la vida un custodio y un interno, y resultaron heridos otros dos agentes de seguridad.
Bolivia	Entre el 2005 y mayo de 2010 fallecieron 85 personas en centros penales (no se hacen especificaciones).
Chile	Entre el 2005 y el 2009 se registraron un total de 873 agresiones entre internos; 461 riñas; 94 incendios/amagos; 285 desórdenes; 236 agresiones de personal; y 29 agresiones sexuales a internos. Además, en ese mismo periodo, murieron 203 internos en riñas/agresiones, y 5 en eventos relacionados con fugas.
Colombia	Las cifras aportadas por el Estado con respecto a hechos de violencia ocurridos en el periodo 2005-2009 son las siguientes: 2005: 30 muertes violentas/752 heridos (población 69,365 internos) 2006: 13 muertes violentas/962 heridos (población 62,906 internos) 2007: 14 muertes violentas/811 heridos (población 61,543 internos) 2008: 29 muertes violentas/930 heridos (población 67,812 internos) 2009: 27 muertes violentas/969 heridos (población 74,277 internos) Total: 113 muertes violentas en ese lapso de 5 años.
Costa Rica	En el periodo 2005-2009 se produjeron los siguientes incidentes críticos en los Centros de Atención Institucional del Sistema Penitenciario: 555 agresiones; 71 riñas; 1 motín; 25 homicidios; 2 violaciones; 4 casos de daños materiales; 8 casos de agresión contra funcionarios; 2 casos de agresión a visitante en visita conyugal; y una violación a visitante en visita conyugal.
Ecuador	Entre el 2005 y junio de 2010 se produjeron 172 muertes por violencia carcelaria.
El Salvador	Entre el 2006 y el 6 de mayo de 2010 se registraron los siguientes hechos de violencia, 19 motines, 49 riñas, 8 revueltas y 72 homicidios.
Guatemala	El Estado de Guatemala en su respuesta aportó la siguiente información relativa a eventos específicos: 23.12.02/Centro Penal de Pavoncito, motín en el que murieron 17 reos y hubo más de 30 heridos; 19.05.06/Centro Penal de Mazatenango, riña entre pandilleros y "paisas" en la que murieron seis "paisas"; 25/09/06, toma de Pavón por parte de las autoridades del Sistema Penitenciario; 26.02.07/Centro Penal de Boquerón, asesinato de cuatro policías sindicados en el homicidio de diputados del PARLACEN; 07.03.07/Centro Penal de Pavoncito, riña entre pandilleros de la "mara 18" y la "mara salvatrucha"; 26.03.07/Cárcel de Alta Seguridad de Escuintla, riña en la que murieron tres reclusos y siete resultaron heridos; 27.03.07/Centro Penal de Pavoncito, motín motivado por los "paisas" en protesta por el traslado de pandilleros de la "mara salvatrucha" provenientes de la Cárcel de Alta Seguridad de Escuintla; 21.11.08/Centro Penal de Boquerón, motín

	motivado por inconformidad de los pandilleros de la "mara salvatrucha"; 22.011.08/Centro Penal de Pavoncito, riña en la que resultaron calcinados y decapitados siete internos, y dos resultaron heridos; 12.10.09/Centro Penal de Progreso, motín (no se presenta información adicional); 23.04.10 hechos de violencia en varios centros penales en represalia por malos tratos a internos del Centro Penal de Fraijanes II, produciéndose motines con toma de rehenes en el Centro Penal de Fraijanes II y en el Preventivo de la Zona 18, a raíz de estos hechos, el 24.04.10 también se produjeron ataques a las garitas de la Cárcel de Pavón y el C.O.F.
México	El Estado mexicano informó: "Por lo que se refiere a los Centros Federales de Readaptación Social se establece que a la fecha se han presentado 313 riñas y dos homicidios (octubre y diciembre del 2004)".
Nicaragua	El Estado nicaragüense informó: "Los índices de violencia carcelaria son de un 7.2% anualmente, que equivale a 0.977% de hechos por cada centro penal, siendo los más significativos las agresiones entre internos sin consecuencias graves. En cuanto a los internos fallecidos en los últimos 5 años, en el Sistema Penitenciario Nacional [...] 4 han sido por homicidio".
Panamá	Entre el 2009 y octubre de 2010 se registraron 168 hechos de violencia en las cárceles, en los que trece personas perdieron la vida en su mayoría por ataques con armas blancas y de fuego, y uno tras recibir disparos con perdigones por parte de la policía.
Paraguay	Entre 2004 y 2009, fallecieron 177 reclusos y 140 resultaron heridos (no se detallan las causas).
Perú	El Estado peruano informó: "Se han registrado 42 enfrentamientos entre internos, en diversos penales del país, de los cuales 35 son por gresca (enfrentamientos entre dos o más internos por asuntos personales) y siete por reyerta (enfrentamientos entre grupos de internos rivales por la pugna de dominio de algunos sectores del establecimiento penal). El 31 de diciembre de 2009, se registró un motín con toma de rehenes e intento de fuga de internos en el E.P. Chachapoyas, como consecuencia resultaron dos internos fallecidos por herida de bala al intentar huir del penal".
Trinidad y Tobago	El Estado trinitario indicó: "durante los últimos cinco años 2 personas han muerto en prisión por actos de violencia".
Uruguay	Entre 2005 y 2009 se produjeron un total de 452 agresiones entre reclusos (2005:141/2006:66/2007:64/2008:75/2009:16); y 57 homicidios (2005:6/2006:20/2007:11/2008:10/2009:10).
Venezuela	Las cifras aportadas por el Estado con respecto a hechos de violencia (motines, riñas y peleas) ocurridos en el periodo 2005-2009 son las siguientes: 2005: 1.102 hechos violentos (población de 18.218 internos); 2006: 1.322 hechos violentos (población de 18.700 internos); 2007: 1.561 hechos violentos (población de 21.201 internos); 2008: 1.250 hechos violentos (población de 24.279 internos) y 2009: 988 hechos violentos (población de 32.624 internos). En cuanto al total de heridos y fallecidos, el Estado presenta las siguientes cifras: 2005: 721 heridos y 381 muertos; 2006: 934 heridos y 388 muertos; 2007: 1.103 heridos y 458 muertos; 2008: 876 heridos y 374 muertos; y 2009: 724 heridos y 264 muertos Totales: 4,358 heridos y 1,865 muertos.

100.	En efecto, la violencia carcelaria es uno de los problemas más graves que enfrentan los sistemas penitenciarios de la región, en mayor o menos medida dependiendo del contexto específico. La violencia carcelaria como tal, como vulneración de los derechos a la vida e integridad personal, es una misma realidad, aunque en los hechos, la forma como se manifieste pueda variar dependiendo de las circunstancias específicas. Ésta comprende tanto, las agresiones cometidas por los agentes del Estado contra las personas bajo su custodia, como los actos de violencia entre internos o cometidos por éstos contra los agentes del Estado o terceras personas.

101.	Los órganos del Sistema Interamericano de Protección de los Derechos Humanos a través del ejercicio de sus distintas facultades y competencias se han pronunciado con respecto a diversas situaciones de violencia carcelaria en la región.

102.	En este sentido, la gran mayoría de las medidas provisionales que ha otorgado la Corte Interamericana con respecto a personas privadas de libertad han estado fundamentadas principalmente en hechos graves de violencia carcelaria, y de falta de control efectivo de los centros penales por parte de las autoridades.

103.	Así por ejemplo, en las medidas provisionales de las *Penitenciarías de Mendoza*, otorgadas por la Corte el 22 de noviembre de 2004, se tomaron en consideración dos factores fundamentales: los altos niveles de violencia carcelaria, en los siete meses anteriores al otorgamiento habían resultado muertas o heridas varias personas privadas de libertad, así como guardias penitenciarios, en incendios, peleas entre internos, y en circunstancias no esclarecidas. Y las deplorables condiciones de detención en esas penitenciarías, caracterizadas por el hacinamiento, la falta de servicios básicos, y las condiciones antihigiénicas e insalubres de las instalaciones[115]. Las graves condiciones en las que se encuentran las personas privadas de libertad, además de constituir en sí mismas una vulneración del derecho a la integridad personal, también eran un factor que favorecía el clima de violencia y las tensiones entre los reclusos.

104.	Una de las situaciones más graves observadas en la Penitenciaría Provincial de Mendoza, sobre todo durante los primeros años de vigencia de las medidas provisionales, era precisamente que los agentes penitenciarios se encontraban en marcada inferioridad numérica frente a los reclusos. Por lo que los guardias no entraban a los pabellones, limitándose a observar las actividades de los reclusos desde el exterior[116]. A este respecto, la Corte dispuso en su momento, además de las otras medidas necesarias para preservar la vida e integridad personal de los reclusos: (a) el incremento del personal penitenciario destinado a garantizar la seguridad en los establecimientos; (b) la eliminación de armas dentro de los establecimientos; y (c) la variación de los patrones de vigilancia de

---

[115] Corte I.D.H., *Asunto de las Penitenciarías de Mendoza respecto Argentina*, Resolución de la Corte Interamericana de Derechos Humanos de 22 de noviembre de 2004, Vistos 2 y Considerandos 7 y 11.

[116] Esta situación fue constatada por la CIDH durante una visita a las Penitenciarías de Mendoza realizada del 13 al 17 de diciembre de 2004, véase: Corte I.D.H., *Asunto de las Penitenciarías de Mendoza respecto Argentina*, Resolución de la Corte Interamericana de Derechos Humanos de 18 de junio de 2005, Vistos 24(b). Véase también: Corte I.D.H., *Asunto de las Penitenciarías de Mendoza respecto Argentina*, Resolución de la Corte Interamericana de Derechos Humanos de 30 de marzo de 2006, Vistos 51.a.

manera tal que asegure el adecuado control y la presencia efectiva del personal penitenciario en los pabellones[117].

105.   Asimismo, la Corte Interamericana entre enero de 2006 y noviembre de 2010 otorgó cinco medidas provisionales con respecto a cárceles de Venezuela. En todos estos casos los hechos que motivaron la adopción de las medidas se referían a situaciones sumamente graves de violencia en las que se reportaban gran cantidad de personas muertas y heridas. Así:

(a)   En el caso del *Internado Judicial de Monagas ("La Pica")*, se puso en consideración de la Corte que: durante el 2005 habían muerto 43 personas y al menos 25 habían resultado gravemente heridas. Y que durante el 2004 habían fallecido 30 reclusos en hechos de violencia. Además, que los 501 internos de ese establecimiento vigilados por 16 custodios divididos en dos turnos de 24 horas[118].

(b)   En el caso del *Centro Penitenciario Región Capital Yare I y Yare II (Cárcel de Yare)*, se consideró que: entre enero de 2005 y marzo de 2006 se habían producido 59 muertes violentas producto de disparos con arma de fuego, heridas con armas blancas, ahorcamientos y decapitaciones, así como al menos 67 heridos graves. Además, que las autoridades habían incautado en requisas varias armas y granadas. Y que los 679 internos que albergaban las cárceles de Yare I y Yare II combinadas, estaban bajo la vigilancia de un total de 23 custodios divididos en turnos de 24 horas[119].

(c)   En el asunto del *Centro Penitenciario de la Región centro Occidental (Cárcel de Uribana)*, se puso en conocimiento de la Corte que entre enero de 2006 y enero de 2007 se habían producido un total de 80 muertes violentas y 213 heridos, en su mayoría por arma blanca y arma de fuego. En cuando a la custodia interna del penal, ésta estaba a cargo de 8 funcionarios para una población de 1,448 reclusos[120].

(d)   En el asunto del *Internado Judicial Capital El Rodeo I y el Rodeo II*, se indicó al tribunal que desde el 2006 hasta el 1 de febrero de 2008 se registraron 139 muertes y 299 heridos en diversos incidentes de violencia. Además, sólo habría 20 custodios en cada turno para cubrir la vigilancia de 2,143 reclusos[121].

---

[117] Corte I.D.H., Asunto de las Penitenciarías de Mendoza respecto Argentina, Resolución de la Corte Interamericana de Derechos Humanos de 30 de marzo de 2006, Considerando 12.

[118] Corte I.D.H., Asunto del Internado Judicial de Monagas ("La Pica") respecto Venezuela, Resolución del Presidente de la Corte Interamericana de Derechos Humanos de 13 de enero de 2006, Vistos 2, c y d.

[119] Corte I.D.H., Asunto del Centro Penitenciario Región Capital Yare I y Yare II respecto Venezuela, Resolución de la Corte Interamericana de Derechos Humanos de 30 de marzo de 2006. Vistos 2, c, d y f.

[120] Corte I.D.H., Asunto Centro Penitenciario de la Región Centro Occidental: Cárcel de Uribana respecto Venezuela, Resolución de la Corte Interamericana de 2 de febrero de 2007, Visto 2, a, b y c.

[121] Corte I.D.H., Asunto del Internado Judicial Capital El Rodeo I y El Rodeo II respecto Venezuela, Resolución de la Corte Interamericana de Derechos Humanos de 8 de febrero de 2008, Vistos 2, b, c y g, y 9. De hecho, en este caso la CIDH informó que el área administrativa, los pasillos e incluso las azoteas de la cárcel son controladas por los reos. Y que las bandas conocidas como "Barrio Chino" y "La Corte Negra" son los interlocutores que negocian con el Ministerio del Interior.

(e) En el asunto del *Centro Penitenciario de Aragua "Cárcel de Tocorón"*, se informó a la Corte que entre el 2008 y el primer trimestre de 2010 se produjeron 84 muertes como consecuencia de hechos de violencia entre internos. Además, entre el 27 y 29 de septiembre de 2010 se produjo un motín que dejó un saldo de 16 internos fallecidos y entre 36 y 46 heridos. En este motín se dispararon armas de fuego y se detonaron 8 granadas. El Estado movilizó 1,800 efectivos de la Guardia Nacional para controlar la situación de la cárcel. Posteriormente, el 10 de octubre resultó muerto otro interno como consecuencia de una herida cortopunzante [122].

106. En todos estos asuntos, el contexto general y las causas que generaron los hechos de violencia son fundamentalmente los mismos: un cuadro general de condiciones inhumanas de detención, caracterizado principalmente por altos índices de hacinamiento, la falta de provisión de servicios básicos; la falta de separación de internos por categorías; la ausencia de control efectivo de la seguridad interna de estas cárceles –los custodios penitenciarios sólo entran al interior de las cárceles con la Guardia Nacional, la cual está encargada específicamente de la seguridad perimetral–; denuncias de malos tratos y uso excesivo de la fuerza por parte de los efectivos de la Guardia Nacional; el control *de facto* de estos establecimientos por parte de los jefes de las bandas criminales allí presentes, denominados "pranes"; y la tenencia de todo tipo de armas por parte de los internos, incluyendo armas de fuego de grueso calibre y explosivos.

107. El elemento fundamental que ha favorecido la escalada de violencia en estas cárceles es la incapacidad del Estado para recuperar el control interno de las mismas, y la falta de adopción de medidas eficaces para corregir las deficiencias que permiten el rearme de la población penitenciaria, especialmente la ausencia de controles efectivos por parte de los funcionarios respectivos.

108. En estos asuntos la Corte Interamericana requirió al Estado adoptar de forma inmediata las medidas necesarias, fundamentalmente preventivas, para evitar de forma eficiente y definitiva la violencia en estos centros penitenciarios. En algunos casos, como el de la *Cárcel de Yare*[123] y el de la *Cárcel de Uribana*[124], el Tribunal ordenó adoptar medidas concretas para: decomisar las armas que se encuentran en poder de los internos; separar a los internos procesados de los condenados; separar a los hombres de las mujeres; reducir el hacinamiento y mejorar las condiciones de detención; supervisar periódicamente las condiciones de detención y el estado de los detenidos; y proveer personal capacitado y en número suficiente para asegurar el adecuado y efectivo control,

---

[122] Corte I.D.H., Asunto Centro Penitenciario de Aragua "Cárcel de Tocorón" respecto Venezuela, Resolución del Presidente de la Corte Interamericana de Derechos Humanos de 1 de noviembre de 2010, Vistos 2, b y d.

[123] Corte I.D.H., Asunto del Centro Penitenciario Región Capital Yare I y Yare II respecto Venezuela, Resolución de la Corte Interamericana de Derechos Humanos de 30 de marzo de 2006, Punto Resolutivo 2.

[124] Corte I.D.H., Asunto Centro Penitenciario de la Región Centro Occidental: Cárcel de Uribana respecto Venezuela, Resolución de la Corte Interamericana de 2 de febrero de 2007, Punto Resolutivo 2.

custodia y vigilancia del centro penitenciario. Además, la Corte hizo énfasis en el deber del Estado de diseñar y aplicar políticas penitenciarias de prevención de situaciones críticas[125].

109. La CIDH ha seguido de cerca la situación de las cárceles en Venezuela, en este sentido, en su Informe Especial: *Democracia y Derechos Humanos en Venezuela*, luego de analizar distintos indicadores de la violencia carcelaria en Venezuela, concluyó "que a nivel comparativo, se observa que las cárceles de Venezuela son las más violentas de la región"[126]. En efecto, aún considerando los datos oficiales suministrados por el Estado se observa que las cifras de hechos de violencia y muertes de personas privadas de libertad son alarmantes. Como se observa *supra* en la respuesta del Estado al cuestionario del presente informe, las cifras de reclusos muertos y heridos en el periodo 2005-2009 fueron las siguientes: 2005: 721 heridos y 381 muertos; 2006: 934 heridos y 388 muertos; 2007: 1.103 heridos y 458 muertos; 2008: 876 heridos y 374 muertos; y 2009: 724 heridos y 264 muertos.

110. Además, de acuerdo con información suministrada por la ONG Observatorio Venezolano de Prisiones, en audiencia celebrada en el 140º período ordinario de sesiones, durante los primeros nueve meses del 2010 se habrían registrado en Venezuela 352 reclusos muertos y 736 heridos en hechos de violencia[127].

111. En este contexto, y luego de recibir información de diversas fuentes[128], la CIDH se pronunció en sus Comunicados de Prensa No. 110/10 y 14/11 acerca de la práctica del "Coliseo" en la Cárcel de Uribana. En estos pronunciamientos, la CIDH deploró estos actos de violencia consistentes en enfrentamientos programados entre internos para "saldar sus cuentas", los cuales son organizados y dirigidos por los jefes de las organizaciones criminales que controlan dicho centro penal ("pranes"). De acuerdo con los códigos establecidos por los propios internos, en estas luchas se permite el uso de armas blancas y herir al oponente en determinadas partes del cuerpo. A la fecha de este comunicado de prensa (noviembre de 2010) esta práctica aberrante ya había dejado un saldo total de cuatro muertos y más de un centenar de heridos. Estos enfrentamientos

---

[125] Corte I.D.H., Asunto del Internado Judicial de Monagas ("La Pica") respecto Venezuela, Resolución del Presidente de la Corte Interamericana de Derechos Humanos de 13 de enero de 2006, Considerando 15; Corte I.D.H., Asunto del Centro Penitenciario Región Capital Yare I y Yare II respecto Venezuela, Resolución de la Corte Interamericana de Derechos Humanos de 30 de marzo de 2006, Considerando 18.

[126] CIDH, *Democracia y Derechos Humanos en Venezuela*, Cap. VI, párr. 881.

[127] CIDH, Audiencia Temática: *Institucionalidad democrática y defensores de derechos humanos en Venezuela*, 140º período ordinario de sesiones, solicitada por COFAVIC, CEJIL, Acción Solidaria, Carlos Ayala Corao, Caritas Los Teques, Carlos Correa, Vicaría de Derechos Humanos de Caracas, PROVEA, Observatorio Venezolano de Prisiones, 29 de octubre de 2010.

[128] Este asunto fue planteado inicialmente a la CIDH en el contexto de la Audiencia Temática: *Seguridad ciudadana, cárceles, diversidad e igualdad sexual en Venezuela*, 140º período ordinario de sesiones, solicitada por Foro por los Derechos Humanos y la Democracia (Justicia y Proceso Venezuela), Control Ciudadano, DIVERLEX y Una Ventana a la Libertad. Además, se recibió información de otras organizaciones como el Observatorio Venezolano de Prisiones. En todo caso, esta práctica infame de los "Coliseos" ha sido cubierta ampliamente por la prensa Nacional y la prensa local del estado de Lara.

tienen lugar en presencia de los agentes del Estado encargados de la seguridad de la cárcel y son de conocimiento público[129].

112.   La CIDH considera que la existencia de prácticas de esta naturaleza es inaceptable, y constituyen un incumplimiento claro del deber del Estado de crear las condiciones necesarias para evitar al máximo las riñas entre internos[130]. Además de constituir un incumplimiento del deber fundamental de Estado de mantener el orden público y la seguridad en las cárceles.

113.   Desde 2004 a la fecha del presente informe se ha pronunciado sistemáticamente en sus comunicados de prensa con respecto a hechos graves de violencia ocurridos en los siguientes países de la región[131]: *Brasil* (relativos a la Cárcel de Urso Branco, el Centro de Detención Provisional Raimundo Vidal Pessoa y los sucesos ocurridos en mayo de 2006 en la ciudad de San Pablo en el que hubo más de 70 motines en distintos centros de reclusión y otros muchos actos de violencia[132]; *El Salvador* (Penal La Esperanza "La Mariona", Sonsonate y Cojutepeque)[133]; *República Dominicana* (Cárcel de Higüey)[134]; *Guatemala* (Comisaría 31 de la Policía Nacional Civil de Escuintla, Centros Penales de Pavón y Pavoncito, Granja Canadá y el Centro Preventivo de Mazatenango)[135]; *Honduras* (Penitenciaría Nacional de Támara y Centro Penal de San Pedro Sula)[136]; *Venezuela* (Cárceles de Uribana, Guanare, Yare, Vista Hermosa, Tocorón, Internado Judicial de Reeducación y Trabajo Artesanal La Planta, Centro Penitenciario de Occidente en Táchira)[137]; *Argentina* (Cárcel de Santiago del Estero)[138]; y *México* (Centro de Readaptación Social No. 1 de Durango)[139].

114.   En estos comunicados, la CIDH ha reiterado consistentemente que los Estados tienen el deber irrenunciable de garantizar los derechos a la vida e integridad

---

[129] CIDH, Comunicado de Prensa 110/10 – CIDH condena violencia entre internos en cárcel de Venezuela. Washington, D.C., 9 de noviembre de 2010; y CIDH, Comunicado de Prensa 14/11 - CIDH reitera necesidad de prevenir actos de violencia en cárcel de Venezuela. Washington, D.C., 22 de febrero de 2011.

[130] Véase, Corte I.D.H., *Caso "Instituto de Reeducación del Menor" Vs. Paraguay*. Sentencia de 2 de septiembre de 2004. Serie C No. 112, párr. 184. En este caso la Corte concluyó que en el contexto de riñas entre internos, aunque los agentes del Estado no sean directamente quienes produzcan las lesiones o la muerte de los reclusos, el Estado incurre en responsabilidad internacional cuando incumple claramente con su deber de prevenir que éstas ocurran.

[131] Los Comunicados de Prensa de la CIDH organizados por año están disponibles en: http://www.oas.org/es/cidh/prensa/comunicados.asp.

[132] Comunicados de Prensa de la CIDH No. 13/04 y 114/10.

[133] Comunicados de Prensa de la CIDH No. 16/04 y 52/10.

[134] Comunicado de Prensa de la CIDH No. 6/05.

[135] Comunicados de Prensa de la CIDH No. 32/05 y 53/08.

[136] Comunicados de Prensa de la CIDH No. 2/06 y 20/08.

[137] Comunicados de Prensa de la CIDH No. 1/07, 10/10, 27/10, 50/10, 110/10 y 7/11.

[138] Comunicado de Prensa de la CIDH No. 55/07.

[139] Comunicado de Prensa de la CIDH No. 9/10.

personal de las personas privadas de libertad, en función del cual debe adoptar medidas concretas para prevenir, investigar y sancionar los hechos de violencia en las cárceles.

115.   La CIDH, en el ejercicio de sus distintas facultades de monitoreo, ha observado que las principales causas de violencia carcelaria en la región son: la falta de control efectivo del orden y la seguridad interna de los centros penitenciarios; la falta de personal de seguridad suficiente y capacitado; la corrupción; el uso excesivo de la fuerza y el trato humillante hacia los reclusos por parte de los agentes de seguridad; el ingreso y circulación de alcohol, drogas y dinero en las cárceles; la tenencia de armas por parte de los internos; la actividad de grupos criminales que operan en las cárceles, y las constantes disputas entre estos grupos por el control de las mismas; el hacinamiento y las deficientes condiciones de detención; la falta de separación de internos por categorías; la falta de protección de grupos vulnerables; la ausencia de actividades productivas en las que reclusos puedan ocuparse[140]; el trato discriminatorio o abusivo hacia los familiares de los reclusos; e incluso, las deficiencias en la administración de justicia, como la mora judicial[141].

116.   No hay, ni puede haber, razón alguna para que el Estado se sustraiga de su deber perentorio de proteger la vida y la integridad de individuos que se hallan sujetos a su inmediato, completo y constante control, y que carecen, por sí mismos, de capacidad efectiva de autodeterminación y defensa. El medio más efectivo de garantizar los derechos de las personas privadas de libertad es la adopción de medidas preventivas. Los Estados deben priorizar las acciones de prevención orientadas precisamente a controlar y reducir los factores de violencia en las cárceles, por encima de las acciones de represión. La elaboración e implementación efectiva de estrategias preventivas para evitar la escalada de violencia en los centros penitenciarios es esencial para garantizar la vida y la seguridad personal de los reclusos. Así como también lo es garantizar que las personas privadas de libertad dispongan de las condiciones necesarias para vivir con dignidad.

117.   En este sentido, los *Principios y Buenas Prácticas sobre la Protección de las Personas Privadas de* Libertad, establecen que "de acuerdo con el derecho internacional

---

[140] La representación de la CIDH que visitó las Penitenciarías de Mendoza en visita realizada del 13 al 17 de diciembre de 2004 pudo constatar que una de las causas frecuentes de la violencia entre presos era precisamente la ausencia de actividades en las cuales ocuparse durante las horas de recreo. Véase, Corte I.D.H., Asunto de las Penitenciarías de Mendoza respecto Argentina, Resolución de la Corte Interamericana de Derechos Humanos de 18 de junio de 2005, Vistos 24(b).

[141] Esta realidad es evidente al extremo de que en la práctica muchos de los motines, huelgas de hambre etc., que ocurren en las cárceles —organizados, tanto por los presos, como por sus familiares— son motivados precisamente por situaciones como la mora judicial o las deficiencias en la asistencia jurídica pública. Véase por ejemplo, CIDH, *Informe Anual 2008*, Capítulo IV, Venezuela, OEA/Ser.L/II.134, Doc. 5 Rev.1, adoptado el 25 de febrero de 2009, párr. 428. Además, en el contexto de las medidas cautelares otorgadas por la CIDH con respecto a la Unidad de Internamiento Socioeducativo en Brasil, se observó que una de las causas de los constantes motines y desórdenes que se producían en ese establecimiento estaban motivadas por las deficiencias en la asistencia jurídica que se le ofrecía a los internos. Medidas Cautelares MC-224-09, *Adolescentes privados de libertad em La Unidad de Internación Socioeducativa (UNIS)*, Brasil. Otro ejemplo puede verse en las medidas provisionales de la Cárcel de Uribana, en la que los peticionarios alegaron que algunas de las huelgas de hambre y otras acciones de protesta que ocurren en esa cárcel son en reclamo por los retrasos procesales. Véase Corte I.D.H., Asunto Centro Penitenciario de la Región Centro Occidental: Cárcel de Uribana respecto Venezuela, Resolución de la Corte Interamericana de 2 de febrero de 2007, Visto 2(d).

de los derechos humanos, se adoptarán medidas apropiadas y eficaces para prevenir todo tipo de violencia entre las personas privadas de libertad, y entre éstas y el personal de los establecimientos "; y sugiere para tales fines, entre otras, las siguientes medidas:

(a) Separar adecuadamente las diferentes categorías de personas, conforme a los criterios establecidos en el presente documento;

(b) Asegurar la capacitación y formación continua y apropiada del personal;

(c) Incrementar el personal destinado a la seguridad y vigilancia interior, y establecer patrones de vigilancia continua al interior de los establecimientos;

(d) Evitar de manera efectiva el ingreso de armas, drogas, alcohol y de otras sustancias u objetos prohibidos por la ley, a través de registros e inspecciones periódicas, y la utilización de medios tecnológicos u otros métodos apropiados, incluyendo la requisa al propio personal;

(e) Establecer mecanismos de alerta temprana para prevenir las crisis o emergencias;

(f) Promover la mediación y la resolución pacífica de conflictos internos;

(g) Evitar y combatir todo tipo de abusos de autoridad y actos de corrupción; y

(h) Erradicar la impunidad, investigando y sancionando todo tipo de hechos de violencia y de corrupción, conforme a la ley[142].

Esta lista de buenas prácticas no es definitiva, la misma se fundamenta en la experiencia del Sistema Interamericano y en la consideración a las principales obligaciones internacionales de los Estados. Por eso, como se ve a lo largo del presente informe hay otra serie de medidas que de acuerdo con el contexto específico los Estados deben adoptar para respetar y garantizar efectivamente los derechos fundamentales de las personas privadas de libertad.

C. El control judicial de la detención como garantía de los derechos a la vida e integridad personal de los detenidos

118. En el ámbito del Sistema Interamericano esta garantía fundamental está establecida en el artículo XXV de la Declaración Americana y en los artículos 7.5 y 7.6 de la Convención Americana en los siguientes términos:

Declaración Americana

Artículo XXV: "Todo individuo que haya sido privado de su libertad tiene derecho a que el juez verifique sin demora la legalidad de la medida […]".
Convención Americana.

---

[142] CIDH, *Principios y Buenas Prácticas sobre la Protección de las Personas Privadas de Libertad en las Américas*, (Principio XXIII.1).

Artículo 7. (5) Toda persona detenida o retenida debe ser llevada, sin demora, ante un juez u otro funcionario autorizado por la ley para ejercer funciones judiciales [...] (6) toda persona privada de libertad tiene derecho a recurrir ante un juez o tribunal competente, a fin de que éste decida, sin demora, sobre la legalidad de su arresto o detención y ordene su libertad si el arresto o la detención fueran ilegales. En los Estados partes cuyas leyes prevén que toda persona que se viera amenazada de se privada de su libertad tiene derecho a recurrir a un juez o tribunal competente a fin de que éste decida sobre la legalidad de tal amenaza, dicho recurso no puede ser restringido ni abolido. Los recursos podrán interponerse por sí o por otra persona.

De igual forma, la Convención Interamericana sobre Desaparición Forzada de Personas[143] establece que "Toda persona privada de libertad debe ser mantenida en lugares de detención oficialmente reconocidos y presentada sin demora, conforme a la legislación interna respectiva, a la autoridad judicial competente" (artículo XI).

Además, los Principios y Buenas Prácticas disponen:

Principio III. (1) Toda persona tendrá derecho a la libertad personal y a ser protegido contra todo tipo de privación de libertad ilegal o arbitraria. La ley prohibirá, en toda circunstancia, la incomunicación coactiva de personas privadas de libertad y la privación de libertad secreta, por constituir formas de tratamiento cruel e inhumano. Las personas privadas de libertad sólo serán recluidas en lugares de privación de libertad oficialmente reconocidos.

Principio V. Toda persona privada de libertad tendrá derecho, en todo momento y circunstancia, a la protección de y al acceso regular a jueces y tribunales competentes, independientes e imparciales, establecidos con anterioridad por la ley.

[...]

Toda persona privada de libertad, por sí o por medio de terceros, tendrá derecho a interponer un recurso sencillo, rápido y eficaz, ante autoridades competentes, independientes e imparciales, contra actos u omisiones que violen o amenacen violar sus derechos humanos[144].

---

[143] La cual a la fecha ha sido ratificada por los siguientes catorce Estados: Argentina, Bolivia, Chile, Colombia, Costa Rica, Ecuador, Guatemala, Honduras, México, Panamá, Paraguay, Perú, Uruguay y Venezuela.

[144] Asimismo, pueden encontrarse disposiciones similares en otros instrumentos internacionales de derechos humanos, como el Pacto Internacional de Derechos Civiles y Políticos (artículo 9), la Convención Europea de Derechos Humanos (artículo 5); y el Conjunto de Principios para la Protección de todas las Personas Sometidas a Cualquier Forma de Detención o Prisión (Principios 4, 11, 15, 16, 32 y 37); y en materia de justicia penal juvenil, en la Convención de los Derechos del Niño (artículo 37), las Reglas Mínimas de las Naciones Unidas para la

Continúa...

119.   De acuerdo con el régimen establecido por la Convención Americana, el control judicial efectivo de la detención o aprehensión de una persona implica dos deberes fundamentales por parte del Estado –independientes y complementarios entre sí–: la obligación de presentar al detenido sin demora ante una autoridad judicial u otra autorizada para ejercer funciones judiciales (artículo 7.5), y el deber de permitir el acceso inmediato del detenido a una autoridad judicial competente que revise sin demora la legalidad de la detención, es decir, el hábeas corpus o exhibición personal (artículo 7.6). El *hábeas corpus* garantiza que el detenido no esté exclusivamente a merced de la autoridad que realiza la detención, esta protección debe ser siempre accesible[145]. La Comisión, ha establecido que el hábeas corpus,

> [E]s la garantía tradicional que, en calidad de acción, tutela la libertad física o corporal o de locomoción a través de un procedimiento judicial sumario, que se tramita en forma de juicio. Generalmente, el *habeas corpus* extiende su tutela a favor de personas que ya están privadas de libertad en condiciones ilegales o arbitrarias, justamente para hacer cesar las restricciones que han agravado su privación de libertad. La efectividad de la tutela que se busca ejercer con este recurso depende, en gran medida, de que su trámite sea sumario, a efecto de que, por su celeridad, se transforme en una vía idónea y apta para llegar a una decisión efectiva del asunto en el menor tiempo posible[146].

120.   El cumplimiento por parte del Estado de estas obligaciones es fundamental para la protección eficaz de derechos fundamentales inderogables como los derechos a la vida e integridad personal[147]. Por lo cual la Comisión Interamericana ha considerado que "la protección más importante de los derechos de un detenido es su pronta comparecencia ante una autoridad judicial encargada de supervisar la detención"[148]. Y que, el derecho a pedir que se establezca la legalidad de la detención es la garantía fundamental de los derechos constitucionales y humanos de un detenido en caso de privación de libertad por parte de agentes estatales. Derecho que no puede suspenderse en ningún caso, y cuya importancia sería imposible sobrestimar[149].

...continuación
Administración de Justicia de Menores (Reglas de Beijing) (Regla 10) y las Reglas de las Naciones Unidas para la Protección de los Menores Privados de Libertad[144] (Regla 22).

[145] CIDH, *Quinto Informe sobre la Situación de los Derechos Humanos en Guatemala*, Cap. VII, párr. 24.

[146] CIDH, Informe No. 41/99, Caso 11.491, Fondo, Menores Detenidos, Honduras, 10 de marzo de 1999, párr. 61.

[147] Esta protección es particularmente relevante en el caso de niños, niñas y adolescentes, quienes por su propia condición de vulnerabilidad requieren de garantías reforzadas, este tema es ampliamente desarrollado por la CIDH en: *Justicia Juvenil y Derechos Humanos en las Américas*, OEA/Ser.L/V/II. Doc. 78, adoptado el 13 de julio de 2011, (en adelante "*Justicia Juvenil y Derechos Humanos en las Américas*"), párrs. 225-226.

[148] CIDH, *Quinto Informe sobre la Situación de los Derechos Humanos en Guatemala*, Cap. VII, párr. 21. Véase también, ONU, Relator Especial sobre la Tortura y otros Tratos Crueles, Inhumanos o Degradantes, *Informe presentado a la Comisión de Derechos Humanos* (hoy Consejo), E/CN.4/2004/56, adoptado el 23 de diciembre de 2003, párr. 39.

[149] CIDH, Informe No. 1/97, Caso 10.258, Fondo, Manuel García Franco, Ecuador, 18 de febrero de 1998, párr. 57.

121.   El contenido esencial del artículo 7 de la Convención Americana es la protección de la libertad del individuo contra la interferencia del Estado[150], para ello establece garantías que representan límites al ejercicio de la autoridad por parte de los agentes del Estado[151]. El acto de la detención o aprehensión es una manifestación del ejercicio del poder real del Estado sobre una persona, por lo cual, tanto el derecho internacional, como los sistemas constitucionales y legales de los Estados democráticos establecen una serie de garantías cuyo propósito es asegurar que las actuaciones de las autoridades se desarrollen dentro de ciertos límites propios del Estado de derecho y necesarios para garantizar los derechos fundamentales de todos los ciudadanos.

122.   La CIDH ha manifestado enfáticamente que toda privación de la libertad debe producirse estrictamente en los casos o circunstancias expresamente previstas en la ley y en estricto cumplimiento de los procedimientos establecidos a tal efecto. De lo contrario, la persona detenida se encuentra, de hecho, expuesta a la arbitrariedad y al abuso de la autoridad que ejecutó la aprehensión. Por lo tanto, para que la fiscalización judicial de la detención sea efectiva, es preciso informar rápidamente al tribunal competente acerca de la detención de una persona[152]. Para evitar esos riesgos la Comisión ha sugerido que no se considerará razonable una demora de más de dos o tres días en llevar al detenido ante una autoridad judicial en general[153]. En el mismo sentido, la Corte Europea de Derechos Humanos ha considerado que un lapso de cuatro días transcurridos entre el arresto y la comparecencia ante una autoridad judicial sobrepasa los parámetros de prontitud establecidos en el artículo 5(3) de la Convención Europea[154].

123.   Cuando la detención no es ordenada o adecuadamente supervisada por una autoridad judicial competente, cuando el detenido no puede entender plenamente la razón de la detención o no tiene acceso a un abogado y cuando su familia no puede localizarlo con prontitud, es evidente que están en riesgo no solamente las garantías judiciales del detenido, sino también su vida e integridad física[155]. La relación entre la

---

[150] Corte I.D.H., *Caso Bulacio Vs. Argentina*. Sentencia de 18 de septiembre de 2003. Serie C No. 100, párr. 129; Corte I.D.H., *Caso Juan Humberto Sánchez Vs. Honduras*. Sentencia de 7 de junio de 2003. Serie C No. 99, párr. 84.

[151] Corte I.D.H., *Caso Servellón García y otros Vs. Honduras*. Sentencia de 21 de septiembre de 2006. Serie C No. 152, párr. 88.

[152] CIDH, *Informe sobre la Situación de los Derechos Humanos en República Dominicana*, OEA/Ser.L/V/II.104. Doc. 49 rev. 1, adoptado el 7 de octubre de 1999, (en adelante "*Informe sobre la Situación de los Derechos Humanos en República Dominicana*"), Cap. VI, párr. 219; CIDH, Informe No. 2/97, Caso 11.205, Fondo, Jorge Luis Bronstein y otros, Argentina, 11 de marzo de 1997, párr. 11.

[153] CIDH, *Informe sobre Terrorismo y Derechos Humanos*, párr. 122.

[154] European Court of Human Rights, *Case of Brogan and others v. The United Kingdom*, (Application no. 11209/84; 11234/84; 11266/84; 11386/85), Judgment of November 29, 1988, Grand Chamber, para. 62..

[155] Véase, CIDH, *Haití: ¿Justicia Frustrada o Estado de Derecho? Desafíos para Haití y la Comunidad Internacional*, OEA/Ser/L/II.123, Doc. 6 rev. 1, adoptado el 26 de octubre de 2005, (en adelante "*Haití: ¿Justicia Frustrada o Estado de Derecho? Desafíos para Haití y la Comunidad Internacional*"), Cap. III, párr. 113; y CIDH, *Quinto Informe sobre la Situación de los Derechos Humanos en Guatemala*, Cap. VII, párr. 37; CIDH, *Tercer Informe sobre la Situación de los Derechos Humanos en Paraguay*, OEA/Ser./L/VII.110. Doc. 52, adoptado el 9 de marzo de

Continúa...

detención ilegal o arbitraria y la violación de otros derechos fundamentales de los detenidos no es circunstancial, y en algunos casos puede obedecer a una actuación lógica de dependencia entre las fuerzas de seguridad, los agentes de instrucción y las autoridades jurisdiccionales[156].

124. En este sentido, la Corte Interamericana ha sostenido consistentemente a partir de los casos *Loayza Tamayo* y *de los Niños de la Calle (Villagrán Morales y otros)* que "una persona ilegalmente detenida se encuentra en una situación agravada de vulnerabilidad, de la cual surge un riesgo cierto de que se le vulneren otros derechos, como el derecho a la integridad física y a ser tratada con dignidad"[157]. En efecto, existen numerosos ejemplos de casos en el Sistema Interamericano en el que las detenciones realizadas fuera de toda legalidad han constituido el primer acto para ejecuciones extrajudiciales, desapariciones forzadas, o para la realización de actos individuales o patrones sistemáticos de tortura.

125. La Comisión Interamericana ha constatado que los prolongados períodos de detención anterior a la acusación y al juicio, y falta de acceso a la justicia, son un problema realmente grave en varios países de la región. Así por ejemplo, en su Informe de País de Haití de 2005 la CIDH constató que los detenidos sufrían demoras de varios meses e incluso años antes de comparecer ante un juez, y frecuentemente permanecían en periodos de detención previa al juicio mayores que las penas que se les habrían impuesto en caso de haber sido declarados culpables[158]. En una visita de la CIDH a la Penitenciaría Nacional en abril de 2005 verificó que de los 1.052 reclusos alojados en ese momento, sólo nueve habían sido declarados culpables de algún delito. Y según información suministrada por el Ministerio de Justicia, de las 117 mujeres alojadas en la prisión para mujeres de Petionville, sólo cuatro habían sido sentenciadas[159].

126. Luego de un examen más detenido de esta situación, la Comisión Interamericana concluyó que entre las principales causas de este fenómeno sistémico y generalizado en Haití se contaban las siguientes: (a) la práctica de arrestos masivos de personas que luego son mantenidas en las celdas de la policía en espera de una eventual investigación; (b) las deficiencias estructurales del sistema de administración de justicia que resultan en niveles alarmantes de atraso procesal y en el incumplimiento de los plazos legales de las diligencias judiciales; (c) las deficiencias en la provisión de defensa pública

---

...continuación

2001, (en adelante *"Tercer Informe sobre la Situación de los Derechos Humanos en Paraguay"*), Cap. IV, párr. 30; CIDH, *Informe sobre la Situación de los Derechos Humanos en República Dominicana*, Cap. VI, párr. 219.

[156] CIDH, *Informe sobre la Situación de los Derechos Humanos en México*, Cap. III, párr. 219.

[157] Corte I.D.H., *Caso de los "Niños de la Calle" (Villagrán Morales y otros) Vs. Guatemala*. Sentencia de 19 de noviembre de 1999. Serie C No. 63, párr. 166; Corte I.D.H., *Caso Loayza Tamayo Vs. Perú*. Sentencia de 17 de septiembre de 1997. Serie C No. 33, párr. 57.

[158] El caso del señor Yvon Neptune, quien no compareció ante un juez hasta once meses después de su arresto, representa un ejemplo claro de esta situación. Véase, Corte I.D.H., *Caso Yvon Neptune Vs. Haití*. Fondo, Reparaciones y Costas. Sentencia de 6 de mayo de 2008. Serie C No. 180, párrs. 102 y 103.

[159] CIDH, Haití: *¿Justicia Frustrada o Estado de Derecho? Desafíos para Haití y la Comunidad Internacional*, Cap. III, párr. 165.

gratuita para detenidos de escasos recursos, los cuales en muchos casos, se ven impedidos de presentar acciones de *hábeas corpus* debido a esta circunstancia; y (d) la falta de capacidad operativa de las autoridades policiales, específicamente del Departamento Central de Policía Judicial, y de los agentes de instrucción[160].

127.   La Comisión Interamericana en su Informe de Visita a Haití de 2007, le dio seguimiento al tema del control judicial de la detención e incluyó en su análisis algunos elementos adicionales como los informes sobre maltrato policial y tortura en las estaciones de detención de la policía, y sobre las pésimas condiciones de detención en esos recintos que no están diseñados para alojar reclusos por periodos prolongados de tiempo, lo que en sí mismo constituiría una forma adicional de trato cruel, inhumano y degradante. Además, en este informe la CIDH analizó la relación que existe entre la presión que recibe la policía para producir resultados concretos frente a la criminalidad y los escasos recursos con que este cuerpo cuenta para cumplir con su mandato[161]. Lo que en definitiva es otro factor que incrementa el riesgo de la comisión de abusos y arbitrariedades contra los detenidos.

128.   Otro de los Estados en los que la Comisión Interamericana ha constatado que la falta de control efectivo de la legalidad de las detenciones constituye un problema crónico es Guatemala. En particular con respecto a los arrestos realizados sin órdenes judiciales y sin poner a los detenidos bajo supervisión judicial con prontitud. En este sentido, la CIDH destacó en su Quinto Informe Especial sobre los Derechos Humanos en Guatemala del 2001 que de acuerdo con la información analizada, en la práctica, más de la mitad de las personas que se encuentran en centros de prisión preventiva fueron entregadas por oficiales de policía sin haber sido llevadas previamente ante un juez. Asimismo, la CIDH consideró particularmente inquietantes los informes que indicaban que los jueces en muchos casos se limitan a confirmar la detención preventiva sobre la base de los partes o informes policiales, sin una investigación o constatación adicional[162]. Posteriormente, en el marco de una audiencia temática celebrada en el 2006, la CIDH recibió información según la cual persisten en Guatemala los patrones de abusos y arbitrariedades cometidos por los cuerpos policiales y la falta de control judicial efectivo de las detenciones[163].

129.   Asimismo, el Comité contra la Tortura de las Naciones Unidas en sus Observaciones Generales sobre Guatemala emitidas en 2006 consideró preocupante los informes de casos de mujeres que sufren actos de violencia sexual en las comisarías. Por lo que subrayó el deber del Estado de "adoptar medidas para que todas las mujeres arrestadas comparezcan inmediatamente ante el juez y sean transferidas posteriormente a

---

[160] CIDH, Haití: *¿Justicia Frustrada o Estado de Derecho? Desafíos para Haití y la Comunidad Internacional,* Cap. III, párrs. 166-172.

[161] CIDH, *Observaciones de la Comisión Interamericana de Derechos Humanos sobre su visita a Haití en abril de 2007,* OEA/Ser.L/V/II.131. Doc. 36, adoptado el 2 de marzo de 2008, párrs. 19-35.

[162] CIDH, *Quinto Informe sobre la Situación de los Derechos Humanos en Guatemala,* Cap. VII, párrs. 4, 16, 21-24.

[163] CIDH, Audiencia Temática: *Situación del sistema penitenciario en Guatemala,* 124º período ordinario de sesiones, organizado por el Instituto de Estudios Comparados en Ciencias Penales de Guatemala, 6 de marzo de 2006.

un centro de detención de mujeres, si así lo ordena el juez"[164]. Esta observación del Comité contra la Tortura revela la importancia fundamental del control judicial efectivo de las detenciones como mecanismo de prevención de la tortura y los tratos crueles, inhumanos y degradantes.

130.   Es relevante destacar también que el Grupo de Trabajo de las Naciones Unidas sobre las detenciones arbitrarias en su informe sobre Argentina de 2003 señaló como uno de los principales motivos de preocupación la ausencia de recursos efectivos contra la detención. La mayoría de los detenidos entrevistados por el Grupo de Trabajo manifestaron que se les había impuesto la medida de prisión preventiva sin haber sido escuchados debidamente por el juez. Habrían sido conducidos simplemente ante un "sumariante" o secretario de juzgado, quien había ordenado la prisión preventiva firmando en representación del juez. De acuerdo con el informe del Grupo de Trabajo, las órdenes de detención serían comunicadas a los detenidos a través de las autoridades del centro carcelario, sin que el inculpado sea llevado personalmente ante el juez para ser debida y personalmente notificado[165].

131.   Por su parte, el Comité de Derechos Humanos de la ONU en su Informe de Observaciones Finales sobre Argentina emitido en el 2010, expresó su preocupación por la detención de personas, incluyendo menores, "sin orden judicial anterior ni control judicial posterior y fuera de los supuestos de flagrancia, por el único motivo formal de averiguar su identidad". Al respecto, la Relatoría de Personas Privadas de Libertad durante su visita de trabajo a la provincia de Buenos Aires de 2010 mantuvo reuniones con varios Defensores Públicos que manifestaron que la detención de niños y adolescentes por motivos de investigación de la identidad, hasta por periodos de 12 horas y sin control judicial alguno, es una práctica extendida en esa jurisdicción.

132.   La Comisión Interamericana enfatiza que el requerimiento de que no se deje la detención de una persona a discreción absoluta de los agentes estatales encargados de realizarla es tan fundamental que no puede ser pasado por alto en ningún contexto[166].

---

[164] ONU, Comité contra la Tortura, *Examen de los Informes Presentados por los Estados Partes en Virtud del artículo 19 de la Convención contra la Tortura, Conclusiones y recomendaciones del Comité contra la Tortura; Guatemala*, CAT/C/GTM/CO/4, adoptadas el 25 de julio de 2006, párr. 17.

[165] ONU, Grupo de Trabajo sobre Detenciones Arbitrarias, *Informe sobre Misión a Argentina*, E/CN.4/2004/3/Add.3, adoptado el 23 de diciembre de 2003, párr. 37. En esta visita el Grupo de Trabajo estuvo en la capital Federal y las provincias de Buenos Aires, Mendoza y Salta, y sostuvo entrevistas individuales en privado y sin testigos con 205 detenidos. Con respecto a la aplicación sistemática de la prisión preventiva como política de seguridad pública en la provincia de Buenos Aires, véase: Centro de Estudios Legales y Sociales (CELS), *Derechos Humanos en Argentina Informe 2010*, Capítulo IV.

[166] CIDH, *Quinto Informe sobre la Situación de los Derechos Humanos en Guatemala*, Cap. VII, párr. 23. "En los casos en que no se sigue los procedimientos previstos en la ley --cuando el arresto y la detención se efectúan en ausencia de una orden judicial, cuando no se lleva un registro adecuado de los detenidos, cuando éstos son retenidos en lugares no autorizados para detención o transferidos a centros de detención sin una autorización judicial--, no es posible una pronta supervisión judicial y el detenido es vulnerable al potencial abuso de sus derechos".

133.   Igualmente, la Corte Interamericana ha establecido que,

[C]orresponde al juzgador garantizar los derechos del detenido, autorizar la adopción de medidas cautelares o de coerción, cuando sea estrictamente necesario y procurar, en general, que se trate al inculpado de manera consecuente con la presunción de inocencia, como una garantía tendiente a evitar la arbitrariedad o ilegalidad de las detenciones, así como a garantizar el derecho a la vida y a la integridad personal[167].

[...]

[P]ara satisfacer la exigencia del Artículo 7.5 de "ser llevado" sin demora ante un juez u otro funcionario autorizado por la ley para ejercer funciones judiciales, el detenido debe comparecer personalmente ante la autoridad competente, la cual debe oír personalmente al detenido y valorar todas las explicaciones que éste le proporcione, para decidir si procede la liberación o el mantenimiento de la privación de libertad[168]. Lo contrario equivaldría a despojar de toda efectividad el control judicial dispuesto en el Artículo 7.5 de la Convención[169].

La inmediata revisión judicial de la detención tiene particular relevancia cuando se aplica a capturas *infraganti* y constituye un deber del Estado para garantizar los derechos del detenido[170].

134.   Por lo tanto, es imperativo que la persona detenida sea realmente llevada ante un juez o funcionario autorizado por la ley para desempeñar funciones judiciales. Es decir, que sea una autoridad competente, independiente e imparcial, que posea las facultades jurisdiccionales necesarias para ejercer una tutela judicial efectiva de derechos fundamentales que hayan sido eventualmente vulnerados. No se cumple este requisito cuando el detenido es presentado ante un funcionario o secretario judicial que por sí mismo no posee facultades jurisdiccionales, o cuando aquel es llevado ante

---

[167] Corte I.D.H., *Caso Vélez Loor Vs. Panamá*. Sentencia de Excepciones Preliminares, Fondo, Reparaciones y Costas. Sentencia de 23 de noviembre de 2010. Serie C. No. 218, párr. 105; Corte I.D.H., *Caso Yvon Neptune Vs. Haití*. Fondo, Reparaciones y Costas. Sentencia de 6 de mayo de 2008. Serie C No. 180, párr. 107; Corte I.D.H., *Caso Chaparro Álvarez y Lapo Íñiguez Vs. Ecuador*. Excepciones Preliminares, Fondo, Reparaciones y Costas. Sentencia de 21 de noviembre de 2007. Serie C No. 170, párr. 81; Corte I.D.H., *Caso García Asto y Ramírez Rojas Vs. Perú*. Sentencia de 25 de noviembre de 2005. Serie C No. 137, párr. 109.

[168] Corte I.D.H., *Caso Vélez Loor Vs. Panamá*. Sentencia de Excepciones Preliminares, Fondo, Reparaciones y Costas. Sentencia de 23 de noviembre de 2010. Serie C. No. 218, párr. 109; Corte I.D.H., *Caso Bayarri Vs. Argentina*. Excepción Preliminar, Fondo, Reparaciones y Costas. Sentencia de 30 de octubre de 2008. Serie C No. 187, párr. 65; Corte I.D.H., *Caso Chaparro Álvarez y Lapo Íñiguez Vs. Ecuador*. Excepciones Preliminares, Fondo, Reparaciones y Costas. Sentencia de 21 de noviembre de 2007. Serie C No. 170, párr. 85.

[169] Corte I.D.H., *Caso Bayarri Vs. Argentina*. Excepción Preliminar, Fondo, Reparaciones y Costas. Sentencia de 30 de octubre de 2008. Serie C No. 187, párr. 65.

[170] Corte I.D.H., *Caso López Álvarez Vs. Honduras*. Sentencia de 1 de febrero de 2006. Serie C No. 141, párr. 88.

autoridades administrativas adscritas, por ejemplo, al órgano ejecutivo[171]. Así como tampoco se cumple este mandato convencional cuando la presentación del detenido ante la autoridad judicial se practica como una mera formalidad[172].

135.   Por otro lado, la Corte Interamericana ha establecido que el hábeas corpus, como una garantía destinada a evitar la arbitrariedad y la ilegalidad de las detenciones, está reforzada por la condición de garante en la que se encuentre el Estado frente a las personas privadas de libertad. En virtud de la cual, el Estado tiene, tanto la responsabilidad de garantizar los derechos del individuo bajo su custodia, como la de proveer la información y las pruebas relacionadas con lo que suceda al detenido[173]. Asimismo, el Tribunal ha establecido que "el habeas corpus cumple un papel vital en cuanto a garantizar que se respete la vida y la integridad física de una persona, impedir su desaparición o el que se mantenga secreto su paradero, y protegerla contra la tortura o cualquier otro castigo o tratamiento cruel, inhumano o degradante"[174]. Con lo cual, junto con el amparo es de "aquellas garantías judiciales indispensables para la protección de varios derechos cuya suspensión está vedada por la propia Convención Americana, y sirve además para preservar la legalidad en una sociedad democrática"[175].

136.   Con respecto al alcance de la revisión judicial, la CIDH ha establecido que,

La revisión de la legalidad de una detención implica la constatación no solamente formal, sino sustancial, de que esa detención es adecuada al sistema jurídico y que no se encuentra en violación a ningún derecho del detenido. Que esa constatación se lleve a cabo por un Juez, rodea el procedimiento de determinadas garantías, que no se ven debidamente protegidas si la resolución está en manos de una autoridad administrativa[176].

En este sentido, la Corte Interamericana ha sentado como principio fundamental que, "El análisis por la autoridad competente de un recurso judicial que controvierte la legalidad de

---

[171] Como ocurrió en el citado caso del señor Tranquilino Vélez Loor, quien tras su aprehensión por transgredir las leyes migratorias de la República de Panamá fue "remitido" o puesto a órdenes de la Dirección de Migración y Naturalización de la provincia de Darién por la Policía Nacional.

[172] European Court of Human Rights, *Case of Baranowski v. Poland*, (Application no. 28358/95), Judgment of March 28, 2000, First Section, para. 57.

[173] Corte I.D.H., *Caso Tibi Vs. Ecuador*. Sentencia de 7 de septiembre de 2004. Serie C No. 114, párr. 129.

[174] Corte I.D.H., *El Hábeas Corpus Bajo Suspensión de Garantías* (Arts. 27.2, 25.1 y 7.6 Convención Americana sobre Derechos Humanos). Opinión Consultiva OC-8/87 del 30 de enero de 1987. Serie A No. 8, párr. 35.

[175] Corte I.D.H., *Garantías Judiciales en Estados de Emergencia* (Arts. 27.2, 25 y 8 Convención Americana sobre Derechos Humanos). Opinión Consultiva OC-9/87 del 6 de octubre de 1987. Serie A No. 9, párr. 33; Corte I.D.H., *El Hábeas Corpus Bajo Suspensión de Garantías* (Arts. 27.2, 25.1 y 7.6 Convención Americana sobre Derechos Humanos). Opinión Consultiva OC-8/87 del 30 de enero de 1987. Serie A No. 8, párr. 42.

[176] CIDH, Informe No. 66/01, Caso 11.992, Fondo, Dayra María Levoyer Jiménez, Ecuador, 14 de junio de 2001, párr. 79.

la privación de libertad no puede reducirse a una mera formalidad, sino debe examinar las razones invocadas por el demandante y manifestarse expresamente sobre ellas, de acuerdo a los parámetros establecidos por la Convención Americana"[177].

137.   El artículo 7(6) dispone que el recurso –de hábeas corpus– "podrá interponerse por sí o por otra persona", esto implica que el Estado debe asegurar las condiciones para que el recurso sea accesible. Para ello es imprescindible que la persona detenida sea informada en un lenguaje que comprenda acerca de las razones de su detención, que sepa exactamente dónde se encuentra detenida y por qué autoridad, además que se le permita comunicarse con un tercero, de forma tal que éste pueda controvertir la legalidad de la privación de libertad[178]. A este respecto la Corte Interamericana ha establecido, que

> [E]l detenido, al momento de ser privado de su libertad y antes de que rinda su primera declaración ante la autoridad, debe ser notificado de su derecho de establecer contacto con una tercera persona, por ejemplo, un familiar, un abogado o un funcionario consular, según corresponda, para informarle que se halla bajo custodia del Estado. La notificación a un familiar o allegado tiene particular relevancia, a efectos de que éste conozca el paradero y las circunstancias en que se encuentra el inculpado y pueda proveerle la asistencia y protección debidas. En el caso de la notificación a un abogado tiene especial importancia la posibilidad de que el detenido se reúna en privado con aquél, lo cual es inherente a su derecho a beneficiarse de una verdadera defensa[179].

138.   Las Reglas Mínimas para el Tratamiento de Reclusos disponen, con respecto al derecho de toda persona detenida a entablar contacto con una tercera persona, que el acusado,

> [D]eberá poder informar inmediatamente a su familia de su detención y se le concederán todas las facilidades razonables para comunicarse con ésta y sus amigos y para recibir la visita de estas personas, con la única reserva de las restricciones y de la vigilancia necesarias en interés de la administración de justicia, de la seguridad y del buen orden del establecimiento" (Regla 92)[180].

---

[177] Corte I.D.H., *Caso López Álvarez Vs. Honduras*. Sentencia de 1 de febrero de 2006. Serie C No. 141, párr. 96.

[178] ONU, Relator Especial sobre la Tortura y otros Tratos Crueles, Inhumanos o Degradantes, *Informe presentado a la Comisión de Derechos Humanos* (hoy Consejo), E/CN.4/2004/56, adoptado el 23 de diciembre de 2003, párrs. 30-32.

[179] Corte I.D.H., *Caso Tibi Vs. Ecuador*. Sentencia de 7 de septiembre de 2004. Serie C No. 114, párr. 112; Corte I.D.H., *Caso Bulacio Vs. Argentina*. Sentencia de 18 de septiembre de 2003. Serie C No. 100, párrs. 129-130.

[180] Al respecto, el Conjunto de Principios para la Protección de todas las Personas Sometidas a Cualquier Forma de Detención o Prisión, disponen: "Prontamente después de su arresto y después de cada traslado de un lugar de detención o prisión a otro, la persona detenida o presa tendrá derecho a notificar, o a pedir que la autoridad competente notifique, a su familia o a otras personas idóneas que él designe, su arresto,

Continúa...

139.   A este respecto, en el caso *Bulacio* la Corte Interamericana estableció que el derecho de establecer contacto con una tercera persona cobra especial importancia cuando se trata de detenciones de niños y adolescentes. "En esta hipótesis la autoridad que practica la detención y la que se halla a cargo del lugar en el que se encuentra el menor, debe inmediatamente notificar a los familiares, o en su defecto, a sus representantes para que el menor pueda recibir oportunamente la asistencia de la persona notificada"[181].

140.   Este derecho de todo niño privado de libertad, está establecido en el artículo 37(d) de la Convención de los Derechos del Niño, y es desarrollado con mayor amplitud por las Reglas Mínimas de las Naciones Unidas para la Administración de Justicia de Menores (Reglas de Beijing), que disponen que "[c]ada vez que un menor sea detenido, la detención se notificará inmediatamente a sus padres o su tutor, y cuando no sea posible dicha notificación inmediata, se notificará a los padres o al tutor en el más breve plazo posible" (Regla 10 .1). En el mismo sentido, el Conjunto de Principios para la Protección de todas las Personas Sometidas a Cualquier Forma de Detención o Prisión, Principio 16(3) y las Reglas de las Naciones Unidas para la Protección de los Menores Privados de Libertad, Regla 22.

141.   Por lo cual, tanto en el caso de niños y adolescentes, como en el de adultos, prácticas tales como la detención prolongada en condiciones de incomunicación o la detención secreta de personas son por sí mismas violatorias del derecho al control judicial de la detención o aprehensión de una persona –y de otros derechos fundamentales–.

142.   Específicamente con respecto a la incomunicación con fines de investigación criminal, la Corte Interamericana sentó como principio fundamental en el caso *Suárez Rosero* que,

> La incomunicación es una medida de carácter excepcional que tiene como propósito impedir que se entorpezca la investigación de los hechos. Dicho aislamiento debe estar limitado al período de tiempo determinado expresamente por la ley. Aún en ese caso el Estado está obligado a asegurar al detenido el ejercicio de las garantías mínimas e inderogables

---

...continuación

detención o prisión o su traslado y el lugar en que se encuentra bajo custodia" (Principio 16.1). En el mismo sentido, la Convención Internacional para la Protección de todas las Personas Contra las Desapariciones Forzadas establecen: "[...] cada Estado Parte garantizará a toda persona con un interés legítimo en esa información, por ejemplo los allegados de las persona privada de libertad, su representante o abogado, el acceso, como mínimo, a las informaciones siguientes: (a) La autoridad que decidió la privación de libertad; (b) La fecha, la hora y el lugar en que la persona fue privada de libertad y admitida en un lugar de privación de libertad; (c) La autoridad que controla la privación de libertad; (d) El lugar donde se encuentra la persona privada de libertad y, en caso de traslado hacia otro lugar de privación de libertad, el destino y la autoridad responsable del traslado; (e) La fecha, la hora y el lugar de la liberación; (f) Los elementos relativos al estado de salud de la persona privada de libertad; (g) En caso de fallecimiento durante la privación de libertad, las circunstancias y causas del fallecimiento y el destino de los restos" (artículo 18.1).

[181] Corte I.D.H., *Caso Bulacio Vs. Argentina*. Sentencia de 18 de septiembre de 2003. Serie C No. 100, párr. 130.

establecidas en la Convención y, concretamente, el derecho a cuestionar la legalidad de la detención y la garantía del acceso, durante su aislamiento, a una defensa efectiva[182].

[...]

[E]l derecho de hábeas corpus debe ser garantizado en todo momento a un detenido, aún cuando se encuentre bajo condiciones excepcionales de incomunicación legalmente decretadas[183].

143.   En efecto, la incomunicación de un detenido es una medida excepcional que debe responder a criterios de legalidad, necesidad, proporcionalidad y atender a un fin legítimo en una sociedad democrática, cuando tal procedimiento excede estos parámetros y se convierte en un obstáculo real para el control judicial de la detención, se violan los derechos contenidos en los artículos 7.5, 7.6 y 25 de la Convención Americana[184].

144.   La detención secreta o clandestina de una persona constituye una forma aun más grave de violación de los derechos mencionados[185]. De acuerdo con el derecho internacional, por definición, el fenómeno de la "detención secreta" se produce cuando,

[L]as autoridades del Estado, actuando a título oficial, o personas que actúen bajo las órdenes de ellas con la autorización, el consentimiento, el apoyo o la aquiescencia del Estado o en cualquier otra situación en que el acto u omisión de quien procede a la detención sea atribuible al Estado, privan a alguien de su libertad y no le permiten tener contacto alguno con el mundo exterior (detención en régimen de incomunicación) y la autoridad que procede a la detención o por otro concepto es competente niega, rehúsa confirmar o negar o encubre activamente el hecho de que hay alguien privado de su libertad y oculto al mundo exterior, a su familia, abogados independientes u organizaciones no gubernamentales (ONG), por ejemplo, o se niega a proporcionar o encubre activamente información acerca de la suerte o el paradero del detenido.

[...]

La detención secreta no requiere la privación de la libertad en un lugar de detención secreto. [...] [P]uede ocurrir no solo en un lugar que puede o no ser un lugar de detención oficialmente reconocido, sino también en una sección o un ala oculta que puede o no ser un lugar oficialmente reconocido. La circunstancia de que la detención sea o no secreta queda

---

[182] Corte I.D.H., *Caso Suárez Rosero Vs. Ecuador*. Sentencia de 12 de noviembre de 1997. Serie C No. 35, párr. 51.

[183] Corte I.D.H., *Caso Suárez Rosero Vs. Ecuador*. Sentencia de 12 de noviembre de 1997. Serie C No. 35, párr. 59.

[184] CIDH, Informe No. 66/01, Caso 11.992, Fondo, Dayra María Levoyer Jiménez, Ecuador, 14 de junio de 2001, e Informe No. 1/97, Caso 10.258, Fondo, Manuel García Franco, Ecuador, 18 de febrero de 1998.

[185] ONU, Relator Especial sobre la Tortura y otros Tratos Crueles, Inhumanos o Degradantes, *Informe presentado a la Comisión de Derechos Humanos* (hoy Consejo), E/CN.4/2004/56, adoptado el 23 de diciembre de 2003, párr. 38; ONU, Grupo de Trabajo sobre Detenciones Arbitrarias, Informe presentado al Consejo de Derechos Humanos, E/CN.4/2006/7, adoptado el 12 de diciembre de 2005, Cap. III:(A) *Cárceles secretas*, párrs. 58 y 59.

determinada por el régimen de incomunicación y por el hecho [...] de que las autoridades del Estado no revelen el lugar de la detención ni información acerca de la suerte del detenido.

[...] Puede tratarse de una cárcel, una comisaría de policía, un edificio público o una base o campamento militar, pero también, por ejemplo, de una residencia particular, un hotel, un automóvil, un buque o un avión[186].

145.   La detención secreta implica por sí misma la supresión de hecho de todas las garantías establecidas en el artículo 7 de la Convención Americana, la persona queda materialmente excluida de la posibilidad de accionar cualquier procedimiento establecido en la ley para controlar la legalidad de la detención[187]. En general, la víctima puede interiorizarse de pocos detalles relacionados con el lugar de detención, o sus secuestradores, y no está en condiciones de hacer identificaciones. No sólo es imposible para la víctima ejercer sus derechos legales, sino que le será muy difícil confrontar a las autoridades así sea liberada con vida[188]. Debido a que esta práctica busca precisamente no dejar rastro alguno del destino de la víctima, y a la propia intensidad de los abusos, e incluso actos de tortura, a que son sometidas las víctimas hace muy difícil para éstas sobrellevar la carga procesal que implica acceder a la justicia[189].

D.   Ingreso, registro y examen médico inicial

146.   El mantenimiento de registros de las personas recluidas en centros de privación de libertad, los exámenes médicos iniciales y el mantenimiento de controles y protocolos adecuados de ingreso, no sólo son buenas prácticas penitenciarias, sino que constituyen medios eficaces de protección de los derechos fundamentales de los detenidos. Por lo que, el derecho internacional de los derechos humanos las considera medidas esenciales que deben ser ejecutadas por los Estados con la debida seriedad y diligencia. Estos procedimientos deben observarse, con las particularidades propias de cada caso, en todos los centros en los que el Estado mantenga personas bajo su custodia.

---

[186] ONU, Consejo de Derechos Humanos, Estudio conjunto preparado por el Relator Especial sobre la promoción y protección de los derechos humanos y las libertades fundamentales en la lucha contra el terrorismo, el Relator Especial sobre la Tortura y otros Tratos o Penas Crueles, Inhumanos o Degradantes, el Grupo de Trabajo sobre la Detención Arbitraria, y el Grupo de Trabajo sobre Desapariciones Forzadas o Involuntarias, A/HRC/13/42, adoptado el 19 de febrero de 2010, párrs. 8, 9 y 10.

[187] Véase, CIDH, Informe No. 1/97, Caso 10.258, Fondo, Manuel García Franco, Ecuador, 18 de febrero de 1998, párr. 58.

[188] CIDH, Informe No. 31/96, Caso 10.526, Fondo, Diana Ortiz, Guatemala, 16 de octubre de 1996, párr. 113.

[189] En el pasado la CIDH se ha referido ampliamente al tema de las detenciones secretas en el contexto de varias de las dictaduras militares que existieron en la región, véase por ejemplo: CIDH, *Informe sobre la Situación de los Derechos Humanos en Chile*, OEA/Ser.L/V/II.77.rev.1. Doc. 18, adoptado el 8 de mayo de 1990, Cap. V; CIDH, *Informe sobre la Situación de los Derechos Humanos en Panamá*, OEA/Ser.L/V/II.44. Doc. 38, rev. 1, adoptado el 22 de junio de 1978, Cap. III, sección 4; CIDH, *Informe sobre la Situación de los Derechos Humanos en El Salvador*, OEA/Ser.L/V/II.46. Doc. 23, rev. 1, adoptado el 17 de noviembre de 1978, Cap. IV; CIDH, *Informe sobre la Situación de los Derechos Humanos en Chile*, OEA/Ser.L/V/II.34. Doc. 21, adoptado el 25 de octubre de 1974, Cap. VI.

Tomando en cuenta el concepto amplio de privación de libertad utilizado en el presente informe.

Ingreso

147.   Con respecto al ingreso de personas a centros de privación de libertad, los Principios y Buenas Prácticas disponen:

> Principio IX (1): Las autoridades responsables de los establecimientos de privación de libertad no permitirán el ingreso de ninguna persona para efectos de reclusión o internamiento, salvo si está autorizada por una orden de remisión o de privación de libertad, emitida por autoridad judicial, administrativa, médica u otra autoridad competente, conforme a los requisitos establecidos por la ley.
>
> A su ingreso las personas privadas de libertad serán informadas de manera clara y en un idioma o lenguaje que comprendan, ya sea por escrito, de forma verbal o por otro medio, de los derechos, deberes y prohibiciones que tienen en el lugar de privación de libertad[190].

148.   El adecuado control del ingreso de personas en los centros de privación de libertad, consistente en la verificación adecuada de la existencia de una orden de remisión emitida por autoridad competente es un refuerzo adicional de la legalidad misma de la privación de la libertad. El personal de los centros de detención o prisión debe asegurarse de que toda admisión está debidamente autorizada y que esto sea evidente por medio de una orden válida de admisión[191]. La responsabilidad de cumplir con esta medida le corresponde, tanto a la administración central, como al director y al personal de los diversos centros de reclusión[192]. No obstante ello, si se diere tal circunstancia, la persona así recibida deberá ser remitida de inmediato ante una autoridad judicial competente.

149.   Asimismo, es esencial que las autoridades aseguren de que cada detenido o recluso esté debidamente identificado y su identidad corresponda a la persona a que hace referencia la orden de detención o la sentencia. En este sentido, en abril y mayo de 2010 la Comisión Interamericana tomó conocimiento que en Colombia al menos 4,907 internos de centros carecen de plena identificación, lo que equivaldría al 6.17% de la población penal[193]. En esta situación se encontrarían internos que son designados procesalmente con varios nombres o "alias", que no portan documentos de identidad o

---

[190] En el mismo sentido, las Reglas Mínimas (Reglas 7.2 y 35); el Conjunto de Principios para la Protección de Todas las Personas Sometidas a Cualquier Forma de Detención o Prisión (Principios 13 y 14); y las Reglas de las Naciones Unidas para la Protección de los Menores Privados de Libertad (Reglas 20 y 24).

[191] En la región esta garantía está establecida, por ejemplo, en las Constituciones de Bolivia, artículo 23 (VI) y Chile, artículo 19.7.

[192] Véase en general, Reforma Penal Internacional (RPI), Manual de Buenas Práctica Penitenciaria: Implementación de las Reglas Mínimas de Naciones Unidas para el Tratamiento de los Reclusos, 2002, pág. 26.

[193] De acuerdo con un Comunicado oficial de la Dirección del Instituto Nacional Penitenciario (INPEC) emitido el 19 de abril de 2010.

cuyos documentos de identidad corresponden realmente a otras personas (incluso de fallecidos o mujeres)[194]. Con respecto a esta situación –que puede presentarse también en otros países de la región es responsabilidad de todas las autoridades que intervienen en la cadena de custodia de una persona verificar y cotejar adecuadamente su identidad.

150.   Por otro lado, toda persona que ingresa a un centro de privación de libertad, del tipo que sea, debe ser informada de inmediato y en un lenguaje que comprenda acerca de sus derechos, la forma de ejercerlos y las reglas que rigen en el establecimiento. Si las personas desconocen sus derechos, su capacidad para ejercerlos se ve seriamente afectada. Proveer a las personas privadas de libertad de información sobre sus derechos constituye un elemento fundamental en la prevención de la tortura y los malos tratos[195]. En particular que se le informe de su derecho a contactar a un tercero e informarle acerca de su ingreso en el referido establecimiento. Es recomendable que esta información se publique en lugares visibles en un lenguaje comprensible para los privados de libertad. Así por ejemplo, si se trata de establecimientos ubicados en zonas en las que se hablan otros idiomas además del idioma oficial del Estado esta información deberá estar también en dichos idiomas.

Registros

151.   En el Sistema Interamericano, la Convención Interamericana sobre Desaparición Forzada de Personas establece que "[l]os Estados partes establecerán y mantendrán registros oficiales actualizados sobre sus detenidos y, conforme a su legislación interna, los pondrán a disposición de los familiares, jueces, abogados, cualquier persona con interés legítimo y otras autoridades" (artículo XI).

152.   Asimismo, los Principios y Buenas Prácticas disponen:

Principio IX (2): Los datos de las personas ingresadas a los lugares de privación de libertad deberán ser consignados en un registro oficial, el cual será accesible a la persona privada de libertad, a su representante y a las autoridades competentes. El registro contendrá, por lo menos, los siguientes datos:

---

[194] Véase al respecto, *El INPEC Desconoce la Identidad de 28 mil Presos Bajo su Custodia*, publicado en el Diario El Tiempo el 18 de abril de 2010, disponible en: http://www.eltiempo.com/archivo/documento/CMS-7621228. Véase también, relacionado con este tema: *El INPEC Pidió brazaletes para Reos Muertos, Libres o Ilocalizables*, publicado en el Diario El Tiempo el 26 de mayo de 2010, disponible en: http://www.eltiempo.com/archivo/documento/CMS-7727004.

[195] Véase, ONU, Subcomité para la Prevención de la Tortura, *Informe sobre la visita a Honduras del SPT*, CAT/OP/HND/1, adoptado el 10 de febrero de 2010, párr. 148; ONU, Subcomité para la Prevención de la Tortura, *Informe sobre la visita a Paraguay del SPT*, CAT/OP/PRY/1, adoptado el 7 de junio de 2010, párr. 75. Véase también, ONU, Comité contra la Tortura, Observación General No. 2: Aplicación del artículo 2 por los Estados Partes, adoptada en el 39º periodo de sesiones (2007), párr. 13. En *Recopilación de las Observaciones Generales y Recomendaciones Generales Adoptadas por Órganos Creados en Virtud de Tratados de Derechos Humanos Volumen I*, HRI/GEN/1/Rev.9 (Vol. II) adoptado el 27 de mayo de 2008, pág. 127.

(a)   Información sobre la identidad personal, que deberá contener, al menos, lo siguiente: nombre, edad, sexo, nacionalidad, dirección y nombre de los padres, familiares, representantes legales o defensores, en su caso, u otro dato relevante de la persona privada de libertad;

(b)   Información relativa a la integridad personal y al estado de salud de la persona privada de libertad;

(c)   Razones o motivos de la privación de libertad;

(d)   Autoridad que ordena o autoriza la privación de libertad;

(e)   Autoridad que efectúa el traslado de la persona al establecimiento;

(f)   Autoridad que controla legalmente la privación de libertad;

(g)   Día y hora de ingreso y de egreso;

(h)   Día y hora de los traslados, y lugares de destino;

(i)   Identidad de la autoridad que ordena los traslados y de la encargada de los mismos;

(j)   Inventario de los bienes personales; y

(k)   Firma de la persona privada de libertad y, en caso de negativa o imposibilidad, la explicación del motivo[196].

153.   Con respecto a la importancia fundamental del mantenimiento de registros de las detenciones la CIDH manifestó en su Quinto Informe Especial sobre los Derechos Humanos en Guatemala de 2001 que,

Uno de los componentes más esenciales de un sistema de justicia penal que funcione apropiadamente es un sistema efectivo de registro de arrestos y detenciones. Esto, obviamente, proporciona una protección crucial de los derechos del detenido, facilitando además un sinnúmero de otras funciones, entre ellas, la obtención de estadísticas exactas a ser usadas en la formulación y aplicación de políticas. [...] Este tipo de registro debe contener información que identifique al detenido, las razones y la autoridad legal para la detención, el tiempo preciso de admisión y liberación e información con respecto al auto de prisión. Un registro centralizado, exacto y rápidamente accesible es una salvaguarda mínima fundamental[197].

---

[196] En el Sistema Universal encontramos disposiciones correlativas en la Convención Internacional para la Protección de todas las Personas Contra las Desapariciones Forzadas[196] (artículo 17.3); las Reglas Mínimas para el Tratamiento de Reclusos (Regla 7.1); el Conjunto de Principios para la Protección de todas las Personas Sometidas a Cualquier Forma de Detención o Prisión (Principio 12); y específicamente con respecto a niños y adolescentes, las Reglas Mínimas de las Naciones Unidas para la Protección de los Menores Privados de Libertad (Regla 21). Asimismo, el *Handbook on Prisoner File Management* (Manual para gestión de expedientes penitenciarios) de la Oficina de Naciones Unidas para la Droga y el Crimen (UNODC) contiene una guía práctica para establecer sistemas de registros eficaces (UNODC, *Handbook on Prisoner File Management*, 2008, disponible en: http://www.unodc.org/documents/justice-and-prison-reform/Prison_management_handbook.pdf.

[197] CIDH, *Quinto Informe sobre la Situación de los Derechos Humanos en Guatemala*, Cap. VII, párr. 18. Por otro lado, este deber de las autoridades de mantener registros de las detenciones está establecido en las Constituciones de Bolivia artículo 23, Chile artículo 19.7, y México artículo 16.

154.   En definitiva, la CIDH constató que en Guatemala no existe un sistema de registro central efectivo para hacer un seguimiento de los detenidos[198]. A este respecto, la Corte Interamericana en el contexto del caso *de la "Panel Blanca" (Paniagua Morales y otros)* dispuso que el Estado guatemalteco debía adoptar las medidas legislativas, administrativas y de cualquier otra índole necesarias para garantizar la certeza y la publicidad del registro de detenidos, en el entendido de que el mismo debería incluir: identificación de los detenidos, motivo de la detención, autoridad competente, hora de ingreso y de liberación e información sobre la orden de detención[199].

155.   Asimismo, en su *Informe sobre Terrorismo y Derechos Humanos* la Comisión Interamericana subrayó que,

> Un sistema efectivo para registrar los arrestos y las detenciones y poner esa información a disposición de los familiares, asesores letrados y demás personas con intereses legítimos en la información, ha sido también ampliamente reconocido como uno de los componentes más esenciales de un sistema judicial funcional, pues ofrece una protección vital de los derechos del detenido e información confiable para establecer las responsabilidades del sistema[200].

156.   El Grupo de Trabajo sobre Detenciones Arbitrarias considera que el mantenimiento adecuado de un libro de registro es fundamental para evitar las desapariciones, el abuso de poder con fines de corrupción y las detenciones que se prolongan excesivamente más allá del plazo autorizado, que equivalen a detenciones arbitrarias carentes de base jurídica[201]. En el mismo sentido, el Subcomité contra la Tortura estima que, "el mantenimiento de registros adecuados sobre la privación de libertad constituye una de las garantías esenciales contra la tortura y los malos tratos y es una de las condiciones indispensables para el respeto efectivo de las garantías procesales"[202].

---

[198] CIDH, *Quinto Informe sobre la Situación de los Derechos Humanos en Guatemala*, Cap. VII, párrs. 18 y 19.

[199] Corte I.D.H., *Caso de la "Panel Blanca" (Paniagua Morales y otros) Vs. Guatemala. Reparaciones* (Art. 63.1 Convención Americana sobre Derechos Humanos). Sentencia de 25 de mayo de 2001. Serie C No. 76, párrs. 195, 203 y 209 (Punto resolutivo 4). Véase además, Corte I.D.H. *Caso de la "Panel Blanca" (Paniagua Morales y otros) Vs. Guatemala*. Supervisión de Cumplimiento de Sentencia. Resolución de la Corte Interamericana de Derechos Humanos de 27 de noviembre de 2003, Punto resolutivo 3. A la fecha la CIDH no cuenta con información que indique que este registro de detenciones haya sido implementado por el Estado.

[200] CIDH, *Informe sobre Terrorismo y Derechos Humanos*, párr. 122.

[201] ONU, Grupo de Trabajo sobre Detenciones Arbitrarias, Informe presentado al Consejo de Derechos Humanos, A/HRC/7/4, adoptado el 10 de enero de 2008, Cap. II (D): *Registros de detenidos y competencias en materia de excarcelación*, párr. 69.

[202] ONU, Subcomité para la Prevención de la Tortura, *Informe sobre la visita a Honduras del SPT*, CAT/OP/HND/1, adoptado el 10 de febrero de 2010, párr. 144; ONU, Subcomité para la Prevención de la Tortura, *Informe sobre la visita a Paraguay del SPT*, CAT/OP/PRY/1, adoptado el 7 de junio de 2010, párr. 73. Veáse también, ONU, Comité contra la Tortura, Observación General No. 2: Aplicación del artículo 2 por los Estados Partes, adoptada en el 39º periodo de sesiones (2007), párr. 13. En *Recopilación de las Observaciones Generales y Recomendaciones Generales Adoptadas por Órganos Creados en Virtud de Tratados de Derechos Humanos Volumen I*, HRI/GEN/1/Rev.9 (Vol. II) adoptado el 27 de mayo de 2008, pág. 127.

157.   Por otro lado, un sistema fiable de registro y gestión de expedientes, sea electrónico o manual, permite a las autoridades enterarse de quiénes están bajo custodia y durante cuánto tiempo. Esta información es imprescindible para llevar a cabo los procesos de clasificación de reclusos, y por ende, para cumplir con el principio del tratamiento individualizado de la pena. La recopilación, organización y clasificación de datos sobre los reclusos y los establecimientos penitenciarios y el desarrollo de sistemas de gestión de la información son elementos fundamentales para la proyección de políticas penitenciarias y para la gestión misma de los centros penales. En este sentido, el conocimiento preciso de la población penitenciaria de los centros penales es un dato esencial para controlar, por ejemplo, los niveles de hacinamiento[203].

158.   Para una adecuada gestión de los registros y expedientes de reclusos es necesario que la información sea tratada de forma organizada y eficiente en cada centro penal, y que ésta esté a su vez disponible en sistemas centralizados de información a los cuales la administración penitenciaria pueda acudir para obtener datos y estadísticas confiables, así como para ubicar a reclusos individualizados. Además, el Estado tiene el deber de actuar con la debida diligencia en la transferencia y archivo de documentos enviados desde los juzgados y tribunales hacia los centros penitenciarios. Esto es particularmente relevante en el caso de las sentencias, órdenes de libertad, citaciones judiciales y otros documentos esenciales de los reclusos.

159.   La Comisión Interamericana considera como una buena práctica que además de la información esencial establecida en el Principio IX (2) de los Principios y Buenas Prácticas, las autoridades encargadas de los centros de privación de libertad también consignen en los registros las visitas de familiares, abogados, organizaciones de monitoreo, e incluso que se mantengan registros de las quejas que presenten los propios detenidos con respecto a las autoridades o instituciones de reclusión. Además, en los centros penales es importante que se indique con precisión la ubicación de cada interno según la sección, pabellón y celda en que se encuentre.

160.   El mantenimiento adecuado del registro, archivo y manipulación de la información relativa a las personas privadas de libertad y a los centros de reclusión requiere que todas las autoridades vinculadas a estos procesos estén debidamente capacitadas y que se les provea de los instrumentos y medios tecnológicos adecuados para cumplir estas funciones. Además, deberán asegurarse los mecanismos idóneos de control y monitoreo que aseguren que estos procedimientos de ingreso y registro sean efectivamente cumplidos.

161.   En atención a la importancia que el derecho internacional de los derechos humanos le concede a la existencia y manejo adecuados de los registros de privados de libertad, la reciente Convención Internacional para la Protección de Todas las Personas Contra las Desapariciones Forzadas, contiene una disposición según la cual los Estados partes se obligan a prevenir y sancionar el incumplimiento del deber de registrar toda privación de libertad, así como el registro de información cuya inexactitud conocían los

---

[203] Corte I.D.H., *Caso Montero Aranguren y otros (Retén de Catia) Vs. Venezuela*. Sentencia de 5 de julio de 2006. Serie C No. 150, párr. 89.

agentes estatales u hubieran debido conocer (artículo 22). Siendo este el primer tratado internacional en contener una salvaguarda de este tipo.

Examen médico inicial

162.   Los Principios y Buenas Prácticas establecen,

Principio IX (3): Toda persona privada de libertad tendrá derecho a que se le practique un examen médico o psicológico, imparcial y confidencial, practicado por personal de salud idóneo inmediatamente después de su ingreso al establecimiento de reclusión o de internamiento, con el fin de constatar su estado de salud físico o mental, y la existencia de cualquier herida, daño corporal o mental; asegurar la identificación y tratamiento de cualquier problema significativo de salud; o para verificar quejas sobre posibles malos tratos o torturas o determinar la necesidad de atención y tratamiento[204].

163.   El examen médico inicial del recluso es una salvaguarda importante para determinar si la persona detenida ha sido objeto de torturas o malos tratos durante el arresto o detención, y en el caso de personas que ingresan a centros penitenciarios, para detectar si éstas han sido objeto de este tipo de abusos durante su permanencia previa en centros transitorios de privación de libertad[205]. En definitiva, el examen médico inicial del recluso es una medida de prevención de la tortura; representa el medio idóneo para evaluar el estado de salud del recluso, el tipo de atención médica que éste pueda necesitar; e incluso, es una oportunidad para brindarle información relativa a enfermedades de transmisión sexual[206].

164.   Al igual que las medidas relativas al ingreso y al registro de personas privadas de libertad, la práctica de este examen médico inicial no se limita a los centros penitenciarios, sino que también incluye otros establecimientos de privación de libertad, como estaciones de policía, comisarías y centros de detención provisional. Dicho examen

---

[204] A este respecto se han desarrollado estándares similares en los siguientes instrumentos de Naciones Unidas: Reglas Mínimas (Regla 24); Conjunto de Principios para la Protección de todas las Personas Sometidas a Cualquier Forma de Detención o Prisión (Principio 24), y las Reglas Mínimas de las Naciones Unidas para la Protección de los Menores Privados de Libertad (Regla 50).

[205] De acuerdo con el Relator Especial sobre la Tortura de la ONU, una de las salvaguardias básicas contra los malos tratos es el examen médico independiente realizado sin ninguna dilación después del ingreso de una persona en el lugar de detención. Este examen médico deberá tener carácter obligatorio, repetirse periódicamente y tener carácter obligatorio cuando se transfiera a la persona a otro lugar de detención. ONU, Relator Especial sobre la Tortura y otros Tratos Crueles, Inhumanos o Degradantes, *Informe presentado a la Comisión de Derechos Humanos* (hoy Consejo), E/CN.4/2004/56, adoptado el 23 de diciembre de 2003, párr. 36.

[206] ONU, Subcomité para la Prevención de la Tortura, *Informe sobre la visita a México del SPT*, CAT/OP/MEX/1, adoptado el 27 de mayo de 2009, párrs. 130, 131 y 172.

deberá tener carácter obligatorio, repetirse periódicamente y tener carácter obligatorio cuando se transfiera a la persona a otro lugar de detención[207].

165.   De acuerdo con el Subcomité contra la Tortura, el examen médico inicial debe realizarse lo antes posible luego de la detención, y en condiciones de privacidad y confidencialidad, respetándose la independencia del médico, sin la presencia de agentes policiales o penitenciarios. Salvo en casos excepcionales en que el médico considere que la persona detenida supone un peligro y solicite la vigilancia de un agente a una distancia prudente. Estos exámenes no deben limitarse a observaciones superficiales que se ejecuten como una mera formalidad, sino que debe constatarse de manera diligente cuáles son las condiciones que presenta la persona examinada, permitiéndosele comunicar libremente lo que considere relevante. Es importante también que se mantengan registros de estos exámenes médicos en los que se incluyan las lesiones traumáticas detectadas[208].

166.   Esta revisión médica no debe ser asumida como una mera formalidad ejecutada de forma superficial, sino que debe practicarse realmente un examen clínico del interno en el que éste pueda comunicar al profesional de la salud todo aquello que considere relevante. Entre otras razones, porque existen formas de tortura que no dejan o dejan muy pocas señales visibles, como por ejemplo los golpes en las plantas de los pies; la asfixia; y las torturas de posición, como la suspensión[209]. Además, debe ser lo suficientemente idóneo para detectar las secuelas sicológicas de tortura o la propensión al suicidio, a fin de diagnosticar el tratamiento adecuado o para una vez detectadas tales secuelas remitir al paciente a un especialista.

167.   De acuerdo con el SPT, estos exámenes deben describir adecuadamente:

1) El trato recibido, 2) el origen de las lesiones y 3) el tipo, localización y características de todas las lesiones que puedan servir tanto para apreciar la posible concordancia con los relatos o denuncias de torturas, lo que constituiría un instrumento útil para la prevención de la tortura, como para evitar denuncias falsas contra la policía de haber cometido ese tipo de actos[210].

168.   Este examen médico inicial también es fundamental para detectar la presencia de enfermedades contagiosas (por ejemplo, cutáneas o de transmisión sexual),

---

[207] ONU, Relator Especial sobre la Tortura y otros Tratos Crueles, Inhumanos o Degradantes, *Informe presentado a la Comisión de Derechos Humanos* (hoy Consejo), E/CN.4/2004/56, adoptado el 23 de diciembre de 2003, párr. 36

[208] ONU, Subcomité para la Prevención de la Tortura, *Informe sobre la visita a México del SPT*, CAT/OP/MEX/1, adoptado el 27 de mayo de 2009, párrs. 132, 133, 135, 172 y 173.

[209] Véase, Manual para la Investigación y Documentación Eficaces de la Tortura y otros Tratos o Penas Crueles, Inhumanos o Degradantes (Protocolo de Estambul), Oficina del Alto Comisionado de las Naciones Unidas para los Derechos Humanos, párrs. 203-214, disponible en: http://www.unodc.org/documents/justice-and-prison-reform/Prison_management_handbook.pdf.

[210] ONU, Subcomité para la Prevención de la Tortura, *Informe sobre la visita a Honduras del SPT*, CAT/OP/HND/1, adoptado el 10 de febrero de 2010, párr. 153.

las cuales en ambientes cerrados, hacinados e insalubres, como las cárceles, se propagan con suma facilidad, constituyendo una seria amenaza para la salud de la población reclusa y del propio personal penitenciario. Lo procedente, en caso de detectarse personas con enfermedades como las mencionadas es tratarlas adecuadamente y tomar las medidas preventivas pertinentes antes de juntarlos con el resto de la población del establecimiento. En este sentido, el examen médico inicial es un mecanismo fundamental de prevención de epidemias en las cárceles, por lo que esta función del examen médico inicial es tan importante como la detección de rastros de tortura.

169.   De acuerdo con la Organización Mundial de la Salud la observancia de la Regla 24 de las Reglas Mínimas para el Tratamiento de Reclusos implica que el examen médico inicial de un prisionero debe determinar fundamentalmente si este representa un peligro para sí mismo o para otros. Para ello deben explorarse fundamentalmente las siguientes cuestiones: (a) si el paciente padece alguna enfermedad grave, o si es dependiente de alguna sustancia o medicamento; (b) si corre el riesgo de autolesionarse o suicidarse; (c) si padece enfermedades de fácil transmisión que pongan en peligro la salud de otros internos; y (d) si su condición mental lo convierte en una amenaza para otros o si es propenso a comportamientos violentos[211].

170.   Además, es importante subrayar que los profesionales de la salud que practican estos exámenes deben ejercer sus funciones en condiciones de independencia e imparcialidad. Para que la revisión médica de una persona detenida o presa constituya realmente una salvaguarda de los derechos fundamentales es imprescindible que el personal de salud esté libre de interferencias, injerencias, intimidaciones u órdenes que provengan de los cuerpos policiales, penitenciarios e incluso de los agentes de instrucción o del ministerio público. Para que tal independencia sea real es fundamental que los profesionales de la salud no estén subordinados jerárquicamente a estas autoridades, y cuenten con la debida independencia institucional.

E.   Personal penitenciario: idoneidad, capacitación y condiciones laborales[212]

171.   El Principio XX de los Principios y Buenas Prácticas parte de la base de considerar que, "[e]l personal que tenga bajo su responsabilidad la dirección, custodia, tratamiento, traslado, disciplina y vigilancia de personas privadas de libertad, deberá ajustarse, en todo momento y circunstancia, al respeto a los derechos humanos de las personas privadas de libertad y de sus familiares".

172.   Por otro lado, la implementación efectiva de toda política penitenciaria depende, en definitiva, de aquellos funcionarios directamente encargados de la administración de los centros de privación de libertad (sean penitenciarios, administrativos,

---

[211] World Health Organization (WHO), *Health in Prisons: a WHO guide to the essentials in prison health*, 2007, págs. 24 y 25.

[212] En las Américas, los textos de las Constituciones de Ecuador artículo 202, Guatemala artículo 19.b y Venezuela artículo 272 hacen referencias específicas a la calidad del personal penitenciario.

o policiales), y en gran medida también de los equipos multidisciplinarios que ejercen funciones de tratamiento, e incluso de las autoridades judiciales.

173.   En este sentido, uno de los problemas más recurrentes identificados por la Comisión Interamericana a lo largo de los años ha sido precisamente las distintas deficiencias del personal de los lugares de privación de libertad.

Idoneidad

174.   Con respecto a la idoneidad y a las condiciones mínimas que deben reunir los miembros del personal de lugares de privación de libertad, el Principio XX de los Principios y Buenas Prácticas dispone,

> El personal deberá ser seleccionado cuidadosamente, teniendo en cuenta su integridad ética y moral, sensibilidad a la diversidad cultural y a las cuestiones de género, capacidad profesional, adecuación personal a la función, y sentido de responsabilidad.
>
> Se garantizará que el personal esté integrado por empleados y funcionarios idóneos, de uno y otro sexo, preferentemente con condición de servidores públicos y de carácter civil [...].
>
> Se dispondrá en los lugares de privación de libertad de personal calificado y suficiente para garantizar la seguridad, vigilancia, custodia, y para atender las necesidades médicas, psicológicas, educativas, laborales y de otra índole[213].

175.   El elemento de idoneidad del personal penitenciario se refiere a las capacidades, competencias y aptitudes de los elementos que lo integran. En este sentido,

> [T]odo sistema penitenciario debe fundamentarse en unos valores compartidos, que constituyen un marco ético y moral para la actividad pública. Valores como el respeto a la dignidad de la persona, incluida la equidad entre géneros, respeto de la diversidad de culturas, religiones y opiniones políticas y sociales, solidaridad, respeto de la ley, honradez y transparencia. Sin un fuerte contexto ético, esa situación en la que a un grupo de personas se le otorga una considerable autoridad sobre otro, puede fácilmente devenir en un abuso de poder[214].

176.   Uno de los problemas más serios observados por la CIDH relativos a la idoneidad del personal penitenciario es el ejercicio de funciones de custodia por policías o militares que han recibido formación en regímenes antidemocráticos, o que cuya

---

[213] En el mismo sentido, lo establecen las Reglas Mínimas para el Tratamiento de Reclusos (Reglas 46.1, 46.3, 48 y 51), y las Reglas de la ONU para la Protección de los Menores Privados de Libertad (Regla 82).

[214] Instituto Latinoamericano de las Naciones Unidas para la Prevención del Delito y Tratamiento del Delincuente (ILANUD), *Cárcel y Justicia Penal en America Latina y el Caribe*, 2009, pág. 272.

formación ha sido impartida por instructores o superiores jerárquicos educados en tales regímenes. Esta situación, presente en las democracias jóvenes, es perjudicial por cuanto determinadas prácticas contrarias al respeto de los derechos fundamentales suelen perdurar en estos cuerpos de seguridad, contribuyendo a mantener una cultura institucional de violencia.

177.   A este respecto, la CIDH en su Tercer Informe sobre la Situación de los Derechos Humanos en Paraguay de 2001 consideró que una de las causas de que la práctica de la tortura, tanto en los centros carcelarios, como en las comisarías fuera un problema recurrente era precisamente la permanencia en las filas policiales y militares de individuos formados en la escuela strossnista. A este respecto la CIDH indicó,

> [E]s necesaria una profunda reforma de los sistemas policiales y militares de Paraguay, que incluya en la formación de policías y militares principios relacionados con la democracia y la vigencia de los derechos humanos. Al mismo tiempo es necesario un cambio profundo de estas instituciones, que hasta el presente mantienen una intrincada estructura basada en cadenas de mandos, que dificulta muchas veces la determinación de responsabilidad individual en casos de abusos por parte de sus miembros[215].

178.   La Comisión enfatiza que la condición fundamental de idoneidad del personal penitenciario es precisamente la integridad ética y moral de sus componentes, por lo que es imprescindible erradicar todas aquellas prácticas que contribuyan a mantener o fomentar una cultura de violencia en el personal encargado de la custodia de las personas privadas de libertad.

179.   La CIDH observa con preocupación que aún persisten en algunos países de la región ciertas prácticas según las cuales los propios funcionarios encargados de hacer cumplir la ley son sometidos a distintas formas de violencia como parte de sus entrenamientos o como rituales de iniciación o ingreso a determinadas fuerzas. En este sentido, la Relatoría de Personas Privadas de Libertad durante su visita de trabajo a la provincia de Buenos Aires de junio de 2010 recibió información según la cual un agente del Servicio Penitenciario Bonaerense, habría sido sometido a distintas formas de maltrato físico como ritual de "bienvenida" al Grupo de Intervención Especial (GIE) de ese cuerpo. El ataque sufrido por este funcionario fue grabado con un teléfono celular por uno de los agentes presentes en los hechos, y luego filtrado a los medios de comunicación quienes lo difundieron ampliamente[216].

---

[215] CIDH, *Tercer Informe sobre la Situación de los Derechos Humanos en Paraguay*, Cap. IV, párr. 36.

[216] CIDH, Comunicado de Prensa 64/10 – Relatoría de la CIDH constata graves condiciones de detención en la provincia de Buenos Aires. Washington, D.C., 21 de junio de 2010. Véase, entre otros medios de prensa los artículos: *Denuncian por malos tratos en el Servicio Penitenciario bonaerense,* publicado en el Diario Página/12 el 3 de septiembre de 2009, disponible en: http://www.pagina12.com.ar/imprimir/diario/ultimas/20-131109-2009-09-03.html; *El video con la cruel y violenta "bienvenida" a un agente penitenciario*, publicado por: 26noticias, disponible en: http://www.26noticias.com.ar/el-video-con-la-cruel-y-violenta-bienvenida-a-un-agente-penitenciario-95727.html. En esta dirección se observa un fragmento del referido video. Además, según se aprecia en el video y según los informes entregados a la delegación por el CELS, al señora Maidana habría sido esposado,

Continúa...

180.   Otro ejemplo de una situación similar fue registrada por el Subcomité contra la Tortura durante su visita a México, en la que constató que los policías del Municipio de León, Guanajuato son sometidos a condiciones inhumanas y degradantes como parte de su "entrenamiento"[217].

181.   La CIDH considera que cuando los agentes estatales a cuyo cargo está la custodia de personas privadas de libertad son sometidos a torturas o tratos crueles, inhumanos y degradantes por sus propios compañeros o superiores como parte de prácticas institucionales, se trastoca y desnaturaliza por completo la institucionalidad del sistema. Con lo cual no existen garantías de que tales agentes no someterán a las personas bajo su custodia a tratos similares o peores, como en efecto ocurre.

182.   Otro problema grave y profundamente arraigado en las cárceles de la región es la corrupción. La corrupción no es un fenómeno abstracto o difuso, sino que es una realidad concreta y actual que se refiere precisamente a la integridad ética de los funcionarios a cuyo cargo se encuentran los centros de privación de libertad, y por lo tanto, a su idoneidad. Como ya se ha indicado en el presente informe, tradicionalmente las cárceles han sido ámbitos aislados, que en gran medida se han mantenido fuera del escrutinio público y de las actividades de monitoreo y fiscalización de los Estados. Esta falta de controles institucionales y de transparencia, aunada a la carente asignación de recursos para su funcionamiento y a la falta de dotación de personal suficiente, capacitado, motivado y bien remunerado, ha conducido a que en la mayoría de los países de la región se haya venido asentando durante décadas una cultura de corrupción en los centros de privación de libertad.

183.   El fenómeno de la corrupción en los centros de privación de libertad se manifiesta de diversas formas según sea el contexto específico de que se trate, y en el que pueden estar involucradas autoridades de distintos niveles. Así por ejemplo, este tipo de actividades pueden estar relacionadas con la consecución de traslados a determinadas cárceles o a secciones más confortables dentro de una misma cárcel; con la venta de certificados de buena conducta, de dictámenes sicológicos, o de participación en actividades laborales o de estudio; con la venta de los cupos para participar en tales actividades; con la comercialización de los alimentos destinados a los reclusos; con la venta de espacios para recibir visitas conyugales; con el cobro de pequeñas cuotas a los reclusos para acceder a servicios tan comunes como las llamadas telefónicas, o para acceder a los servicios de salud; entre otras muchas formas.

184.   Estos patrones de corrupción e ilegalidad se presentan de forma mucho más abierta y sistemática en aquellos centros de privación de libertad que se rigen por sistemas de "autogobierno" o "gobierno compartido" (descritos en el Capítulo II.B. del presente informe) en los que los presos tienen que pagar para tener acceso a

---

...continuación

colgado de las rejas de una ventana, encapuchado, golpeado en distintas partes del cuerpo, afeitado en seco en sus genitales y sometido a simulacros de incineración, entre otras cosas.

[217] ONU, Subcomité para la Prevención de la Tortura, *Informe sobre la visita a México del SPT,* CAT/OP/MEX/1, adoptado el 27 de mayo de 2009, párrs. 93-94.

prácticamente todo, incluso para no ser agredidos. En este contexto, es particularmente preocupante la participación de las propias autoridades –por acción u omisión– en actividades delictivas cometidas por los propios reclusos desde las cárceles, como las extorsiones y secuestros, reales o virtuales; así como en el tráfico de armas, drogas y otros elementos ilícitos al interior de los centros de privación de libertad.

185. Incluso, existe en algunas cárceles una "cultura de corrupción" profundamente arraigada que se manifiesta de forma rutinaria y cotidiana y que llega a ser percibida como algo "normal", tanto por los reclusos, como por los funcionarios. Esta corrupción institucionalizada puede manifestarse desde actos tan fundamentales como el arrendamiento de celdas según su capacidad y comodidad, o hasta el cobro a los reclusos por el acceso a teléfonos públicos y a los patios, o para disponer de mayores comodidades y privacidad en las visitas familiares. Incluyendo el cobro para acceder a las clínicas o dispensarios; para la realización de trámites administrativos o legales; e incluso para obtener protección o no ser objeto de agresiones.

186. La corrupción aumenta las desigualdades reales entre los reclusos, acentuando la vulnerabilidad de los más débiles y provocando un desbalance en la distribución de los escasos recursos con que cuentan las cárceles.

187. Por lo tanto, la Comisión Interamericana considera que existe un estrecho vínculo entre la lucha contra la corrupción y el respeto y garantía de los derechos humanos. La Convención de las Naciones Unidas contra la Corrupción –que entró en vigor el 14 de diciembre de 2005 y que a la fecha ha sido ratificada por 27 Estados Miembros de la OEA[218]– refleja en su preámbulo entre otras cosas, "la gravedad de los problemas y las amenazas que plantea la corrupción para la estabilidad y seguridad de las sociedades al socavar las instituciones y los valores de la democracia, la ética y la justicia y al comprometer el desarrollo sostenible y el imperio de la ley"[219].

188. Los cuadros de corrupción en centros de privación de la región han sido ampliamente documentados, tanto por la Comisión Interamericana, como por mecanismos de Naciones Unidas cuyo mandato incluye visitas de monitoreo a centros penitenciarios. Así por ejemplo, la CIDH ha considerado preocupantes situaciones como la siguiente, registrada en el Informe de País de Bolivia de 2007,

> Dentro de la cárcel, los hombres privados de libertad, sus esposas o compañeras, sus hijos e hijas, se encuentran a merced de su propia suerte. Las propias autoridades del establecimiento carcelario reconocieron y la Comisión pudo constatar que las celdas son alquiladas o vendidas por los propios reclusos. Es decir, un interno no tiene el derecho

---

[218] Estos son: Antigua y Barbuda, Argentina, Bahamas, Bolivia, Brasil, Canadá, Chile, Colombia, Costa Rica, Dominica, República Dominicana, Ecuador, El Salvador, Guatemala, Guyana, Haití, Honduras, Jamaica, México, Nicaragua, Panamá, Paraguay, Perú, Trinidad y Tobago, los Estados Unidos de América, Uruguay y Venezuela.

[219] ONU, Convención de las Naciones Unidas contra la Corrupción, aprobada por la Asamblea General en su Resolución 58/04, de 31 de octubre de 2003 y entrada en vigor el 14 de diciembre de 2005.

a una celda, pues tiene que pagar para tener donde dormir, de lo contrario tiene que hacerlo en un pasillo o en uno de los patios a la intemperie. En la cárcel de Chonchocorro, por su parte, la delegación de la Comisión fue informada de que el gimnasio deportivo para actividades de esparcimiento era de propiedad de un interno, quien cobra una especie de membresía de 20 bolivianos por mes a los que quieran utilizarlo[220].

El Subcomité contra la Tortura en su Informe de misión a México de 2009 registró,

> Los miembros de la delegación pudieron constatar durante sus visitas a los centros penitenciarios que [...] en muchos de estos centros se realizan todo tipo de transacciones comerciales, incluyendo el pago por determinados espacios o dormitorios preferenciales y todo un sistema de privilegios del que no pueden beneficiarse todas las personas privadas de libertad. Algunas de las personas entrevistadas explicaron a los miembros de la delegación cómo existen pagos obligatorios para poder mantener determinados derechos dentro del centro[221].

A su vez, el Relator sobre la Tortura de la ONU se refirió en los siguientes términos a un contexto similar en Paraguay,

> La corrupción es endémica. [...] Es una práctica común que los presos hagan uso del soborno para obtener artículos necesarios a los que tienen derecho y que el Estado está obligado a proporcionarles. Algunos reclusos disfrutan de celdas espaciosas y limpias, equipadas con aparatos de televisión, radio y libros, mientras que otros están encerrados en celdas inmundas con gran hacinamiento. La falta de transparencia en la asignación de las celdas aumenta la sospecha de que los reclusos en mejor situación económica sobornan a las autoridades carcelarias para recibir mejor tratamiento. Además, el pago de un soborno de 1.000 guaraníes por bienes y actividades cotidianas y normalmente accesibles, como sentarse bajo un árbol, parece tan difundido que prácticamente constituye una economía gris independiente dentro de las paredes de la cárcel, manejada por grupos de reclusos y facilitada por la participación activa o pasiva de algunas de las autoridades carcelarias. Eso produce mayor marginación de los pobres. El Relator Especial también recibió alegaciones de acoso sexual por los guardias penitenciarios que exigen

---

[220] CIDH, *Acceso a la Justicia e Inclusión Social: El Camino hacia el Fortalecimiento de la Democracia en Bolivia*, Cap. III, párr. 201.

[221] ONU, Subcomité para la Prevención de la Tortura, *Informe sobre la visita a México del SPT*, CAT/OP/MEX/1, adoptado el 27 de mayo de 2009, párr. 167.

servicios sexuales de las presas a cambio de alimentos, productos higiénicos u otros artículos[222].

Así también el Grupo de Trabajo sobre las Detenciones Arbitrarias en su Informe de misión a Honduras de 2006 constató "que en los centros de detención los reclusos tienen que realizar pagos a la policía de la cárcel para poder ejercer sus derechos más básicos [...] por ejemplo, para poder ver al juez, conocer la sentencia sobre su causa o interponer un recurso"[223].

189.   Estos casos, y otros citados en este informe, no sólo revelan un patrón de corrupción generalizado e institucionalmente arraigado en toda la región que desnaturaliza por completo la función de un centro penitenciario, sino que además representa un cuadro de falta de control efectivo de las prisiones por parte del Estado, lo que, como se ha visto *supra* implica una amenaza real a los derechos fundamentales de los detenidos.

190.   También hay situaciones en las que los actos de corrupción impiden la implementación de medidas adoptadas por el propio Estado para hacer frente a situaciones concretas. Así por ejemplo, la Relatoría de Personas Privadas de Libertad durante su visita a El Salvador fue informada de casos en los que las autoridades habían comprobado que los propios funcionarios penitenciarios desactivaban los dispositivos bloqueadores de llamadas que se habían instalado para impedir que los miembros de pandillas organizaran y dirigieran actos delictivos desde el interior de las cárceles[224]. Lo mismo ocurre cuando se establecen esquemas de seguridad para impedir el ingreso de armas o drogas a los centros de privación de libertad, y en los hechos, son los propios agentes de seguridad los que toleran o participan de su contrabando[225].

191.   La corrupción en el ámbito penitenciario es siempre un obstáculo para el cumplimiento de los fines esenciales de las penas privativas de la libertad. Particularmente cuando afecta aquellos mecanismos diseñados para promover la rehabilitación y la reinserción social de las personas privadas de libertad.

---

[222] ONU, Relator Especial sobre la Tortura y otros Tratos o Penas Crueles, Inhumanos o Degradantes, Informe de la Misión a Paraguay, A/HRC/7/3/Add.3, adoptado el 1 de octubre de 2007, Cap. IV, *Condiciones de la detención*, párr. 68.

[223] ONU, Grupo de Trabajo sobre Detenciones Arbitrarias, *Informe sobre Misión a Honduras*, A/HRC/4/40/Add.4, adoptado el 1 de diciembre de 2006, párr. 85.

[224] Estos hechos fueron además de dominio público en El Salvador, véase al respecto *"Nunca imaginé a profesores o personal de clínica involucrado: Director de Centros Penales*, publicado en El Faro, disponible en: http://elfaro.net/es/201005/noticias/1747.

[225] A este respecto, en el contexto del trámite de las cuatro medidas provisionales acumuladas de Venezuela, los representantes de las víctimas manifestaron que "la causa principal de la extrema violencia que se vive en las cárceles venezolanas, es el ingreso de armas de fuego [...] proveniente de lo que ellos denominan mafias carcelarias compuestas por funcionarios tanto de la Guardia Nacional como del Ministerio de Interiores y Justicia, que son los que tienen la facilidad y negocian y trafican [...] armas [con] los reclusos que están dentro de las cárceles". Corte I.D.H., Asuntos del Internado Judicial de Monagas ("La Pica"); el centro Penitenciario Región Capital Yare I y Yare II (Cárcel de Yare); el Centro Penitenciario de la Región Centro Occidental (Cárcel de Uribana), e Internado Judicial Capital El Rodeo I y el Rodeo II, Venezuela, Resolución de la Corte Interamericana de Derechos Humanos de 24 de noviembre de 2009, Considerando 12 (c).

192.   En este sentido, en el marco de una audiencia sobre la situación de los derechos de las personas privadas de libertad en Panamá, celebrada en marzo de 2008, la CIDH recibió información según la cual en las principales cárceles panameñas los internos deben pagar para acceder a permisos laborales y de estudio[226]. Asimismo, luego de la visita de la Relatoría de Personas Privadas de Libertad a la provincia de Buenos Aires, la CIDH exhortó al Gobierno provincial a "establecer criterios objetivos que aseguren un proceso de adjudicación de cupos transparente y equitativo" en lo relativo al acceso a talleres, educación y demás programas de resocialización[227]. En este contexto, otro de los factores que induce a la falta de transparencia y a las irregularidades en la determinación del acceso a estos programas es precisamente la insuficiencia de los mismos frente al elevado número de presos.

193.   Por otro lado, los Estados deberán garantizar que los centros penitenciarios sean administrados y custodiados por personal penitenciario especializado, de carácter civil y con carácter de funcionarios públicos. Es decir, estas funciones deben ser encomendadas a un estamento de seguridad independiente de las fuerzas militares y policiales, y que reciba capacitación y entrenamiento especializado en materia penitenciaria. Además, deberán ser profesionales formados en programas, escuelas o academias penitenciarias establecidas específicamente a tales efectos, pertenecientes a la estructura institucional de la autoridad encargada de la administración del sistema penitenciario.

194.   A este respecto, una de las preguntas del cuestionario publicado con motivo del presente informe inquiría acerca de cuál era la entidad a cargo de mantener la seguridad en los centros penales, y en caso de ser dos o más cuerpos, la indicación de qué funciones tenía cada uno y de cómo interactuaban. Los Estados que respondieron ese punto aportaron la siguiente información:

Argentina	El Estado argentino informó lo siguiente: (A) En la Provincia de Buenos Aires: la Dirección General de Seguridad, organismo que depende del Servicio Penitenciario Bonaerense; y (B) A nivel federal: el Servicio Penitenciario Federal.
Bahamas	*Her Majesty's Prison Officers*
Bolivia	De conformidad con la Ley No. 2298 del 20 de diciembre de 2001, la Policía Nacional asume las competencias de vigilancia exterior e interior de los centros penitenciarios a nivel nacional y departamental.

---

[226] CIDH, Audiencia Temática: *Violación a los derechos humanos en las cárceles de Panamá*, 131º período ordinario de sesiones, solicitada por CIDEM, la Clínica Internacional de Derechos Humanos de la Universidad de Harvard y la Comisión de Justicia y Paz, 7 de marzo de 2008. En esta audiencia se presentó el informe: *Del Portón para Acá se Acaban los Derechos Humanos: Injusticia y desigualdad en las cárceles panameñas,* presentado por la Clínica de Derechos Humanos de la Universidad de Harvard, disponible en: http://www2.ohchr.org/english/bodies/hrc/docs/ngos/HarvardClinicPanamaprisons.pdf. En el mismo sentido, la Comisión de Justicia y Paz en su respuesta al cuestionario del presente informe, indicó que uno de los principales desafíos que enfrenta la gestión penitenciaria en Panamá es precisamente la falta de investigación de casos de corrupción en los centros penitenciarios. Respuesta recibida, por correo electrónico el 20 de mayo de 2010.

[227] CIDH, Comunicado de Prensa 64/10 – Relatoría de la CIDH constata graves condiciones de detención en la provincia de Buenos Aires. Washington, D.C., 21 de junio de 2010.

Brasil	Servidores públicos de carácter civil (agentes penitenciarios), seleccionados mediante la realización de concurso público. En algunos casos miembros de la Policía Militar pueden actuar como guardianes externos en los centros penales, y en contextos más críticos, como los de rebelión, por ejemplo, pueden ingresar para apoyar en contener la crisis y para el transporte de internos. En las comisarías o delegaciones de policía, y en otros centros de privación de libertad, la seguridad también puede ser ejercida por la policía civil.
Chile	Gendarmería de Chile, de conformidad a lo establecido en el D.L. 2.859, de 1979, del Ministerio de Justicia, que fija la Ley Orgánica de Gendarmería de Chile. A su vez, de conformidad con la Ley No. 20.084, que establece un Sistema de Responsabilidad de los Adolescentes por Infracciones a la Ley Penal, en los centros de internación provisoria y centros cerrados de privación de libertad, Gendarmería de Chile tiene a su cargo una guardia armada de carácter externo. Si bien esta guardia permanece fuera del recinto, está autorizada para ingresar en caso de motín o en otras situaciones de grave riesgo para los adolescentes y revisar sus dependencias con el solo objeto de evitarlas.
Colombia	De acuerdo con la Ley 65 de 1993, la vigilancia interna de los centros de reclusión estará a cargo del Cuerpo de Custodia y Vigilancia Penitenciaria Nacional; y la vigilancia externa estará a cargo de la Fuerza Pública y de los organismos de seguridad. Cuando no exista Fuerza Pública para este fin, la vigilancia externa la asumirá el Cuerpo de custodia y Vigilancia Penitenciaria Nacional. La Fuerza Pública, previo requerimiento o autorización del Ministerio de Justicia o del Director General del INPEC o en caso urgente, del director del establecimiento donde ocurran los hechos, podrá ingresar a las instalaciones y dependencias para prevenir o conjurar graves alteraciones al orden público.
Costa Rica	Conforme lo establece la Ley No. 7410 y el Reglamento de la Policía Penitenciaria, Decreto Ejecutivo No. 26061, la seguridad y custodia de la población privada de libertad está a cargo de la Policía Penitenciaria.
Ecuador	El cuerpo de seguridad que está a cargo de mantener la seguridad dentro de los Centros de Rehabilitación Social (CRS) es la Dirección Nacional de Rehabilitación Social, específicamente el Cuerpo de Seguridad Penitenciaria. Fuera de los CRS, el resguardo se encuentra en manos de la Policía Nacional.
El Salvador	De acuerdo a datos proporcionados por la Unidad de Inspectoría General que por ley, ella misma es la encargada de garantizar la seguridad de los Centros Penitenciarios, para el efectivo cumplimiento de las órdenes judiciales de restricción de libertad individual de los internos, de respeto a sus derechos fundamentales y del funcionamiento de dichos Centros.
Guatemala	La seguridad interior en los centros carcelarios es responsabilidad de la guardia penitenciaria. Están estructurados tres círculos de seguridad para el resguardo de los centros penales: • Primer círculo, Guardia Penitenciaria (garitas y torres). • Segundo círculo, Policía Nacional Civil (patrullaje perimétrico). • Tercer círculo, destacamento del Ejército de Guatemala (apoya en casos de emergencia, pero no tiene contacto con la población reclusa, ni con civiles, salvo en situaciones de extrema necesidad).
Guyana	La seguridad en todas las cárceles del país es dirigida y mantenida por los Directores de los establecimientos penitenciarios y por los Oficiales de Prisiones. En casos de emergencias, motines, riñas, incendios y brotes de violencia, podrán intervenir la Policía de Guyana, el Servicio de Bomberos y las Fuerzas de Defensa.

Nicaragua	La seguridad de los Centros Penitenciarios está a cargo de la Especialidad de Seguridad Penal, que es una estructura del Sistema Penitenciario Nacional, creada específicamente para ese fin, atender la seguridad de los Centros Penales, tanto a nivel interno como externo y en las conducciones o presentaciones ante los despachos judiciales y hospitalarios, etc..
Panamá	La seguridad externa de los Centros Penales está a cargo de la Policía Nacional y la seguridad interna a cargo de los Custodios Civiles, de acuerdo con la Ley 55 de 2003. En los Centros Penitenciarios donde no hay Custodios Civiles, ambas funciones están a cargo de la Policía Nacional.
Perú	El Estado peruano informó que "actualmente existe un déficit de personal de seguridad, la escuela penitenciaria no ha captado personal nuevo, la población penitenciaria va en aumento existiendo una sobrepoblación". Además, señaló: "El INPE se encuentra a cargo de la seguridad interna de 57 establecimientos. Asimismo la Policía Nacional del Perú tiene a su cargo la seguridad mixta es decir la seguridad interna y externa en 27 establecimientos penitenciarios. Mediante la Ley 29385 se fija plazo para que el INPE asuma la seguridad integral de los establecimientos penitenciarios, la Dirección de Seguridad Penitenciaria contribuyó a la elaboración de un Plan de Transferencia, sin embargo a la fecha no se ejecuta por falta de presupuesto".
Suriname	Sólo los Oficiales de Prisiones están a cargo de la seguridad en las cárceles.
Trinidad y Tobago	El Servicio de Prisiones es el cuerpo encargado de mantener la seguridad en las cárceles, sin embargo en algunos casos de graves perturbaciones al orden como motines de gran magnitud puede intervenir una fuerza conjunta que incluye al ejército.
Uruguay	En los ocho establecimientos penitenciarios ubicados en la zona metropolitana (los que reúnen más de la mitad de la población reclusa del país), más uno de los centros departamentales (San José), dependen de la Dirección Nacional de Cárceles, Penitenciarías y Centros de Recuperación, los restantes 20 centros penales ubicados en el interior del país dependen de las Jefaturas de Policía Departamentales y el Centro Nacional de Rehabilitación depende directamente de la secretaría del Ministerio del Interior. Por Decreto 378/1997 se encomendó al Ministerio de Defensa Nacional la seguridad externa del Complejo Carcelario Santiago Vázquez, del Centro Penitenciario de Libertad y de la Cárcel Departamental de Canelones. Por decretos posteriores, se prorrogó la presencia militar perimetral en estos dos complejos carcelarios y por un reciente acuerdo con el Ministerio de Defensa nacional se extendió este régimen a la Cárcel Departamental de Maldonado.
Venezuela	De acuerdo con la información aportada por el Estado, por regla general en los centros penitenciarios de Venezuela la seguridad externa está a cargo de algún destacamento de la Guardia Nacional (el ejército); y la seguridad interna por funcionarios civiles.

195. En este sentido, además de la información presentada, la CIDH ya se ha referido a la situación de países como Bolivia[228], Paraguay[229], Honduras[230], Haití[231] y Uruguay[232] que no cuentan con cuerpos de agentes penitenciarios, por lo que las funciones que a éstos les corresponderían son ejercidas por estamentos policiales. Asimismo, la Corte Interamericana en el caso *Montero Aranguren y otros (Retén de Catia)* ordenó al Estado venezolano como medida de satisfacción y garantía de no repetición de las violaciones establecidas que ponga en funcionamiento un cuerpo de vigilancia penitenciaria eminentemente de carácter civil[233].

196. En efecto, es fundamental que los Estados establezcan sistemas de administración penitenciaria autónomos, gestionados por personal y administradores penitenciarios profesionales e independientes de la policía. Sin embargo, la sola existencia de estas instituciones no es suficiente, es necesario que el personal penitenciario existente sea suficiente para cubrir la demanda laboral de los distintos centros penitenciarios[234]. La falta de personal penitenciario suficiente genera, entre otros, problemas de seguridad interna de las cárceles.

Capacitación

197. En el ámbito del sistema interamericano, los Principios y Buenas Prácticas establecen,

Principio XX: [...]

El personal de los lugares de privación de libertad recibirá instrucción inicial y capacitación periódica especializada, con énfasis en el carácter social de la función. La formación de personal deberá incluir, por lo menos, capacitación sobre derechos humanos; sobre derechos, deberes y prohibiciones en el ejercicio de sus funciones; y sobre los principios y

---

[228] CIDH, Informe de Seguimiento - *Acceso a la Justicia e Inclusión Social: El Camino hacia el Fortalecimiento de la Democracia en Bolivia*, OEA/Ser/L/V/II.135. Doc. 40, adoptado el 7 de agosto de 2009, Cap. V, párrs. 116 y 119.

[229] ONU, Relator Especial sobre la Tortura y otros Tratos o Penas Crueles, Inhumanos o Degradantes, Informe de la Misión a Paraguay, A/HRC/7/3/Add.3, adoptado el 1 de octubre de 2007, Cap. IV: *Condiciones de la detención*, párr. 70

[230] ONU, Grupo de Trabajo sobre Detenciones Arbitrarias, *Informe sobre Misión a Honduras*, A/HRC/4/40/Add.4, adoptado el 1 de diciembre de 2006, párrs. 76 y 101.

[231] CIDH, *Haití: ¿Justicia Frustrada o Estado de Derecho? Desafíos para Haití y la Comunidad Internacional*, Cap. III, párr. 206.

[232] CIDH, Comunicado de Prensa 76/11 – Relatoría recomienda adopción de política pública carcelaria integral en Uruguay. Washington, D.C., 25 de julio de 2011, Anexo, párr. 51.

[233] Corte I.D.H., *Caso Montero Aranguren y otros (Retén de Catia) Vs. Venezuela*. Sentencia de 5 de julio de 2006. Serie C No. 150, párr. 144.

[234] CIDH, Audiencia Temática: *Situación del sistema penitenciario en Guatemala*, celebrada en el 124º período ordinario de sesiones, el 6 de marzo de 2006, los peticionarios informaron que de las 41 cárceles que hay en el país 17 están a cargo del sistema penitenciario y 24 a cargo de la Policía Nacional Civil.

reglas nacionales e internacionales relativos al uso de la fuerza, armas de fuego, así como sobre contención física. Para tales fines, los Estados Miembros de la Organización de los Estados Americanos promoverán la creación y el funcionamiento de programas de entrenamiento y de enseñanza especializada, contando con la participación y cooperación de instituciones de la sociedad y de la empresa privada[235].

198.   La CIDH reitera el principio de que la efectiva vigencia de los derechos humanos requiere de un sistema en el que los funcionarios encargados de hacer cumplir la ley se formen en los principios de una democracia participativa e informada[236]. En este sentido, el personal encargado de aplicar la ley, el personal médico, los funcionarios de policía y cualesquiera otras personas que intervengan en la custodia o el trato de una persona sometida a cualquier forma de detención o prisión, deberán recibir una instrucción y formación adecuadas[237]. En especial, el personal destinado a trabajar con grupos específicos de personas privadas de libertad como extranjeros, mujeres, niños, personas de la tercera edad y enfermos mentales, entre otros, debe recibir una formación particular que se adapte a sus tareas especializadas.

199.   La capacitación del personal de los lugares de privación de libertad, no es sólo una condición esencial para una adecuada gestión penitenciaria, sino que es un mecanismo fundamental para el respeto y garantía de los derechos fundamentales de las personas privadas de libertad. La formación de todos los miembros del personal debe comprender el estudio de los instrumentos internacionales y regionales de protección de los derechos humanos.

200.   Así, la Convención Interamericana para Prevenir y Sancionar la Tortura, dispone que los Estados partes, "tomarán medidas para que, en el adiestramiento de agentes de la policía y de otros funcionarios públicos responsables de la custodia de las personas privadas de su libertad, provisional o definitivamente, en los interrogatorios, detenciones o arrestos, se ponga especial énfasis en la prohibición del empleo de la tortura" (artículo 7)[238].

201.   La Comisión Interamericana en el caso *Antonio Ferreira Braga* estableció la violación del artículo 7 de la Convención Interamericana para prevenir y Sancionar la

---

[235] En el mismo sentido, las Reglas Mínimas para el Tratamiento de Reclusos (Regla 47 y 52.1), y en particular con respecto a niños y adolescentes privados de libertad, las Reglas de Beijing (Regla 12) y las Reglas de la ONU para la Protección de los Menores Privados de Libertad (Regla 85).

[236] CIDH, *Tercer Informe sobre la Situación de los Derechos Humanos en Paraguay*, Cap. IV, párr. 36.

[237] ONU, Comité de Derechos Humanos, Observación General No. 20: Prohibición de la tortura u otros tratos o penas crueles, inhumanos o degradantes (artículo 7), adoptado en el 44º periodo se sesiones (1992), párr. 10. En Recopilación de las Observaciones Generales y Recomendaciones Generales Adoptadas por Órganos Creados en Virtud de Tratados de Derechos Humanos Volumen I, HRI/GEN/1/Rev.9 (Vol. I) adoptado el 27 de mayo de 2008, pág. 240.

[238] En el mismo sentido, los artículos 10 de la Convención de las Naciones Unidas contra la Tortura y otros Tratos o Penas Crueles, Inhumanos o Degradantes, y 5 de la Declaración de la ONU sobre la Protección de todas las Personas contra la Tortura y otros Tratos o Penas Crueles, Inhumanos o Degradantes.

Tortura luego de llegar a la conclusión de que los agentes estatales que sometieron a la víctima a actos de tortura no contaban con la preparación adecuada que exige esta norma[239].

202.   Por lo general la tortura y los tratos crueles, inhumanos y degradantes tienen lugar cuando una persona está privada de su libertad y en custodia del Estado, razón por la cual, para prevenir estos actos es necesario que se cuente con una correcta capacitación y sensibilización en materia de derechos humanos, debido proceso legal y garantías judiciales para los agentes estatales que tienen contacto con personas privadas de libertad en todas las fases de la cadena de custodia de una persona[240]. Es importante además que se indique con claridad cuáles son las consecuencias jurídicas que acarrea la comisión de actos de tortura, de forma tal que los funcionarios encargados de hacer cumplir la ley tengan pleno conocimiento de ello.

203.   Asimismo, la Convención Interamericana sobre Desaparición Forzada de Personas impone a los Estados Partes la obligación de "velar por que, en la formación del personal o de los funcionarios públicos encargados de la aplicación de la ley, se imparta la educación necesaria sobre el delito de desaparición forzada de personas" (artículo VII). Esta disposición es pertinente también a la formación del personal policial y penitenciario, toda vez que uno de los riesgos que corre una persona detenida ilegalmente es precisamente el de ser objeto de una desaparición forzada. Incluso fuera de esta hipótesis es preciso que el personal penitenciario esté capacitado para prevenir posibles desapariciones forzadas, de ahí la necesidad de mantener registros adecuados en los centros de privación de libertad y ejercer un control efectivo del orden y la seguridad interna.

204.   Además, la "Convención de Belém do Pará" establece como medida para la prevención, sanción y erradicación de la violencia contra la mujer la adopción progresiva en los Estados Partes de medidas específicas, inclusive programas para fomentar la educación y capacitación del personal en la administración de justicia, policial y demás funcionarios encargados de la aplicación de la ley (artículo 8.c). Lo cual incluye al personal encargado de los centros de privación de libertad donde se aloje a mujeres, niñas y adolescentes.

205.   Otro aspecto fundamental es la capacitación, independencia e idoneidad del personal directivo. Los directores de establecimientos penitenciarios deberán hallarse debidamente calificados para su función por su carácter, su capacidad administrativa, una formación adecuada y por su experiencia en la materia[241]. La CIDH subraya que el nombramiento de personal directivo de los centros penitenciarios y de los funcionarios de alto nivel de los sistemas penitenciarios debe darse en el marco de procesos transparentes y equitativos, en los que se evalúe la idoneidad de los aspirantes con base en criterios

---

[239] CIDH, Informe No. 35/08, Caso 12.019, Fondo, Antonio Ferreira Braga, Brasil, 18 de julio de 2008, párrs. 121-122.

[240] ONU, Subcomité para la Prevención de la Tortura, *Informe sobre la visita a México del SPT*, CAT/OP/MEX/1, adoptado el 27 de mayo de 2009, párrs. 93-95.

[241] Véase, Reglas Mínimas para el Tratamiento de Reclusos, (Reglas 50 y 51).

objetivos de selección. Además, una vez designadas estas autoridades es preciso que gocen de la independencia funcional necesaria para ejercer sus funciones, sujetándose únicamente a las normas legales y reglamentarias pertinentes.

206.   En definitiva, la capacitación del personal encargado de los centros de privación de libertad debe ser entendida como una inversión, no como un coste, y como tal debe planificarse y diseñarse a la medida de la institución. La capacitación no es sólo transformación o conocimiento, es también desarrollo de habilidades y aptitudes para el cambio[242]. Además, el Estado debe adoptar las medidas necesarias para que todos los centros de privación de libertad de su territorio cuenten con personal penitenciario, profesional y capacitado, y no solamente aquellos establecimientos localizados en los centros urbanos.

207.   Además de una adecuada capacitación es importante que la administración penitenciaria reconozca la importancia de mantener, tanto en el espíritu del personal, como en la comunidad en general, la convicción de que la función penitenciaria constituye un servicio social de gran importancia[243]. Los centros penitenciarios por lo general constituyen ambientes hostiles, difíciles, carentes de recursos, en los que el trabajo de los agentes penitenciarios puede ser, además de rutinario, altamente estresante y agotador. Por ello, es esencial que se adopten las medidas necesarias para mantener en el personal penitenciario la motivación y la conciencia de la relevancia de la labor que desempeña.

Condiciones laborales

208.   Con respecto a las condiciones laborales los Principios y Buenas Prácticas disponen,

Principio XX.

Se garantizará que el personal esté integrado por empleados y funcionarios idóneos, de uno y otro sexo, preferentemente con condición de servidores públicos y de carácter civil [...].

Se asignará al personal de los lugares de privación de libertad los recursos y el equipo necesarios para que puedan desempeñar su trabajo en las condiciones adecuadas, incluyendo una remuneración justa y apropiada, y condiciones dignas de alojamiento y servicios básicos apropiados[244].

209.   En lo fundamental, los centros penitenciarios deberán estar custodiados y administrados por personal penitenciario profesional; el cual deberá ser de carácter civil,

---

[242] Instituto Latinoamericano de las Naciones Unidas para la Prevención del Delito y Tratamiento del Delincuente (ILANUD), *Cárcel y Justicia Penal en America Latina y el Caribe*, 2009, pág. 275.

[243] Véase, Reglas Mínimas para el Tratamiento de Reclusos, (Regla 46.2).

[244] En el mismo sentido, las Reglas Mínimas para el Tratamiento de Reclusos (Regla 46.3).

tener la condición de servidores públicos, estar vinculados a la administración por una relación legal y reglamentaria en la que se establezcan sus derechos y obligaciones, y cuyo régimen laboral esté establecido en la ley. Es decir, se debe implementar la carrera penitenciaria[245].

210.   Los funcionarios de la carrera penitenciaria deberán gozar de estabilidad y un sistema de ascensos y de mejoramiento progresivo de las condiciones laborales conforme a los años de servicio y otros sistemas de méritos establecidos en la ley. Estas condiciones deberán ser tales que la carrera penitenciaria sea percibida como una opción viable de tener un empleo digno y bien remunerado. Y su estabilidad en el cargo deberá depender únicamente de su desempeño laboral y del cumplimiento de la ley.

211.   La ley debe establecer los procedimientos disciplinarios internos que consagren el debido proceso administrativo, tipificando taxativamente las conductas en que pueden incurrir los funcionarios penitenciarios que serán objeto de reproche disciplinario; identificando los órganos competentes; los procedimientos para investigar los hechos en cada caso concreto y las sanciones a imponer, así como los recursos de que dispone el funcionario involucrado para impugnar el fallo. Todo ello, por supuesto, sin perjuicio de las responsabilidades penales en que pueda estar comprendido el funcionario penitenciario, sobre las que entenderá la justicia ordinaria. Para la Comisión, el funcionamiento adecuado del sistema disciplinario penitenciario (con los organismos de investigación internos encargados de juzgar y sancionar, en su caso, las conductas tipificadas previamente como faltas o infracciones), es un elemento esencial de una fuerza de seguridad moderna, profesional y democrática.

212.   Los servidores de carrera penitenciaria deberán percibir una remuneración justa, que permita al agente y a su familia un nivel de vida digno, teniendo en cuenta los riesgos, responsabilidades y situaciones de estrés propios de sus funciones, así como la capacidad técnica que su profesión exige[246]. Además, es una realidad ampliamente constatada que la concesión de salarios bajos o irrisorios a los agentes encargados de la detención o custodia de personas (sean éstos de cualquier tipo, incluso policiales) es un elemento que los hace propensos a corromperse, o a buscar "sobresueldos"[247].

---

[245] En general las condiciones laborales de estos funcionarios penitenciarios, incluyendo su remuneración, deberán ser acordes con la naturaleza de las funciones que ejercen. Es importante que no exista la percepción de que los funcionarios de prisiones constituyen una "segunda clase" o categoría frente a los cuerpos de seguridad del Estado como la policía o el ejército. Esto es relevante porque en la práctica es común que los funcionarios penitenciarios tengan que interactuar con estos estamentos de seguridad, en tales situaciones es importante que éstos se conduzcan con respeto y profesionalismo en sus relaciones con los funcionarios penitenciarios.

[246] Véase en un sentido similar, CIDH, *Informe sobre Seguridad Ciudadana y Derechos Humanos*, párr. 92.

[247] Véase, por ejemplo, ONU, Subcomité para la Prevención de la Tortura, *Informe sobre la visita a México del SPT*, CAT/OP/MEX/1, adoptado el 27 de mayo de 2009, párr. 102; ONU, Grupo de Trabajo sobre Detenciones Arbitrarias, *Informe sobre Misión a Honduras*, A/HRC/4/40/Add.4, adoptado el 1 de diciembre de 2006, párr. 77. En este sentido, es particularmente ilustrativo el siguiente pronunciamiento del Relator de Naciones Unidas sobre la Tortura relativo a Paraguay,

Continúa…

213.   En cuanto al resto de las condiciones laborales de los funcionarios penitenciarios, la CIDH considera que los mismos deben gozar de (1) condiciones de seguridad e higiene en el trabajo, sobre todo en los espacios en los que los funcionarios deben pernoctar y realizar sus labores ordinarias[248]; (2) respeto al horario y apoyo psicológico y físico necesarios; (3) el régimen de descanso y vacaciones proporcionales al desgaste que implica su labor en permanente estrés; (4) el deber de cumplimiento de órdenes superiores sólo si éstas son legales y, en caso contrario, el derecho a oponerse a ellas, no pudiéndose aplicar medida penal o disciplinaria alguna al funcionario que rehúsa una orden ilegal o violatoria de derechos humanos; (5) recibir, de modo permanente, la formación adecuada al cumplimiento de sus funciones, estableciendo una carrera policial que sea el soporte académico-profesional de la transformación cultural[249].

214.   En los hechos, las deficiencias estructurales de las cárceles afectan, tanto a los reclusos, como a los funcionarios que los custodian, los cuales en algunos casos están sometidos a condiciones laborales tan deplorables que pueden llegar a afectar su trabajo, su seguridad y hasta su salud física y mental. A este respecto, el Relator de PPL en su informe de misión a Uruguay tomó en consideración un estudio del Ministerio del Interior de ese país, en el que se establecía, entre otras cosas, que las condiciones laborales negativas mantenidas a lo largo del tiempo desembocaban en un cuadro de "desánimo, frustración, desesperanza, resignación, automatismo de la tarea, inhibición para la presentación de propuestas o iniciativas de cambio, y disminución de la creatividad. En suma, un deterioro físico-emocional con progreso sostenido de enfermedades psicosomáticas y psicopatológicas [...]"[250]. Por lo que la CIDH recomienda que se dé la

---

...continuación

"Los reducidos salarios de los guardias de prisión, que en algunos casos se encontraban por debajo del salario mínimo y en otros casos se les adeudaba hasta el equivalente de tres meses de sueldo, el papel fundamental del personal en la distribución de recursos, combinados con la dependencia de los reclusos, constituye una situación muy susceptible para el abuso de poder. Es una práctica común que los presos hagan uso del soborno para obtener Artículos necesarios a los que tienen derecho y que el Estado está obligado a proporcionarles".

ONU, Relator Especial sobre la Tortura y otros Tratos o Penas Crueles, Inhumanos o Degradantes, Informe de la Misión a Paraguay, A/HRC/7/3/Add.3, adoptado el 1 de octubre de 2007, Cap. IV: *Condiciones de la detención*, párr. 68.

[248] En este sentido, de acuerdo con RPI, "El personal debe contar con una infraestructura decente, que en ningún caso debería ser peor que para los reclusos. En lo posible, deben contar con salas de descanso, un lugar donde comprar comida, además de acceso a un gimnasio y a biblioteca". Reforma Penal Internacional (RPI), Manual de Buenas Práctica Penitenciaria: Implementación de las Reglas Mínimas de Naciones Unidas para el Tratamiento de los Reclusos, 2002, pág. 151.

[249] Véase en un sentido similar, CIDH, *Informe sobre Seguridad Ciudadana y Derechos Humanos*, párr. 92.

[250] CIDH, Comunicado de Prensa 76/11 – Relatoría recomienda adopción de política pública carcelaria integral en Uruguay. Washington, D.C., 25 de julio de 2011, Anexo, párr. 50. Con respecto a este tema, en Chile, un estudio realizado por la Asociación Nacional de Funcionarios Penitenciarios (ANFUP) arrojó que entre 2009 y julio de 2010 se produjeron veinticuatro intentos de suicidio de funcionarios, además de cuatro que lograron quitarse la vida, los que sobrevivieron tuvieron que someterse a costosos tratamientos psiquiátricos. Dicho estudio reveló también que durante ese periodo se detectaron 1,500 ausencias por motivos de salud, de las cuales el 14% correspondían a licencias siquiátricas y diagnósticos de depresión. Universidad Diego Portales, Centro de

Continúa...

atención necesaria a la salud física y mental del personal de los centros de privación de libertad[251].

Personal de custodia directa de las personas privadas de libertad

215.　Como se menciona *supra*, el personal encargado de la administración y seguridad interna de los centros de privación deberá estar integrado por empleados y funcionarios idóneos de carácter civil. Es decir, por personal penitenciario profesional específicamente capacitado y destinado a tal efecto. Al respecto, los Principios y Buenas Prácticas establecen que "[c]omo regla general, se prohibirá que miembros de la Policía o de las Fuerzas Armadas ejerzan funciones de custodia directa en los establecimientos de las personas privadas de libertad, con la excepción de las instalaciones policiales o militares" (Principio XX)[252].

216.　En este sentido, con relación al empleo de agentes policiales en funciones penitenciarias la Comisión ha afirmado consistentemente que,

> [L]as normas internacionales en materia de detención contemplan que, en general, la autoridad responsable de la investigación de un delito y del arresto no deberá ser la autoridad responsable de administrar los centros de detención. Esto es una garantía contra el abuso y una base fundamental para la supervisión judicial adecuada de los centros de detención[253].

Asimismo, los mecanismos de protección de Naciones Unidas se han referido al deber del Estado de implementar cuerpos de guardias de prisiones bien entrenados y dotados, y administradores penitenciarios profesionales independientes de los cuerpos de policía[254].

217.　Por otro lado, el empleo de efectivos militares en el mantenimiento de la seguridad de las cárceles deberá ser excepcional, proporcional a la situación que lo motiva,

---

...continuación

Derechos Humanos de la Facultad de Derecho, *Informe Anual sobre Derechos Humanos en Chile 2010*, págs. 130-131.

[251] Así por ejemplo, la Organización Mundial de la Salud, tiene una serie de recomendaciones y directrices que los Estados pueden seguir, véase a este respecto: WHO, *Health in Prisons: a WHO guide to the essentials in prison health*, 2007, págs. 171-179.

[252] En el mismo sentido, las Reglas Penitenciarias Europeas disponen, Regla 71. "Las prisiones deberán estar bajo la responsabilidad de autoridades públicas distintas de las autoridades militares, policiales o aquellas encargadas de los servicios de investigación criminal".

[253] CIDH, *Acceso a la Justicia e Inclusión Social: El Camino hacia el Fortalecimiento de la Democracia en Bolivia*, Cap. III, párr. 199; CIDH, *Quinto Informe sobre la Situación de los Derechos Humanos en Guatemala*, Cap. VIII, párr. 14.

[254] Véase al respecto, ONU, Relator Especial sobre la Tortura y otros Tratos o Penas Crueles, Inhumanos o Degradantes, Informe de la Misión a Uruguay, A/HRC/13/39/Add.2, adoptado el 21 de diciembre de 2009, Cap. IV: *Administración de justicia penal: causas subyacentes del colapso de los sistemas penitenciario y de administración de justicia*, párrs. 43 y 105; ONU, Grupo de Trabajo sobre Detenciones Arbitrarias, *Informe sobre Misión a Honduras*, A/HRC/4/40/Add.4, adoptado el 1 de diciembre de 2006, párrs. 76 y 101.

limitarse a casos excepcionales contemplados explícitamente en la ley y que estén orientados a la consecución de fines legítimos en una sociedad democrática. En estos casos la actuación de las fuerzas militares deberá estar sometida al escrutinio y control de la autoridad civil, en particular del establecimiento de las responsabilidades legales correspondientes[255].

218. Así por ejemplo, durante su visita a El Salvador de junio de 2010 la Relatoría de Personas Privadas de Libertad conoció del empleo de efectivos militares en el control de la seguridad perimetral de algunos centros penales y de la detección del ingreso de efectos ilícitos. Y recibió información de distintas fuentes según la cual los miembros del ejército estarían incurriendo en algunos abusos y conductas arbitrarias con respecto a los propios internos y a sus familiares y visitas. Asimismo, la delegación pudo constar que ni las autoridades de los centros penales ni otras autoridades civiles realizan monitoreo o supervisión alguna sobre los registros de personas que realiza el ejército. Tampoco se han establecido procedimientos para reclamar o apelar a los directores de los centros penales, en casos en los cuales los familiares de los internos consideren que son objeto de alguna forma de desbordamiento en las atribuciones que ejerce el ejército sin ningún límite[256].

219. La Comisión Interamericana subraya la importancia fundamental de que los Estados adopten las medidas necesarias a corto, mediano y largo plazo para implementar la carrera penitenciaria, formar y contratar agentes penitenciarios suficientes para cubrir las necesidades de personal de los centros penitenciarios. De manera tal que progresivamente se vaya reemplazando el personal policial o militar que actualmente ejerce esas funciones, limitando la intervención de éstos a casos y circunstancias excepcionales.

F. Uso de la fuerza por parte de los agentes de seguridad en los centros de privación de libertad

220. En el Sistema Interamericano se ha establecido como principio rector de la actividad del Estado que, "por graves que puedan ser ciertas acciones y por culpables que puedan ser los reos de determinados delitos, no cabe admitir que el poder pueda ejercerse sin límite alguno o que el Estado pueda valerse de cualquier procedimiento para alcanzar sus objetivos, sin sujeción al derecho o a la moral"[257]. Este criterio resulta plenamente aplicable a las acciones, políticas y medios que emplean los Estados para el mantenimiento del control y la seguridad interna de los centros de privación de libertad.

---

[255] Véase, CIDH, *Democracia y Derechos Humanos en Venezuela*, Cap. VI, párr. 683; CIDH, *Informe sobre Seguridad Ciudadana y Derechos Humanos*, párr. 104.

[256] CIDH, Comunicado de Prensa 104/10 – Relatoría de la CIDH constata deficiencias estructurales de sistema penitenciario de El Salvador. Washington, D.C., 20 de octubre de 2010.

[257] Corte I.D.H., *Caso Velásquez Rodríguez Vs. Honduras*. Sentencia de 29 de julio de 1988. Serie C No. 4, párr. 154.

221.   En este sentido, la Comisión Interamericana ha establecido que el uso de la fuerza "es un recurso último que, limitado cualitativa y cuantitativamente, pretende impedir un hecho de mayor gravedad que el que provoca la reacción estatal"[258]; y que,

> El uso legítimo de la fuerza pública implica, entre otros factores, que ésta debe ser tanto necesaria como proporcionada con respecto a la situación, es decir, que debe ser ejercida con moderación y con proporción al objetivo legítimo que se persiga, así como tratando de reducir al mínimo las lesiones personales y las pérdidas de vidas humanas. El grado de fuerza ejercido por los funcionarios del Estado para que se considere adecuado con los parámetros internacionales, no debe ser más que el absolutamente necesario. El Estado no debe utilizar la fuerza en forma desproporcionada ni desmedida contra individuos que encontrándose bajo su control, no representan una amenaza, en tal caso, el uso de la fuerza resulta desproporcionado[259].

222.   Así, con respecto al uso de la fuerza por parte de agentes Estatales en centros de privación de libertad, los Principios y Buenas Prácticas de la CIDH establecen,

> Principio XXIII (2).

> (El personal de los lugares de privación de libertad no empleará la fuerza y otros medios coercitivos, salvo excepcionalmente, de manera proporcionada, en casos de gravedad, urgencia y necesidad, como último recurso después de haber agotado previamente las demás vías disponibles, y por el tiempo y en la medida indispensables para garantizar la seguridad, el orden interno, la protección de los derechos fundamentales de la población privada de libertad, del personal o de las visitas.

> Se prohibirá al personal el uso de armas de fuego u otro tipo de armas letales al interior de los lugares de privación de libertad, salvo cuando sea estrictamente inevitable para proteger la vida de las personas.

> En toda circunstancia, el uso de la fuerza y de armas de fuego o de cualquier otro medio o método utilizado en casos de violencia o situaciones de emergencia, será objeto de supervisión de autoridad competente[260].

---

[258] CIDH, *Informe sobre la Situación de las Defensoras y Defensores de los Derechos Humanos en las Américas*, OEA/Ser.L/V/II.124. Doc. 5 rev. 1, adoptado el 7 de marzo de 2006, (en adelante *"Informe sobre la Situación de las Defensoras y Defensores de los Derechos Humanos en las Américas"*), párr. 64.

[259] CIDH, *Informe sobre la Situación de las Defensoras y Defensores de los Derechos Humanos en las Américas*, párr. 65.

[260] En el Sistema Universal pueden encontrarse disposiciones similares en las Reglas Mínimas (Reglas, 33, 34 y 54); el Código de Conducta para Funcionarios Encargados de Hacer Cumplir la Ley (artículo 3); y particularmente en los Principios Básicos de la ONU sobre el Empleo de la Fuerza y de Armas de Fuego por parte de los Funcionarios encargados de Hacer Cumplir la Ley.

223.   En el caso de centros de privación de libertad de niños y adolescentes existen algunos estándares diferenciados según los cuales el uso de la fuerza o los métodos de coerción sólo podrán utilizarse por orden del director del establecimiento para impedir específicamente que el menor lesione a otros, a sí mismo o cause importantes daños materiales. Además, como regla general, deberá prohibirse al personal portar y utilizar armas[261].

224.   Tanto, la Corte, como la Comisión Interamericana se han referido a estos estándares en diversos casos y situaciones en los que las fuerzas de seguridad del Estado han hecho uso excesivo de la fuerza en centros de privación de libertad.

225.   Así por ejemplo, en los casos *Neira Alegría* y *Durand y Ugarte* la Corte Interamericana se refirió al uso excesivo de la fuerza en la debelación de un motín iniciado el 18 de junio de 1986 en el Pabellón Azul del Penal San Juan Bautista (ex-El Frontón) en el que había presos condenados y procesados por terrorismo. Mediante dos decretos supremos dictados por el Presidente de la República el penal quedó materialmente bajo el control absoluto de las Fuerzas Armadas del Perú, las cuales mediante un operativo iniciado el 19 de junio de las 3:00 A.M. demolieron el Pabellón Azul con artillería de guerra, produciendo la muerte de al menos 111 reclusos[262].

226.   En estos casos la Corte consideró que las características del motín, la alta peligrosidad de los reclusos amotinados y el hecho de que estuvieran armados, no constituían elementos suficientes para justificar el nivel de fuerza utilizado, concluyendo que el uso desproporcionado de la fuerza letal caracterizó una violación del artículo 4.1 de la Convención Americana[263].

227.   En el caso del *Penal Miguel Castro Castro* la Corte Interamericana estableció la responsabilidad internacional del Estado peruano por el "Operativo Mudanza 1" ejecutado en dicho penal a partir del 6 de mayo de 1992 y que se prolongó por varios días. Como primer acto de este operativo, efectivos de las fuerzas de seguridad iniciaron una incursión en el pabellón 1A, derribando parte de la pared mediante el uso de explosivos. Simultáneamente, agentes de la policía abrieron huecos en los techos, desde los cuales dispararon. Desde el primer día del "operativo" y durante los tres siguientes se empleó armamento militar como granadas, cohetes, bombas, helicópteros de artillería, morteros y tanques, así como también bombas lacrimógenas, vomitivas y paralizantes. En estas acciones participaron agentes de la policía, del ejército y de otras fuerzas especiales quienes incluso se ubicaron como francotiradores en los techos del penal y dispararon contra los prisioneros. El último día del "operativo" los agentes estatales dispararon contra los internos que salieron del pabellón 4B, después de haber pedido que no les dispararan y

---

[261] Reglas Mínimas de la ONU para la Protección de los Menores Privados de Libertad, (Reglas 63-65).

[262] Corte I.D.H., *Caso Durand y Ugarte Vs. Perú*. Sentencia de 16 de agosto de 2000. Serie C No. 68, párrs. 59 y 68; Corte I.D.H., *Caso Neira Alegría y otros Vs. Perú*. Sentencia de 19 de enero de 1995. Serie C No. 20, párr. 69.

[263] Corte I.D.H., *Caso Durand y Ugarte Vs. Perú*. Sentencia de 16 de agosto de 2000. Serie C No. 68, párrs. 70-72; Corte I.D.H., *Caso Neira Alegría y otros Vs. Perú*. Sentencia de 19 de enero de 1995. Serie C No. 20, párrs. 74-76.

algunos internos que se encontraban bajo control de las autoridades fueron separados del grupo y ejecutados. Luego de concluidas las acciones las autoridades tardaron horas e incluso días en proporcionar atención médica a los sobrevivientes, con lo cual algunos murieron, otros resultaron con secuelas físicas permanentes; e incluso, algunos de los heridos que luego fueron llevados a hospitales no recibieron la atención médica que requerían[264].

228.   En este caso, la Corte Interamericana concluyó que no existió motín ni otra situación que ameritara el uso legítimo de la fuerza por los agentes del Estado. Por el contrario, se trató de un ataque directo para atentar contra la vida e integridad personal de las internas e internos que se encontraban en los pabellones 1A y 4B y en el que murieron 41 internos y 190 resultaron heridos[265].

229.   En lo sustantivo, la Corte reiteró los estándares fijados por los Principios 4 y 9 de los Principios Básicos de la ONU sobre el Empleo de la Fuerza y de Armas de Fuego por parte de los Funcionarios Encargados de Hacer Cumplir la Ley, según los cuales los cuerpos de seguridad solamente pueden recurrir al empleo de armas letales cuando sea estrictamente inevitable para proteger una vida y cuando resulten ineficaces medidas menos extremas"[266]. Además, enfatizó el deber del Estado de asegurar que todos los internos fallecidos sean debidamente identificados y sus restos entregados a sus familiares. La demora injustificada en la entrega de los cadáveres, ya en estado de descomposición, añadió un sufrimiento adicional a los familiares de las víctimas que pudo haber sido evitado[267].

230.   Asimismo, en el caso *Montero Aranguren y otros (Retén de Catia)* relativo a Venezuela, se denunció que entre el 27 y 29 de noviembre de 1992 se dio una intervención masiva de efectivos de la Guardia Nacional y la Policía Metropolitana en el Retén e Internado Judicial de Los Flores de Catia en el que éstos dispararon indiscriminadamente contra los internos utilizando armas de fuego y gases lacrimógenos, causando la muerte de aproximadamente 63 privados de libertad, y dejando 52 heridos y 28 desaparecidos. Además, el Estado no adoptó las medidas necesarias para garantizar de manera oportuna y eficaz los procedimientos y asistencia médica necesaria para la atención de las personas heridas a consecuencia de los hechos.

231.   El caso *Montero Aranguren y otros (Retén de Catia)* es fundamental en el desarrollo de la jurisprudencia de la Corte Interamericana relativa al uso de la fuerza por parte de miembros de los cuerpos de seguridad. En su análisis la Corte toma en

---

[264] Corte I.D.H., *Caso del Penal Miguel Castro Castro Vs. Perú*. Sentencia de 25 de noviembre de 2006. Serie C No. 160, párrs. 211, 216, 222 y 223.

[265] Corte I.D.H., *Caso del Penal Miguel Castro Castro Vs. Perú*. Sentencia de 25 de noviembre de 2006. Serie C No. 160, párrs. 215 y 217.

[266] Corte I.D.H., *Caso del Penal Miguel Castro Castro Vs. Perú*. Sentencia de 25 de noviembre de 2006. Serie C No. 160, párr. 239.

[267] Corte I.D.H., *Caso del Penal Miguel Castro Castro Vs. Perú*. Sentencia de 25 de noviembre de 2006. Serie C No. 160, párrs. 251 y 339.

consideración tanto sus propios precedentes, como estándares del Sistema Universal y del Sistema Europeo, estableciendo los siguientes puntos[268]:

(a) Los Estados deben crear un marco normativo adecuado que disuada cualquier amenaza al derecho a la vida, y un sistema judicial efectivo capaz de investigar, castigar y dar reparación a quienes les sea violado este derecho. De manera especial los Estados deben vigilar que sus cuerpos de seguridad, a quienes les está atribuido el uso de la fuerza legítima, respeten el derecho a la vida de quienes se encuentren bajo su jurisdicción.

(b) El uso de la fuerza por parte de los cuerpos de seguridad estatales debe estar definido por criterios de excepcionalidad, necesidad y proporcionalidad. En este sentido, [...] sólo podrá hacerse uso de la fuerza o de instrumentos de coerción cuando se hayan agotado y hayan fracasado todos los demás medios de control. En un mayor grado de excepcionalidad se ubica el uso de la fuerza letal y las armas de fuego por parte de los agentes de seguridad contra las personas, el cual debe estar prohibido como regla general. Su uso excepcional deberá estar formulado por ley, y ser interpretado restrictivamente de manera que sea minimizado en toda circunstancia, no siendo más que el absolutamente necesario en relación con la fuerza o amenaza que se pretende repeler.

Los Estados deben priorizar la prevención de la violencia a un sistema de acciones de represión. Éstos deben adoptar todas aquellas medidas dentro de su ordenamiento para prevenir la ocurrencia de actos de violencia a los que luego haya que responder mediante el uso de la fuerza.

(c) Los Estados deben crear un marco normativo que regule el uso de la fuerza por parte de agentes estatales, en particular deben establecer pautas suficientemente claras para la utilización de fuerza letal y armas de fuego[269].

---

[268] Corte I.D.H., *Caso Montero Aranguren y otros (Retén de Catia) Vs. Venezuela*. Sentencia de 5 de julio de 2006. Serie C No. 150, párrs. 61-84.

[269] En este punto la Corte Interamericana consideró, siguiendo los Principios sobre el Empleo de la Fuerza y de Armas de Fuego por los Funcionarios Encargados de Hacer Cumplir la Ley, que esta regulación deberá contener directrices que: a) especifiquen las circunstancias en que tales funcionarios estarían autorizados a portar armas de fuego y prescriban los tipos de armas de fuego o municiones autorizados; b) aseguren que las armas de fuego se utilicen solamente en circunstancias apropiadas y de manera tal que disminuya el riesgo de daños innecesarios; c) prohíban el empleo de armas de fuego y municiones que puedan provocar lesiones no deseadas o signifiquen un riesgo injustificado; d) reglamenten el control, almacenamiento y distribución de armas de fuego, así como los procedimientos para asegurar que los funcionarios encargados de hacer cumplir la ley respondan de las armas de fuego o municiones que se les hayan entregado; e) señalen los avisos de advertencia que deberán darse, siempre que proceda, cuando se vaya a hacer uso de un arma de fuego, y f) establezcan un sistema de presentación de informes siempre que los funcionarios encargados de hacer cumplir la ley recurran al empleo de armas de fuego en el desempeño de sus funciones.

(d)   Los miembros de los cuerpos armados y los organismos de seguridad deberán recibir el entrenamiento y capacitación adecuados que incluyan la instrucción en normas fundamentales de derechos humanos y los límites aplicables al uso de la fuerza.

(e)   Debe existir un control adecuado y verificación de la legalidad del uso de la fuerza. Una vez que se tenga conocimiento de que miembros de las fuerzas de seguridad han hecho uso de armas de fuego con consecuencias letales, el Estado debe iniciar de oficio y sin dilación una investigación seria, imparcial, efectiva y abierta al escrutinio público. En la que se respete además la independencia de las autoridades encargadas de conducir las investigaciones.

232.   Por su parte, la Comisión Interamericana en su Informe de Fondo No. 34/00 del caso *Carandirú* analizó la proporcionalidad de las acciones desplegadas por las fuerzas de seguridad del Estado partiendo de la premisa fundamental de que la debelación de un motín "[d]ebe hacerse con las estrategias y acciones necesarias para sofocarlo con el mínimo daño para la vida e integridad física de los reclusos y con el mínimo de riesgo para las fuerzas policiales"[270]. En este caso la CIDH también tomó en consideración que el Estado no tomó las medidas apropiadas para prevenir la ocurrencia de brotes de violencia; y que las fuerzas de seguridad involucradas en los hechos no intentaron agotar otras vías menos violentas para hacer frente a la situación creada por los internos.

233.   La Comisión reitera que es fundamental que los Estados adopten en primer lugar medidas de prevención de la violencia carcelaria, de forma tal que se reduzca al mínimo posible la necesidad de recurrir al uso de la fuerza. En este sentido, y como ya se ha mencionado, la adopción de medidas tales como: la adecuada separación de los reclusos por categorías; el incremento y capacitación del personal penitenciario de custodia; la prohibición efectiva del ingreso de armas, drogas y dinero; el desmantelamiento de las bandas criminales; el mantenimiento de condiciones de detención adecuadas; la implementación de actividades productivas para los reos; la asistencia jurídica adecuada; el trato digno hacia los familiares de los presos; el establecimiento y aplicación de reglamentos internos en los centros penales; y el desarrollo de otros medios no violentos de resolución de conflictos, son medidas que contribuyen a mantener un clima de orden institucional a lo interno de los centros de privación de libertad[271].

234.   En efecto, cuando el Estado no adopta las medidas preventivas adecuadas y no ejerce un control efectivo de la seguridad interna de los centros penales, da pie a que se den situaciones tales como el rearme de la población penitenciaria, frente a las cuales se ve luego forzado a utilizar fuerzas de seguridad cuya naturaleza y funciones no están vinculadas al mantenimiento de la seguridad interna en las prisiones. Así por

---

[270] CIDH, Informe No. 34/00, Caso 11.291, Fondo, Carandiru, Brasil, 13 de abril de 2000, párr. 62.

[271] CIDH, *Principios y Buenas Prácticas sobre la Protección de las Personas Privadas de Libertad en las Américas*, (Principio XXIII.1).

ejemplo, en el contexto de las medidas provisionales del *Centro Penitenciario de Aragua* (*"Cárcel de Tocorón"*), en Venezuela, se tomó en consideración que luego de un motín ocurrido en ese penal entre el 27 y 29 de septiembre de 2010 –en el que murieron 16 internos, hubo más de 36 heridos, se detonaron 8 granadas y se dispararon armas de fuego– el Estado movilizó, entre otros, a 1800 efectivos de la Guardia Nacional, un tanque de guerra y seis tanquetas[272].

235.   Asimismo, en el contexto de las medidas provisionales de la *Unidad de Internación Socioeducativa* (UNIS), la Comisión puso en conocimiento de la Corte que una de las causas por las cuales se denunciaban constantes agresiones por parte de las fuerzas de seguridad hacia los niños y adolescentes privados de libertad en ese centro, era precisamente la falta de control interno y de adopción de medidas que previnieran la ocurrencia constante de desórdenes, fugas y motines. Es decir, había un nexo causal directo entre el uso de la fuerza, en muchos casos desproporcionada, por parte del Estado y su propia incapacidad de mantener el orden interno y prevenir la ocurrencia de brotes de violencia y desórdenes[273].

236.   Por otra parte, la CIDH en una audiencia temática sobre la situación de las personas privadas de libertad en Honduras, celebrada en 2006, recibió información según la cual en los últimos años habrían fallecido varias personas en centros penales en intentos de fuga, debido a que el procedimiento usual de los agentes de policía que custodian las cárceles es el uso de armas de fuego[274]. A este respecto, el Subcomité para la Prevención de la Tortura en su reciente informe sobre Honduras se refirió a la existencia de la llamada "zona muerta" de la prisión Marco Aurelio Soto en Tegucigalpa, la cual consiste en una porción del área perimetral del penal en la cual los guardias tienen instrucciones de disparar contra todo interno que sea detectado en la misma[275].

237.   Con respecto a situaciones como la descrita, la CIDH considera que los funcionarios encargados de hacer cumplir la ley en los centros penitenciarios sólo podrán utilizar armas letales cuando sea estrictamente necesaria para proteger una vida. En situaciones de fuga o evasión de privados de libertad, el Estado debe emplear todos los medios no letales a su alcance para recapturar a los reos, y sólo podrán utilizar la fuerza letal en casos de peligro inminente en el que los presos que pretenden escapar reaccionen contra los guardias penitenciarios o terceras personas con medios violentos que amenacen

---

[272] Corte I.D.H., Asunto Centro Penitenciario de Aragua "Cárcel de Tocorón" respecto Venezuela, Resolución de la Corte Interamericana de Derechos Humanos de 24 de noviembre de 2010, Vistos 2.d y 9.e.

[273] Corte I.D.H., Asunto de la Unidad de Internación Socioeducativa respecto Brasil, Resolución de la Corte Interamericana de Derechos Humanos de 25 de febrero de 2011, Vistos 14 (c) y 15 (f).

[274] CIDH, Audiencia Temática: *Situación de las personas privadas de libertad en Honduras*, 124º período ordinario de sesiones, solicitada por Casa Alianza; CEJIL; CODEH; COFADEH; CPTRT, 7 de marzo de 2006. Véase el informe *Situación del Sistema Penitenciario en Honduras*, preparado por CPTRT y COFADEH, (pág. 14) entregado en dicha audiencia, disponible en: http://www.cptrt.org/pdf/informesistemapenitenciarioCIDH.pdf.

[275] ONU, Subcomité para la Prevención de la Tortura, *Informe sobre la visita a Honduras del SPT*, CAT/OP/HND/1, adoptado el 10 de febrero de 2010, párrs. 198-200.

la vida de éstos[276]. Por lo tanto, no existe justificación ética ni jurídica a la llamada "ley de fuga" que legitime o faculte a los guardias penitenciarios a disparar automáticamente contra reos que intenten escapar[277].

238.   Asimismo, la CIDH observa que los Estados tienen el deber de dotar a los funcionarios encargados de hacer cumplir la ley en las cárceles del equipo necesario para hacer un uso diferenciado de la fuerza. Lo que incluye la dotación de armas y dispositivos no letales. Asimismo, debería dotarse a estos funcionarios y agentes de los equipos necesarios de autoprotección[278], y en definitiva de los instrumentos y la capacitación necesarios para cumplir con los objetivos del uso adecuado de la fuerza no letal.

239.   Durante su visita de trabajo a la provincia de Buenos Aires, la Relatoría de Personas Privadas de Libertad recibió información sobre el uso desproporcionado de los disparos con balas de goma contra los privados de libertad. De acuerdo con el Comité Contra la Tortura de la Comisión Provincial por la Memoria la represión con balas de goma fue utilizada al menos en 1,487 oportunidades durante el 2008 por agentes del Servicio Penitenciario Bonaerense[279]. De acuerdo con el Comité Contra la Tortura:

> Los hechos de represión en general no respetan la reglamentación vigente o lo que enseñan los manuales de formación penitenciaria. Los disparos con balas de goma no deberían ser efectuados a menos de diez metros del cuerpo de las personas, ya que pueden ocasionar lesiones gravísimas e incluso la muerte. Además, debería apuntarse de la cintura hacia abajo. Pero en la mayoría de los casos los disparos son a muy corta distancia y suelen dirigirse a la cara o al pecho. En otros, se dispara apuntando hacia abajo pero con los detenidos en el piso. Se ha registrado gran cantidad de casos de personas que perdieron un ojo o padecieron otros daños irreparables. También es habitual encontrar detenidos con postas de goma alojadas en su cuerpo por mucho tiempo[280].

---

[276] Véase al respecto, Principios Básicos para el Empleo de la Fuerza y de Armas de Fuego por los Funcionarios Encargados de Hacer Cumplir la Ley (Principios 4, 9 y 16).

[277] Así por ejemplo, en el marco del seguimiento a la visita de trabajo que realizó la Relatoría de PPL a Ecuador, la Comisión Ecuménica de Derechos Humanos (CEDHU) aportó información según la cual aún se reportarían en ese país prácticas de "Ley de Fuga". A este respecto se señala como ejemplo el caso de un reo de 25 años que recibió tres impactos de bala al intentar evadirse de la cárcel de Babahoyo en septiembre de 2010; igualmente se menciona el caso de otro interno muerto tras intento de fuga registrado en agosto de 2011 en el Centro de Rehabilitación Social de Santo Domingo.

[278] Véase al respecto, Principios Básicos para el Empleo de la Fuerza y de Armas de Fuego por los Funcionarios Encargados de Hacer Cumplir la Ley (Principio 2).

[279] Véase, CIDH, Comunicado de Prensa 64/10 – Relatoría de la CIDH constata graves condiciones de detención en la provincia de Buenos Aires. Washington, D.C., 21 de junio de 2010. Esta práctica también ha sido registrada por el Comité Contra la Tortura de la Comisión Provincial por la Memoria en su Informe Anual 2009: *El Sistema de la Crueldad IV*, págs. 18 y 71.

[280] Comité Contra la Tortura de la Comisión Provincial por la Memoria en su Informe Anual 2010: *El Sistema de la Crueldad V*, págs. 54 y 55.

De igual forma, la CIDH ha recibido información relativa al uso desproporcionado y abusivo de gas lacrimógeno y rociadores irritantes en las cárceles panameñas de La Joya y La Joyita, las más grandes del país[281].

240.   A este respecto, la CIDH subraya que incluso las armas no letales o incapacitantes como las balas de goma o las pistolas de choques eléctricos deben usarse de acuerdo con principios de necesidad y proporcionalidad, procurando emplearse primero otros medios disuasivos[282]. La represión no puede ser la única herramienta que utilicen las autoridades para preservar el orden. Además, "en toda circunstancia, el uso de la fuerza y de armas de fuego o de cualquier otro medio o método utilizado en casos de violencia o situaciones de emergencia, será objeto de supervisión de autoridad competente"[283]. Y en caso de que en el curso de las acciones se produzcan muertos o heridos, el Estado está obligado, de acuerdo con los artículos 8 y 25 de la Convención Americana, a iniciar de oficio las correspondientes investigaciones, que deberán ser serias, exhaustivas, imparciales y ágiles, y estar dirigidas a esclarecer las cusas de los hechos, individualizar a los responsables e imponer las sanciones legales correspondientes[284].

G.   Derecho de los privados de libertad a presentar recursos judiciales y quejas a la administración

241.   La privación de libertad trae a menudo, como consecuencia ineludible, la afectación del goce de otros derechos humanos además del derecho a la libertad personal. Aunque estas restricciones deben limitarse de manera rigurosa, pueden, por ejemplo verse restringidos los derechos de privacidad y de intimidad familiar. Por el contrario, la restricción de otros derechos, como la vida, la integridad personal y el debido proceso, no sólo no tiene justificación fundada en la privación de libertad, sino que también está prohibida por el derecho internacional de los derechos humanos[285]. Por lo tanto, las personas privadas de libertad, conservan y tienen derecho de ejercitar sus derechos fundamentales reconocidos por el derecho nacional e internacional, independientemente de su situación jurídica o del momento procesal en que se encuentren, en particular su

---

[281] Véase a este respecto, el informe: *Del Portón para Acá se Acaban los Derechos Humanos: Injusticia y desigualdad en las cárceles panameñas,* preparado por la Clínica de Derechos Humanos de la Universidad de Harvard, págs. 98-102, disponible en: http://www2.ohchr.org/english/bodies/hrc/docs/ngos/HarvardClinicPanamaprisons.pdf. Presentado en: CIDH, Audiencia Temática: *Violación a los Derechos Humanos en las Cárceles de Panamá,* 131º período ordinario de sesiones, solicitada por CIDEM, la Clínica Internacional de Derechos Humanos de la Universidad de Harvard y la Comisión de Justicia y Paz, 7 de marzo de 2008.

[282] Véase al respecto, Principios Básicos para el Empleo de la Fuerza y de Armas de Fuego por los Funcionarios Encargados de Hacer Cumplir la Ley (Principios 3 y 4).

[283] CIDH, *Principios y Buenas Prácticas sobre la Protección de las Personas Privadas de Libertad en las Américas,* (Principio XXIII.2). Véase también, Reglas Mínimas, (Regla 54.1); y Principios Básicos para el Empleo de la Fuerza y de Armas de Fuego por los Funcionarios Encargados de Hacer Cumplir la Ley, (Principios 6, 7 y 22).

[284] CIDH, *Principios y Buenas Prácticas sobre la Protección de las Personas Privadas de Libertad en las Américas,* (Principio XXIII.3).

[285] CIDH, *Democracia y Derechos Humanos en Venezuela,* Cap. VI, párr. 851.

derecho a ser tratadas humanamente y con el respeto debido a la dignidad inherente al ser humano[286].

242.　　En este sentido, la CIDH reitera que el Estado se encuentra en una posición de garante frente a las personas bajo su custodia, por lo cual tiene un deber reforzado de garantizar sus derechos fundamentales y asegurar que las condiciones de reclusión en las que éstas se encuentran sean acordes con el respeto a la dignidad inherente a todo ser humano. La garantía de estas condiciones por parte del Estado implica que éste establezca los recursos judiciales que aseguren que los órganos jurisdiccionales ejerzan una tutela efectiva de tales derechos. Asimismo, y de forma complementaria a la existencia de recursos judiciales, el Estado debe crear otros mecanismos y vías de comunicación para que los reclusos hagan llegar a la administración penitenciaria sus peticiones, reclamos y quejas relativos a aspectos propios de las condiciones de detención y la vida en prisión, que por su naturaleza no correspondería presentar por la vía judicial.

243.　　Para que los derechos a presentar recursos, denuncias y quejas ante las autoridades competentes no sean ilusorios, es indispensable que el Estado adopte las medidas necesarias para garantizar de manera efectiva que tanto los reclusos, como terceras personas que actúen en su nombre, no serán sometidos a represalias o actos de retaliación por el ejercicio de estos derechos[287]. Esto es particularmente relevante en el contexto de la detención o prisión, en el que el recluso está en definitiva bajo la custodia y el control de aquellas autoridades contra las que eventualmente se dirigen sus recursos, quejas o peticiones. Y que por lo tanto, son susceptibles de represalias y actos de retaliación. Las personas privadas de libertad no deben ser castigadas por haber presentado recursos, peticiones o quejas.

Recursos judiciales

244.　　El derecho internacional dispone dos tipos fundamentales de recursos a los que las personas privadas de libertad deben tener acceso para salvaguardar sus derechos fundamentales. Por un lado, la acción de hábeas corpus, establecida en el artículo 7.6 de la Convención Americana[288], la cual constituye la garantía fundamental para tutelar el derecho de toda persona a no ser objeto de detención ilegal o arbitraria, y que además debe ofrecer la posibilidad de que la autoridad judicial constate la integridad personal del detenido; y por otro, un recurso judicial expedito, idóneo y eficaz que garantice aquellos derechos que de manera sobreviniente puedan resultar vulnerados por las condiciones mismas de la privación de libertad. La existencia de tal recurso, tiene su fundamento en el artículo 25.1 de la Convención Americana que dispone[289],

---

[286] CIDH, *Acceso a la Justicia e Inclusión Social: El Camino hacia el Fortalecimiento de la Democracia en Bolivia*, Cap. III, párr. 176.

[287] Véase al respecto, Conjunto de Principios para la Protección de Todas las Personas Sometidas a Cualquier Forma de Detención o Prisión, (Principio 33. 4).

[288] En el mismo sentido, el Pacto Internacional de Derechos Civiles y Políticos; artículo 9.4; y la Convención Europea de Derechos Humanos, artículo 5.4.

[289] En el mismo sentido, el artículo 2(3)(a) del Pacto Internacional de Derechos Civiles y Políticos dispone que cada uno de los Estados Partes se compromete a garantizar que: (a) "Toda persona cuyos derechos o

Continúa...

Toda persona tiene derecho a un recurso sencillo y rápido o a cualquier otro recurso efectivo ante los jueces o tribunales competentes, que la ampare contra actos que violen sus derechos fundamentales reconocidos por la Constitución, la ley o la presente Convención, aun cuando tal violación sea cometida por personas que actúen en ejercicio de sus funciones oficiales.

245.   A este respecto, la CIDH en los Principios y Buenas Prácticas fijó los estándares relativos a la naturaleza y alcances que debe tener dicho recurso,

Principio V. [...] Toda persona privada de libertad, por sí o por medio de terceros, tendrá derecho a interponer un recurso sencillo, rápido y eficaz, ante autoridades competentes, independientes e imparciales, contra actos u omisiones que violen o amenacen violar sus derechos humanos. En particular, tendrán derecho a presentar quejas o denuncias por actos de tortura, violencia carcelaria, castigos corporales, tratos o penas crueles, inhumanos o degradantes, así como por las condiciones de reclusión o internamiento, por la falta de atención médica o psicológica, y de alimentación adecuadas[290].

246.   La Comisión observa que en general las legislaciones de los Estados miembros de la OEA establecen recursos de esta naturaleza, con ciertas diferencias en cuanto a su denominación. En algunos casos esta función la cumple la acción de amparo o tutela, y en otros, el propio hábeas corpus bajo alguna de sus modalidades. Lo importante, independientemente del nombre que se le de al recurso, es que el mismo sea eficaz, es decir, capaz de producir el resultado para el que ha sido concebido[291], que tenga un efecto útil y que no sea ilusorio. El que un recurso sea efectivo, requiere que sea realmente idóneo para establecer si se ha incurrido en una violación a los derechos humanos y proveer lo necesario para remediarla[292].

...continuación

libertades reconocidos en el presente Pacto hayan sido violados podrá interponer un recurso efectivo, aun cuando tal violación hubiera sido cometida por personas que actuaban en ejercicio de sus funciones oficiales". Asimismo, el artículo 13 de la Convención Europea de Derechos Humanos establece que, "Toda persona cuyos derechos y libertades reconocidos en el presente Convenio hayan sido violados, tiene derecho a la concesión de un recurso efectivo ante una instancia nacional, incluso cuando la violación haya sido cometida por personas que actúen en el ejercicio de sus funciones oficiales".

[290] En el mismo sentido, el Conjunto de Principios para la Protección de Todas las Personas Sometidas a Cualquier Forma de Detención o Prisión (Principio 33).

[291] Corte I.D.H., *Caso Velásquez Rodríguez Vs. Honduras*. Sentencia de 29 de julio de 1988. Serie C No. 4, párr. 66.

[292] Corte I.D.H., *Garantías Judiciales en Estados de Emergencia* (Arts. 27.2, 25 y 8 Convención Americana sobre Derechos Humanos). Opinión Consultiva OC-9/87 del 6 de octubre de 1987. Serie A No. 9, párr. 24.

247.   Esto implica, de acuerdo con el artículo 25.2 de la Convención Americana, que la autoridad competente decidirá el recurso pronunciándose sobre el fondo de la cuestión planteada, y se garantizará la ejecución de toda decisión en que se haya estimado procedente dicho recurso.

248.   Es relevante que el Estado garantice que las personas privadas de libertad, o terceros que actúen en su representación, tengan acceso a los órganos jurisdicciones encargados de tutelar sus derechos. Que éstos se pronuncien sobre el fondo dentro de un plazo razonable y de acuerdo con las normas generales del debido proceso. Y que las decisiones judiciales que emanan de estos procesos sean efectivamente ejecutadas por las autoridades competentes. Esto último es fundamental para que la tutela judicial sea capaz de producir cambios reales en la situación concreta de las personas privadas de libertad.

249.   Tanto la Convención Americana (artículo 25.2.c.), como el Pacto Internacional de Derechos Civiles y Políticos (artículo 2.3.c.), establecen expresamente el deber de las autoridades competentes de cumplir con toda decisión en que se haya estimado procedente un recurso dirigido a tutelar derechos humanos[293]. Por lo tanto, no basta con que haya una sentencia que reconozca la existencia de determinados derechos y en la que se disponga la adopción de medidas puntuales o reformas estructurales, sino que es preciso que estas decisiones se cumplan y produzcan los efectos que la ley les otorga.

250.   La Comisión observa que muchas veces las decisiones judiciales emitidas en estos recursos se refieren a mejoras de aspectos tales como, las condiciones físicas o de seguridad de los establecimientos penitenciarios; la provisión de servicios básicos como, alimentos, agua potable, atención médica, elementos de higiene u otro tipo de medidas que requieren la asignación de recursos para su ejecución. En estos casos es indispensable que las autoridades correspondientes, ejecutivas y legislativas, adopten en un plazo razonable las medidas que fueren necesarias para destinar los recursos requeridos y hacer efectivos los derechos y libertades tutelados judicialmente. En atención al deber general de los Estados de adoptar disposiciones de derecho interno contemplado en el artículo 2 de la Convención Americana.

Peticiones y quejas

251.   Un derecho fundamental de toda persona privada de libertad es el de presentar peticiones o quejas respetuosas y a obtener respuesta oportuna de las autoridades penitenciarias. La consideración a este derecho cobra particular relevancia si se toma en cuenta que existe una amplia gama de situaciones relativas a las condiciones de detención, los servicios que brindan las instituciones penitenciarias, la relación entre los internos y los funcionarios o entre los propios internos, que requieren que éstos se dirijan a la administración por medio de peticiones o quejas.

---

[293] Véase en este sentido, entre otros, Corte I.D.H., *Caso "Instituto de Reeducación del Menor" Vs. Paraguay*. Sentencia de 2 de septiembre de 2004. Serie C No. 112, párrs. 245-251; y CIDH, Informe No. 35/96, Caso 10.832, Fondo, Luis Lizardo Cabrera, República Dominicana, 7 de abril de 1998, párrs. 107 y 108.

252.   A este respecto, los Principios y Buenas Prácticas establecen,

Principio VII. Las personas privadas de libertad tendrán el derecho de petición individual o colectiva, y a obtener respuesta ante las autoridades judiciales, administrativas y de otra índole. Este derecho podrá ser ejercido por terceras personas u organizaciones, de conformidad con la ley.

Este derecho comprende, entre otros, el derecho de presentar peticiones, denuncias o quejas ante las autoridades competentes, y recibir una pronta respuesta dentro de un plazo razonable. También comprende el derecho de solicitar y recibir oportunamente información sobre su situación procesal y sobre el cómputo de la pena, en su caso.

Las personas privadas de libertad también tendrán derecho a presentar denuncias, peticiones o quejas ante las instituciones nacionales de derechos humanos; ante la Comisión Interamericana de Derechos Humanos; y ante las demás instancias internacionales competentes, conforme a los requisitos establecidos en el derecho interno y el derecho internacional[294].

253.   El ejercicio efectivo de este derecho implica en lo fundamental que el Estado debe adoptar las medidas institucionales y legales necesarias para crear los canales de comunicación entre los privados de libertad, o en su caso terceras personas, y la administración penitenciaria. Y que esta última cuente con los medios y recursos necesarios para adoptar las acciones correspondientes a dichas quejas de acuerdo con las normas jurídicas aplicables.

254.   Esto implica, por ejemplo, informar a las personas privadas de libertad acerca de la posibilidad de ejercer este derecho; que se asegure que éstas tengan acceso real a presentar sus quejas y peticiones, sin sujeción a la intervención o "filtro" de los propios funcionarios penitenciarios o de otros reclusos; que existan los sistemas adecuados para manejo, examen y distribución de esta información; que los funcionarios penitenciarios estén debidamente capacitados en la recepción y tratamiento de quejas y peticiones; que las personas privadas de libertad que así lo requieran tengan acceso a asistencia e información legal acerca del ejercicio de este derecho; y que se procure que ninguna queja podrá ser planteada por el representante jurídico o por un tercero en nombre de recluso si este se opone. Además, las autoridades penitenciarias y administrativas involucradas en estos procesos deben estar debidamente capacitadas para poner en conocimiento a las autoridades judiciales y de instrucción competentes en aquellos casos en los que detecten información relativa a posibles delitos perseguibles de oficio.

---

[294] En un sentido similar, las Reglas Mínimas (Reglas 35 y 36) y el Conjunto de Principios para la Protección de Todas las Personas Sometidas a Cualquier Forma de Detención o Prisión (Principio 33).

252.   A este respecto, los Principios y Buenas Prácticas establecen,

Principio VII. Las personas privadas de libertad tendrán el derecho de petición individual o colectiva, y a obtener respuesta ante las autoridades judiciales, administrativas y de otra índole. Este derecho podrá ser ejercido por terceras personas u organizaciones, de conformidad con la ley.

Este derecho comprende, entre otros, el derecho de presentar peticiones, denuncias o quejas ante las autoridades competentes, y recibir una pronta respuesta dentro de un plazo razonable. También comprende el derecho de solicitar y recibir oportunamente información sobre su situación procesal y sobre el cómputo de la pena, en su caso.

Las personas privadas de libertad también tendrán derecho a presentar denuncias, peticiones o quejas ante las instituciones nacionales de derechos humanos; ante la Comisión Interamericana de Derechos Humanos; y ante las demás instancias internacionales competentes, conforme a los requisitos establecidos en el derecho interno y el derecho internacional[294].

253.   El ejercicio efectivo de este derecho implica en lo fundamental que el Estado debe adoptar las medidas institucionales y legales necesarias para crear los canales de comunicación entre los privados de libertad, o en su caso terceras personas, y la administración penitenciaria. Y que esta última cuente con los medios y recursos necesarios para adoptar las acciones correspondientes a dichas quejas de acuerdo con las normas jurídicas aplicables.

254.   Esto implica, por ejemplo, informar a las personas privadas de libertad acerca de la posibilidad de ejercer este derecho; que se asegure que éstas tengan acceso real a presentar sus quejas y peticiones, sin sujeción a la intervención o "filtro" de los propios funcionarios penitenciarios o de otros reclusos; que existan los sistemas adecuados para manejo, examen y distribución de esta información; que los funcionarios penitenciarios estén debidamente capacitados en la recepción y tratamiento de quejas y peticiones; que las personas privadas de libertad que así lo requieran tengan acceso a asistencia e información legal acerca del ejercicio de este derecho; y que se procure que ninguna queja podrá ser planteada por el representante jurídico o por un tercero en nombre de recluso si este se opone. Además, las autoridades penitenciarias y administrativas involucradas en estos procesos deben estar debidamente capacitadas para poner en conocimiento a las autoridades judiciales y de instrucción competentes en aquellos casos en los que detecten información relativa a posibles delitos perseguibles de oficio.

---

[294] En un sentido similar, las Reglas Mínimas (Reglas 35 y 36) y el Conjunto de Principios para la Protección de Todas las Personas Sometidas a Cualquier Forma de Detención o Prisión (Principio 33).

2. Garantizar que las autoridades penitenciarias controlarán la asignación de celdas y camas, y asegurarán que todo recluso tenga un sitio decente para dormir, alimentación suficiente, recreación, sanitarios y demás aspectos que aseguren la satisfacción de sus necesidades básicas sin necesidad de pagar por todo ello.

3. Mantener un régimen de trato igualitario y justo entre las personas privadas de libertad, que garantice que el régimen de privación de libertad debe ser el mismo para todos los reclusos, sin diferenciaciones de trato ni individualizaciones discriminatorias por razones económicas ni de ningún otro tipo.

4. Evaluar y regular el ejercicio de actividades comerciales dentro de los centros de privación de libertad, y mantener controles efectivos del ingreso de mercancías y la circulación del dinero producto de estas actividades.

5. Adoptar las siguientes medidas de prevención de la violencia:

   a. Capacitar al personal penitenciario en la prevención de situaciones de violencia entre los reclusos;

   b. Separar adecuadamente a los reclusos por categorías, de acuerdo con su edad, sexo, tipo de delito, situación procesal, nivel de agresividad o necesidades de protección. Para la implementación efectiva de esta medida es preciso atender las principales deficiencias estructurales de las cárceles.

   c. Incrementar el personal destinado a la seguridad y vigilancia interior, y establecer patrones de vigilancia continua al interior de los establecimientos;

   d. Evitar de manera efectiva el ingreso de armas, drogas, alcohol y de otras sustancias u objetos prohibidos por la ley, a través de registros e inspecciones periódicas, y la utilización de medios tecnológicos u otros métodos apropiados, incluyendo la requisa al propio personal;

   e. Establecer mecanismos de alerta temprana para prevenir las crisis o emergencias;

   f. Promover la mediación y la resolución pacífica de conflictos internos;

   g. Evitar y combatir todo tipo de abusos de autoridad y actos de corrupción;

h. Erradicar la impunidad, investigando y sancionando todo tipo de hechos de violencia y de corrupción, conforme a la ley;

i. Mantener condiciones adecuadas de detención, de forma tal que la falta de espacio suficiente y de acceso a los servicios básicos, no sean un factor generador de fricciones y peleas entre los reclusos;

j. Implementar programas de actividades culturales, deportivas y recreativas en las que los reclusos puedan ocupar su tiempo. Esta recomendación específica se formula en concordancia con lo establecido en la Conclusión del presente informe.

6. Reforzar las medidas para eliminar la posesión de armas por parte de los internos y el ingreso de drogas en los centros de privación de privación de libertad, identificando las vías de ingreso y sancionando tanto a los reclusos, como a los funcionarios involucrados en su trasiego.

7. Establecer campañas para disuadir a los reclusos del consumo de sustancias ilícitas e introducir programas de desintoxicación individual y tratamiento de las adicciones.

8. Asegurar que el número de agentes penitenciarios sea suficiente para garantizar la seguridad en los establecimientos penitenciarios.

260. Con respecto al control judicial de la detención, la Comisión recomienda:

1. Asegurar que todos los detenidos sean inmediatamente informados de sus derechos. En particular de su derecho a comunicarse con un abogado o con una tercera persona, e inclusive del derecho a presentar denuncias en caso de malos tratos.

2. Garantizar que toda detención esté sujeta a una rápida supervisión judicial, en particular, asegurar que las personas privadas de la libertad sean puestas a disposición de las autoridades judiciales competentes dentro de los plazos constitucionales y legales establecidos a tal efecto.

3. Garantizar la eficacia e inderogabilidad de la acción de hábeas corpus, y adoptar las medidas necesarias para que en la práctica esta acción constituya una verdadera garantía de la libertad, la vida y la integridad personal para prevenir la tortura u otras penas o tratos crueles, inhumanos o degradantes. Los jueces deben aprovechar plenamente las posibilidades que brinda la ley en cuanto a este procedimiento, en particular, deben tratar de entrevistarse con los detenidos y verificar su condición física.

4. Sancionar el que las autoridades a cuyo cargo se encuentran las personas privadas de libertad nieguen la detención de ésta, o intencionalmente den información falsa acerca de su paradero.

5. Erradicar la práctica de las detenciones masivas de personas sin mediar orden judicial previa ni ser sorprendida en flagrante delito.

6. Dotar de suficientes recursos y personal a las defensorías públicas. De forma tal que se incremente su capacidad operativa y estén en capacidad de brindar asistencia letrada a toda persona privada de libertad desde los primeros momentos de su detención y antes de que rinda su primera declaración. Que puedan efectivamente accionar a favor del control de la legalidad de la detención, y actuar conforme a derecho cuando observen que se ha atentado contra la integridad personal del detenido.

261. Con respecto al ingreso, registro y examen médico inicial de las personas privadas de libertad la CIDH recomienda:

Ingreso y registro

1. Informar a toda persona que ingrese en un centro de privación de libertad, de cuáles son sus deberes, derechos y la forma de ejercerlos. En especial, en el caso de personas privadas de la libertad, de su derecho a contactar a un tercero.

2. Garantizar el mantenimiento de registros de ingreso de personas en todo centro de privación de libertad, e instruir al personal que labora en los centros de privación de libertad acerca del uso adecuado y consistente de dichos registros, y deberán establecerse mecanismos de control y supervisión del manejo de los mismos.

3. Mantener en todos los centros de detención registros completos y transparentes en los que figure el fundamento jurídico de la detención. En particular, las comisarías de policía deben disponer de un registro único en el que figure toda la información pertinente para el caso de cada persona que permanezca detenida en las dependencias policiales, una certificación de la duración de cada fase de la detención y de la autoridad responsable, y una certificación de la autoridad competente en cada traslado.

4. Poner en práctica y garantizar la capacidad de funcionamiento de un registro centralizado que contenga, entre otras cosas, el nombre de todos los detenidos, la razón de la detención y el lugar en que se realizó, cuándo fue iniciada y la autoridad judicial que la ordenó. Los familiares de los detenidos, sus abogados, los jueces y demás autoridades

pertinentes, y otras partes con un interés legítimo, deben tener un pronto acceso a este registro.

5. Asegurar que los agentes de policía y otras autoridades facultadas para realizar arrestos y detenciones reciban formación sobre cómo informar a los detenidos de sus derechos y cómo hacerlos efectivos.

6. Adoptar las medidas necesarias para que en todos los establecimientos de privación de libertad existan carteles, cartillas y otros materiales de divulgación que contengan información clara y sencilla sobre los derechos de las personas privadas de libertad.

Examen médico inicial

1. Asegurar que toda persona que ingresa a un establecimiento penitenciario sea evaluada por un profesional de la salud idóneo para identificar: (a) si está enferma, lesionada o corre el riesgo de hacerse daño a sí misma, o puede requerir atención especial, a efectos de asegurar que reciba la supervisión y tratamiento necesarios; y (b) la presencia de enfermedades infecciosas y asegurar, en caso de ser necesario, su aislamiento de la población reclusa en general y el acceso a tratamiento médico.

2. Dicho examen debe llevarse a cabo de acuerdo con un cuestionario que deberá incluir, además del estado general de salud, el historial de los hechos de violencia sufridos recientemente, dicho examen deberá comprender todas las partes del cuerpo de la persona. En caso de que el paciente manifieste haber sufrido hechos de violencia, el médico deberá evaluar la concordancia entre la historia y el resultado del examen médico. Cuando el médico tenga motivos para presumir la existencia de tortura y malos tratos deberá informar a las autoridades competentes.

9. Garantizar la disponibilidad de médicos en cantidad suficiente de manera que toda persona detenida, y no sólo aquéllas alojadas en los centros penitenciarios, pueda ser examinada, y que los médicos actúen en condiciones de independencia y reciban capacitación en materia de examen y documentación de posibles casos de tortura o malos tratos, en línea con lo establecido en el Protocolo de Estambul.

3. Dejar constancia en registros de la sumisión de toda persona detenida a examen médico, de la identidad del médico y de los resultados de dicha visita. Debe instrumentarse el Protocolo de Estambul como un medio para mejorar la elaboración de informes médicos y psicológicos y la prevención de la tortura.

4. Promover cursos de especialidad sobre temas de actualidad como enfermedades contagiosas, epidemiología, higiene, medicina forense

incluyendo la descripción de lesiones y ética médica para los médicos que prestan sus servicios en los centros penitenciarios. Los médicos deberán estar obligados a participar en cursos especializados que incluyan una política de derechos humanos en general y, en particular, las obligaciones del personal de la salud en los lugares de detención.

262. Con respecto al personal de los centros de privación de libertad, la CIDH recomienda:

1. Establecer programas especializados de formación y capacitación para todo el personal encargado de la administración, supervisión, operación y seguridad de las cárceles y otros lugares de privación de libertad, incluyendo instrucción en normas internacionales sobre derechos humanos en las esferas de mantenimiento de la seguridad, uso proporcional de la fuerza y tratamiento humano de las personas privadas de libertad.

2. Prestar particular atención al proceso de selección o promoción de los posibles integrantes de las fuerzas de seguridad a cuyo cargo se encuentran las personas privadas de libertad. Revisar y estructurar los programas de capacitación y entrenamiento de los miembros de estos cuerpos de seguridad para crear una cultura institucional de conocimiento y respeto de las normas de derechos humanos.

3. Adoptar las medidas necesarias para la creación de escuelas penitenciarias para el entrenamiento de un cuerpo civil que sirva en las prisiones; y para el establecimiento de la carrera penitenciaria como un medio para garantizar la estabilidad y la promoción profesional del personal que labora en las cárceles.

4. Proveer los medios y elementos necesarios para que los funcionarios a cuyo cargo se encuentran las personas privadas de libertad puedan ejercer debidamente sus funciones. Asignarles una remuneración acorde con la naturaleza de sus funciones y que les permita satisfacer sus necesidades y las de su familia de una forma digna, sin la necesidad de recurrir a prácticas irregulares. Asimismo, que se le asigne un salario y condiciones laborales adecuadas a los médicos, psicólogos, trabajadores sociales y demás profesionales que ejerzan sus funciones en los centros de privación de libertad.

5. Instruir a todo el personal a cuyo cargo se encuentran las personas privadas de libertad, de manera clara, categórica y periódica, sobre la prohibición absoluta e imperativa de toda clase de tortura y malos tratos y que dicha prohibición se incluya en las normas o instrucciones generales que se publiquen en relación con los deberes y funciones del personal policial.

6.   Capacitar e instruir debidamente a las autoridades encargadas de los centros de privación de libertad en la ejecución de fallos y decisiones emanadas de las autoridades judiciales correspondientes. En particular de las decisiones adoptadas en procesos de amparo y hábeas corpus.

7.   Adoptar las medidas necesarias de capacitación y supervisión para garantizar que las autoridades facultadas para realizar arrestos o detenciones sigan los procedimientos establecidos en la ley a tal efecto. En particular, para garantizar que los arrestos sean llevados a cabo solamente en virtud de una orden judicial o en situaciones legítimas de delitos flagrantes. La Comisión particularmente destaca la necesidad de establecer, o en su caso de fortalecer los sistema internos de seguimiento y supervisión de las autoridades facultadas para realizar arrestos o detenciones.

8.   Investigar debidamente las denuncias de corrupción y tráfico de influencias presuntamente ocurridos dentro de las prisiones, sancionar a los responsables, y adoptar las medidas de no repetición correspondientes.

263.   Con respecto al personal de custodia directa de los privados de libertad, la CIDH recomienda:

1.   Aadoptar todas las medidas necesarias para asegurar que el personal de custodia directa de las personas privadas de libertad sea de carácter civil.

2.   Disponer las medidas conducentes a sustituir al personal policial o militar de la custodia directa de reclusos en aquellos centros de privación de libertad cuya seguridad interna aún está en sus manos.

3.   Prestar particular atención a los programas especializados de reclutamiento y capacitación del personal asignado a trabajar en contacto directo con los reclusos.

4.   Establecer mecanismos independientes y efectivos de monitoreo y control de la actividad de las autoridades penitenciarias, que sirvan para prevenir patrones de violencia y abusos contra los presos.

5.   Asegurar que el personal policial a cargo de ejecutar arrestos o detenciones, o que tenga bajo su custodia personas privadas de libertad, se identifique en todo momento y que sus actuaciones queden debidamente registradas. Este criterio de identificación deberá aplicar también a aquellos miembros de unidades especiales que ingresan a las celdas a hacer requisas.

6. En aquellos casos en los que se involucre al ejército en tareas de seguridad en los centros de privación de libertad, asegurar que esta medida se ajuste a principios de legalidad, excepcionalidad, proporcionalidad y monitoreo por parte de la autoridad civil.

264. Con respecto al uso de la fuerza por parte de las autoridades encargadas de los centros de privación de libertad, la CIDH recomienda:

1. Adoptar las medidas necesarias para garantizar que el personal de los lugares de privación de libertad no empleará la fuerza y otros medios coercitivos, salvo excepcionalmente, de manera proporcionada, en casos de gravedad, urgencia y necesidad, como último recurso después de haber agotado previamente las demás vías disponibles, y por el tiempo y en la medida indispensables para garantizar la seguridad, el orden interno, la protección de los derechos fundamentales de la población privada de libertad, del personal o de las visitas.

2. Prevenir, investigar y sancionar de forma efectiva todos aquellos casos en los que se denuncie el uso desproporcionado de la fuerza por parte de las autoridades a cuyo cargo se encuentran las personas privadas de libertad. Además, adoptar las medidas necesarias para que aquellos agentes policiales o penitenciarios acusados penalmente por delitos presuntamente cometidos por el uso abusivo o desproporcionado de la fuerza sean asignados a tareas distintas de la custodia directa de personas privadas de libertad hasta tanto concluya el respectivo proceso penal.

3. Mantener registros de los incidentes en los que las autoridades encargadas de la custodia de personas privadas de libertad hayan tenido que recurrir al uso de la fuerza (letal o no). Dicho registro debe contener información relativa a la identidad del agente, las circunstancias en que se hizo uso de la fuerza, las consecuencias que se produjeron, la identidad de las personas lesionadas o fallecidas y los informes médicos correspondientes.

4. Dotar a los agentes encargados de la seguridad interna de los centros de privación de libertad de armas e instrumentos de control no letales y de los efectos necesarios para protección de los propios agentes.

5. Establecer normas y protocolos claros que regulen las circunstancias y condiciones para el uso legítimo de la fuerza, con la indicación expresa de los supuestos y la forma cómo ésta será empleada.

6. Desarrollar políticas, estrategias y entrenamiento especial para el personal penitenciario y policial para negociación y solución pacífica de conflictos, y técnicas de recuperación del orden que permitan sofocar

eventuales motines con el mínimo de riesgo para la vida e integridad de los internos y las fuerzas policiales.

265.   Con respecto al derecho de las personas privadas de libertad de presentar recursos, quejas y peticiones, la CIDH recomienda:

1.   Disponer de recursos judiciales idóneos y efectivos, de índole individual y colectiva, para el control judicial de las condiciones de hacinamiento y violencia en los centros de detención, facilitando el acceso a tales recursos a las personas detenidas, sus familiares, sus defensores privados o de oficio, a las organizaciones no gubernamentales, así como a otras instituciones estatales con competencia en la materia.

2.   Adoptar las iniciativas necesarias para revisar la legislación en materia de hábeas corpus y amparo, y se examinen los problemas que estos instrumentos jurídicos presentan en la práctica, a fin de que su utilización responda eficazmente a las necesidades de las personas privadas de libertad.

3.   Proveer a la función judicial los recursos necesarios para asegurar una adecuada tutela judicial de los derechos de las personas privadas de libertad. Capacitar debidamente a funcionarios a cargo de los centros de privación de libertad en el cumplimiento de las decisiones judiciales. Y adoptar todas aquellas medidas que sean necesarias para ejecutar de manera efectiva las decisiones que emitan los órganos jurisdiccionales.

4.   Garantizar que las condiciones de detención sean controladas de manera efectiva por los jueces de ejecución penal en el caso de las personas condenadas, y por los jueces de las causas respectivas en el caso de las personas que se encuentran en detención preventiva. En este sentido, es relevante que los jueces de ejecución penal, cuyo mandato legal incluye las visitas a centros penales, ejerzan realmente tales funciones de forma efectiva, y que en el curso de tales visitas puedan constatar efectivamente y de forma directa la realidad de las personas privadas de libertad.

5.   Asegurar que el personal asignado a los centros de privación de libertad facilite sistemáticamente información sobre el derecho a presentar una petición o recurso por el trato recibido bajo custodia. Toda petición o recurso deberá ser examinado sin dilación y contestado sin demora injustificada y se asegurará que las personas detenidas no sufran perjuicios por el hecho de haberlo presentado.

6.   Poner en funcionamiento sistemas de quejas efectivos, confidenciales e independientes, en todos los centros de privación de libertad. Mantener registros de quejas, donde se incluya información sobre la identidad del

denunciante, la naturaleza de la queja, el tratamiento que se le dé y el resultado de la misma.

7.   Adoptar todas aquellas medidas que sean necesarias para garantizar que las personas privadas de libertad, o terceros que actúen en su favor con su consentimiento, no serán objeto de represalias o actos de violencia por el hecho de ejercer su derecho a presentar recursos, quejas o peticiones.

III.   DERECHO A LA VIDA

A.   Estándares fundamentales

266.   El derecho a la vida es el más fundamental de los derechos humanos establecidos en los instrumentos del sistema interamericano de derechos humanos y en otros sistemas de derechos humanos, pues sin el pleno respeto de este derecho es imposible garantizar o gozar efectivamente de ninguno de los otros derechos humanos o libertades[295]. El goce de este derecho es un prerrequisito para el disfrute de todos los demás derechos humanos, de no ser respetado aquellos carecen de sentido[296] porque desaparece su titular[297].

267.   Las continuas violaciones al derecho a la vida de las personas privadas de libertad constituyen actualmente uno de los principales problemas de las cárceles de la región. Anualmente cientos de reclusos en las Américas mueren por distintas causas, principalmente como consecuencia de la violencia carcelaria. En el presente capítulo se analizan, tanto los factores que generan estos niveles alarmantes de violencia entre internos, como las otras causas por las cuales anualmente pierden la vida un importante número de personas en los centros de privación de libertad de la región.

268.   En el Sistema Interamericano, el derecho a la vida está consagrado en el artículo I de la Declaración Americana de los Derechos y Deberes del Hombre y en el artículo 4 de la Convención Americana, en los siguientes términos:

Declaración Americana

Artículo I. Todo ser humano tiene derecho a la vida, a la libertad y a la seguridad de su persona.

Convención Americana

Artículo 4. (1) Toda persona tiene derecho a que se respete su vida. Este derecho estará protegido por la ley y, en general, a partir del momento de la concepción. Nadie puede ser privado de la vida arbitrariamente. [...]

269.   Protecciones similares pueden hallarse en otros instrumentos internacionales de derechos humanos, incluido el artículo 3 de la Declaración Universal de los Derechos Humanos[298]; el artículo 6 del Pacto Internacional de Derechos Civiles y

---

[295] CIDH, *Informe sobre Terrorismo y Derechos Humanos*, párr. 81.

[296] Corte I.D.H., *Caso de los "Niños de la Calle" (Villagrán Morales y otros) Vs. Guatemala*. Sentencia de 19 de noviembre de 1999. Serie C No. 63, párr. 144.

[297] Corte I.D.H., *Caso "Instituto de Reeducación del Menor" Vs. Paraguay*. Sentencia de 2 de septiembre de 2004. Serie C No. 112, párr. 156.

[298] Declaración Universal de Derechos Humanos: Artículo 3. Todo individuo tiene derecho a la vida y a la seguridad de su persona.

Políticos[299]; el artículo 2 del Convenio Europeo de Derechos Humanos[300]; y el artículo 4 de la Carta Africana de Derechos Humanos[301].

270.   Con respecto a las personas privadas de libertad, el Estado se encuentra en una posición especial de garante, según la cual su deber de garantizar este derecho es aún mayor. En efecto, el Estado, como garante del derecho a la vida de los reclusos, tiene el deber de prevenir todas aquellas situaciones que pudieran conducir, tanto por acción, como por omisión, a la supresión de este derecho. En este sentido, si una persona fuera detenida en buen estado de salud y posteriormente, muriera, recae en el Estado la obligación de proveer una explicación satisfactoria y convincente de lo sucedido y desvirtuar las alegaciones sobre su responsabilidad, mediante elementos probatorios válidos[302]; tomando en consideración que existe una presunción de responsabilidad estatal sobre lo que ocurra a una persona mientras se encuentre bajo custodia del Estado[303]. Razón por la cual, la obligación de las autoridades de dar cuentas del tratamiento dado a una persona bajo custodia es particularmente estricta en el caso de que esa persona muriera[304].

271.   Asimismo, y como garantía efectiva del derecho a la vida de las personas privadas de libertad, la CIDH reitera que en los casos de muertes ocurridas en custodia del Estado –incluso en los casos de muerte natural o suicidio–, éste tiene el deber de iniciar de oficio y sin dilación, una investigación seria, imparcial y efectiva, que se desarrolle en un plazo razonable y que no sea emprendida como una simple formalidad[305]. Este deber del Estado se deriva de las obligaciones generales de respeto y garantía establecidas en el artículo 1.1 de la Convención Americana, y de los deberes sustantivos establecidos en los artículos 4.1, 8 y 25 del mismo tratado.

---

[299] Pacto Internacional de Derechos Civiles y Políticos: artículo 6(1). El derecho a la vida es inherente a la persona humana. Este derecho estará protegido por la ley. Nadie podrá ser privado de la vida arbitrariamente. [...]

[300] Convenio para la Protección de los Derechos Humanos y de las Libertades Fundamentales: artículo 2(1). El derecho de toda persona a la vida está protegido por la ley. Nadie podrá ser privado de su vida intencionalmente, salvo en ejecución de una condena que imponga la pena capital dictada por un Tribunal al reo de un delito para el que la ley establece esa pena [...]

[301] Carta Africana de Derechos Humanos: artículo 4. Los seres humanos son inviolables. Todo ser humano tendrá derecho al respeto de su vida y de la integridad de su persona. Nadie puede ser privado de este derecho arbitrariamente.

[302] Corte I.D.H., *Caso Juan Humberto Sánchez Vs. Honduras*. Sentencia de 7 de junio de 2003. Serie C No. 99, párr. 111.

[303] Corte I.D.H., Asunto de la Cárcel de Urso Branco respecto Brasil, Resolución de la Corte Interamericana de Derechos Humanos de 18 de junio de 2002, Considerando 8; European Court of Human Rights, *Case of Salman v. Turkey*, (Application no. 21986/93), Judgment of June 27, 2000, Grand Chamber, para. 100.

[304] European Court of Human Rights, *Case of Salman v. Turkey*, (Application no. 21986/93), Judgement of June 27, 2000, para. 99.

[305] CIDH, *Democracia y Derechos Humanos en Venezuela*, Cap. VI, párrs. 907, 909-912; CIDH, Informe No. 34/00, Caso 11.291, Fondo, Carandiru, Brasil, 13 de abril de 2000, párrs. 99-101; Corte I.D.H., *Caso Ximenes Lopes Vs. Brasil*. Sentencia de 4 de julio de 2006. Serie C No. 149, párr. 148.

B.   Muertes producto de la violencia carcelaria

272.   Como ya se ha mencionado, la mayoría de las muertes de personas privadas de libertad que se producen en las cárceles de la región son consecuencia de la violencia carcelaria. En atención a esta realidad, los Estados Miembros de la OEA en el marco de la Asamblea General han observado con preocupación "la crítica situación de violencia y hacinamiento de los lugares de privación de libertad en las Américas"; destacando "la necesidad de tomar acciones concretas para prevenir tal situación, a fin de garantizar el respeto de los derechos humanos de las personas privadas de libertad"[306].

273.   A este respecto, una de las preguntas del cuestionario publicado con motivo del presente informe se refería a los índices de violencia carcelaria; en sus respuestas, los Estados que respondieron a este punto aportaron la siguiente información:

País	Periodo	Cantidad de muertes violentas
Argentina (Servicio Penitenciario Federal)	2006-2010	26
Chile	2005-2009	203
Colombia	2005-2009	113
Costa Rica	2005-2009	25
Ecuador	2005 y junio de 2010	172
El Salvador	2006 y el 6 de mayo de 2010	72
Guyana	2006-2010	10
Nicaragua	2006-2010	4
Trinidad y Tobago	2006-2010	2
Uruguay	2005-2009	57
Venezuela	2005-2009	1,865

274.   De la presentación de estas cifras oficiales se observa claramente que el Estado que registra la mayor cantidad de muertes violentas por efecto de la violencia carcelaria es, actualmente, Venezuela[307]. De conformidad con la información aportada por el Estado venezolano, la cifra total de 1,865 personas muertas en centros penitenciarios incluye datos de los últimos cinco años, según los cuales: en 2005 murieron de manera

---

[306] OEA, Resolución de la Asamblea General, AG/RES. 2510 (XXXIX-O/09), aprobada el 4 de junio de 2009; OEA, Resolución de la Asamblea General, AG/RES. 2403 (XXXVIII-O/08), aprobada el 13 de junio de 2008; OEA, Resolución de la Asamblea General, AG/RES. 2283 (XXXVII-O/07), aprobada el 5 de junio de 2007; y OEA, Resolución de la Asamblea General, AG/RES. 2233 (XXXVI-O/06), aprobada el 6 de junio de 2006.

[307] La CIDH ha dado seguimiento a la situación penitenciaria en Venezuela a través de sus distintos mecanismos, en los que ha manifestado su preocupación y ha dirigido recomendaciones al Estado. En este contexto, la CIDH adoptó en 2009 el Informe sobre *Democracia y Derechos Humanos en Venezuela*, en cuyo Capítulo VI analiza *in extenso* la situación de la violencia carcelaria; celebró cinco audiencias temáticas entre noviembre de 2009 y marzo de 2011 (en los 137º, 138º, 140º y 141º períodos ordinarios de sesiones) en las que se ha tratado la situación de los derechos de las personas privadas de libertad; solicitó y ha venido dando seguimiento de siete medidas provisionales otorgadas por la Corte Interamericana entre enero de 2006 y noviembre de 2010; ha emitido al menos siete Comunicados de Prensa entre 2007 y el primer trimestre de 2011, en los que se reitera al Estado su deber de adoptar medidas concretas para proteger la vida e integridad personal de las personas bajo su custodia; y se ha venido pronunciando consistentemente al respecto en los Capítulos IV de los Informes Anuales de la CIDH adoptados a partir de 2005.

violenta 381 internos; en 2006, 388; en 2007, 458; en 2008, 374; y en 2009, 264[308]. En este contexto, y en atención a las cifras de muertos y heridos, la Comisión Interamericana ha considerado que comparativamente las cárceles de Venezuela son las más violentas de la región[309].

275.   Asimismo, en una audiencia temática sobre la situación de las personas privadas de libertad en Venezuela, celebrada en el 141º período ordinario de sesiones, el Observatorio Venezolano de Prisiones (OVP) presentó las siguientes cifras de muertos y heridos registrados en los últimos doce años[310]:

Año	Cantidad de muertos	Cantidad de heridos
1999	390	1,695
2000	338	1,255
2001	300	1,285
2002	244	1,249
2003	250	903
2004	402	1,428
2005	408	727
2006	412	982
2007	498	1,023
2008	422	854
2009	366	635
2010	476	967
Total	**4,506**	**12,518**

276.   El OVP también planteó que la violencia que se vive en las cárceles también afecta a los familiares de los internos[311], y aportó información según la cual durante el 2010 cuatro familiares de internos (todas mujeres) habrían sido asesinadas por armas de fuego en incidentes ocurridos en los siguientes centros penales: Internado Judicial de Carabobo ("Tocuyito"), el Internado Judicial de los Teques y la Penitenciaría General de Venezuela (P.G.V.).

---

[308] Respuesta recibida mediante nota No. 000291 del Ministerio del Poder Popular para Relaciones Exteriores.

[309] CIDH, *Democracia y Derechos Humanos en Venezuela*, Cap. VI, párr. 881.

[310] CIDH, Audiencia Temática: *Situación de las personas privadas de libertad en Venezuela*, 141º período ordinario de sesiones, solicitada por el Observatorio Venezolano de Prisiones (OVP), la Comisión de Derechos Humanos de la Federación de Abogados de Venezuela y el Centro por la Justicia y el Derecho Internacional (CEJIL), 29 de marzo de 2011. El OVP también informó en esta audiencia que durante el 2010 se han producido motines en los que ha habido varios muertos y heridos, en los siguientes centros penales: el Centro Penitenciario de Aragua ("Tocorón"); el Centro Penitenciario Región Capital ("Yare"); el Centro Penitenciario de la Región Centro Occidental ("Uribana"); la Casa de Reeducación y Trabajo Artesanal de El Paraíso ("La Planta"); el Centro Penitenciario de Occidente ("Santa Ana"); la Penitenciaría General de Venezuela (P.G.V.); la Cárcel Nacional de Maracaibo ("Sabaneta"); el Internado Judicial de los Teques; y el Internado Judicial de San Antonio ("Margarita"). Las tres primeras cárceles indicadas cuentan actualmente con medidas provisionales vigentes dictadas por la Corte Interamericana.

[311] A este respecto véase también, Corte I.D.H., Asunto Centro Penitenciario de la Región Centro Occidental: Cárcel de Uribana respecto Venezuela, Resolución de la Corte Interamericana de 2 de febrero de 2007, Vistos 2(g).

277.	Un importante número de medidas provisionales relativas a personas privadas de libertad que la CIDH ha solicitado y tramitado ante la Corte Interamericana, y que ésta ha otorgado, han tenido como fundamento la existencia de situaciones de gravedad y urgencia generadas por patrones de violencia carcelaria en los que se han registrado cifras alarmantes de muertos y heridos. Y en las que los Estados no eran, o no han sido, capaces de asegurar la seguridad interna, ni de adoptar las medidas preventivas necesarias para evitar o minimizar los efectos de la violencia.

278.	Así por ejemplo: (a) en el asunto del *Centro Penitenciario de Aragua ("Cárcel de Tocorón")*, se informó a la Corte que entre el 2008 y el primer trimestre de 2010 murieron 84 reclusos en hechos de violencia carcelaria; y que entre el 27 y 29 de septiembre de 2010 se produjo un motín que dejó un saldo de 16 internos fallecidos, en el que se dispararon armas de fuego y se detonaron 8 granadas[312]; (b) en el asunto del *Internado Judicial Capital (El Rodeo I y El Rodeo II)* se estableció que desde el 2006 hasta el 1 de febrero de 2008 se registraron 139 muertes en diversos incidentes de violencia[313]; (c) en el asunto del *Centro Penitenciario de la Región Centro Occidental (Cárcel de Uribana)*, se puso en conocimiento de la Corte que entre enero de 2006 y enero de 2007 se produjeron un total de 80 muertes violentas, en su mayoría por arma blanca y arma de fuego[314]; (d) en el asunto de las *Penitenciarías de Mendoza*, la Corte Interamericana tomó en consideración que entre marzo y octubre de 2004 once internos y un agente penitenciario perdieron la vida de forma violenta. En su mayoría por peleas con armas blancas[315]; (e) y en el asunto de la *Cárcel de Urso Branco* el Tribunal observó que entre enero y junio del 2002 fueron brutalmente asesinados al menos 56 reclusos en hechos de violencia carcelaria en ese centro penal. Según la información puesta en conocimiento de la Corte, muchas de estas muertes ocurrieron frente a la inacción de las autoridades y su actuar negligente para controlar situaciones de violencia[316].

279.	De igual forma, la CIDH en varias de sus decisiones de otorgamiento de medidas cautelares ha requerido a los Estados la adopción de medidas destinadas a proteger la vida de personas privadas de libertad que se encuentran en situación de riesgo, respecto de las cuales existen elementos claros y motivos fundados para creer que pueden ser objeto de ataques a su vida e integridad personal.

---

[312] Corte I.D.H., Asunto Centro Penitenciario de Aragua "Cárcel de Tocorón" respecto Venezuela, Resolución del Presidente de la Corte Interamericana de Derechos Humanos de 1 de noviembre de 2010, Vistos 2.

[313] Corte I.D.H., Asunto del Internado Judicial Capital El Rodeo I y El Rodeo II respecto Venezuela, Resolución de la Corte Interamericana de Derechos Humanos de 8 de febrero de 2008, Vistos 2 y 9.

[314] Corte I.D.H., Asunto Centro Penitenciario de la Región Centro Occidental: Cárcel de Uribana respecto Venezuela, Resolución de la Corte Interamericana de 2 de febrero de 2007, Visto 2.

[315] Corte I.D.H., Asunto de las Penitenciarías de Mendoza respecto Argentina, Resolución de la Corte Interamericana de Derechos Humanos de 22 de noviembre de 2004, Vistos 2 y 11.

[316] Corte I.D.H., Asunto de la Cárcel de Urso Branco respecto Brasil, Resolución de la Corte Interamericana de Derechos Humanos de 18 de junio de 2002, Vistos 1 y 2.

280. Por otro lado, la Comisión Interamericana se ha pronunciado reiteradamente en sus comunicados de prensa[317] con respecto a hechos graves de violencia carcelaria ocurridos en la región durante los últimos años en: Brasil[318], El Salvador[319], Guatemala[320], Honduras[321], México[322] y Venezuela[323]. Los hechos sobre los que la CIDH se ha pronunciado son una muestra de la realidad de la violencia carcelaria que se vive en la región. En estos comunicados, la CIDH ha reiterado consistentemente que el Estado se encuentra en una posición de garante respecto de las personas privadas de libertad, y que como tal tiene el deber irrenunciable de garantizar los derechos a la vida e integridad personal de las personas bajo su custodia. Esto implica que éste no sólo debe

---

[317] Los Comunicados de Prensa de la CIDH organizados por año están disponibles en: http://www.oas.org/es/cidh/prensa/comunicados.asp.

[318] Con respecto a *Brasil*, los hechos de violencia ocurridos en el estado de San Pablo entre el 12 y el 15 de mayo de 2006, en los que además de una grave situación de seguridad pública con enfrentamientos en las calles de ese estado, ocurrieron más de 70 motines en distintos centros de privación de libertad en todo San Pablo. En el curso de estos acontecimientos perdieron la vida por lo menos 128 personas, entre miembros de las fuerzas de seguridad, civiles y personas privadas de libertad. La riña ocurrida el 10 de noviembre de 2010 en el Centro Provisional Raimundo Vidal de Pessoa, en Manaos en la que murieron 3 personas; y el motín registrado el 9 de noviembre en el Complejo Penitenciario de Pedrinhas en San Luis, estado de Marañón, el cual duró más de 27 horas y en el que perdieron la vida al menos 18 personas. Véase al respecto Comunicados de Prensa de la CIDH No. 18/06 y 114/10.

[319] Con respecto a *El Salvador*, la riña registrada el 18 de agosto de 2004 en el Penal La Esperanza (La Mariona) entre presos comunes y miembros de pandillas (*maras*) en la que murieron 30 personas y 23 resultaron heridas. Y los enfrentamientos registrados el 26 de abril de 2010 en las cárceles de Sonsonate y Cojutepeque, en los que 2 privados de libertad perdieron la vida y más de 25 resultaron heridos. Véase al respecto Comunicados de Prensa de la CIDH No: 16/04 y 52/10.

[320] Con respecto a *Guatemala*, los enfrentamientos entre miembros de pandillas registrados casi simultáneamente el 15 de agosto de 2005 en cuatro centros de privación de libertad (la Comisaría 31 de la PNC de Escuintla, la Cárcel de Pavón, la Granja Canadá y el Centro Preventivo de Mazatenango) en los que en total se registraron más de 30 muertos y de 80 heridos. Y los hechos de violencia ocurridos el 22 de noviembre de 2008 en la Cárcel de Pavoncito en los que murieron 7 internos y varios resultaron heridos. Véase al respecto Comunicados de Prensa de la CIDH No: 32/05 y 53/08.

[321] Con respecto a *Honduras*, los enfrentamientos entre internos ocurridos el 5 de enero de 2006 en la Penitenciaría Nacional de Támara en los que murieron 13 reclusos, por armas de fuego, machetes y otras armas blancas[321]. Y Las riñas producidas el 26 de abril en el Penal de San Pedro Sula, y el 3 de mayo de 2008 en la Penitenciaría Nacional de Támara, en los que murieron 9 y 18 internos respectivamente[321]. Véase al respecto Comunicados de Prensa de la CIDH No: 2/06 y 20/08.

[322] Con respecto a *México*, los hechos ocurridos el 20 de enero de 2010 en el Centro de Readaptación Social (CERESO) No. 1 de la Ciudad de Durango. Ese día se produjeron tres riñas simultáneas entre bandas rivales en tres puntos distintos de ese establecimiento, las cuales dejaron un saldo de 23 muertos; y los hechos ocurridos el 25 de julio de 2011 en el Centro de Readaptación Social para Adultos (CERESO) de Ciudad Juárez, estado de Chihuahua en el que murieron 17 internos y otros 20 resultaron heridos. Véase al respecto Comunicados de Prensa de la CIDH No: 9/10 y 79/11.

[323] Con respecto a *Venezuela*, los hechos violentos ocurridos el 2 de enero en la Cárcel de Uribana, y el 3 enero de 2007 en la Cárcel de Guanare en las que murieron 16 y 6 reclusos respectivamente; el 27 de enero de 2010 en el Internado Judicial de Reeducación y Trabajo Artesanal La Planta ("El Paraíso"), en los que murieron 8 internos y 17 resultaron heridos; el 9 de marzo de 2010 en la Cárcel de Yare en los que perdieron la vida 6 reclusos y 15 resultaron heridos; el 12 de abril y 4 de mayo en el Centro Penitenciario de Occidente en los que murieron 7 y 8 reclusos respectivamente; entre el 30 de enero y el 2 de febrero en la Cárcel de Tocorón, y 1 de febrero de 2011 en la Cárcel de Vista Hermosa, en los que murieron 2 y 5 internos respectivamente; y el 12 de junio de 2011 en la cárcel El Rodeo I en los que murieron 19 internos y al menos 25 resultaron gravemente heridos. Véase al respecto Comunicados de Prensa de la CIDH No: 1/07, 10/10, 27/10, 50/10, 7/11 y 57/11.

asegurar que sus propios agentes ejerzan un control adecuado de la seguridad y el orden en las cárceles, sino que debe adoptar las medidas necesarias para proteger a las personas privadas de libertad contra posibles agresiones de terceras personas, incluso de otros reclusos[324]. En función de esta obligación fundamental, los Estados tienen el deber de adoptar medidas concretas para prevenir la ocurrencia de hechos de violencia en las cárceles.

281.   Así, en función de lo observado en el ejercicio de sus distintas funciones la CIDH ha constatado que la violencia carcelaria es producida fundamentalmente por los siguientes factores: (a) la corrupción y la falta de medidas preventivas por parte de las autoridades; (b) la existencia de cárceles con sistemas de autogobierno en las que son los propios presos quienes ejercen el control efectivo de lo que ocurre intramuros, en las que algunos presos tienen poder sobre la vida de otros; (c) la existencia de sistemas en los que el Estado delega en determinados grupos de reclusos las facultades disciplinarias y de mantenimiento del orden; (d) las disputas entre internos o bandas criminales por el mando de las prisiones o por el control de los espacios, la droga y otras actividades delictivas; (e) la tenencia de armas de todo tipo por parte de los reclusos; (f) el consumo de drogas y alcohol por parte de los internos; y (g) el hacinamiento, las condiciones precarias de detención y la falta de servicios básicos esenciales para la vida de los presos, lo que exacerba las tensiones entre los internos y provoca una lucha del más fuerte por los espacios y recursos disponibles.

282.   En este sentido, la Comisión considera de crucial importancia que los Estados adopten todas las medidas necesarias para reducir al mínimo los niveles de violencia en las cárceles contrarrestando los supra citados factores que la generan. Lo que conlleva el diseño y aplicación de políticas penitenciarias de prevención de situaciones críticas, como los brotes de violencia carcelaria. Estas políticas deben contemplar planes de acción para decomisar las armas en poder de los reclusos, especialmente las armas letales, y prevenir el rearme de la población. Asimismo, los Estados deben establecer –de acuerdo con los mecanismos propios de un Estado de derecho– estrategias para desmantelar las estructuras criminales arraigadas en las cárceles y que controlan diversas actividades delictivas, como el tráfico de drogas, alcohol y el cobro de cuotas extorsivas a otros presos, y que por lo general operan en complicidad con autoridades penitenciarias y de otras fuerzas de seguridad.

283.   Estas políticas de prevención de la violencia deben integrarse dentro del marco general de políticas penitenciarias integrales que contemplen la atención a otros problemas estructurales de las cárceles. En este sentido, tanto el alojamiento de los internos en condiciones adecuadas de reclusión, como su separación de acuerdo a criterios básicos como el sexo, la edad, la situación procesal y el tipo de delito, son en sí mismas formas de prevención de la violencia carcelaria. Asimismo, debe capacitarse y dotarse de equipo necesario al personal de custodia de las personas privadas de libertad para que intervengan de manera eficaz ante la ocurrencia de motines, riñas o enfrentamientos entre

---

[324] CIDH, Informe No. 41/99, Caso 11.491, Fondo, Menores detenidos, Honduras, 10 de marzo de 1999, párr. 136.

internos, de forma tal que su actuar oportuno prevenga en la medida de lo posible la pérdida de vidas humanas.

284.   Otra medida fundamental de prevención es la investigación, procesamiento y sanción de los responsables de las muertes ocurridas en hechos de violencia carcelaria. La CIDH reitera que el mantener en impunidad hechos de esta naturaleza envía a la población reclusa el mensaje de que tales actos pueden perpetrarse sin mayores consecuencias jurídicas, generando un clima de impunidad. La respuesta del Estado frente a aquellos reclusos responsables de atentar contra la vida de otros reclusos no debe ser otra que el procesamiento penal y la aplicación de las medidas disciplinarias y de prevención que correspondan. Para ello, es necesario que las autoridades a cargo de tales investigaciones sean independientes del cuerpo o fuerza cuyas actuaciones son investigadas.

C.   Muertes producto de la falta de prevención y reacción eficaz de las autoridades

285.   La CIDH observa que un número importante de muertes de personas privadas de libertad en las cárceles de la región se producen como resultado de la falta de prevención y atención oportuna de las autoridades. En esta categoría se encuentran, por ejemplo, las muertes producidas en incendios y los casos de personas que padecían enfermedades graves o que su condición de salud ameritaba atención urgente, y que fallecieron por no ser atendidos. En este tipo de situaciones el Estado puede ser internacionalmente responsable por la falta de prevención o por su actuar manifiestamente negligente en situaciones que pudieron ser evitadas o mitigadas si las autoridades competentes hubiesen adoptado las medidas de prevención adecuadas, y/o si hubiesen reaccionado de forma eficaz ante la amenaza o el riesgo producidos.

Incendios

286.   Los centros de privación de libertad por su propia naturaleza son recintos que presentan un alto riesgo de incendios. Más aún cuando se trata de instalaciones sobrepobladas, precarias y/o que no fueron construidas originalmente para ser utilizadas como centros de reclusión; en las que muchas veces los propios presos, para lograr mayor comodidad o privacidad, colocan cortinas, hamacas, anexos y conexiones eléctricas improvisadas que no son debidamente supervisadas ni controladas por las autoridades. Aunado al hecho de que los centros de privación de libertad contienen en su interior una gran cantidad de materiales inflamables y otros elementos de tenencia de los reclusos como encendedores, fósforos, cigarrillos, colchones y papeles con los que en cualquier momento puede iniciarse un fuego.

287.   Así por ejemplo, la CIDH en el caso *Rafael Arturo Pacheco Teruel y otros*[325] se pronunció con respecto al incendio ocurrido el 17 de mayo de 2004 en la celda o "bartolina" No. 19 del Centro Penal de San Pedro Sula, en el que murieron 107 internos y

---

[325] CIDH, Informe No. 118/10, Caso 12.680, Fondo, Rafael Arturo Pacheco Teruel y otros, Honduras, 22 de octubre de 2010, párrs. 2, 15, 31, 33, 34, 35, 36, 43, 72, 73, 74, 76 y 77.

otros 26 resultaron gravemente heridos. Este incendio se produjo debido a un cortocircuito generado por la gran cantidad de artefactos eléctricos conectados de forma improvisada por los propios internos, y se propagó rápidamente gracias a las condiciones del lugar y a la presencia de objetos inflamables como cortinas, colchones, sábanas y la ropa de los internos. En dicho proceso se estableció que la celda No. 19 era un espacio de aproximadamente 200 metros cuadrados construido con bloque y techo de lámina en el que vivían al momento del incendio 183 reclusos vinculados a la "mara salvatrucha". Este recinto sólo disponía de una única puerta de entrada y una pequeña rendija de ventilación en el techo, carecía de entradas de luz natural y de servicio de agua corriente. Todo su espacio interior estaba ocupado por literas y las pertenencias de los reclusos, quedando libre solamente un estrecho pasillo entre las camas. En este espacio tan reducido y hacinado había conectados 62 ventiladores, 2 refrigeradoras, 10 televisores, 3 aires acondicionados, 3 compresores para *mini splits*, 3 planchas eléctricas, 5 parlantes, 1 equipo de sonido, 1 VHS, 1 microondas, 1 motor de licuadora, y 1 estufa eléctrica.

288. En el examen sobre los méritos del caso se estableció que las deficiencias del sistema eléctrico del Penal de San Pedro Sula, y en particular de la celda No. 19, eran de conocimiento previo de las autoridades; que no existían controles para el ingreso y conexión de aparatos eléctricos; y que no existió ningún tipo de supervisión o monitoreo de las condiciones del sistema eléctrico de la bartolina No. 19. Además, no existían extinguidores ni medios algunos para hacer frente a una emergencia de ese tipo. De hecho, el propio Director del centro declaró posteriormente que el único protocolo a seguir en casos de incendios era hacer disparos al aire para dar la señal de alarma y asegurar el área hasta que llegaran los bomberos. Además, se estableció que una de las causas por las cuales los presos conectaban numerosos ventiladores y acondicionadores de aire, era precisamente porque la celda No. 19 carecía de ventilación adecuada y sus condiciones generaban un ambiente extremadamente caluroso y sofocante.

289. Por su parte, la Corte Interamericana en el caso del *"Instituto de Reeducación del Menor"* –también paradigmático de la situación descrita–, estableció la responsabilidad internacional del Estado paraguayo *inter alia* por tres incendios ocurridos entre 2000 y 2011 en el Instituto de Reeducación del Menor "Panchito López", en los que murieron en total 9 adolescentes y al menos 41 resultaron heridos. En su análisis, la Corte tomó en consideración que el Estado no adoptó las medidas de prevención necesarias para enfrentar la posibilidad de un incendio, a pesar de las advertencias de distintas organizaciones y organismos internacionales. Este recinto, que no fue construido originalmente para ser un centro de reclusión, no contaba con alarmas ni extinguidores de incendio y el personal de seguridad no estaba capacitado para enfrentar a este tipo de emergencias[326].

---

[326] Corte I.D.H., *Caso "Instituto de Reeducación del Menor" Vs. Paraguay*. Sentencia de 2 de septiembre de 2004. Serie C No. 112, párrs. 134.29-134.43, 177-179.

290.   La Comisión Interamericana, en el ejercicio de sus funciones de monitoreo, se ha manifestado en reiteradas ocasiones por medio de sus comunicados de prensa[327] con respecto a incendios de particular gravedad ocurridos en los últimos años en cárceles de distintos Estados de la región, como: República Dominicana[328], Argentina[329], Uruguay[330], El Salvador[331], Chile[332] y Panamá[333].

291.   Asimismo, en el marco de una audiencia temática celebrada recientemente, la CIDH recibió información según la cual el 22 de mayo de 2009 siete niñas murieron en un incendio ocurrido en el Centro Correccional de Menores de Armadale, en Jamaica. De acuerdo con las organizaciones que solicitaron la audiencia, ese centro de reclusión no contaba con vías de evacuación en casos de incendios ni extinguidores, a pesar de que ya habían ocurrido previamente tres incendios en ese establecimiento[334].

292.   La CIDH considera que independientemente de que la causa inicial de estos incendios haya sido un brote de violencia (riña, motín o intento de fuga) o que se hayan generado espontáneamente por otras razones, la mayoría se produjeron en cárceles sobrepobladas; con instalaciones físicas deterioradas; en las que no habían mecanismos ni protocolos para hacer frente a estas situaciones; y/o en circunstancias en las que las autoridades fueron manifiestamente negligentes en controlar esa situación de emergencia. En la mayoría de los casos las autoridades estaban ya en conocimiento de estas condiciones y del nivel de riesgo presente.

---

[327] Los Comunicados de Prensa de la CIDH organizados por año están disponibles en: http://www.oas.org/es/cidh/prensa/comunicados.asp.

[328] Con respecto a *República Dominicana*, el incendio ocurrido en la Cárcel Estatal de Higüey el 7 de marzo de 2005, en el que murieron 134 personas. Véase a este respecto: Comunicado de Prensa de la CIDH No. 8/05.

[329] Con respecto a *Argentina,* los incendios ocurridos en la Unidad No. 28 del Servicio Penitenciario Bonaerense ("La Magdalena") el 16 de octubre de 2005, en el que murieron 32 presos; y en el Penal de Varones de Santiago del Estero el 4 de noviembre de 2007 en el que fallecieron 34 internos. Véase a este respecto: Comunicados de Prensa de la CIDH No. 39/05 y 55/07.

[330] Con respecto a *Uruguay*, el incendio ocurrido en la Cárcel Departamental de Rocha el 8 de julio de 2010, en el que fallecieron 12 internos. Véase a este respecto: Comunicado de Prensa de la CIDH No. 68/10.

[331] Con respecto a *El Salvador*, el incendio ocurrido en el Centro Alternativo de Jóvenes Infractores de Ilobasco el 10 de noviembre de 2010, en el que al menos 16 reclusos perdieron la vida. Véase a este respecto: Comunicado de Prensa de la CIDH No. 112/10.

[332] Con respecto a *Chile*, el incendio ocurrido en la Cárcel de San Miguel el 8 de diciembre de 2010, en el que murieron al menos 83 internos. Véase a este respecto: Comunicado de Prensa de la CIDH No. 120/10.

[333] Con respecto a *Panamá*, el incendio ocurrido en el Centro de Cumplimiento de Menores de Tocumen el 9 de enero de 2011, en el que fallecieron 5 adolescentes. Véase a este respecto: CIDH, Comunicado de Prensa No. 2/11.

[334] CIDH, Audiencia Temática: *Situación de niños y adolescentes en centros de detención en Jamaica*, 137º período ordinario de sesiones, organizado por *Jamaicans for Justice*, 3 de noviembre de 2009. Véase también, The Gleaner, May 24, 2009, *Fire claims 5, 10 in hospital as fire destroys sections of Armadale Juvenile Center*, disponible en: http://jamaica-gleaner.com/gleaner/20090524/lead/lead1.html.

293.   En atención a las consideraciones anteriores, la CIDH reitera que el acto de la reclusión conlleva un compromiso específico y material de parte del Estado de proteger la vida de las personas bajo su custodia. Lo que implica la adopción de medidas concretas para prevenir y hacer frente a situaciones de emergencia como incendios. El Estado, como responsable de los centros de detención tiene la obligación específica de administrar y preservar sus instalaciones de manera que no impliquen un riesgo para las personas (tanto para los internos, como para el personal administrativo, judicial, de seguridad, las visitas, y demás personas que frecuentan los centros penitenciarios). Además, debe asegurarse que los centros penitenciarios cuenten con mecanismos de alerta temprana para detectar situaciones de riesgo y con el equipo adecuado para hacer frente a este tipo de emergencias. Asimismo, debe capacitarse al personal penitenciario en procedimientos de evacuación, asistencia y reacción frente a este tipo de eventos[335].

294.   En el caso de los niños y adolescentes privados de libertad, los estándares internacionales aplicables establecen expresamente que:

El diseño y la estructura de los centros de detención para menores deberán ser tales que reduzcan al mínimo el riesgo de incendio y garanticen una evacuación segura de los locales. Deberá haber un sistema eficaz de alarma en los casos de incendio, así como procedimientos establecidos y ejercicios de alerta que garanticen la seguridad de los menores. Los centros de detención no estarán situados en zonas de riesgos conocidos para la salud o donde existan otros peligros[336].

295.   La CIDH subraya además que los Estados tienen la obligación de conducir investigaciones serias, diligentes e imparciales de los incendios que se produzcan en los centros de privación de libertad, que conduzcan a la sanción penal y administrativa de todas aquellas autoridades que tuvieron algún grado de responsabilidad en tales hechos, y que conduzcan además a una efectiva reparación de las víctimas.

Falta de atención médica urgente

296.   Otra de las razones por las cuales un importante número de personas privadas de libertad pierden la vida en las cárceles de la región, es por la falta de atención médica urgente. Así por ejemplo:

297.   En el caso *Pedro Miguel Vera Vera*, recientemente decidido por la Corte, la CIDH estableció que la víctima, quien había sido herido de bala al momento de su detención, falleció diez días después estando bajo custodia de las autoridades debido a la falta de una intervención quirúrgica oportuna[337].

---

[335] CIDH, Informe No. 118/10, Caso 12.680, Fondo, Rafael Arturo Pacheco Teruel y otros, Honduras, 22 de octubre de 2010, párr. 63.

[336] Reglas de las Naciones Unidas para la Protección de los Menores Privados de Libertad, (Regla 32).

[337] La CIDH tomó en consideración que la víctima no recibió tratamiento médico los días 13, 14, 15 y 16 de abril de 1993, mientras estuvo detenida en los calabozos de la Policía; cuyas condiciones higiénicas, sanitarias y

Continúa...

298.   De igual forma, en el caso *Juan Hernández Lima*, la CIDH estableció que la víctima, quien fue detenida por una falta administrativa ("contra las buenas costumbres por efectos del licor") y sentenciada a treinta días de arresto conmutables por multa, falleció seis días después de su arresto a causa de un episodio de cólera. Su madre se enteró de su detención cuatro días después de su muerte por informaciones de vecinos. En este caso el Estado omitió suministrar suficientes remedios de rehidratación y trasladar al señor Hernández Lima a un centro hospitalario, así como de notificar su detención a un tercero[338].

299.   En el contexto de sus funciones de monitoreo, la CIDH destacó que en marzo de 2000 habrían muerto seis presos enfermos de tuberculosis, VIH y otras enfermedades, aparentemente por negligencia del personal médico y paramédico del hospital de la cárcel de Combinado del Este, en la Habana[339]. Asimismo, en el ejercicio de sus funciones de protección, la CIDH ha otorgado medidas cautelares en casos graves y urgentes, en los que personas individuales estaban en riesgo de sufrir un daño irreparable por falta de atención médica[340].

300.   En atención a estos estándares, la CIDH subraya que las autoridades judiciales a cuyas órdenes se encuentran las personas privadas de libertad (sean los jueces de la causa o jueces de ejecución penal) juegan un papel fundamental en la protección del derecho a la vida de personas que se encuentran gravemente enfermas. En este sentido, las autoridades judiciales deben actuar con diligencia, independencia y humanidad frente a casos en los que se haya acreditado debidamente que existe un riesgo inminente para la vida de la persona debido al deterioro de su salud o a la presencia de enfermedad mortal.

...continuación

de asistencia médica eran deplorables. Además, a pesar de que el Juez Undécimo de lo Penal de Pichincha ordenó el 16 de abril al Director del Hospital de Santo Domingo que readmitiera al señor Vera Vera para que se le practicara una intervención quirúrgica, éste no fue ingresado hasta el 17 de abril a las 13:00 horas, y no se le practicó intervención quirúrgica alguna hasta el 22 de abril cuando fue atendido en el Hospital Eugenio Espejo de Quito. Por lo tanto, durante los diez días que el señor Vera Vera permaneció bajo custodia estatal, diversas autoridades entre funcionarios de custodia y personal médico de hospitales públicos, incurrieron en una serie de omisiones que resultaron en su muerte el 23 de abril de 1993. CIDH, Demanda ante la Corte I.D.H. en el Caso de Pedro Miguel Vera Vera, Caso No. 11.535, Ecuador, 24 de febrero de 2010, párrs. 1, 21, 32, 45, 46, 47 y 56.

[338] CIDH, Informe No. 28/96, Caso 11.297, Fondo, Juan Hernández Lima, 16 de octubre de 1996, párrs. 1, 2, 3, 4, 5, 17, 56 y 60.

[339] CIDH, *Informe Anual 2001*, Capítulo IV, Cuba, OEA/Ser./L/V/II.114. doc. 5 ver., adoptado el 16 de abril de 2002, párr. 81(a). Tomado del Informe presentado por el Relator Especial sobre la Tortura, Sir Nigel Rodley en cumplimiento de la Resolución 2000/43 de la Comisión de Derechos Humanos de las Naciones Unidas, E/CN.4/2001/66, adoptado el 25 de enero de 2001, párr. 358.

[340] Así por ejemplo, se otorgaron medidas cautelares en favor de *Francisco Pastor Chaviano* (MC-19-07), en Cuba, que había sido recluido en una celda de castigo y sometido a malos tratos por parte de los guardias penitenciarios, sin recibir atención médica a pesar de sufrir graves enfermedades. Posteriormente, el 20 de agosto de 2007 el señor Pastor Chaviano fue liberado por las autoridades cubanas. De igual forma, la CIDH dictó medidas cautelares en favor de *Luis Sánchez Aldana* (MC-1018-04), ciudadano colombiano detenido en Suriname, que habría padecido de oclusión completa de la vena aorta y gangrena en los miembros inferiores, sin recibir en un Principio atención médica adecuada. La CIDH decidió el levantamiento de estas medidas cautelares en junio de 2005, al contar con elementos claros de que el Estado estaba proveyendo la atención médica que el beneficiario requería, por lo cual, dejaron de subsistir las condiciones originales que sustentaron su otorgamiento.

D.   Muertes perpetradas por agentes del Estado

301.   Además de las muertes producidas por violencia carcelaria y por negligencia grave por parte del Estado, otra de las formas como se han registrado graves violaciones al derecho a la vida de las personas privadas de libertad, aunque estadísticamente inferior a las anteriores, es mediante acciones directamente imputables al Estado; como por ejemplo: las ejecuciones extrajudiciales, los actos de tortura o tratos crueles, inhumanos y degradantes que han resultado en la muerte de la víctima, y las desapariciones forzadas de personas privadas de libertad.

Ejecuciones extrajudiciales[341]

302.   A este respecto, la Comisión recibió información según la cual el 25 de septiembre de 2006 a las 2:00 AM se realizó en el Centro Penitenciario de Pavón, en Guatemala, un operativo conjunto –denominado "Restauración 2006"– en el que participaron efectivos de la policía, el ejército, el servicio penitenciario y funcionarios del Ministerio Público. El objetivo declarado de la acción era recuperar el control de la prisión, que desde hacía una década estaba en manos de una mafia de reclusos conocida como "Comité de Orden y Disciplina" (COD). Durante el operativo, se alega que los agentes del Estado habrían ejecutado a siete internos, algunos reconocidos como cabecillas del COD, en circunstancias en las que éstos no habrían opuesto resistencia[342].

---

[341] Desde hace décadas, tanto la Corte, como la Comisión Interamericana se han venido pronunciando con respecto a casos de ejecuciones extrajudiciales de personas privadas de libertad en Estados de la región, como por ejemplo: (1) La represión de un motín en el Penal San Juan Bautista (ex-Frontón) el 19 de junio de 1986 en el que las Fuerzas Armadas del Perú utilizaron artillería de guerra ocasionando la muerte de al menos 111 reclusos. Corte I.D.H., *Caso Durand y Ugarte Vs. Perú.* Sentencia de 16 de agosto de 2000. Serie C No. 68, párrs. 59 y 68; Corte I.D.H., *Caso Neira Alegría y otros Vs. Perú.* Sentencia de 19 de enero de 1995. Serie C No. 20, párr. 69. (2) El "Operativo Mudanza 1" iniciado a partir del 6 de mayo de 1992, en el cual distintas fuerzas de seguridad del Estado peruano ejecutaron un ataque con armamento militar (usando granadas, cohetes, bombas, helicópteros de artillería, morteros y tanques) contra las internas y los internos de los pabellones 1A y 4B del Penal Miguel Castro Castro en el que murieron 41 internos. Corte I.D.H., *Caso del Penal Miguel Castro Castro.* Sentencia de 25 de noviembre de 2006. Serie C No. 160, párrs. 211, 216, 222 y 223. (3) La intervención masiva de efectivos de la Guardia Nacional y la Policía Metropolitana de Venezuela en el Retén e Internado Judicial Los Flores de Catia, en la que éstos dispararon indiscriminadamente contra los internos utilizando armas de fuego y gases lacrimógenos, causando la muerte de aproximadamente 63 personas. Corte I.D.H., *Caso Montero Aranguren y otros (Retén de Catia).* Sentencia de 5 de julio de 2006. Serie C No. 150, párrs. 60.16 - 60.25 y 60.27. Y, (4) la masacre ocurrida en la Casa de Detención (Carandirú) el 2 de octubre de 1992, en la que agentes de la Policía Militar dispararon indiscriminadamente contra reclusos en su mayoría rendidos y desarmados, dejando un saldo de 111 muertos. CIDH, Informe No. 34/00, Caso 11.291, Fondo, Carandiru, Brasil, 13 de abril de 2000, párrs. 1, 10, 11, 12, 13, 14, 67, 69.

[342] A raíz de los hechos ocurridos el 25 de septiembre de 2006, la CIDH dirigió dos cartas de solicitud de información confidencial al Estado el 27 de septiembre de 2006 y el 27 de noviembre de 2007. El 19 de octubre de 2006, en el 126º período ordinario de sesiones se sostuvo una reunión con una delegación del Estado de Guatemala en la cual se recibió información detallada, y posteriormente el 22 de noviembre de 2010 se realizó una reunión con miembros de la CICIG y del Instituto de Estudios Comparados en Ciencias Penales de Guatemala (ICCPG). Véase además, el Informe Anual Circunstanciado 2006 (pág. 738) y el Informe Final del Caso de Pavón, ambos emitidos por el Procurador de Derechos Humanos de Guatemala, y disponibles en: http://www.pdh.org.gt/, ir a la sección de "documentos".

303.   De igual forma, la CIDH ha recibido información según la cual el 5 de abril de 2003 en la Granja Penal El Porvenir, en Honduras, se habría producido una riña entre pandilleros de la "mara 18" y "rondines" (presos comunes en los que se delega ilegalmente autoridad disciplinaria y que la ejercen incluso por medio de la fuerza), en la que habrían intervenido miembros de distintas fuerzas del ejército y de la policía, quienes junto con los "rondines" habrían masacrado a miembros de la "mara 18". El saldo total de los hechos habría sido de 69 muertos y 39 heridos. Según la información disponible, al ingresar las fuerzas de seguridad el número de muertos no excedería de 10 personas (entre pandilleros y "rondines"); sin embargo, las muertes producidas después de ese momento corresponden en su totalidad a miembros de la "mara 18". Se indica que luego de la entrada de los efectivos del ejército los "rondines" incendiaron los pabellones 2 y 6 donde se encontraban la mayoría de los pandilleros, muriendo 25 de éstos; otros pandilleros ya rendidos y heridos habrían sido ejecutados conjuntamente por los "rondines" y las fuerzas de seguridad[343].

304.   Asimismo, recientemente la Comisión decidió la admisibilidad del caso *Orlando Olivares y otros*, en el que se alega que el 10 de noviembre de 2003 efectivos de la Guardia Nacional de Venezuela habrían ejecutado extrajudicialmente a siete reclusos que estaban rendidos y desarmados, en el contexto de las acciones desplegadas para controlar una supuesta riña en el Internado Judicial del Estado de Bolívar ("Cárcel de Vista Hermosa"). De acuerdo con los peticionarios, luego de controlada la situación, las fuerzas de seguridad habrían desalojado a los internos colocándolos en el campo de deportes, donde los habrían agredido golpeándolos con bates, tubos, fusiles y varillas. Tras lo cual, habrían tomado a los supuestos líderes de los pabellones y los habrían ejecutado, éstas serían las siete alegadas víctimas del caso[344].

Otras formas de agresión con resultado de muerte

305.   Como se presenta en el siguiente capítulo de este Informe, relativo al derecho a la integridad personal, la Comisión Interamericana ha constatado a través del ejercicio de sus diversas funciones que la aplicación de torturas, y tratos crueles, inhumanos y degradantes a las personas en custodia del Estado sigue siendo uno de los principales problemas de derechos humanos en la región. En este contexto el Sistema Interamericano ha registrado casos en los que la naturaleza de las agresiones y su intensidad causan la muerte traumática de la víctima.

306.   Así por ejemplo, la Corte Interamericana en el caso *Bulacio* estableció que la víctima, un joven de 17 años, aprehendido el 19 de abril de 1991 en medio de una

---

[343] CIDH, Audiencia Temática: *Situación de las personas privadas de libertad en Honduras*, 124º período ordinario de sesiones, solicitada por Casa Alianza; CEJIL; CODEH; COFADEH; CPTRT, 7 de marzo de 2006. Informe sobre Situación Penitenciaria en Honduras presentado en la audiencia y disponible en: http://www.cptrt.org/pdf/informesistemapenitenciarioCIDH.pdf. Véase también, Informe Especial del Comisionado Nacional de los Derechos Humanos, disponible en: http://www.conadeh.hn/pdf/informes/especiales/Informe_Granja_Penal_Atlantidad.pdf.

[344] CIDH, Informe No. 14/11, P-1347-07, Admisibilidad, Orlando Olivares y otros (muertes en la Cárcel de Vista Hermosa), Venezuela, 23 de marzo de 2011, párrs. 1, 8 y 9.

detención masiva (o "razzia"), falleció siete días después de su arresto a causa de un "traumatismo craneano" provocado por una brutal golpiza a la que fue sometido por agentes policiales[345].

307.   Durante su visita de trabajo a la Provincia de Buenos Aires de junio de 2010, la Relatoría de Personas Privadas de Libertad recibió información según la cual el 23 de febrero de 2008 el señor Gastón Duffau, luego de ser arrestado, habría sido golpeado en el patrullero y en la comisaría de Ramos Mejía, para luego ingresar muerto en el hospital. En la segunda autopsia que se le practicó se habría constatado la presencia de hasta 100 lesiones que corresponderían a patadas, bastonazos, puñetazos y rodillazos, concluyéndose que la totalidad de estas lesiones tenían una data estimada previa e inmediata a su fallecimiento. A este respecto, de acuerdo con el Comité contra la Tortura de la Comisión Provincial por la Memoria:

> No hay cifras certeras sobre la cantidad de personas que fueron víctimas de torturas, ejecuciones o muerte por parte de la policía. [...] [C]omo la población afectada suele pertenecer a los sectores más excluidos, muchos de estos hechos no se denuncian y tampoco llegan a los medios masivos de comunicación. Si los casos no son acompañados por la perseverancia de los familiares, organizaciones y allegados a las víctimas, suelen quedar impunes o justificados como "enfrentamientos". Existe un patrón estructural, una actitud de encubrimiento institucional, no importa la entidad del delito cometido[346].

Desapariciones forzadas

308.   La Comisión observa que en la actualidad, aunque con menos frecuencia que en otras épocas y contextos, siguen registrándose casos de personas que estando bajo custodia del Estado se desconoce su paradero, sin que éste pueda dar una explicación satisfactoria al respecto. Esto ocurre incluso en casos en los que estas personas se encontraban en centros penitenciarios.

309.   Así por ejemplo, la CIDH solicitó medidas provisionales a la Corte Interamericana para proteger la vida e integridad personal de los Sres. Francisco Dionel Guerrero Larez y Eduardo José Natera Balboa, el 13 y 28 de noviembre de 2009 respectivamente. El señor Guerrero Larez estaba cumpliendo condena en la Penitenciaría General de Venezuela (PGV) y desde el 7 de noviembre sus familiares indican no tener noticia de su paradero. De la misma forma, el señor Natera Balboa quien estaba recluido en el Centro Penitenciario Región Oriental "El Dorado", fue visto por última vez el 8 de noviembre de 2009 cuando habría sido llevado de manera violenta por miembros de la Guardia Nacional a un vehículo color negro. En ambos casos los familiares de los desaparecidos realizaron distintas gestiones ante autoridades administrativas, judiciales y

---

[345] Corte I.D.H., *Caso Bulacio Vs. Argentina*. Sentencia de 18 de septiembre de 2003. Serie C No. 100, párr. 3.

[346] Comité Contra la Tortura de la Comisión Provincial por la Memoria en su Informe Anual 2009: *El Sistema de la Crueldad IV*, págs. 432-434.

de instrucción, pero sin obtener resultados concretos. Actualmente la Corte Interamericana mantiene vigentes ambas medidas provisionales, en las que requirió al Estado venezolano adoptar "de forma inmediata, las medidas que sean necesarias para determinar la situación y paradero" de los beneficiarios[347].

310.   Asimismo, en el marco de la visita de trabajo realizada por la Relatoría de Personas Privadas de Libertad a la Provincia de Buenos Aires en junio de 2010 y en su audiencia de seguimiento de marzo de 2011, la CIDH tomó conocimiento de la supuesta desaparición de Luciano Arruga. De acuerdo con la información recibida, Luciano Arruga – de 17 años al momento de los hechos– habría desaparecido en enero de 2009 luego de estar detenido ilegalmente en el Destacamento Policial de Lomas de Mirador. Previamente, el 21 de septiembre de 2008 Luciano Arruga habría estado detenido por 12 horas sin que ello hubiese constado en ningún registro. La sospecha sobre la posible participación policial en la desaparición de Luciano Arruga surge de las reiteradas amenazas que éste sufría por parte del personal de la delegación de policía y de los testimonios vertidos en el proceso interno que darían cuenta de su presencia en la comisaría de Lomas del Mirador[348].

311.   De igual forma, el Centro de Prevención, Tratamiento y Rehabilitación de las Víctimas de la Tortura y sus Familiares (CPTRT) registró la ocurrencia de al menos seis posibles casos de desapariciones de reclusos en cárceles de Honduras entre 2004 y 2006[349]. De acuerdo con el CPTRT la mayoría de las víctimas de estos hechos eran miembros de pandillas o "maras", y sus desapariciones fueron obra de otros internos[350].

312.   En atención a las consideraciones anteriores, la CIDH subraya que el derecho internacional de los derechos humanos establece que los Estados tienen la obligación de adoptar determinadas medidas específicas dirigidas a prevenir la ocurrencia de desapariciones forzadas de personas privadas de libertad. Ejemplos de estas medidas son: el mantenimiento de registros oficiales actualizados de personas privadas de libertad,

---

[347] Corte I.D.H., Asunto Guerrero Larez respecto Venezuela, Resolución de la Corte Interamericana de Derechos Humanos de 17 de noviembre de 2009, Vistos 1 y 2, Considerandos 9, 11 y 12, y Resuelve 1; Corte I.D.H., Asunto Natera Balboa respecto Venezuela, Resolución de la Presidenta de la Corte Interamericana de Derechos Humanos de 1 de diciembre de 2009, Vistos 1 y 2, Considerandos 9 y 11, y Resuelve 1.

[348] Comité Contra la Tortura de la Comisión Provincial por la Memoria en su Informe Anual 2009: *El Sistema de la Crueldad IV*, págs. 440 y 441; CIDH, Audiencia Temática: *Situación de derechos humanos de las personas privadas de libertad en la Provincia de Buenos Aires*, 141º período ordinario de sesiones, solicitada por el CELS y la Comisión por la Memoria de la Provincia de Buenos Aires, 28 de marzo de 2011; Comité Contra la Tortura de la Comisión Provincial por la Memoria en su Informe Anual 2010: *El Sistema de la Crueldad V*, págs. 30, 309-312.

[349] Estos son: (a) Sandy Otoniel Gómez González y Oscar Danilo Vásquez Corea, ambos supuestamente desaparecidos en la Penitenciaría Nacional de Támara en febrero de 2006; (b) José Rafael Reyes Gálvez, interno también en la Penitenciaría Nacional de Támara, fue visto por última vez en julio de 2005; y (c) José Arnaldo Mata Aguilar, Orlín Geovany Funez y Glen Rockford, recluidos en el Centro Penal de San Pedro Sula, sus desapariciones se producen entre el 2003 y 2004. Sus restos fueron encontrados debajo del suelo de la celda o "bartolina" No. 19 cuando se emprendió el proceso de reforma posterior al incendio ocurrido en mayo de 2004.

[350] CIDH, Audiencia Temática: *Situación de las personas privadas de libertad en Honduras*, 124º período ordinario de sesiones, solicitada por Casa Alianza; CEJIL; CODEH; COFADEH; CPTRT, 7 de marzo de 2006. Informe sobre Situación Penitenciaria en Honduras presentado en la audiencia.

los cuales deberán estar disponibles para terceros[351]; la detención de personas en lugares oficialmente reconocidos[352]; y el ejercicio de un control judicial efectivo de las detenciones[353]. Además, los Estados tienen el deber de iniciar de oficio una investigación seria, imparcial, diligente y dentro de un plazo razonable de la desaparición de toda persona que se encontraba bajo su custodia[354].

E.   Suicidios

313.   La ocurrencia de suicidios es una realidad siempre presente en el contexto carcelario. El mero hecho de internar a una persona en un medio cerrado del que no podrá salir por voluntad propia, con todas las consecuencias que esto supone, puede conllevar un fuerte impacto en su equilibrio mental y emocional. Además de los desequilibrios y factores de riesgo inherentes de algunos internos. Las personas privadas de libertad son consideradas por la Organización Mundial de la Salud como uno de los grupos de alto riesgo de cometer actos de suicidio; es decir, que son una población de especial preocupación por cuanto el índice de suicidios registrados sobrepasa el promedio[355].

314.   Son muchos los factores, tanto individuales, como ambientales que pueden tener incidencia en la decisión de una persona privada de libertad de quitarse la vida: el estrés producido por el impacto del encierro; la tensión propia de la vida en prisión; la violencia entre internos; el posible abuso de las autoridades; las adicciones a la droga o alcohol; las reiteradas agresiones físicas o sexuales por parte de otros presos ante la inacción de las autoridades; la ruptura de las relaciones sociales y los lazos familiares o de pareja; el sentimiento de soledad, desesperanza y abandono; la impotencia y la

---

[351] Véase, la Convención Interamericana sobre Desaparición Forzada de Personas, (artículo XI); Convención Internacional para la Protección de todas las Personas Contra las Desapariciones Forzadas, (artículo 17.3); y la Declaración de la ONU sobre la Protección de todas las Personas Contra las Desapariciones Forzadas, (artículo 10.2 y 10.3).

[352] Véase, la Convención Interamericana sobre Desaparición Forzada de Personas, (artículo XI); Convención Internacional para la Protección de todas las Personas Contra las Desapariciones Forzadas, (artículo 17.1 y 10.2); y la Declaración de la ONU sobre la Protección de todas las Personas Contra las Desapariciones Forzadas, (artículo 10.1).

[353] Véase, la Convención Americana, (artículo 7.5 y 7.6); el Pacto Internacional de Derechos Civiles y Políticos, (artículo 9.3 y 9.4); Declaración Americana de los Derechos y Deberes del Hombre, (artículo XXV); y la Convención Europea de Derechos Humanos, (artículo 5.3 y 5.4).

[354] Véase, Convención Americana, (artículos 8 y 25); Convención Internacional para la Protección de todas las Personas Contra las Desapariciones Forzadas, (artículos 3 y 6); y la Declaración de la ONU sobre la Protección de todas las Personas Contra las Desapariciones Forzadas, artículo 3; y el Conjunto de Principios para la Protección de Todas las Personas Sometidas a Cualquier Forma de Detención o Prisión, (Principio 34).

[355] World Health Organization (WHO), *Preventing Suicide in Jails and Prisons*, (update 2007), pág. 2, disponible en: http://www.who.int/mental_health/prevention/suicide/resource_jails_prisons.pdf. A este respecto véase también: Ruíz, José Ignacio; Gómez, Ingrid; Landazabal, Mary Luz; Morales, Sully; Sánchez, Vanessa; y Páez, Darío, *Riesgo de Suicidio en Prisión y Factores Asociados: Un Estudio Exploratorio en Cinco Centros Penales de Bogotá*, en Revista Colombiana de Psicología, 2002, No. 11, 99-104. Y, McArthur, Morag; Camilleri, Peter & Webb, Honey, *Strategies for Managing Suicide & Self-harm in Prisons*, en Trends and Issues in Crime and Criminal Justice series, Australian Institute of Criminology, 1999, No. 125, disponible en: http://www.aic.gov.au/documents/2/9/4/%7B2945C409-3CE4-49C8-9F58-D8183A77CBD7%7Dti125.pdf.

desconfianza hacia el sistema judicial por las reiteradas e injustificadas demoras en los procesos, que dan lugar a un profundo sentimiento de indefensión en el interno; la perspectiva de una condena larga; la falta de intimidad; la conciencia del delito cometido; y el impacto que puede tener en una persona el ser expuesto públicamente como un delincuente. Asimismo, condiciones de detenciones particularmente aflictivas o degradantes, como el hacinamiento intolerable o el confinamiento solitario con periodos de encierro significativamente prolongados, son también factores de estrés que pueden conducir al suicidio.

315.   A este respecto, algunos de los Estados que presentaron sus respuestas al cuestionario publicado con motivo de este informe aportaron la siguiente información:

(a)   En *Argentina*, en cárceles del Servicio Penitenciario Federal se registraron 24 suicidios en el periodo comprendido entre 2006 y 2009; y en cárceles del Servicio Penitenciario de la Provincia de Buenos Aires, 83 suicidios entre 2004 y 2009.

(b)   En *Chile*, habrían fallecido 87 personas por suicidio en unidades penales del país entre 2005 y 2009.

(c)   En *Costa Rica*, en el periodo 2005-2009 se registraron 18 suicidios y 56 hechos calificados como tentativas de suicidio.

(d)   El gobierno de *Nicaragua* informó que en los cinco años anteriores a septiembre de 2010 se produjeron 7 muertes por suicidio en cárceles del Sistema Penitenciario Nacional.

316.   La CIDH través de su función contenciosa se ha pronunciado acerca del contenido y alcances de la responsabilidad del Estado en casos de suicidios de personas privadas de libertad. Así, en el caso *César Alberto Mendoza y otros (Prisión y reclusión perpetua de adolescentes)* una de las víctimas, Ricardo David Videla Fernández, se suicidó ahorcándose con su propio cinturón de uno de los barrotes de la ventana de su celda, en la Unidad 11 "A" del Centro de Seguridad para Jóvenes Adultos de la Penitenciaría de Mendoza. En este caso, la CIDH estableció que el Estado incurrió en una secuencia de omisiones que resultaron no sólo en el deterioro de la integridad personal de la víctima, sino en la pérdida de su vida, la cual pudo ser evitada[356].

317.   En su análisis, la Comisión tomó en consideración que: (a) la víctima estaba en una celda de castigo con régimen de aislamiento de 21 horas diarias de encierro; (b) que interpuso una acción de hábeas corpus en la que alegaba estar siendo amenazado constantemente por personal penitenciario y ser objeto de agresión sicológica por parte de éstos; (c) que anunció en varias ocasiones al personal de custodia su intención de quitarse la vida; (d) que días antes de su muerte miembros de una delegación de la Comisión de Seguimiento de Políticas Penitenciarias observaron su marcado deterioro psicológico, lo

---

[356] CIDH, Informe No. 172/10, Caso 12.651, Fondo, César Alberto Mendoza y otros, Argentina, 2 de noviembre de 2010, párrs. 2, 95, 97, 102, 103, 104, 109, 262, 264, 265, 266, 267, 268 y 271.

cual fue puesto en conocimiento de las autoridades competentes; y (e) que dos días después del suicidio de la víctima, el Jefe Administrativo de la División de Sanidad solicitó al Director de la Penitenciaría eliminar urgentemente el sistema de encierro de 21 horas diarias que se aplicaba en la Unidad 11.

318. La Comisión determinó, que además de las omisiones en los días y semanas anteriores a la muerte de Ricardo Videla, las autoridades penitenciarias no le dieron seguimiento cercano; no efectuaron llamados de emergencia a personal médico o psicológico que pudiera intervenir en la situación; ni dispusieron medios de custodia adecuados. Es decir, las autoridades bajo cuya custodia se encontraba no realizaron todos los esfuerzos necesarios para resguardar su vida. Además, en el momento mismo en que la víctima procedió a quitarse la vida, las autoridades no actuaron con la debida diligencia para evitar que el acto del suicidio se consumara. En lo fundamental, la concurrencia de las circunstancias descritas y la ausencia de otra explicación satisfactoria por parte del Estado, permitieron a la CIDH concluir que las mismas tuvieron relación directa con el fallecimiento de la víctima. Actualmente este caso está en trámite ante la Corte Interamericana.

319. En este sentido, la CIDH observa que el encierro de una persona en condiciones de aislamiento que no se ajusten a los estándares internacionales aplicables constituye un factor de riesgo para la comisión de suicidios[357]. Así, la salud física y mental del recluso debe estar supeditada a una estricta supervisión médica durante el tiempo que dure la aplicación de esta medida[358]. El aislamiento o confinamiento solitario de una persona privada de libertad sólo se permitirá como una medida estrictamente limitada en el tiempo, como último recurso y de acuerdo con una serie de salvaguardas y garantías establecidas por los instrumentos internacionales aplicables (véase al respecto el Capítulo IV del presente informe).

320. En el caso de niños y adolescentes privados de libertad, el aislamiento o confinamiento solitario estará estrictamente prohibido[359], la sola aplicación de este tipo de medidas a quienes no hayan cumplido 18 años de edad constituye en sí misma una forma de trato, cruel, inhumano o degradante. El separar y aislar a niños o adolescentes constituye un factor de riesgo adicional para la comisión de actos de suicidio[360].

321. La Comisión considera que el Estado, como garante de los derechos de las personas privadas de libertad, debe prestar atención prioritaria a la prevención del suicidio, lo que implica reducir al máximo los posibles factores de riesgo. En este sentido, los instrumentos internacionales aplicables establecen por ejemplo: el deber de practicar

---

[357] Véase, además de las fuentes ya citadas, Shalev, Sharon, *A sourcebook on solitary confinement*, Mannheim Centre for Criminology, 2008, pág. 17, disponible en: http://solitaryconfinement.org/uploads/sourcebook_web.pdf.

[358] Véase al respecto, Reglas Mínimas para el Tratamiento de Reclusos, (Regla 32.3)

[359] Véase Reglas para la Protección de los Menores Privados de Libertad, Regla 67; y Principios y Buenas Prácticas sobre la Protección de las Personas Privadas de Libertad, Principio XXII (3). Y la Declaración de Estambul sobre el Uso y Efectos del Confinamiento Solitario, adoptada el 9 de diciembre de 2007, disponible en: http://solitaryconfinement.org/uploads/Istanbul_expert_statement_on_sc.pdf.

[360] WHO, *Health in Prisons: a WHO guide to the essentials in prison health*, 2007, pág. 8.

un examen médico inicial a toda persona que ingresa en un centro de privación de libertad[361], en el cual se debe observar si el recluso representa un peligro para sí mismo[362]; y el deber del Estado de proveer servicios de salud mental siempre que la situación personal del recluso lo amerite[363], obligación que se deriva también del artículo 5 de la Convención Americana (véase a este respecto el Capítulo V del presente informe).

322.   De acuerdo con las directrices vigentes de la Organización Mundial de la Salud, todo programa de prevención de suicidios en centros de privación de libertad debe contener los elementos siguientes[364]:

(a)   entrenamiento adecuado del personal penitenciario (de salud y de custodia) en la detección y tratamiento de posibles casos de suicidios;

(b)   la práctica de exámenes médicos al momento del ingreso de los reclusos, capaces de identificar posibles circunstancias de propensión al suicidio;

(c)   el establecimiento de políticas y procedimientos claramente articulados para la supervisión continua y el tratamiento de internos que se consideran están en riesgo de suicidarse;

(d)   el monitoreo adecuado durante la noche y en los cambios de guardia, y de aquellos internos sometidos a régimen de aislamiento como medida disciplinaria;

(e)   la promoción de la interacción de los internos entre sí, con sus familiares y con el mundo exterior;

(f)   el mantenimiento de un entorno físico seguro que reduzca las posibilidades de emplear mecanismos para el suicidio; en el que, por ejemplo, se eliminen o reduzcan los puntos de colgamiento y el acceso de los reclusos a materiales letales; y en el que se adopten medios de vigilancia eficientes (aunque en la práctica éstos nunca deberán sustituir a la vigilancia personalizada);

---

[361] Reglas Mínimas para el Tratamiento de Reclusos, (Regla 24); Conjunto de Principios para la Protección de Todas las Personas Sometidas a Cualquier Forma de Detención o Prisión, (Principio 24); Principios y Buenas Prácticas sobre la Protección de las Personas Privadas de Libertad en las Américas, (Principio IX(3)); y Reglas Mínimas para la Protección de los Menores Privados de Libertad, (Regla 50).

[362] WHO, *Health in Prisons: a WHO guide to the essentials in prison health*, 2007, págs. 24 y 25.

[363] Véase al respecto, Reglas Mínimas para el Tratamiento de Reclusos, (Reglas 22.1 y 25.1); Principios y Buenas Prácticas sobre la Protección de las Personas Privadas de Libertad en las Américas, (Principio X); y Reglas Mínimas para la Protección de los Menores Privados de Libertad, (Reglas 49 y 51). Las Reglas Penitenciarias Europeas son actualmente el único instrumento internacional que contiene una mención expresa a la especial atención que debe prestar el servicio médico de los lugares de detención a la prevención del suicidio (Regla 47.2).

[364] World Health Organization (WHO), *Preventing Suicide in Jails and Prisons*, (update 2007), págs. 9-21.

(g) el tratamiento de salud mental adecuado de aquellos internos que presentan un riesgo cierto de cometer suicidio, el cual deberá incluir la evaluación y atención de personal especializado y la provisión de psicofármacos; y

(h) el establecimiento de protocolos de procedimiento en casos de tentativas de suicidios; de los llamados "intentos manipuladores" (*manipulative attempts*), que pueden consistir en actos de autolesión; y en casos en que efectivamente ocurra un suicidio.

323. En definitiva, las autoridades bajo cuya custodia se encuentran las personas privadas de libertad deben realizar todos los esfuerzos necesarios para resguardar la vida e integridad personal de éstos y prevenir la ocurrencia de suicidios en las cárceles[365]. Adicionalmente, la CIDH considera que como parte de una política penitenciaria integral, los Estados deben identificar aquellos centros de privación de libertad en los que registren tasas inusualmente altas de suicidios y adoptar las medidas necesarias para revertir esa situación, lo cual deberá incluir una investigación exhaustiva de sus causas.

324. Las cárceles son un ambiente cerrado en el que la persona privada de libertad está bajo el control absoluto del Estado, y en muchos casos a merced de otros reclusos. Por lo tanto, es posible que la muerte de un interno que a simple vista pudiera considerarse un suicidio haya sido producida intencionalmente por un tercero. Por lo cual, el Estado debe asegurar que estos hechos sean efectivamente investigados y que no se utilice la calificación de suicidio como una vía rápida para ocultar muertes cuya causa fue otra. Las autoridades responsables de la investigación de la muerte de una persona en custodia del Estado deben ser independientes de los implicados en el hecho; ello significa independencia jerárquica o institucional, así como independencia práctica[366].

325. La Comisión Interamericana reitera que el Estado tiene el deber de investigar de oficio toda muerte de una persona ocurrida en un centro de privación de libertad[367]. Por lo tanto, el hecho de que existan elementos que inicialmente apunten a que se trate de un posible suicidio no exime a las autoridades competentes de emprender una

---

[365] CIDH, Informe No. 172/10, Caso 12.651, Fondo, César Alberto Mendoza y otros, Argentina, 2 de noviembre de 2010, párr. 276.

[366] CIDH, Informe No. 54/07, Petición 4614-02, Admisibilidad, Wilmer Antonio González Rojas, Nicaragua, 24 de julio de 2007, párr. 49; European Court of Human Rights, *Case of Sergey Shevchenko v. Ukraine*, (Application no. 32478/02), Judgment of April 4, 2006, Second Section, para. 64.

[367] A este respecto, la Corte Europea ha señalado en casos de suicidio que la obligación de investigar efectivamente "no se limita a casos en los que ha sido establecido que el asesinato fue causado por un agente del Estado. Tampoco es decisivo si miembros de la familia del fallecido u otros han presentado un reclamo formal sobre la muerte ante la autoridad de investigación competente. El solo hecho que las autoridades estuvieran informadas de la muerte de un individuo da lugar *ipso facto* a una obligación [...] de realizar una efectiva investigación sobre las circunstancias que rodearon la muerte". CIDH, Informe No. 54/07, Petición 4614-02, Admisibilidad, Wilmer Antonio González Rojas, Nicaragua, 24 de julio de 2007, párr. 51; European Court of Human Rights, *Case of Uçar v. Turkey*, (Application no. 52392/99), Judgment of April 11, 2006, Second Section, para. 90.

investigación seria e imparcial, en la que se sigan todas las líneas lógicas de investigación[368] tendientes a establecer si efectivamente fue el recluso quien atentó contra su vida, y que aún en este supuesto, si es que las autoridades fueron de alguna manera responsables por falta de prevención[369]. Cuando el Estado no cumple a cabalidad con este deber de investigación, se viola el derecho de los familiares de la víctima a un recurso efectivo para esclarecer los hechos y establecer las responsabilidades correspondientes (artículos 8 y 25 de la Convención Americana)[370].

F. **Recomendaciones**

326. Con respecto al respeto y garantía del derecho a la vida de las personas privadas de libertad, la CIDH reitera las recomendaciones formuladas en el Capítulo II del presente informe relativas a:

1. El mantenimiento del control efectivo de los centros de privación de libertad y a la prevención de hechos de violencia (véase *supra* párr. 259).

2. Al control judicial de la privación de la libertad (véase *supra* párr. 260).

3. El ingreso, registro y examen médico inicial de las personas privadas de libertad (véase *supra* párr. 261).

4. Al uso de la fuerza por parte de las autoridades encargadas de los centros de privación de libertad (véase *supra* párr. 264), y

5. Al derecho a la atención médica de las personas privadas de libertad (véase *infra* párr. 573)

327. Además, la CIDH recomienda:

6. Adoptar políticas de prevención de situaciones críticas como incendios y otras situaciones de emergencia. Estas políticas deberán contener como eje la capacitación del personal penitenciario y el establecimiento de protocolos y planes de acción en casos de situaciones críticas.

---

[368] A este respecto, la Corte ha establecido que: "Una debida diligencia en los procesos investigativos requiere que éstos tomen en cuenta la complejidad de los hechos, el contexto y las circunstancias en que ocurrieron y los patrones que explican su comisión, en seguimiento de todas las líneas lógicas de investigación". Corte I.D.H., *Caso Escué Zapata Vs. Colombia*. Fondo, Reparaciones y Costas. Sentencia de 4 de julio de 2007. Serie C No. 165, párr. 106.

[369] A este respecto véase también: CIDH, Informe No. 54/07, Petición 4614-02, Admisibilidad, Wilmer Antonio González Rojas, Nicaragua, 24 de julio de 2007, párr. 51; European Court of Human Rights, *Case of Trubnikov v. Rusia*, (Application no. 49790/99), Judgment of July 5, 2005, Second Section, para. 89.

[370] CIDH, Informe No. 172/10, Caso 12.651, Fondo, César Alberto Mendoza y otros, Argentina, 2 de noviembre de 2010, párrs. 277, 278, 279, 280, 281 y 282.

7. Asegurar que las estructuras físicas de los centros de privación de libertad se mantengan en condiciones tales que se reduzca al mínimo posible el riesgo de ocurrencia de incendios y otros accidentes que puedan poner en peligro la vida de los internos. En particular, eliminar el hacinamiento y la sobrepoblación, de forma tal que se asegure que los establecimientos de privación de libertad no alojen más personas de las que pueden albergar en condiciones de seguridad.

8. Asegurar el mantenimiento y supervisión regular de las instalaciones eléctricas de los centros de privación de libertad, y ejercer los controles necesarios del ingreso y conexión de aparatos electrónicos en las diferentes celdas o secciones.

9. Dotar a los centros de privación de libertad, de acuerdo con sus características, de los dispositivos y medios necesarios para prevenir y hacer frente a incendios y otras situaciones de emergencia. En particular, de vías de evacuación adecuadas, alarmas, extinguidores.

10. Adoptar las medidas necesarias para educar y crear conciencia en la población reclusa acerca de la necesidad de prevenir incendios, y de aquellas conductas que pueden ocasionarlos. Además, ejercer una supervisión adecuada de las divisiones internas con mantas, cortinas y otras improvisaciones que hacen los propios internos y que pueden aumentar el riesgo de incendios. En aquellos países con climas fríos, los Estados deben asegurar las condiciones óptimas de detención, y que los internos no se vean forzados a depender de calentadores o estufas individuales.

11. Adoptar programas de prevención de suicidios de acuerdo con las directrices vigentes de la Organización Mundial de la Salud, poniendo particular énfasis en las medidas relativas a la capacitación del personal penitenciario, en la atención a niños y adolescentes privados de libertad, y en la aplicación de medidas disciplinarias como el aislamiento celular, de acuerdo con lo establecido en el presente capítulo.

12. Iniciar de oficio investigaciones, serias, imparciales y diligentes de los incendios y otras situaciones de emergencia que se produzcan en los centros de privación de libertad, en los que se haya afectado o puesto en riesgo la vida e integridad personal de las personas.

13. Iniciar de oficio investigaciones, serias, imparciales y diligentes de todas las muertes que ocurran en centros de privación de libertad independientemente de su causa. Estas investigaciones deberán estar dirigidas a establecer la responsabilidad penal de los autores del hecho, así como el eventual grado de responsabilidad por omisión de aquellas autoridades y funcionarios vinculados a los hechos.

14. Este deber de investigar y sancionar se extiende también a aquellos casos que puedan catalogarse como suicidios, muertes naturales, muertes accidentales, o muertes producidas por conflictos entre internos.

15. Establecer mecanismos de auditoría y monitoreo externo de la función del manejo y tramitación de los procesos penales y administrativos iniciados por hechos de violencia carcelaria, a fin de detectar y combatir la impunidad estructural.

16. Asegurar que los policías y agentes penitenciarios acusados de homicidios sean reasignados mientras duren los procesos correspondientes en los que se establezca su responsabilidad, a puestos que no sean de supervisión directa de personas privadas de libertad.

17. Asegurar que las autoridades competentes de investigar las muertes de personas privadas de libertad sigan la metodología y directrices establecidas en los *principios relativos a una eficaz prevención e investigación de las ejecuciones extrajudiciales, arbitrarias o sumarias* de la Organización de las Naciones Unidas.

18. Adoptar las medidas necesarias para que todo proceso relativo a la muerte de una persona privada de libertad sea tramitado y decidido por la justicia penal ordinaria.

IV.   DERECHO A LA INTEGRIDAD PERSONAL

A.   Estándares fundamentales

328.   El derecho a la integridad personal, al igual que el derecho a la vida, es un derecho humano fundamental y básico para el ejercicio de todos los otros derechos. Ambos constituyen mínimos indispensables para el ejercicio de cualquier actividad[371]. Así, y como ya se ha subrayado, el Estado se encuentra en una posición de garante frente a las personas sometidas a su custodia, lo que implica para éste un deber especial de respeto y garantía de los derechos humanos de los reclusos, en particular sus derechos a la vida e integridad personal. En este sentido, la CIDH subrayó en su Informe sobre Seguridad Ciudadana que:

> [L]a actividad de la fuerza pública legítimamente orientada a la protección de la seguridad ciudadana es esencial en la consecución del bien común en una sociedad democrática. Al mismo tiempo, el abuso de autoridad policial en el ámbito urbano se ha constituido en uno de los factores de riesgo para la seguridad individual. Los derechos humanos como límites al ejercicio arbitrario de la autoridad constituyen un resguardo esencial para la seguridad ciudadana al impedir que las herramientas legales con las que los agentes del Estado cuentan para defender la seguridad de todos, sean utilizadas para avasallar derechos[372].

329.   Este análisis del derecho a la integridad personal de los reclusos se complementa con lo presentado en otros capítulos del presente informe, en los que se analizan aspectos también relacionados al goce efectivo de este derecho, como por ejemplo dedicado al deber del Estado de brindar atención médica a las personas privadas de libertad.

330.   En el Sistema Interamericano el derecho a la integridad personal está prescrito principalmente en los artículos I, XXV y XXVI de la Declaración Americana y el artículo 5 de la Convención Americana, que disponen:

Declaración Americana

Artículo I. Todo ser humano tiene derecho a la vida, a la libertad y a la seguridad de su persona.

Artículo XXV. [...] Todo individuo que haya sido privado de su libertad [...] tiene derecho a un tratamiento humano durante la privación de su libertad.

---

[371] CIDH, *Democracia y Derechos Humanos en Venezuela*, Cap. VI, párr. 667.

[372] CIDH, *Informe sobre Seguridad Ciudadana y Derechos Humanos*, párr. 24.

Artículo XXVI. Toda persona acusada de delito tiene derecho [...] a que no se le imponga penas crueles, infamantes o inusitadas.

Convención Americana

Artículo 5

(1) Toda persona tiene derecho a que se respete su integridad física, psíquica y moral. (2) Nadie debe ser sometido a torturas ni a penas o tratos crueles, inhumanos o degradantes. Toda persona privada de libertad será tratada con el respeto debido a la dignidad inherente al ser humano. (3) La pena no puede trascender de la persona del delincuente. (4) Los procesados deben estar separados de los condenados, salvo en circunstancias excepcionales, y serán sometidos a un tratamiento adecuado a su condición de personas no condenadas. (5) Cuando los menores puedan ser procesados, deben ser separados de los adultos y llevados ante tribunales especializados, con la mayor celeridad posible, para su tratamiento. (6) Las penas privativas de la libertad tendrán como finalidad esencial la reforma y la readaptación social de los condenados.

331.   Es tal la importancia que la Convención Americana le concede al derecho a la integridad personal, que no solo establece su inderogabilidad en caso de guerra, de peligro público o de otras emergencias que amenacen la independencia o seguridad del Estado (artículo 27); sino que no dispone excepciones específicas a su aplicación[373]. En definitiva, el derecho a la integridad personal no puede ser suspendido bajo circunstancia alguna. La garantía del respeto por la integridad personal de todos los individuos en las Américas, independientemente de sus circunstancias particulares, es uno de los propósitos fundamentales de la Convención y del artículo 5 en particular[374].

332.   Asimismo, si bien la Declaración Americana no contiene una disposición general sobre el derecho a un trato humano, la Comisión ha interpretado el artículo I de dicha Declaración en el sentido de que contiene una prohibición similar a la de la Convención Americana. En efecto, la CIDH ha especificado que un aspecto esencial del derecho a la seguridad personal es la absoluta prohibición de la tortura, norma perentoria del derecho internacional que crea obligaciones *erga omnes*, calificando la prohibición de la tortura como una norma de derecho imperativo (*ius cogens*)[375].

---

[373] En el mismo sentido se manifestó el Comité de Derechos Humanos de la ONU con respecto al régimen jurídico establecido por los artículos 4 y 7 del Pacto Internacional de Derechos Civiles y Políticos. ONU, Comité de Derechos Humanos, *Observación General No. 20: Prohibición de la tortura u otros tratos o penas crueles, inhumanos o degradantes (artículo 7)*, adoptado en el 44º periodo se sesiones (1992), párr. 3. En *Recopilación de las Observaciones Generales y Recomendaciones Generales Adoptadas por Órganos Creados en Virtud de Tratados de Derechos Humanos Volumen I*, HRI/GEN/1/Rev.9 (Vol. I) adoptado el 27 de mayo de 2008, pág. 239.

[374] CIDH, Informe No. 50/01, Caso 12.069, Fondo, Damion Thomas, Jamaica, 4 de abril de 2001, párr. 36.

[375] CIDH, *Informe sobre Terrorismo y Derechos Humanos*, párr. 155; CIDH, *Informe sobre la Situación de los Derechos Humanos de los Solicitantes de Asilo en el Marco del Sistema Canadiense de Determinación de la Condición de Refugiado*, OEA/Ser.L/V/II.106. Doc. 40 rev., adoptado el 28 de febrero de 2000, párrs. 118 y 154.

333.   Asimismo, los Principios y Buenas Prácticas disponen que se protegerá a las personas privadas de libertad, "contra todo tipo de amenazas y actos de tortura, ejecución, desaparición forzada, tratos o penas crueles, inhumanos o degradantes, violencia sexual, castigos corporales, castigos colectivos, intervención forzada o tratamiento coercitivo, métodos que tengan como finalidad anular la personalidad o disminuir la capacidad física o mental de la persona" (Principio I). Se señala además, la inderogabilidad de esta disposición y el deber del Estado de tratar a toda persona privada de libertad de acuerdo con el principio del trato humano[376].

334.   Estas disposiciones reflejan derechos humanos similares a los garantizados en virtud de otros instrumentos internacionales, como la Declaración Universal de los Derechos Humanos (artículos 3 y 5); el Pacto Internacional de Derechos Civiles y Políticos (artículos 7 y 10); la Convención Europea sobre Derechos Humanos (artículo 3); Convención de la ONU sobre los Derechos del Niño (artículo 37); la Carta Africana de Derechos Humanos (artículos 4 y 5); el Conjunto de Principios para la Protección de Todas las Personas Sometidas a Cualquier Forma de Detención o Prisión (Principio 6); y la Declaración de la ONU sobre la Protección de Todas las Personas contra la Tortura y Otros Tratos o Penas Crueles, Inhumanos o Degradantes (artículos 2 y 3).

335.   Tanto la Corte[377], como la Comisión[378], han manifestado consistentemente que se ha conformado un régimen jurídico internacional de prohibición absoluta de todas las formas de tortura, prohibición que pertenece hoy día al dominio del *ius cogens.* En este sentido, y específicamente con respecto a las personas en custodia del Estado, la Convención Interamericana para Prevenir y Sancionar la Tortura establece, que "[n]i la peligrosidad del detenido o penado, ni la inseguridad del establecimiento carcelario o penitenciario pueden justificar la tortura" (artículo 5).

336.   La Comisión considera que esta prohibición perentoria de todas las formas de tortura es complementada por el deber del Estado de tratar a toda persona privada de libertad con humanidad y respeto de su dignidad. En efecto, las personas privadas de libertad no sólo no pueden ser sometidas a torturas o tratos crueles,

---

[376] La CIDH, en diversas circunstancias, ha otorgado medidas cautelares para proteger a personas privadas de libertad que se alegaban estaban siendo víctimas de torturas o tratos crueles, inhumanos y degradantes. Así por ejemplo, el 12 de marzo de 2002, la CIDH dictó medidas cautelares (MC-259-02) a favor de los aproximadamente 254 detenidos llevados a la Base Naval de Guantánamo a partir del 11 de enero de 2002. Posteriormente, el 21 de marzo de 2006 y el 20 de agosto de 2008, la CIDH dictó medidas cautelares para proteger respectivamente a los señores Omar Khdar (MC-8-06) y Djamel Ameziane (MC-211-08), detenidos también en la base naval de Guantánamo.

[377] La Corte Interamericana estableció esta valoración de la prohibición internacional de la tortura a partir del caso Cantoral Benavides, y comenzó a referirse a que la misma pertenecía al dominio del *ius cogens*, en su sentencia del caso Maritza Urritia. Véase, Corte I.D.H., *Caso Cantoral Benavides Vs. Perú.* Sentencia de 18 de agosto de 2000. Serie C No. 69, párrs. 102 y 103; Corte I.D.H., *Caso Maritza Urrutia Vs. Guatemala.* Sentencia de 27 de noviembre de 2003. Serie C No. 103, párr. 92. Véase además, Corte I.D.H., *Caso Bueno Alves Vs. Argentina.* Sentencia de 11 de mayo de 2007. Serie C. No. 164, párr. 77; en el cual la Corte hace un análisis más abarcador de los numerosos instrumentos internacionales que contienen tal prohibición, incluso en el ámbito del derecho internacional humanitario.

[378] Véase entre otros, CIDH, *Democracia y Derechos Humanos en Venezuela*, Cap. VI, párr. 707; CIDH, *Quinto Informe sobre la Situación de los Derechos Humanos en Guatemala*, Cap. VI, párr. 8.

inhumanos y degradantes, sino tampoco a penurias o a restricciones que no sean las que resulten inevitablemente de la privación de libertad[379].

337. A este respecto, la CIDH indicó en su Informe sobre la Situación de los Derechos Humanos en Bolivia (2007):

> Las personas recluidas en las cárceles sufren limitaciones necesarias por el hecho de la privación de libertad. Sin embargo, conservan y tienen el derecho de ejercitar sus derechos fundamentales reconocidos por el derecho nacional e internacional, independientemente de su situación jurídica o del momento procesal en que se encuentren, en particular su derecho a ser tratadas humanamente y con el respeto debido a la dignidad inherente al ser humano[380].

En el mismo sentido, y en el contexto del seguimiento a la situación de las personas privadas de libertad en Cuba, la CIDH subrayó:

> [R]esulta fundamental que la privación de libertad tenga objetivos bien determinados, que no puedan ser excedidos por la actividad de las autoridades penitenciarias ni aún bajo el manto del poder disciplinario que les compete y por tanto, el recluso no deberá ser marginado ni discriminado sino reinsertado en la sociedad. En otras palabras, la práctica penitenciaria deberá cumplir un principio básico: no debe añadirse a la privación de libertad mayor sufrimiento del que ésta representa. Esto es, que el preso deberá ser tratado humanamente, con toda la magnitud de la dignidad de su persona, al tiempo que el sistema debe procurar su reinserción social[381].

338. Los órganos del Sistema Interamericano han establecido que el contenido y alcances del término "tortura" referido en el artículo 5.2 de la Convención Americana debe ser interpretado de acuerdo con la definición establecida en el artículo 2 de la Convención Interamericana para Prevenir y Sancionar la Tortura[382], que define tortura como:

---

[379] A este respecto las Reglas Mínimas para el Tratamiento de Reclusos disponen, "[l]a prisión y las demás medidas cuyo efecto es separar a un delincuente del mundo exterior son aflictivas por el hecho mismo de que despojan al individuo de su derecho a disponer de su persona al privarle de su libertad. Por lo tanto, a reserva de las medidas de separación justificadas o del mantenimiento de la disciplina, el sistema penitenciario no debe agravar los sufrimientos inherentes a tal situación (Regla 57).

[380] CIDH, *Acceso a la Justicia e Inclusión Social: El Camino hacia el Fortalecimiento de la Democracia en Bolivia*, Cap. III, párr. 15.

[381] CIDH, *Informe Anual 2002*, Capítulo IV, Cuba, OEA/Ser.L/V/II.117, Doc. 1 Rev. 1, adoptado el 7 de marzo de 2003, párr. 73; y CIDH, *Informe Anual 2001*, Capítulo IV(c), Cuba, OEA/Ser.L/V/II.114, Doc. 5 Rev., adoptado el 16 de abril de 2002, párr. 76.

[382] Corte I.D.H., *Caso Tibi Vs. Ecuador*. Sentencia de 7 de septiembre de 2004. Serie C No. 114, párr. 145.

[...] todo acto realizado intencionalmente por el cual se inflija a una persona penas o sufrimientos físicos o mentales, con fines de investigación criminal, como medio intimidatorio, como castigo personal, como medida preventiva, como pena o con cualquier otro fin. Se entenderá también como tortura la aplicación sobre una persona de métodos tendientes a anular la personalidad de la víctima o a disminuir su capacidad física o mental, aunque no causen dolor físico o angustia psíquica.

339.   La jurisprudencia del Sistema Interamericano al interpretar esta norma ha considerado que para que una conducta sea calificada como tortura deben concurrir los siguientes elementos: i) que sea un acto intencional; ii) que cause severos sufrimientos físicos o mentales; y iii) que se cometa con determinado fin o propósito[383]. La Corte Interamericana ha establecido que "las amenazas y el peligro real de someter a una persona a lesiones físicas produce, en determinadas circunstancias, una angustia moral de tal grado que puede ser considerada tortura psicológica"[384], o al menos tratamiento inhumano[385].

340.   Así, como ha sido interpretado también por el Relator sobre la Tortura de la ONU, los actos que no respondan cabalmente a la definición de tortura, en particular los actos que carezcan de los elementos de intencionalidad o que no hayan sido cometidos con un fin específico (deliberadamente), pueden constituir tratos o penas crueles, inhumanos o degradantes. Por ejemplo, los actos encaminados a humillar a la víctima constituyen un trato o pena degradante aun cuando no se haya infligido dolores graves[386].

341.   En este sentido, la Corte Interamericana, en armonía con la línea jurisprudencial de la Corte Europea, ha señalado que el análisis de la gravedad de los actos que puedan constituir tratos crueles, inhumanos o degradantes o tortura, es relativo y depende de todas las circunstancias del caso, tales como la duración de los tratos, sus efectos físicos y mentales y, en algunos casos, el sexo, edad y estado de salud de la víctima, entre otros[387]. Asimismo, la CIDH, siguiendo a la antigua Comisión Europea, ha considerado que un tratamiento debe tener un nivel mínimo de severidad para ser considerado

---

[383] Corte I.D.H., *Caso Bueno Alves Vs. Argentina*. Sentencia de 11 de mayo de 2007. Serie C. No. 164, párr. 79.

[384] Corte I.D.H., *Caso Cantoral Benavides Vs. Perú*. Sentencia de 18 de agosto de 2000. Serie C No. 69, párr. 102.

[385] Corte I.D.H., *Caso de los "Niños de la Calle" (Villagrán Morales y otros) Vs. Guatemala*. Sentencia de 19 de noviembre de 1999. Serie C No. 63, párr. 165.

[386] ONU, Relator Especial sobre la Tortura y otros Tratos Crueles, Inhumanos o Degradantes, *Informe presentado a la Comisión de Derechos Humanos* (hoy Consejo), E/CN.4/2006/6, adoptado el 16 de diciembre de 2005, párr. 35.

[387] Corte I.D.H., *Caso de los Hermanos Gómez Paquiyauri Vs. Perú*. Sentencia de 8 de julio de 2004. Serie C No. 110, párr. 113. En el mismo sentido, la Corte sostuvo en el caso *Loayza Tamayo* que "[l]a infracción del derecho a la integridad física y psíquica de las personas es una clase de violación que tiene diversas connotaciones de grado y que abarca desde la tortura hasta otro tipo de vejámenes o tratos crueles, inhumanos o degradantes cuyas secuelas físicas y síquicas varían de intensidad según los factores endógenos y exógenos que deberán ser demostrados en cada situación concreta". Corte I.D.H., *Caso Loayza Tamayo Vs. Perú*. Sentencia de 17 de septiembre de 1997. Serie C No. 33, párr. 57.

"inhumano o degradante"; y que la determinación de ese nivel mínimo se relaciona y desprende de las circunstancias particulares de cada caso[388].

342.   En su Informe sobre Terrorismo y Derechos Humanos la CIDH presenta un recuento de ejemplos de formas de tortura observadas en casos examinados, tanto en el Sistema Interamericano, como por otros mecanismos internacionales de protección, entre los que se mencionan[389]: la detención prolongada con incomunicación; el mantenimiento de detenidos encapuchados y desnudos bajo los efectos del pentotal; la aplicación de choques eléctricos; sumergir la cabeza de una persona en el agua hasta el punto de asfixia; pararse encima o caminar sobre las personas; las golpizas; el quemar cigarrillos en la piel; la violación; la privación de alimentos y agua; las amenazas de torturas o muerte; las amenazas de agresión a familiares; la exposición a la tortura de otras víctimas; las ejecuciones simuladas; la extracción de uñas, dientes, etc.; la suspensión; la sofocación; la exposición a la luz o ruido excesivo; la privación del sueño; el aislamiento sensorial; y el obligar a detenidos a permanecer de pie por periodos prolongados, entre otros.

343.   La Comisión considera que si bien el derecho a la integridad personal corresponde a toda persona en toda circunstancia, la prohibición absoluta de torturas, y tratos crueles, inhumanos y degradantes tiene una relevancia especial para proteger a aquellas personas que se encuentran en custodia o sometidas al poder de las autoridades del Estado. Es decir, el elemento que siempre está presente en los fundamentos de esta prohibición es el concepto de indefensión de la víctima[390]. De ahí que –como ya ha sido enfatizado en el presente informe– el Estado, tiene el deber especial de garantizar la vida e integridad personal de las personas bajo su custodia, lo que implica la adopción de medidas concretas que garanticen de manera efectiva el pleno goce de este derecho. En este sentido, la CIDH ha establecido que,

> [L]a responsabilidad del Estado en lo que respecta a la integridad de las personas bajo su custodia no se limita a la obligación negativa de abstenerse de torturar o maltratar a dichas personas. Siendo la prisión un lugar donde el Estado tiene control total sobre la vida de los reclusos, sus obligaciones hacia éstos incluyen, entre otras, las medidas de seguridad y control necesarias para preservar la vida e integridad personal de las personas privadas de libertad[391].

---

[388] Así por ejemplo, con respecto a Nicaragua en la década de los 80s. la CIDH consideró como formas de hostigamiento y humillación innecesarias hacia algunos reos, el obligarlos a cantar el himno Sandinista o asistir a tertulias políticas obligatorias. CIDH, *Informe sobre la Situación de los Derechos Humanos en Nicaragua*, OEA/Ser.L/V/II.53. Doc. 25, adoptado el 30 de junio de 1981, Cap. V, sección D, párr. 3.

[389] CIDH, *Informe sobre Terrorismo y Derechos Humanos*, párrs. 161-163.

[390] Véase en el mismo sentido, ONU, Relator Especial sobre la Tortura y otros Tratos Crueles, Inhumanos o Degradantes, *Informe presentado a la Comisión de Derechos Humanos* (hoy Consejo), E/CN.4/2006/6, adoptado el 16 de diciembre de 2005, párr. 40.

[391] CIDH, *Informe Anual 2009*, Capítulo IV, Cuba, OEA/Ser.L/II, Doc. 51 corr. 1, adoptado el 30 diciembre de 2009, párr. 274; CIDH, *Informe Anual 2008*, Capítulo IV, Cuba, OEA/Ser.L/II.134, Doc. 5 Rev.1, adoptado el 25 de febrero de 2009, párr. 193; CIDH, *Informe Anual 2007*, Capítulo IV, Cuba, OEA/Ser.L/II.130, Doc. 22 Rev.1, adoptado el 29 de diciembre de 2007, párr. 108.

Por lo cual el Estado deberá adoptar todas aquellas medidas necesarias para proteger a los reclusos de los ataques que puedan provenir de terceros, incluso de otros reclusos. Lo que implica la prevención de patrones de violencia carcelaria y agresiones entre internos, y en particular, la vigilancia adecuada y constante de los establecimientos penitenciarios y el mantenimiento de la seguridad y el orden internos.

344.   La garantía efectiva del derecho a la integridad personal de las personas privadas de libertad conlleva además el deber del Estado de investigar, sancionar y reparar toda violación a este derecho cometida en perjuicio de personas bajo su custodia. Esta obligación internacional tiene su fundamento en los artículos 1.1, 8 y 25 de la Convención Americana, y en los artículos 1, 6 y 8 de la Convención Interamericana para Prevenir y Sancionar la Tortura. En atención al contenido y alcances de estas normas, la Corte Interamericana ha establecido que "el Estado tiene el deber de iniciar de oficio e inmediatamente una investigación efectiva que permita identificar, juzgar y sancionar a los responsables, cuando existe denuncia o razón fundada para creer que se ha cometido un acto de tortura en violación del artículo 5 de la Convención Americana"[392].

345.   La Corte ha establecido además que la investigación y documentación eficaces de los casos de tortura y tratos crueles, inhumanos y degradantes, debe regirse por los principios de independencia, imparcialidad, competencia, diligencia y acuciosidad[393]. Esta investigación debe ser realizada por todos los medios legales disponibles, estar orientada a la determinación de la verdad[394], y conducirse dentro de un plazo razonable, lo cual debe ser garantizado por los órganos judiciales intervinientes[395]. Asimismo, a las autoridades judiciales corresponde el deber de garantizar los derechos del detenido, lo que implica la obtención y el aseguramiento de toda prueba que pueda acreditar alegados actos de tortura.

346.   De igual forma, el Estado debe garantizar la independencia del personal médico y de salud encargado de examinar y prestar asistencia a los privados de libertad de manera que puedan practicar libremente las evaluaciones médicas necesarias, respetando las normas establecidas en la práctica de su profesión[396].

---

[392] Corte I.D.H., *Caso Tibi Vs. Ecuador*. Sentencia de 7 de septiembre de 2004. Serie C No. 114, párr. 159. La Corte Interamericana ha adoptado una posición poco formalista en relación con el concepto de "denuncia" como presupuesto de la obligación del Estado de investigar de manera pronta e imparcial los posibles casos de tortura, llegando a considerar en el caso *Vélez Loor* que es suficiente con que la víctima o un tercero pongan en conocimiento a las autoridades. Corte I.D.H., *Caso Vélez Loor Vs. Panamá*. Sentencia de Excepciones Preliminares, Fondo, Reparaciones y Costas. Sentencia de 23 de noviembre de 2010. Serie. C. No. 218, párr. 240.

[393] Corte I.D.H., *Caso Bueno Alves Vs. Argentina*. Sentencia de 11 de mayo de 2007. Serie C. No. 164, párr. 108.

[394] Corte I.D.H., *Caso García Prieto y otros Vs. El Salvador*. Excepción Preliminar, Fondo, Reparaciones y Costas. Sentencia de 20 de noviembre de 2007. Serie C No. 168, párr. 101.

[395] Corte I.D.H., *Caso Bulacio Vs. Argentina*. Sentencia de 18 de septiembre de 2003. Serie C No. 100, párr. 114.

[396] Corte I.D.H., *Caso Cabrera García y Montiel Flores Vs. México*. Excepción Preliminar, Fondo, Reparaciones y Costas. Sentencia de 26 de noviembre de 2010. Serie C No. 220, párr. 135. En este sentido la Corte tomó como fundamento los párrs. 56, 60, 65, 66 y 76 del Protocolo de Estambul.

347. En el caso de las personas privadas de libertad, la Comisión Interamericana ha fijado un estándar más alto con relación al deber de investigar del Estado, al considerar que en estos casos las víctimas se encontraban en un espacio cerrado y controlado exclusivamente por agentes estatales, en circunstancias en las que es el Estado el que cuenta con el control de todos los medios probatorios para aclarar los hechos. Por lo que el estudio de toda alegación sobre inconvenientes o imposibilidades para establecer la identidad de los responsables debe ser estricto y riguroso[397].

348. En particular, la CIDH ha considerado que el Estado no puede justificar el incumplimiento de su deber de impulsar una investigación frente a denuncias de tortura, con base en que las víctimas no individualizaron a los autores del hecho. Particularmente en casos en los que las víctimas permanecen bajo custodia de los propios agentes Estatales. En este tipo de situaciones corresponde al Estado adoptar las medidas necesarias para que las víctimas puedan efectuar sus declaraciones en condiciones de seguridad. Corresponde a las autoridades encargadas de la investigación explorar todos los medios a su alcance para establecer lo sucedido, incluyendo la evaluación del posible temor por el cual las víctimas no se encuentran dispuestas a aportar la información solicitada. En definitiva, el Estado debe disponer los medios necesarios para eliminar cualquier fuente de riesgo para las víctimas como consecuencia de sus denuncias, y en suma, superar los obstáculos para continuar la investigación[398].

349. El Estado tiene en su posición de garante, tanto la responsabilidad de garantizar los derechos del individuo bajo su custodia, como la de proveer la información y las pruebas relacionadas con lo que le suceda a estas personas[399]. En estas circunstancias recae en el Estado la carga de la prueba[400]. Concretamente, el Estado debe dar una explicación satisfactoria de lo sucedido a una persona que presentaba condiciones físicas normales y estando bajo custodia de las autoridades ésta empeoró[401]. En ausencia de dicha explicación se debe presumir la responsabilidad estatal sobre lo que les ocurra a las personas bajo su custodia[402]. En consecuencia, existe una presunción de considerar responsable al Estado por las lesiones que exhibe una persona que ha estado bajo custodia de agentes estatales[403].

---

[397] CIDH, Informe No. 55/97, Caso 11.137, Fondo, Juan Carlos Abella, Argentina, 18 de noviembre de 1997, párr. 394.

[398] CIDH, Informe No. 172/10, Caso 12.651, Fondo, César Alberto Mendoza y otros, Argentina, 2 de noviembre de 2010, párr. 311.

[399] Corte I.D.H., *Caso Juan Humberto Sánchez Vs. Honduras*. Sentencia de 7 de junio de 2003. Serie C No. 99, párr. 111.

[400] Corte I.D.H., *Caso Neira Alegría y otros Vs. Perú*. Sentencia de 19 de enero de 1995. Serie C No. 20, párr. 65; CIDH, Informe No. 1/97, Caso 10.258, Fondo, Manuel García Franco, Ecuador, 18 de febrero de 1998, párrs. 63 y 68.

[401] Corte I.D.H., *Caso Bulacio Vs. Argentina*. Sentencia de 18 de septiembre de 2003. Serie C No. 100, párr. 127.

[402] Corte I.D.H., Asunto de la Cárcel de Urso Branco respecto Brasil, Resolución de la Corte Interamericana de Derechos Humanos de 18 de junio de 2002, Considerando 8.

[403] Corte I.D.H., *Caso Cabrera García y Montiel Flores Vs. México*. Excepción Preliminar, Fondo, Reparaciones y Costas. Sentencia de 26 de noviembre de 2010. Serie C No. 220, párr. 134.

350.   No existe conflicto entre la obligación estatal de investigar y sancionar a los responsables de violaciones a los derechos humanos y el derecho a las garantías judiciales de los acusados. En realidad, interactúan armónicamente legitimando el sistema judicial de un Estado respetuoso de los derechos humanos[404]. En este sentido, más allá del mandato específico de las normas relativas al derecho a la integridad personal y al deber del Estado de prevenir, sancionar e investigar la tortura, el derecho internacional de los derechos humanos establece el imperativo general y superior según el cual los Estados deben adoptar todas las medidas legislativas, administrativas, judiciales y de otro carácter para combatir y erradicar todas las formas de tortura, tratos crueles, inhumanos y degradantes. Estos actos son inadmisibles en toda sociedad democrática y no se justifica su empleo bajo ninguna consideración.

B.   Tortura con fines de investigación criminal[405]

351.   Como se analiza en el presente informe, son muchos los casos y circunstancias en los que las personas privadas de libertad pueden sufrir violaciones a su derecho a la integridad personal, tanto por parte de las propias autoridades, como de otros reclusos. Sin embargo, la CIDH ha observado a través de los años y hasta el presente, que la mayoría de los actos de tortura y tratos crueles, inhumanos y degradantes cometidos contra las personas en custodia del Estado ocurren durante el arresto y las primeras horas o días de la detención; en la gran mayoría de los casos se trata de actos de tortura con fines de investigación criminal. Este patrón ha sido ampliamente documentado, tanto por la Comisión y la Corte Interamericana, como por los distintos mecanismos de protección de la Organización de Naciones Unidas.

352.   Así por ejemplo, en su Quinto Informe sobre la Situación de los Derechos Humanos en Guatemala, la CIDH recibió información que evidenciaba la práctica reiterada por parte de los agentes de la policía de amenazar e intimidar a sospechosos en el momento del arresto y durante los interrogatorios. La CIDH observó la existencia de un patrón sistemático en los casos confirmados, que a menudo involucraban el encapuchamiento, golpizas, amenazas y otras agresiones contra los detenidos[406]. Posteriormente, en una audiencia temática celebrada en marzo de 2006, los peticionarios aportaron información según la cual persistía en Guatemala la práctica de someter a los detenidos a actos de tortura con fines de investigación criminal, sobre todo en supuestos casos de homicidio, robo agravado y narcotráfico[407].

---

[404] CIDH, Informe No. 55/97, Caso 11.137, Fondo, Juan Carlos Abella, Argentina, 18 de noviembre de 1997, párr. 397.

[405] Tanto la Convención Interamericana para Prevenir y Sancionar la Tortura (Art. 2), como la Convención contra la Tortura y otros Tratos o Penas Crueles, Inhumanos o Degradantes de la ONU (Art. 1), contemplan respectivamente como primera finalidad de la tortura la "investigación criminal" y "obtener de ella [de la persona detenida] o de un tercero información o una confesión".

[406] CIDH, *Quinto Informe sobre la Situación de los Derechos Humanos en Guatemala*, Cap. VI, párrs. 15-19.

[407] CIDH, Audiencia Temática: *Situación del sistema penitenciario en Guatemala*, 124º período ordinario de sesiones, solicitada por el Instituto de Estudios Comparados en Ciencias Penales de Guatemala, 6 de marzo de 2006.

353. En su visita *in loco* a República Dominicana la CIDH fue informada acerca de la práctica de la policía de someter a severas golpizas a los detenidos; en particular a aquellas personas acusadas de delitos menores y que son capturadas en operativos y redadas[408].

354. En su *Tercer Informe sobre la Situación de los Derechos Humanos en Paraguay*, la CIDH destacó que a pesar de que existe en el Estado diversa legislación que prohíbe la tortura, ésta sigue siendo un problema recurrente, tanto en los centros carcelarios, como en las comisarías, siendo los agentes policiales los principales responsables por los casos de tortura, los que en su mayoría se comenten en comisarías[409].

355. Asimismo, el Subcomité para la Prevención de la Tortura (SPT) constató durante su reciente misión a Paraguay que aún persiste en ese Estado la práctica extendida por parte de la policía de someter a los detenidos a torturas y malos tratos con el fin de obtener confesiones u otra información relacionada con la supuesta comisión de delitos. Estos actos generalmente tendrían lugar durante el arresto, el transporte a la comisaría o en la comisaría misma, y serían cometidos por policías uniformados o vestidos de civil. El SPT informó que siguen utilizándose métodos como el submarino seco (asfixia por medio de una bolsa de polietileno), desnudamientos, golpes en la tráquea, golpes de mano abierta en las orejas y la nuca, golpes en la planta de los pies (*falanga* o *pata pata*) y fuertes apretones en los testículos[410].

356. En su Informe de País de México de 1998, la CIDH subrayó que la mayoría de los casos de tortura y tratos crueles, inhumanos y degradantes se producen en el contexto de la procuración de justicia, principalmente durante la etapa de investigación previa de los delitos como método para obtener confesiones de los presuntos inculpados o para intimidarlos, siendo generalmente responsables de estos hechos los policías judiciales, tanto federales, como estaduales, el Ministerio Público y los miembros de las fuerzas armadas[411]. Este patrón general existente en México también ha sido observado en una cantidad importante de audiencias[412], peticiones y casos examinados por el Sistema

---

[408] CIDH, *Informe sobre la Situación de los Derechos Humanos en República Dominicana*, Cap. V, párr. 175.

[409] CIDH, *Tercer Informe sobre la Situación de los Derechos Humanos en Paraguay*, Cap. IV, párrs. 35 y 37.

[410] ONU, Subcomité para la Prevención de la Tortura, *Informe sobre la visita a Paraguay del SPT*, CAT/OP/PRY/1, adoptado el 7 de junio de 2010, párrs. 78-81 y 134-143. En el mismo sentido, el Relator sobre la Tortura de la ONU concluyó tras su misión a Paraguay que la tortura se sigue practicando ampliamente durante los primeros días de la detención preventiva para obtener confesiones. ONU, Relator Especial sobre la Tortura y otros Tratos o Penas Crueles, Inhumanos o Degradantes, Informe de la Misión a Paraguay, A/HRC/7/3/Add.3, adoptado el 1 de octubre de 2007, Cap. III: *Situación de la tortura y los malos tratos*, párr. 44.

[411] CIDH, *Informe sobre la Situación de los Derechos Humanos en México*, Cap. IV párrs. 305 y 308.

[412] Como parte del seguimiento a la situación de los derechos humanos en México, la CIDH ha realizado varias audiencias temáticas en las que ha seguido recibiendo información relativa a la práctica de la tortura con fines de investigación criminal en ese Estado, al respecto véase por ejemplo: CIDH, Audiencia Temática: *Situación de los derechos humanos de las personas en situación de arraigo en México*, 141º período ordinario de sesiones, solicitada por CMDPDH, (IDH)EAS, IMDHD, CCDH, COMDH, FIDH, CEJIL, 28 de marzo de 2011; CIDH, Audiencia Temática: *Tortura en México*, 127º período ordinario de sesiones, solicitada por el Colectivo contra la Tortura y la

Continúa...

Interamericano y ha sido objeto de reiterados pronunciamientos por parte de los mecanismos de derechos humanos de la ONU[413].

357.   En el mismo sentido, y una década después, el SPT informó que en todos los centros de detención visitados durante su misión a México recibió testimonios de personas que indicaron haber sido sometidas a algún tipo de maltrato físico y/o psicológico por parte de los agentes de la policía al momento de ser detenidas o en algún momento posterior a la detención. La mayor parte de estos actos de brutalidad policial habrían tenido lugar en descapados, zonas aisladas, durante el transporte en vehículos de la policía (en los que por lo general se lleva a los detenidos vendados) y en las propias instalaciones policiales. De acuerdo con la información obtenida por el SPT, los peores actos de brutalidad policial habrían sido cometidos contra personas en situación de arraigo, especialmente por mujeres sometidas a este régimen especial de detención[414].

358.   Otro de los Estados al que los órganos del Sistema Interamericano se han referido en varias ocasiones respecto a la práctica de actos de tortura con fines de investigación criminal es Ecuador. Al respecto, en su Informe sobre la Situación de los Derechos Humanos en Ecuador, la CIDH puso de manifiesto que la tortura y los malos tratos eran aplicados principalmente en el contexto de investigaciones criminales con el propósito de forzar confesiones, y que tales violaciones habían sido denunciadas a lo largo de todo el país. Entre los métodos utilizados por los miembros de las fuerzas de seguridad se registró el uso de la fuerza bruta, las golpizas, el sofocamiento con gas, el uso del "submarino" (inmersión de la víctima prácticamente hasta el punto de la sofocación), la aplicación de corriente eléctrica en varias partes del cuerpo, incluso en los genitales, y la privación de alimentos[415].

359.   Posteriormente y en el mismo sentido, el Grupo de Trabajo sobre las Detenciones Arbitrarias informó luego de su misión a Ecuador, que:

> Los malos tratos por parte de agentes de la Policía Judicial, incluyendo torturas, parecen ser comunes durante las primeras fases de la detención. El Comité contra la Tortura, en sus conclusiones y recomendaciones de 8 de febrero de 2006 (CAT/C/ECU/CO/3), menciona que el 70% de los detenidos en Quito habían denunciado haber sido

---

...continuación

Impunidad del programa de Derechos Humanos de la Universidad Iberoamericana; y la Comisión Mexicana de Derechos Humanos, 6 de marzo de 2007; CIDH, Audiencia Temática: *Información sobre hechos de tortura en México*, 116º período ordinario de sesiones, solicitada por ACAT; APT; CEJIL; Comisión Mexicana de Defensa y Promoción de los Derechos Humanos, 18 de octubre de 2002.

[413] Véase a este respecto, ONU, Comité contra la Tortura, *Informe sobre México preparado por el CAT, en el marco del artículo 20 de la Convención, y respuesta del gobierno de México*, CAT/C/75, adoptado el 25 de mayo de 2003; y ONU, Relator Especial sobre la Tortura y otros Tratos o Penas Crueles, Inhumanos o Degradantes, Informe de la Misión a México, E/CN.4/1998/38/Add.2, adoptado el 14 de enero de 1998.

[414] ONU, Subcomité para la Prevención de la Tortura, *Informe sobre la visita a México del SPT*, CAT/OP/MEX/1, adoptado el 27 de mayo de 2009, párrs. 108, 141, 142 y 266.

[415] CIDH, *Informe sobre la Situación de los Derechos Humanos en Ecuador*, Cap. V.

víctimas de tortura o malos tratos durante su detención (párr. 16). El objeto de estos tratamientos no sería solamente obtener confesiones forzadas o información, sino también infligir castigos y puniciones. El Grupo de Trabajo pudo observar a detenidos mostrando huellas visibles de torturas y malos tratos. La Policía Judicial parece actuar sin mayor control de parte de una institución externa y con total impunidad. Algunos internos denunciaron haber sido golpeados y torturados mientras eran interrogados en los calabozos de la Policía Judicial de Quito con un bastón o matraca que contenía la inscripción "derechos humanos"[416].

360. Asimismo, durante la visita de trabajo de la Relatoría de PPL a Ecuador, algunas organizaciones no gubernamentales indicaron que aún persisten las prácticas de torturas con fines de investigación criminal y de malos tratos cometidos por la policía[417]. Al respecto, la Federación de Mujeres de Sucumbíos indicó que en el Centro de Detención Provisional (CDP) de Lago Agrio se han reportado casos de malos tratos físicos y psicológicos (como la práctica del "submarino", los toques eléctricos en los genitales y las golpizas del detenido encapuchado). Asimismo, la Comisión Ecuménica de Derechos Humanos (CEDHU) señaló que es una práctica común que en los calabozos de la Policía Judicial y la Unidad Antinarcóticos se encuentren personas que han sido torturadas durante procesos de investigación. Según se informó, en muchos casos a estas personas no se les brinda atención médica a fin de que no queden evidencias de la tortura, y solamente son trasladados a los centros de reclusión a cargo del sistema penitenciario una vez que han desaparecido las huellas físicas.

361. Por otro lado, la CIDH también ha observado este tipo de prácticas en algunos países del Caribe. Así por ejemplo, en el Informe de Fondo No. 48/01, relativo a Bahamas, se estableció que dos de las víctimas fueron objeto de actos de violencia policial para hacerlos firmar confesiones sobre su complicidad en el delito de homicidio. En el caso de uno de ellos la policía le golpeó la cabeza contra un escritorio, le pegó en el oído, en el estómago y trató de estrangularlo; al otro le colocaron una bolsa de plástico en la cabeza, lo golpearon en las muñecas con un palo de bambú y le presionaron fuertemente los testículos[418].

362. Igualmente, en su Informe de Fondo No. 81/07, relativo a Guyana, la CIDH dio por probado que las víctimas fueron duramente golpeadas por la policía y que las confesiones obtenidas por este medio se recibieron como prueba en un proceso en el que se les condenó a pena de muerte[419].

---

[416] ONU, Grupo de Trabajo sobre Detenciones Arbitrarias, *Informe sobre Misión a Ecuador*, A/HRC/4/40/Add.2, adoptado el 26 de octubre de 2006, párr. 91.

[417] CIDH, Comunicado de Prensa 56/10 - Relatoría sobre Personas Privadas de Libertad culmina visita a Ecuador. Washington, D.C., 28 de mayo de 2010.

[418] CIDH, Informe No. 48/01, Casos 12.067, 12.068 y 12.086, Fondo, Michael Edwards, Omar Hall, Brian Schroeter y Jerónimo Bowleg, Bahamas, 4 de abril de 2001, párrs. 91 y 190.

[419] CIDH, Informe No. 81/07, Caso 12.504, Fondo, Daniel y Kornel Vaux, Guyana, 15 de octubre de 2007, párrs. 48-52.

363.   Otro ejemplo paradigmático del recurso a la tortura y otros tratos crueles, inhumanos y degradantes como medio de obtener información de los detenidos lo constituyen las prácticas llevadas a cabo contra los detenidos de la base naval de Guantánamo[420]. Muchas de las cuales fueron expresamente autorizadas por el Secretario de Defensa, como por ejemplo: el uso de posturas de tensión, el aislamiento, la privación sensorial, el afeitado y la desnudez forzada, la privación de elementos básicos de higiene y la explotación de las fobias de los detenidos (por ejemplo, el miedo a los perros) para causarles estrés[421]. Además de otras prácticas que de hecho se realizaban, como las golpizas, la privación de agua y alimentos, humillación sexual, exposición a música estridente, amenazas de fusilamientos, choques eléctricos, rociaduras con productos químicos, y el uso desproporcionado de la fuerza en requisas y por faltas disciplinarias menores, entre otros[422].

364.   Luego de un análisis general de la gran cantidad de información generada con respecto a los patrones de tortura con fines de investigación criminal en la región, la Comisión Interamericana considera que entre las principales causas que contribuyen a la persistencia de esta práctica se cuentan:

(a)   **La existencia de prácticas institucionales heredadas y una cultura de violencia firmemente arraigada en las fuerzas de seguridad del Estado.** La aceptación institucionalizada de que el maltrato a los detenidos constituye un procedimiento válido requiere de un sólido andamiaje de prevención de la tortura[423]. En el que la capacitación de los miembros de estos cuerpos de seguridad sea asumida con seriedad, y no meramente como un ejercicio mecánico y superficial para cumplir con el requisito. La efectiva vigencia de los derechos humanos requiere de un sistema en el que todos sus integrantes se formen con los principios relacionados con la democracia y los derechos humanos[424]. Este mensaje de respeto en las tareas de capacitación debe ir respaldado por un empeño por investigar

---

[420] A este respecto, y como ejemplo de un caso concreto, el 21 de mayo de 2006 la CIDH dictó medidas cautelares para proteger la vida e integridad personal de Omar Khdar (MC-8-06). Como parte del trámite de esta medida cautelar se llevó a cabo una audiencia en la sede la Comisión en la que los peticionarios indicaron que el señor Khdar estaría siendo procesado por una comisión militar en Guantánamo por un crimen presuntamente cometido en Afganistán, cuando contaba con 15 años de edad, y que durante su detención e interrogatorio por personal militar se le habría negado atención médica; habría permanecido esposado de pies y manos por períodos prolongados y mantenido en una celda con perros hostiles; habría recibido amenazas de violación sexual; y su cabeza habría sido cubierta con una bolsa de plástico. CIDH, Audiencia sobre la Medida Cautelar 8/06 – Omar Khdar, Estados Unidos, 124º período ordinario de sesiones, solicitada por la Clínica de Derechos Humanos de American University, 13 de marzo de 2006.

[421] ONU, Presidenta-Relatora del Grupo de Trabajo sobre la Detención Arbitraria, el Relator Especial sobre la Independencia de los Magistrados y Abogados, el Relator Especial sobre la Tortura y otros Tratos o Penas Crueles, Inhumanos o Degradantes y el Relator Especial sobre el Derecho de Toda Persona al Disfrute del Más Alto Nivel Posible de Salud Física y Mental, *Informe conjunto sobre la situación de los detenidos en la bahía de Guantánamo*, adoptado el 27 de febrero de 2006, párrs. 49 y 50.

[422] A este respecto véase por ejemplo, Physicians for Human Rights (PHR), *Broken Laws, Broken Lives: medical evidence of torture by US personnel and its impact*, 2008, disponible https://s3.amazonaws.com/PHR_Reports/BrokenLaws_14.pdf.

[423] A este respecto véase también, ONU, Subcomité para la Prevención de la Tortura, *Informe sobre la visita a Honduras del SPT*, CAT/OP/HND/1, adoptado el 10 de febrero de 2010, párrs. 81-83.

[424] CIDH, *Tercer Informe sobre la Situación de los Derechos Humanos en Paraguay*, Cap. IV, párr. 36.

las denuncias de tortura y malos tratos, y por procesar y sancionar a los responsables. Este tipo de actos requieren una condena oficial por parte de las autoridades, y que éstas envíen un mensaje homogéneo de que tales comportamientos serán repudiados por todos los medios administrativos, disciplinarios y penales[425]. Por otro lado, el empleo constante de la violencia por parte del personal penitenciario constituye una validación o aprobación institucional de la misma, lo que se relaciona con los altos índices de violencia entre los propios reclusos.

(b)   **La impunidad, la cual ha sido consistentemente definida por los órganos del Sistema Interamericano como: la falta en su conjunto de investigación, persecución, captura, enjuiciamiento y condena de los responsables de las violaciones a derechos humanos.** Es un hecho cierto y ampliamente constatado que la impunidad propicia la repetición crónica de las violaciones de derechos humanos y la total indefensión de las víctimas y de sus familiares. En este sentido, la CIDH subraya que el hecho de que la legislación del Estado sancione severamente los actos de tortura, no constituye *per se* garantía suficiente para cumplir con su obligación internacional de tomar medidas efectivas para sancionar dichos actos, si es que los órganos del referido Estado encargados de aplicar y ejecutar dicha ley lo hacen parcialmente o en contados casos[426]. Es preciso que en los hechos, los actos de tortura sean objeto de investigaciones efectivas que conduzcan al procesamiento y sanción de los responsables.

(c)   **La falta de dotación de recursos, equipos adecuados y capacitación técnica de los cuerpos de seguridad necesarios para ejercer sus funciones.** Es una realidad que en muchos países de la región las fuerzas policiales y de seguridad carecen de los medios adecuados para cumplir sus funciones en condiciones de eficiencia, y producir los resultados que les son exigidos por las autoridades civiles. Esto genera que en muchos casos los agentes de policía, ante la falta de medios y capacitación para la obtención de pruebas, recurran a la tortura y los tratos crueles, inhumanos y degradantes contra los detenidos como una vía rápida para obtener confesiones e información que supuestamente conduzca al esclarecimiento de los hechos delictivos[427]. Así, se genera una mecánica institucional en la que lo importante es producir resultados y presentar culpables ante la sociedad, para dar la impresión de que se cumplen los objetivos de la seguridad ciudadana. En definitiva, si bien la CIDH valora el imperativo de una policía eficiente, los estándares del Sistema Interamericano indican que esta finalidad no puede o debe lograrse a expensas de los derechos de los acusados bajo custodia[428].

---

[425] CIDH, *Quinto Informe sobre la Situación de los Derechos Humanos en Guatemala*, Cap. VI, párr. 20; ONU, Subcomité para la Prevención de la Tortura, *Informe sobre la visita a México del SPT*, CAT/OP/MEX/1, adoptado el 27 de mayo de 2009, párr. 62.

[426] CIDH, *Informe sobre la Situación de los Derechos Humanos en México*, Cap. IV párr. 327.

[427] A este respecto véase también, ONU, Relator Especial sobre la Tortura y otros Tratos o Penas Crueles, Inhumanos o Degradantes, Informe de la Misión a Paraguay, A/HRC/7/3/Add.3, adoptado el 1 de octubre de 2007, Cap. III: Situación respecto de la tortura y los malos tratos, párr. 61; ONU, Relator Especial sobre la Tortura y otros. Tratos o Penas Crueles, Inhumanos o Degradantes, Informe de la Misión a Venezuela, E/CN.4/1997/7/Add.3, adoptado el 13 de diciembre de 1996. párr. 77.

[428] CIDH, Informe No. 81/07, Caso 12.504, Fondo, Daniel y Kornel Vaux, Guyana, 15 de octubre de 2007, párr. 64.

(d)   **Las respuestas represivas del Estado –políticas de "mano dura" o "tolerancia cero"– frente a la percepción general de inseguridad pública, la cual redunda en la constante demanda por parte de la población de medidas siempre más enérgicas y con frecuencia más represivas frente al delito.** Esta sensación generalizada de temor en la que los medios de comunicación y el discurso político presenta la idea de que los derechos humanos son una forma de proteger a los delincuentes, puede traer como consecuencia una cierta aceptación social de la tortura y los tratos crueles, inhumanos y degradantes[429]. La experiencia de lo observado en los últimos años en la región indica además que el recurso a la tortura, a las detenciones arbitrarias, y a las legislaciones y prácticas represivas, no han sido eficaces para responder a la justificada demanda de seguridad ciudadana[430].

(e)   **El conceder valor probatorio a las confesiones o a información obtenida mediante el empleo de torturas o tratos crueles, inhumanos y degradantes.** La experiencia histórica de la CIDH a través del ejercicio de sus funciones contenciones, de protección y de la información obtenida en sus distintas actividades de monitoreo le ha permitido constatar que al otorgar efectos probatorios a las declaraciones extrajudiciales, o realizadas durante la etapa de investigación del proceso, se ofrece un aliciente a las prácticas de tortura, en cuanto la policía prefiere ahorrar esfuerzos de investigación, y obtener del propio inculpado la confesión de su crimen[431]. Por ello, los Estados deben asegurar que solamente las confesiones hechas o confirmadas ante la autoridad judicial se admitan como prueba contra un acusado[432].

365.   El derecho internacional de los derechos humanos contempla todo un marco jurídico de protección contra la tortura con fines de investigación criminal, cuya principal medida de prevención es la prohibición de la validez de toda prueba obtenida por este medio[433]. Así, la Convención Americana dispone que toda persona acusada de un

---

[429] ONU, Relator Especial sobre la Tortura y otros Tratos o Penas Crueles, Inhumanos o Degradantes, Informe de la Misión a Brasil, E/CN.4/2001/66/Add.2, adoptado el 30 de marzo de 2001, párrs. 10 y 14; ONU, Relator Especial sobre la Tortura y otros Tratos o Penas Crueles, Inhumanos o Degradantes, Informe de la Misión a México, E/CN.4/1998/38/Add.2, adoptado el 14 de enero de 1998, párr. 77; ONU, Relator Especial sobre la Tortura y otros Tratos o Penas Crueles, Inhumanos o Degradantes, Informe de la Misión a Venezuela, E/CN.4/1997/7/Add.3, adoptado el 13 de diciembre de 1996, párr. 83, ONU, Grupo de Trabajo sobre Detenciones Arbitrarias, *Informe sobre Misión a Ecuador,* A/HRC/4/40/Add.2, adoptado el 26 de octubre de 2006, párr. 101 (h).

[430] ONU, Grupo de Trabajo sobre Detenciones Arbitrarias, *Informe sobre Misión a Honduras,* A/HRC/4/40/Add.4, adoptado el 1 de diciembre de 2006, párr. 105; ONU, Grupo de Trabajo sobre Detenciones Arbitrarias, *Informe sobre Misión a Argentina,* E/CN.4/2004/3/Add.3, adoptado el 23 de diciembre de 2003, párr. 62.

[431] CIDH, *Informe sobre la Situación de los Derechos Humanos en México*, Cap. IV, párr. 311. Véase en el mismo sentido: ONU, Subcomité para la Prevención de la Tortura, *Informe sobre la visita a México del SPT,* CAT/OP/MEX/1, adoptado el 27 de mayo de 2009, párr. 144; y ONU, Subcomité para la Prevención de la Tortura, *Informe sobre la visita a Paraguay del SPT,* CAT/OP/PRY/1, adoptado el 7 de junio de 2010, párr. 79.

[432] ONU, Comité de Derechos Humanos, Examen de los informes presentados por los Estados partes en virtud del artículo 40 del Pacto, Conclusiones y recomendaciones del Comité de Derechos Humanos: México, CCPR/C/MEX/CO/5, adoptado el 7 de abril de 2010, párr. 14.

[433] Este marco legal está constituido por el artículo 10 de la Convención Interamericana para Prevenir y Sancionar la Tortura, que dispone que: "Ninguna declaración que se compruebe haber sido obtenida mediante tortura podrá ser admitida como medio de prueba en un proceso, salvo en el que se siga contra la persona o personas acusadas de haberla obtenido mediante actos de tortura y únicamente como prueba de que por ese

Continúa...

delito tiene derecho a no ser obligada a declarar contra sí mismo ni a declararse culpable (artículo 8.2.g); y que la confesión del inculpado solamente es válida si es hecha sin coacción de ninguna naturaleza (artículo 8.3), esta última disposición no se limita a los actos de "tortura o tratos o penas crueles inhumanos o degradantes", sino que se refiere a cualquier tipo de coacción[434]. A este respecto, la Corte Interamericana ha establecido que,

> [A]l comprobarse cualquier tipo de coacción capaz de quebrantar la expresión espontánea de la voluntad de la persona, ello implica necesariamente la obligación de excluir la evidencia respectiva del proceso judicial. Esta anulación es un medio necesario para desincentivar el uso de cualquier modalidad de coacción. [...] Asimismo, el carácter absoluto de la regla de exclusión se ve reflejado en la prohibición de otorgarle valor probatorio no sólo a la prueba obtenida directamente mediante coacción, sino también a la evidencia que se desprende de dicha acción[435].

366.   Para que esta regla de la exclusión funcione realmente como una garantía judicial propia del derecho al debido proceso y como mecanismo de prevención de la tortura, es fundamental que sea instrumentalizada de forma tal que recaiga en las autoridades competentes, y no en las víctimas, la carga de probar que la confesión o las declaraciones fueron voluntarias[436]. En la mayoría de los casos las víctimas de tortura se encuentran en una posición tal que les resultaría materialmente imposible o extremadamente difícil probar la ocurrencia de este tipo de actos, debido a las condiciones mismas de reclusión y su propia indefensión[437]. Por ello, ante una declaración o testimonio en que existe algún indicio o presunción fundada, de que la misma fue obtenida por algún

---

...continuación

medio el acusado obtuvo tal declaración"; el artículo 15 de la Convención contra la Tortura y otros Tratos o Penas Crueles, Inhumanos o Degradantes; el artículo 14.3 del Pacto Internacional de Derechos Civiles y Políticos; el Principio V de los Principios y Buenas Prácticas sobre los Derechos de las Personas Privadas de Libertad en las Américas; el Principio 21.1 del Conjunto de Principios para la Protección de Todas las Personas Sometidas a Cualquier Forma de Detención o Prisión, y el artículo 12 de la Declaración de la ONU sobre la Protección de Todas las Personas contra la Tortura y otros Tratos o Penas Crueles, Inhumanos o Degradantes.

[434] Corte I.D.H., *Caso Cabrera García y Montiel Flores Vs. México*. Excepción Preliminar, Fondo, Reparaciones y Costas. Sentencia de 26 de noviembre de 2010. Serie C No. 220, párr. 166.

[435] Corte I.D.H., *Caso Cabrera García y Montiel Flores Vs. México*. Excepción Preliminar, Fondo, Reparaciones y Costas. Sentencia de 26 de noviembre de 2010. Serie C No. 220, párrs. 166 y 167. Véase en el mismo sentido: ONU, Comité de Derechos Humanos, *Observación General No. 32: El derecho a un juicio imparcial y a la igualdad ante los tribunales y cortes de justicia* (2007), párr. 6. En *Recopilación de las Observaciones Generales y Recomendaciones Generales Adoptadas por Órganos Creados en Virtud de Tratados de Derechos Humanos Volumen I*, HRI/GEN/1/Rev.9 (Vol. I) adoptado el 27 de mayo de 2008, pág. 297.

[436] Corte I.D.H., *Caso Cabrera García y Montiel Flores Vs. México*. Excepción Preliminar, Fondo, Reparaciones y Costas. Sentencia de 26 de noviembre de 2010. Serie C No. 220, párrs. 136 y 176; ONU, Comité de Derechos Humanos, *Examen de los informes presentados por los Estados partes en virtud del artículo 40 del Pacto, Conclusiones y recomendaciones del Comité de Derechos Humanos: México*, CCPR/C/MEX/CO/5, adoptado el 7 de abril de 2010, párr. 14.

[437] ONU, Subcomité para la Prevención de la Tortura, *Informe sobre la visita a México del SPT*, CAT/OP/MEX/1, adoptado el 27 de mayo de 2009, párr. 39.

tipo de coacción, ya sea física o psicológica, corresponde a los órganos jurisdiccionales competentes determinar si realmente existió tal coacción[438].

367.   La CIDH subraya que como medida de prevención de los actos de coerción durante las investigaciones, los Estados deben asegurar que en el adiestramiento de agentes de la policía y de otros funcionarios responsables de la custodia de personas privadas de libertad se ponga especial énfasis en la prohibición del empleo de la tortura[439], los tratos crueles, inhumanos y degradantes, y de toda forma de coerción.

368.   Asimismo, los Estados deben adoptar protocolos y reglamentos en los que se disponga, entre otras cosas:

(a)   el establecimiento de registros en los que se consigne la fecha, hora, lugar, duración en la que se realizó el interrogatorio, así como la identificación de todas las autoridades intervinientes en el mismo;

(b)   el acceso de la persona interrogada o su abogado a estos registros[440];

(c)   que las personas legalmente detenidas no permanezcan bajo la vigilancia de los interrogadores o investigadores más allá del plazo establecido en la ley para que la autoridad judicial competente determine la aplicación o no de la detención preventiva[441];

(d)   que en los interrogatorios de mujeres detenidas esté presente personal de seguridad femenino[442]; y

---

[438] CIDH, *Informe sobre la Situación de los Derechos Humanos en México*, Cap. IV, párr. 39.

[439] La obligación de capacitar a estos cuerpos de seguridad en la prohibición específica del uso de la tortura durante los interrogatorios está establecida en el artículo 7 de la Convención Interamericana para Prevenir y Sancionar la Tortura; y el artículo 10.1 de la Convención de las Naciones Unidas contra la Tortura y otros Tratos o Penas Crueles, Inhumanos o Degradantes. Véase además, como ejemplo del establecimiento de la responsabilidad internacional del Estado por violación de estas normas: CIDH, Informe No. 35/08, Caso 12.019, Fondo, Antonio Ferreira Braga, Brasil, 18 de julio de 2008, párrs. 121-122.

[440] Véase a este respecto, el Conjunto de Principios para la Protección de Todas las Personas Sometidas a Cualquier Forma de Detención o Prisión, (Principio 23).

[441] ONU, Relator Especial sobre la Tortura y otros Tratos Crueles, Inhumanos o Degradantes, *Informe anual presentado a la Comisión de Derechos Humanos* (hoy Consejo), E/CN.4/2004/56, adoptado el 23 de diciembre de 2003, párr. 34.

[442] ONU, Relator Especial sobre la Tortura y otros Tratos Crueles, Inhumanos o Degradantes, *Informe presentado a la Comisión de Derechos Humanos* (hoy Consejo), E/CN.4/1995/34, adoptado el 12 de enero de 1995, párr. 24. De acuerdo con la experiencia del Relator sobre la Tortura de la ONU, el interrogatorio y la custodia de mujeres por personal exclusivamente masculino crean unas condiciones que pueden ser propicias para que se produzcan violaciones y abusos sexuales contra las reclusas, se las amenace con esos actos o ellas sientan temor a que se produzcan.

(e)   el examen periódico de las normas, instrucciones, métodos y prácticas de interrogatorios, a fin de detectar y erradicar posibles prácticas contrarias al derecho a la integridad personal y a las garantías judiciales de los detenidos[443].

369.   Con respecto al empleo de los interrogatorios como forma de investigación criminal, la CIDH concuerda con el criterio sostenido por el Relator sobre la Tortura de la ONU, de que las técnicas de investigación incluyan, entre otras cosas:

[L]a capacidad de reunir todas las pruebas necesarias en un caso antes de interrogar al sospechoso; planificar el interrogatorio tomando las pruebas como base para que resulte eficaz; considerar el interrogatorio más como un medio de reunir más información o pruebas que como una forma de obtener una confesión; realizar el interrogatorio de forma que se respeten los derechos de los sospechosos; analizar la información obtenida durante el interrogatorio y realizar todas las investigaciones complementarias sobre el caso a que dé pie dicho análisis; y cotejar toda declaración o confesión realizada por el sospechoso con las pruebas disponibles [...][444].

La prohibición absoluta del empleo de la tortura y de los tratos o penas crueles, inhumanos o degradantes se aplica ante todo en los interrogatorios llevados a cabo por funcionarios públicos, así trabajen en los cuerpos de policía, el ejército o los servicios de inteligencia[445].

370.   El recurso a la tortura y a los tratos crueles, inhumanos y degradantes como método de investigación de los delitos además de constituir una violación al derecho a la integridad personal y a las garantías judiciales de personas concretas, es en definitiva un atentado contra el propio Estado de Derecho y la esencia misma de toda sociedad democrática en la que por definición deben respetarse los derechos de todas las personas.

C.   Régimen o sistema disciplinario

1.   Aspectos fundamentales[446]

371.   El régimen o sistema disciplinario es uno de los mecanismos con que cuenta la administración para asegurar el orden en los centros de privación de libertad, el

---

[443] Véase al respecto, artículo 6 de la Declaración de la ONU sobre la Protección de Todas las Personas contra la Tortura y otros Tratos o Penas Crueles, Inhumanos o Degradantes.

[444] ONU, Relator Especial sobre la Tortura y otros Tratos Crueles, Inhumanos o Degradantes, *Informe anual presentado a la Comisión de Derechos Humanos* (hoy Consejo), E/CN.4/2004/56, adoptado el 23 de diciembre de 2003, párr. 35.

[445] ONU, Relator Especial sobre la Tortura y otros Tratos Crueles, Inhumanos o Degradantes, *Informe presentado a la Comisión de Derechos Humanos* (hoy Consejo), E/CN.4/2006/6, adoptado el 16 de diciembre de 2005, párr. 41.

[446] El tema de las sanciones disciplinarias en el caso de niños, niñas y adolescentes privados de libertad es ampliamente desarrollado por la CIDH en: *Justicia Juvenil y Derechos Humanos en las Américas*, párrs. 547-570.

cual debe ser mantenido tomando en cuenta los imperativos de eficacia, seguridad y disciplina, pero respetando siempre la dignidad humana de las personas privadas de libertad.

372.   Las autoridades de los centros de privación de libertad deben procurar que el uso de los procedimientos disciplinarios sea excepcional, recurriendo a ellos cuando otros medios resulten inadecuados para mantener el buen orden[447]. Solamente deberán definirse como infracciones disciplinarias aquellos comportamientos que constituyan una amenaza al orden y la seguridad. Además, tanto las infracciones disciplinarias, como los procedimientos por medio de los cuales éstas se apliquen, deben estar previstos en la ley. Dichas sanciones deberán ser en todo caso proporcionales a la falta para la cual han sido establecidas, lo contrario equivaldría a un agravamiento indebido de la naturaleza aflictiva de la privación de libertad[448].

373.   En lo fundamental, el Estado deberá asegurar que la seguridad y la disciplina sean mantenidas por medio de procedimientos disciplinarios claramente establecidos en la ley y los reglamentos respectivos; es decir, dentro del marco de la legalidad. Por lo tanto, no puede permitirse la imposición de castigos extraoficiales o arbitrarios, ni que el buen orden de los establecimientos penitenciarios sea mantenido sobre la base del temor permanente de los reclusos hacia las autoridades penitenciarias o hacia otros reclusos en quienes éstas hayan "delegado" funciones de seguridad y disciplina. Este tipo de prácticas abusivas, además de constituir graves violaciones a los derechos humanos de las personas privadas de libertad, contribuyen a mantener un clima de resentimiento y enemistades que constantemente degenera en riñas, motines y otros actos de violencia en las cárceles.

374.   En definitiva, los sistemas disciplinarios serán efectivos en la medida en que sean idóneos para cumplir sus objetivos manteniendo el balance entre dignidad humana y buen orden; y promoviendo un clima general de respeto en el que los reclusos desarrollen un sentido de responsabilidad hacia el cumplimiento de las normas. El que las autoridades penitenciarias cuenten con mecanismos disciplinarios eficaces es una herramienta fundamental para prevenir que dichas autoridades recurran a las torturas y los malos tratos.

---

[447] A este respecto las Reglas Penitenciarias Europeas disponen que "[e]n la medida de lo posible, las autoridades penitenciarias recurrirán a los mecanismos de restauración y mediación para resolver sus diferencias con los detenidos y sus discusiones entre ellos" (Regla 56.2). En este sentido, una advertencia informal, un consejo en forma amistosa, una voz de aliento o una expresión de amonestación apropiada serían a menudo suficientes para el orden en determinadas circunstancias. Reforma Penal Internacional (RPI), Manual de Buena Práctica Penitenciaria: Implementación de las Reglas Mínimas de Naciones Unidas para el Tratamiento de los Reclusos, 2002, pág. 47.

[448] Así por ejemplo, el Relator sobre la Tortura de la ONU observó durante su visita a Brasil que en muchos casos los reclusos habían sido incomunicados como castigo por infracciones menores, como por ejemplo estar en posesión de un teléfono móvil o por ofender a un guardia de la prisión, o porque habían sido amenazados por otros presos. ONU, Relator Especial sobre la Tortura y otros Tratos o Penas Crueles, Inhumanos o Degradantes, Informe de la Misión a Brasil, E/CN.4/2001/66/Add.2, adoptado el 30 marzo de 2001, Cap. II *Protección de los Detenidos contra la Tortura*, párr. 127.

375.   Por su parte, el personal penitenciario debe actuar con profesionalismo y discreción al aplicar los procedimientos disciplinarios. Deberá poseer además buenas habilidades sociales e inter-personales para manejar las tensiones entre los presos y entre éstos y las autoridades[449]; y ejercer sus funciones dentro de un sistema de monitoreo, controles y rendición de cuentas, en vista del enorme poder que ejercen sobre los reclusos.

376.   Con respecto al régimen disciplinario, los Principios y Buenas Prácticas disponen[450]:

> Las sanciones disciplinarias que se adopten en los lugares de privación de libertad, así como los procedimientos disciplinarios, deberán estar sujetas a control judicial y estar previamente establecidas en las leyes, y no podrán contravenir las normas del derecho internacional de los derechos humanos.

> La determinación de las sanciones o medidas disciplinarias y el control de su ejecución estarán a cargo de autoridades competentes, quienes actuarán en toda circunstancia conforme a los principios del debido proceso legal, respetando los derechos humanos y las garantías básicas de las personas privadas de libertad, reconocidas por el derecho internacional de los derechos humanos.

377.   La CIDH considera además que la ley deberá determinar[451]: (a) los actos u omisiones de las personas privadas de libertad que constituyan infracciones disciplinarias; (b) los procedimientos a seguir en tales casos[452]; (c) las sanciones disciplinarias específicas que puedan ser aplicadas y su duración; (d) la autoridad competente para imponerlas; y (e) los procedimientos para presentar recursos contra dichas sanciones y la autoridad competente para decidirlos.

378.   Es fundamental que en el marco del debido proceso que debe seguirse en este tipo de procesos disciplinarios, se le conceda al recluso la oportunidad de ser oído por las autoridades y de presentar los elementos probatorios que considere pertinentes antes de que se adopte la decisión de sancionarlo[453]. En esta etapa es importante que las

---

[449] Véase en general, Reforma Penal Internacional (RPI), Manual de Buena Práctica Penitenciaria: Implementación de las Reglas Mínimas de Naciones Unidas para el Tratamiento de los Reclusos, 2002, págs. 37 y 38.

[450] CIDH, *Principios y Buenas Prácticas sobre la Protección de las Personas Privadas de Libertad en las Américas*, (Principio XII.1 y XII.2).

[451] A este respecto se toma como referencia: las Reglas Mínimas para el Tratamiento de Reclusos, (Regla 29); el Conjunto de Principios para la Protección de Todas las Personas Sometidas a Cualquier Forma de Detención o Prisión, (Principio 30.1); y las Reglas Penitenciarias Europeas, (Regla 57.2).

[452] Con respecto a los procedimientos a seguir deberá tomarse como marco de referencia lo dispuesto en el Principio V de los Principios y Buenas Prácticas.

[453] Reglas Mínimas para el Tratamiento de Reclusos, (Regla 30.2 y 30.3); y Conjunto de Principios para la Protección de Todas las Personas Sometidas a Cualquier Forma de Detención o Prisión, (Principio 30.2). Véase también: Reglas Penitenciarias Europeas, (Regla 59).

autoridades actúen con diligencia en determinar si esa persona está siendo objeto de algún tipo de coacción o intimidación, y que de ser necesario se le otorguen medidas de protección.

379.   Asimismo, y en atención al principio del *non bis in idem*, ninguna persona privada de libertad podrá ser sancionada disciplinariamente dos veces por los mismos actos[454]. Esto no obsta para que en aquellos casos en los que la acción desplegada por el interno constituya delito, le sean aplicadas también las sanciones penales correspondientes.

380.   La existencia de vacíos normativos con respecto a los procedimientos disciplinarios es una situación particularmente relevante que crea una situación de hecho en la que los reclusos están expuestos a distintas formas de abusos y arbitrariedades por parte del personal penitenciario y de otros reclusos[455]. Además, es imprescindible que estas normas sean ampliamente conocidas tanto por el personal penitenciario, como por los reclusos, y que las autoridades distribuyan y pongan a disposición copias impresas de las mismas.

381.   Asimismo, las autoridades de los centros de privación de libertad deben mantener registros uniformes de las medidas disciplinarias aplicadas, en los que conste la identidad del infractor, la sanción adoptada, la duración de la misma y la autoridad que la ordenó[456]. Además, tanto las normas relativas al régimen disciplinario, como la práctica de su aplicación deben ser periódicamente revisadas por autoridades superiores que evalúen de forma objetiva su idoneidad, efectividad, e identifiquen posibles patrones de abusos o arbitrariedades en su aplicación.

2.   Límites del ejercicio del poder disciplinario

382.   Como ya se mencionó, el ejercicio de los sistemas disciplinarios no puede contravenir las normas del derecho internacional de los derechos humanos. Esto implica fundamentalmente que las sanciones o castigos que se impongan a los reclusos no deberán constituir actos de tortura o tratos crueles, inhumanos o degradantes[457]; ni imponerse de

---

[454] Reglas Mínimas para el Tratamiento de Reclusos, (Regla 30.1). Véase también: Reglas Penitenciarias Europeas, (Regla 63).

[455] Al respecto véase, por ejemplo, ONU, Subcomité para la Prevención de la Tortura, *Informe sobre la visita a Honduras del SPT*, CAT/OP/HND/1, adoptado el 10 de febrero de 2010, párrs. 233-241.

[456] ONU, Subcomité para la Prevención de la Tortura, *Informe sobre la visita a Honduras del SPT*, CAT/OP/HND/1, adoptado el 10 de febrero de 2010, párr. 204; y ONU, Subcomité para la Prevención de la Tortura, *Informe sobre la visita a México del SPT*, CAT/OP/MEX/1, adoptado el 27 de mayo de 2009, párr. 171.

[457] En este sentido, tanto la Convención Interamericana para Prevenir y Sancionar la Tortura (artículo 2), como la Convención de la ONU contra la Tortura y otros Tratos o Penas Crueles, Inhumanos o Degradantes (artículo 1.1), contempla como manifestación de la intencionalidad de la tortura el propósito de *castigar* a la víctima.

forma tal que constituyan una vulneración a otros derechos, como por ejemplo, el derecho a la protección de la familia[458].

383.   Los Principios y Buenas Prácticas de la CIDH, disponen que se prohibirá por disposición de la ley: la aplicación de sanciones colectivas (Principio XXII.4); la suspensión o limitación de la alimentación y del acceso al agua potable (Principio XI); y por supuesto, la aplicación de castigos corporales (Principio I). Asimismo, las Reglas Mínimas para el Tratamiento de Reclusos establecen la prohibición de castigos corporales, encierro en celda oscura y del empleo de medios de coerción e inmovilización como forma de sanción disciplinaria (Reglas 31 y 33)[459].

384.   Por su parte, la Corte Interamericana en el caso *Caesar* realizó un amplio desarrollo de la prohibición existente en el derecho internacional de los derechos humanos con relación a la aplicación de castigos corporales, y estableció que un Estado Parte de la Convención Americana, en virtud de los artículos 1.1, 5.1 y 5.2 de dicho tratado, "tiene una obligación *erga omnes* de abstenerse de imponer penas corporales, así como de prevenir su imposición por constituir, en cualquier circunstancia, un trato o pena cruel, inhumano o degradante".[460]

385.   En efecto, tanto los castigos colectivos, como otras formas de castigos contrarias al derecho internacional de los derechos humanos, suelen emplearse como mecanismo disuasorio frente a situaciones tales como riñas, motines e intentos de fuga, y pueden ir desde privar a toda una sección de la cárcel o a determinado grupo de presos de sus salidas regulares a las horas de patio y a otras actividades, hasta actos de torturas o tratos crueles, inhumanos y degradantes.

386.   Así por ejemplo, en el contexto del caso del *Penal Miguel Castro Castro*, se determinó que luego de los hechos del denominado operativo "Mudanza 1", los internos que permanecieron en ese centro penal fueron objeto de, entre otras formas de agresiones, al llamado "callejón oscuro", método de castigo colectivo que consiste "en obligar al detenido a caminar en una doble fila de agentes que les golpean con elementos contundentes como palos y bastones metálicos o de goma, y quien cae al suelo recibe más golpes hasta que llega al otro extremo del callejón"[461]. Además, se estableció que los internos fueron sometidos a otras formas de castigos colectivos como:

---

[458] A este respecto las Reglas Penitenciarias Europeas disponen que, "[e]l castigo no supondrá nunca la prohibición total de los contactos con la familia" (Regla 60.4).

[459] Estos criterios de las Reglas Mínimas para el Tratamiento de Reclusos han sido reafirmados por la Corte Interamericana, en Corte I.D.H., Asunto de la Cárcel de Urso Branco respecto Brasil, Resolución de la Corte Interamericana de Derechos Humanos de 29 de agosto de 2002, Considerando 10. En el mismo sentido, las Reglas Penitenciarias Europeas, (Reglas 60.3 y 60.6).

[460] Corte I.D.H., *Caso Caesar Vs. Trinidad y Tobago*. Sentencia de 11 de marzo de 2005. Serie C No. 123, párrs. 57-70.

[461] Corte I.D.H., *Caso del Penal Miguel Castro Castro Vs. Perú*. Sentencia de 25 de noviembre de 2006. Serie C No. 160, párr. 297.

[G]olpes con varas de metal en las plantas de los pies, comúnmente identificados como golpes de *falanga;* aplicación de choques eléctricos; golpizas realizadas por muchos agentes con palos y puntapiés que incluían golpes en la cabeza, las caderas y otras partes del cuerpo en que las víctimas tenían heridas; y el uso de celdas de castigo conocidas como el "hueco"[462].

387.   De igual forma, el Relator de PPL en el curso de su visita a la Provincia de Buenos Aires también se refirió al empleo de la llamada práctica de la "falanga" o "pata-pata", por parte del personal del Servicio Penitenciario Bonaerense[463].

388.   Por su parte, en el 2005 la Comisión recibió información que revelaba la existencia en Ecuador de la práctica sistemática de someter incomunicación y a otros castigos físicos y sicológicos a aquellas personas privadas de libertad que son recapturadas luego de evadirse o intentar evadirse[464]. Esta es una práctica extendida en varios países de la región, que se emplea como forma de castigo ejemplarizante, pues una evasión compromete los esquemas de seguridad de la cárcel y al propio personal penitenciario.

389.   Durante su visita a Chile de 2008 el Relator de PPL observó que en todos los centros de reclusión visitados se daba un uso excesivo e innecesario de la fuerza y de los castigos, una práctica sistemática de malos tratos físicos por parte del personal de Gendarmería, y el uso de medidas de aislamiento en condiciones infrahumanas[465]. Lo observado era consistente con información recibida anteriormente, en una audiencia temática sobre hechos de tortura en Chile, celebrada en 2003, los peticionarios indicaron que los reclusos eran frecuentemente sometidos a golpizas, aislamiento en celdas sin luz ni ventilación, prohibición de visitas, y el hostigamiento con chorros de agua fría, sobre todo en el contexto de fugas y motines. Los peticionarios manifestaron además que los reclusos muchas veces se encuentran en una situación de incertidumbre con respecto a las causas y circunstancias en las que procede la aplicación de los castigos disciplinarios, y que no existen controles ni posibilidad de presentar quejas, por lo que estos hechos suelen permanecer impunes[466].

390.   Asimismo, el SPT durante su visita a Honduras fue informado que a raíz de una fuga ocurrida en el Penal de San Pedro Sula el 17 de julio de 2009, todos los

---

[462] Corte I.D.H., *Caso del Penal Miguel Castro Castro Vs. Perú*. Sentencia de 25 de noviembre de 2006. Serie C No. 160, párr. 320.

[463] CIDH, Comunicado de Prensa 64/10 – Relatoría de la CIDH constata graves condiciones de detención en la provincia de Buenos Aires. Washington, D.C., 21 de junio de 2010. La CIDH también se refirió al empleo de esta forma de tortura en: CIDH, Informe No. 172/10, Caso 12.651, Fondo, César Alberto Mendoza y otros, Argentina, 2 de noviembre de 2010, párr. 291.

[464] CIDH, *Informe Anual 2005*, Capítulo IV, Ecuador, OEA/Ser.L/V/II.124. Doc. 7, adoptado el 27 de febrero de 2006, párr. 185.

[465] CIDH, Comunicado de Prensa 39/08 - Relatoría sobre Derechos de Personas Privadas de Libertad concluye visita a Chile. Santiago de Chile, 28 de agosto de 2008.

[466] CIDH, Audiencia Temática: *Información sobre hechos de tortura en Chile*, 117º período ordinario de sesiones, solicitada por CEJIL, 24 de febrero de 2003.

miembros de la "Mara 18" fueron sancionados mediante la prohibición de visitas, restricción del acceso al agua y a la electricidad, prohibición del uso de los equipos de aire acondicionado, y la prohibición de hacer uso del patio interno de su pabellón[467].

391.   Otra forma extendida de castigo violatoria del derecho a la integridad personal son las llamadas "bienvenidas" a reclusos de primer ingreso. A este respecto, la CIDH en su Informe Especial sobre la Cárcel de Challapalca recibió denuncias relativas a la práctica de someter a los reclusos que ingresaban a golpizas con palos y picanas (bastones eléctricos), luego de obligarlos a desnudarse y tomar baños de agua fría, con la finalidad de hacerles sentir su deber de sumisión a la disciplina del penal[468]. Asimismo, en el marco de su visita de trabajo a El Salvador de 2010, el Relator de PPL recibió información según la cual también se habría registrado este tipo de "protocolos de bienvenida" en la cárcel de máxima seguridad de Zacatecoluca[469].

392.   Durante su misión a Paraguay el Relator sobre la Tortura de la ONU calificó como "especialmente inquietante" la práctica usual –incluso en las cárceles de mujeres– de recluir a los reclusos en celdas de castigo como forma de "bienvenida" luego de su ingreso a un centro penal, sin que hayan violado ninguna norma disciplinaria[470].

393.   Otro de los límites que el derecho internacional de los derechos humanos establece con respecto al ejercicio de las medidas disciplinarias es la prohibición de que tales funciones le sean delegadas a los propios reclusos. A este respecto, los Principios y Buenas Prácticas establecen:

> No se permitirá que las personas privadas de libertad tengan bajo su responsabilidad la ejecución de medidas disciplinarias, o la realización de actividades de custodia y vigilancia, sin perjuicio de que puedan participar en actividades educativas, religiosas, deportivas u otras similares, con participación de la comunidad, de organizaciones no gubernamentales y de otras instituciones privadas[471].

---

[467] ONU, Subcomité para la Prevención de la Tortura, *Informe sobre la visita a Honduras del SPT*, CAT/OP/HND/1, adoptado el 10 de febrero de 2010, párr. 204.

[468] CIDH, *Informe Especial sobre la Situación de los Derechos Humanos en la Cárcel de Challapalca*, párr. 80.

[469] Informe Especial de la Procuraduría para la Defensa de los Derechos Humanos de El Salvador presentado al Comité contra la Tortura de la ONU, en octubre de 2009, párr. 202.

[470] ONU, Relator Especial sobre la Tortura y otros Tratos o Penas Crueles, Inhumanos o Degradantes, Informe de la Misión a Paraguay, A/HRC/7/3/Add.3, adoptado el 1 de octubre de 2007, Cap. IV: *Condiciones de la detención*, párr. 74.

[471] CIDH, *Principios y Buenas Prácticas sobre la Protección de las Personas Privadas de Libertad en las Américas*, (Principio XXII.5). En sentido concordante con las Reglas Mínimas para el Tratamiento de Reclusos (Regla 28), y las Reglas Penitenciarias Europeas (Regla 62).

394.   Es una realidad que en muchas cárceles de la Región las facultades disciplinarias las ejercen de hecho determinados presos denominados: "caciques", "coordinadores", "capataces", "líderes", "capos", "pranes", "limpiezas", "comités de orden y disciplina", entre otros, según sea el país.

395.   Así por ejemplo, en el contexto de las medidas cautelares otorgadas recientemente con respecto a las personas privadas de libertad en el Presidio Profesor Aníbal Bruno, en Pernambuco, Brasil (MC-199-11), uno de los elementos tomados en cuenta por la CIDH en la determinación del riesgo y los niveles de violencia presentes fue precisamente el alegato de que las funciones de organización y seguridad interna, incluyendo la aplicación de sanciones disciplinarias, eran delegadas en determinados internos conocidos como "llaveros". De acuerdo con la información aportada por los peticionarios, la mayor parte de las agresiones sufridas por los internos de esa cárcel habrían sido realizadas u ordenadas por los "llaveros". En este sentido, la CIDH solicitó al Estado adoptar las medidas necesarias para aumentar el personal de seguridad destinado al Presidio Profesor Aníbal Bruno y eliminar el sistema de los denominados "llaveros".

396.   Este tipo de situaciones se da sobre todo en aquellas cárceles en las que el control interno está fundamentalmente en manos de los propios presos, y también en aquellos en los que en vista de la escasez de personal de custodia, las autoridades deciden "delegar" funciones de seguridad en manos de los internos. En todo caso, y aunque sea una práctica considerablemente extendida, la misma es una situación grave y anómala que debe ser erradicada por los Estados.

3.   Aislamiento

397.   *La Declaración de Estambul sobre la utilización y los efectos de la reclusión en régimen de aislamiento*[472] (en adelante "la Declaración de Estambul"), define esta forma de reclusión como:

> El aislamiento físico de una persona en su celda de 22 a 24 horas al día. En muchas jurisdicciones, se permite a los reclusos salir de sus celdas durante una hora para hacer ejercicio en solitario. El contacto con otras personas suele reducirse al mínimo. La reducción de los estímulos no sólo es cuantitativa, sino también cualitativa. Los estímulos al alcance y los contactos sociales ocasionales pocas veces se elijen libremente, suelen ser monótonos y raramente se producen en un clima de empatía.

De acuerdo con este documento técnico, en términos generales, la reclusión en régimen de aislamiento se aplica en cuatro circunstancias: (a) como castigo disciplinario; (b) para aislar

---

[472] Declaración de Estambul sobre el Uso y los Efectos del Aislamiento Solitario, adoptada el 9 de diciembre de 2007 durante el Simposio Internacional sobre Trauma Sicológico. El Relator sobre la Tortura de la ONU subraya que este documento tiene por objetivo promover la aplicación de las normas de derechos humanos establecidas al empleo de la reclusión en régimen de aislamiento y crear nuevas normas basadas en las últimas investigaciones. ONU, Relator Especial sobre la Tortura y otros Tratos o Penas Crueles, Inhumanos o Degradantes, Informe provisional presentado en cumplimiento de la Resolución No. 62/148 de la Asamblea General, A/63/175, adoptado el 28 de julio de 2008, Cap. IV: Reclusión en régimen de aislamiento, párr. 84.

al imputado durante las investigaciones penales (vinculado a un esquema general de incomunicación)[473]; (c) como medida administrativa para controlar a determinados grupos de presos[474]; y (d) como condena judicial. Pueden considerarse dentro de este último supuesto, aquellos casos en los que la totalidad o una parte de la pena deba cumplirse por disposición legal en régimen de aislamiento[475]. La reclusión en régimen de aislamiento también puede emplearse, bajo determinadas condiciones como parte de tratamientos médicos y psiquiátricos.

398.   Por otro lado, en la práctica, el aislamiento o la segregación de reclusos suele utilizarse también como medida de protección; por ejemplo, para protegerlos de ataques de otros reclusos (por una amplia gama de posibles razones) o de posibles represalias por parte de los propios agentes de seguridad. En estos casos, el Estado debe asegurar que esta medida no se utilice como una forma sutil de castigo contra aquellos reclusos que han presentado denuncias contra las autoridades penitenciarias. En cualquier caso, una medida de esta naturaleza no puede ser la única respuesta a una situación de riesgo que claramente requiera medidas adicionales de prevención y respuesta.

399.   La Comisión Interamericana ha observado en varios países de la región que la reclusión en régimen de aislamiento se realiza en condiciones contrarias al respeto al derecho a la integridad personal de los reclusos, así por ejemplo:

400.   En su Informe Especial sobre la Cárcel de Challapalca, la CIDH destacó que varios de los internos manifestaron que las sanciones de aislamiento de treinta días eran aplicadas de forma arbitraria por las autoridades, sin que se siguiera procedimiento previo alguno en el que se les formularan los cargos y se les brindara la oportunidad de

---

[473] La reclusión en régimen de aislamiento y la incomunicación coactiva son situaciones de distinta naturaleza, aun cuando en algunos casos puedan aplicarse simultáneamente sobre una misma persona.

[474] Así por ejemplo, en Honduras las autoridades pusieron en marcha el denominado "Proyecto Escorpión" para someter a régimen de aislamiento a determinados reclusos que se consideraba peligrosos, y no necesariamente como mecanismo disciplinario. Véase al respecto, entre otras fuentes: ONU, Grupo de Trabajo sobre Detenciones Arbitrarias, *Informe sobre Misión a Honduras,* A/HRC/4/40/Add.4, adoptado el 1 de diciembre de 2006, párr. 65; y el informe: *Situación del sistema penitenciario en Honduras*, págs. 35 y 36, disponible en: http://www.cptrt.org/pdf/informesistemapenitenciarioCIDH.pdf. Presentado en el marco de la Audiencia Temática: *Situación de las personas privadas de libertad en Honduras*, 124º período ordinario de sesiones, solicitada por Casa Alianza; CEJIL; CODEH; COFADEH; CPTRT, 7 de marzo de 2006.

[475] Este es el caso del régimen de ejecución de la pena para delitos de terrorismo y traición a la patria establecido en Perú mediante el Decreto Ley No. 25475 cuyo artículo 20 (posteriormente reproducido por el artículo 3 del Decreto Ley No. 25744) estatuyó que las penas privativas de libertad establecidas en dicho decreto ley debían cumplirse obligatoriamente, "en un centro de reclusión de máxima seguridad, con aislamiento celular continuo durante el primer año de su detención [...]" (dicha norma estuvo vigente hasta la aprobación del Decreto Supremo No. 005-97-JUS del 24 de junio de 1997). La Corte Interamericana en su jurisprudencia sobre Perú estableció que dicho régimen de ejecución penal constituía tratos crueles, inhumanos y degradantes en los términos del artículo 5 de la Convención Americana. Corte I.D.H., *Caso García Asto y Ramírez Rojas Vs. Perú*. Sentencia de 25 de noviembre de 2005. Serie C No. 137, párrs. 229 y 233; Corte I.D.H., *Caso Lori Berenson Mejía Vs. Perú*. Sentencia de 25 de noviembre de 2004. Serie C No. 119, párrs. 106-108; Corte I.D.H., *Caso Cantoral Benavides Vs. Perú*. Sentencia de 18 de agosto de 2000. Serie C No. 69, párrs. 58 y 106.

defenderse; además, que las sanciones de aislamiento se aplicaban sin gradualidad alguna y por periodos superiores a los reglamentarios[476].

401.   En el seguimiento a la situación de los derechos humanos en Cuba, la CIDH se ha referido en reiteradas oportunidades al aislamiento prolongado de reclusos como forma deliberada de castigo contra los disidentes políticos, el que se impone en celdas de dimensiones extremadamente exiguas, en condiciones antihigiénicas, sin camas ni colchones ni elementos para soportar el frío o el calor; e incluso en algunos casos con la puerta clausurada (celdas tapiadas). A este castigo se suman otras restricciones en cuanto a la alimentación, la atención médica, las visitas y el maltrato psicológico constante. En estas condiciones los reclusos pueden permanecer durante periodos incluso superiores a un año[477].

402.   En su reciente visita a Suriname el Relator de PPL pudo observar que en la Penitenciaría Central "Santa Boma" la existencia de tres celdas de aislamiento conocidas comúnmente como *black rooms* o cuartos oscuros, en los que se mantiene en aislamiento durante días y hasta semanas a reclusos que incurren en faltas disciplinarias. En esas celdas los reclusos deben dormir en el suelo de estas celdas sin camas o colchones y soportar el calor sofocante en condiciones en las que no cuentan con suficiente ventilación, ni entradas de luz natural[478].

403.   Asimismo, en el marco de su visita a la Provincia de Buenos Aires la Relatoría sobre los Derechos de las Personas Privadas de Libertad recibió información según la cual el uso de los pabellones de aislamiento o *buzones* en las Unidades Penitenciarias de la Provincia constituye uno de los ámbitos en los que se viola de forma reiterada el derecho a la integridad personal de los reclusos. El encierro transcurre en celdas de 2x1.5 metros durante 23 ó 24 horas al día con doble puerta; generalmente sin agua potable o elementos de aseo personal; en celdas muy sucias y antihigiénicas; en muchos casos sin luz natural y/o artificial; sin calefacción o ventilación; con escasa o nula posibilidad de acceso a la ducha; sin comida ni posibilidad de cocinarse; sin posibilidad de acceder a la visita y en muchos casos sin acceso a teléfono; entre otras condiciones contrarias a los estándares internacionales. Además, es en estas secciones donde se registra la mayor carga de violencia (golpizas y otras agresiones) por parte del personal penitenciario[479].

---

[476] CIDH, *Informe Especial sobre la Situación de los Derechos Humanos en la Cárcel de Challapalca*, párr. 70.

[477] CIDH, *Informe Anual 2010*, Capítulo IV, Cuba, OEA/Ser.L/V/II. Doc. 5 corr. 1, adoptado el 7 de marzo de 2011, párr. 363; CIDH, *Informe Anual 2006*, Capítulo IV, Cuba, OEA/Ser.L/V/II.127. Doc. 4 Rev. 1, adoptado el 3 de marzo de 2007, párr. 67; CIDH, *Informe Anual 2005*, Capítulo IV, Cuba, OEA/Ser.L/V/II.124. Doc. 7, adoptado el 27 de febrero de 2006, párr. 80; CIDH, *Informe Anual 2004*, Capítulo IV, Cuba, OEA/Ser.L/V/II.122. Doc. 5 Rev 1, adoptado el 23 de febrero de 2005, párrs. 61 y 65; CIDH, *Informe Anual 2002*, Capítulo IV, Cuba, OEA/Ser.L/II.117. Doc. 1 rev. 1, adoptado el 7 de marzo de 2003, párr. 69; y CIDH, *Informe Anual 2001*, Capítulo IV, Cuba, OEA/Ser./L/V/II.114. doc. 5 rev., adoptado el 16 de abril de 2002, párr. 81(b).

[478] CIDH, Comunicado de Prensa 56/11 - Relatoría sobre los Derechos de las Personas Privadas de Libertad culmina visita a Suriname. Washington, D.C., 9 de junio de 2011, Anexo, párr. 14.

[479] Comité Contra la Tortura de la Comisión Provincial por la Memoria en su Informe Anual 2009: *El Sistema de la Crueldad IV*, pág. 105.

404.   Por su parte, el SPT constató en su visita a la Penitenciaría Nacional de Tacumbú, en Paraguay, que las celdas de aislamiento medían aproximadamente 2.5 x 2.5 metros cada una, tenían los baños averiados, tenían presencia de ratas y presentaban problemas de ventilación. Además, todos los reclusos sometidos a régimen de aislamiento entrevistados habrían manifestado que el personal penitenciario les exigía el pago de una cantidad como condición para salir del pabellón[480]. En el mismo sentido, el Relator sobre la Tortura de la ONU observó en Paraguay la práctica frecuente de recluir en aislamiento como forma de "bienvenida" para aquellos internos que ingresan a los centros penales luego de ser trasladados[481].

405.   En su misión a Brasil el Relator sobre la Tortura de la ONU observó que el límite de 30 días como término máximo para el aislamiento no siempre se respetaba, y que algunos reclusos afirmaron haber permanecido incomunicados o encerrados en celdas de castigo durante más de dos meses. En la mayoría de los casos los detenidos en las celdas de castigo declararon que se les había encerrado en ellas por decisión del director de la prisión o del encargado de seguridad, y no habían tenido derecho a ser oídos ni a defenderse. Muchos de ellos no sabían durante cuánto tiempo permanecerían incomunicados o en celdas de castigo[482].

406.   La CIDH observa también, que de acuerdo con la información presentada por distintos mecanismos de Naciones Unidas, los detenidos en la base naval de Guantánamo eran sometidos a periodos consecutivos de treinta días de aislamiento – periodo máximo permitido– después de intervalos muy cortos, con lo cual llegaban a estar, de hecho, hasta 18 meses en aislamiento casi continuo[483].

407.   Con respecto a la aplicación de la reclusión en régimen de aislamiento, el Principio XXII.3 de los Principios y Buenas Prácticas establece los siguientes criterios fundamentales:

El aislamiento sólo se permitirá como una medida estrictamente limitada en el tiempo y como último recurso, cuando se demuestre que sea necesaria para salvaguardar intereses legítimos relativos a la seguridad interna de los establecimientos, y para proteger derechos fundamentales,

---

[480] ONU, Subcomité para la Prevención de la Tortura, *Informe sobre la visita a Paraguay del SPT,* CAT/OP/PRY/1, adoptado el 7 de junio de 2010, párr. 184.

[481] ONU, Relator Especial sobre la Tortura y otros Tratos o Penas Crueles, Inhumanos o Degradantes, Informe de la Misión a Paraguay, A/HRC/7/3/Add.3, adoptado el 1 de octubre de 2007, Cap. IV: *Condiciones de la detención*, párr. 74.

[482] ONU, Relator Especial sobre la Tortura y otros Tratos o Penas Crueles, Inhumanos o Degradantes, Informe de la Misión a Brasil, E/CN.4/2001/66/Add.2, adoptado el 30 marzo de 2001, Cap: II *Protección de los Detenidos contra la Tortura*, párr. 127.

[483] ONU, Presidenta-Relatora del Grupo de Trabajo sobre la Detención Arbitraria, el Relator Especial sobre la Independencia de los Magistrados y Abogados, el Relator Especial sobre la Tortura y otros Tratos o Penas Crueles, Inhumanos o Degradantes y el Relator Especial sobre el Derecho de toda Persona al Disfrute del Más Alto Nivel Posible de Salud Física y Mental, *Informe conjunto sobre la situación de los detenidos en la bahía de Guantánamo*, adoptado el 27 de febrero de 2006, párr. 53.

como la vida e integridad de las mismas personas privadas de libertad o del personal de dichas instituciones. En todo caso, las órdenes de aislamiento serán autorizadas por autoridad competente y estarán sujetas al control judicial, ya que su prolongación y aplicación inadecuada e innecesaria constituiría actos de tortura, o tratos o penas crueles, inhumanos o degradantes.

408.   La Corte Interamericana en el caso *Montero Aranguren y otros (Retén de Catia)*, reiterando los estándares internaciones aplicables, subrayó que las celdas de aislamiento:

> [S]ólo deben usarse como medidas disciplinarias o para la protección de las personas por el tiempo estrictamente necesario y en estricta aplicación de los criterios de racionalidad, necesidad y legalidad. Estos lugares deben cumplir con las características mínimas de habitabilidad, espacio y ventilación, y solo pueden ser aplicadas cuando un médico certifique que el interno puede soportarlas[484].

409.   En cuanto a las limitantes específicas relativas a la aplicación de esta medida, el precitado Principio XXII.3 dispone que se prohibirá el aislamiento de personas en celdas de castigo, y que dicha medida le sea impuesta a las mujeres embarazadas; a las madres que conviven con sus hijos al interior de los establecimientos de privación de libertad; y a los niños y niñas privados de libertad.

410.   Asimismo, las Reglas de las Naciones Unidas para la Protección de los Menores Privados de Libertad disponen que estará estrictamente prohibida la reclusión de personas menores de 18 años en celda oscura y las penas de aislamiento o de reclusión en celda solitaria (Regla 67). El Comité de los Derechos del Niño de la ONU ha recomendado la prohibición del uso del aislamiento solitario en los centros de privación de libertad de niños y adolescentes[485].

411.   En lo fundamental, la reclusión de personas en régimen de aislamiento sólo debe aplicarse en casos excepcionales, por el periodo de tiempo más breve posible y sólo como medida de último recurso[486]. Además, los casos y circunstancias en las que esta

---

[484] Corte I.D.H., *Caso Montero Aranguren y otros (Retén de Catia) Vs. Venezuela*. Sentencia de 5 de julio de 2006. Serie C No. 150, párr. 94.

[485] ONU, Comité de los Derechos del Niño, *Examen de los Informes presentados por los Estados partes en virtud del artículo 44 de la Convención de los Derechos del Niño, Observaciones finales: Singapur*, CRC/C/SGP/CO/2-3, adoptado el 4 de mayo de 2011, párr. 69(b); ONU, Comité de los Derechos del Niño, *Examen de los Informes presentados por los Estados partes en virtud del artículo 44 de la Convención de los Derechos del Niño, Observaciones finales: Dinamarca,* CRC/C/DNK/CO/4, adoptado el 7 de abril de 2011, párr. 66(b).

[486] ONU, Relator Especial sobre la Tortura y otros Tratos o Penas Crueles, Inhumanos o Degradantes, *Informe provisional presentado en cumplimiento de la Resolución No. 62/148 de la Asamblea General, A/63/175*, adoptado el 28 de julio de 2008, Capítulo IV: Reclusión en régimen de aislamiento, párr. 83. En el mismo sentido, las Reglas Penitenciarias Europeas, (Regla 60.5) y los Principios Básicos de las Naciones Unidas para el Tratamiento de los Reclusos, van un poco más allá al establecer: "Se tratará de abolir o restringir el uso del aislamiento en celda de castigo como sanción disciplinaria y se alentará su abolición o restricción" (Principio 7).

medida pueda ser empleada deberán estar expresamente establecidas en la ley (en los términos del artículo 30 de la Convención Americana), y su aplicación debe estar siempre sujeta a estricto control judicial. En ningún caso el aislamiento celular de una persona deberá durar más de treinta días.

412.	La CIDH considera que las autoridades penitenciarias deben informar inmediatamente de la aplicación de esta medida al juzgado o tribunal a cuyas órdenes se encuentra el recluso. Además, la autoridad judicial competente deberá tener las facultades para solicitar información adicional a las autoridades penitenciarias y para revocar la medida si considera que hay razones fundadas para ello. En ningún caso la aplicación de la reclusión de personas en régimen de aislamiento deberá dejarse únicamente en manos de las autoridades encargadas de los centros de privación de libertad sin los debidos controles judiciales.

413.	Así pues, ha sido ampliamente establecido en el derecho internacional de los derechos humanos que la reclusión en régimen de aislamiento por periodos prolongados constituye al menos una forma de trato cruel, inhumano y degradante[487]; así como la incertidumbre acerca de su duración[488]. De hecho, el confinamiento solitario puede ser utilizado como un método de tortura[489], a este respecto el Tribunal Penal para la Ex Yugoslavia ha sostenido como criterio general, que:

> El aislamiento de un detenido no es de por sí una forma de tortura. No obstante, en función de su gravedad, duración y propósito, puede causar un sufrimiento físico o mental grave [...] [e]n tanto se pueda demostrar que el aislamiento de un detenido tenga como finalidad alguno de los fines prohibidos de la tortura y que la víctima haya sufrido un dolor o

---

[487] Véase al respecto, por ejemplo: ONU, Comité de Derechos Humanos, *Observación General No. 20: Prohibición de la tortura u otros tratos o penas crueles, inhumanos o degradantes (artículo 7)*, adoptado en el 44º periodo se sesiones (1992), párr. 6. En *Recopilación de las Observaciones Generales y Recomendaciones Generales Adoptadas por Órganos Creados en Virtud de Tratados de Derechos Humanos Volumen I*, HRI/GEN/1/Rev.9 (Vol. I) adoptado el 27 de mayo de 2008, pág. 239; ONU, Comité de Derechos Humanos, Comunicación No. 577/94, Víctor Alfredo Polay Campos, Perú, CCPR/C/61/D/577/1994, dictamen adoptado el 9 de enero de 1998, párrs. 8.6, 8.7 y 9; ONU, Relator Especial sobre la Tortura y otros Tratos o Penas Crueles, Inhumanos o Degradantes, Informe provisional presentado en cumplimiento de la Resolución No. 62/148 de la Asamblea General, A/63/175, adoptado el 28 de julio de 2008, Capítulo IV: Reclusión en régimen de aislamiento, párr. 7; Corte I.D.H., *Caso Castillo Petruzzi y otros Vs. Perú.* Sentencia de 30 de mayo de 1999. Serie C No. 52, párr. 194; Corte I.D.H., *Caso Loayza Tamayo Vs. Perú.* Sentencia de 17 de septiembre de 1997. Serie C No. 33, párrs. 57 y 58; (además de las sentencias citadas *supra* nota 473); Comisión Africana de Derechos Humanos, Comunicación No. 250/2002, Zegveld y Epbrem v. Eritrea, sesión 34, 6-20 de noviembre de 2003, párr. 55.

[488] ONU, Presidenta-Relatora del Grupo de Trabajo sobre la Detención Arbitraria, el Relator Especial sobre la Independencia de los Magistrados y Abogados, el Relator Especial sobre la Tortura y otros Tratos o Penas Crueles, Inhumanos o Degradantes y el Relator Especial sobre el Derecho de toda Persona al Disfrute del Más Alto Nivel Posible de Salud Física y Mental, *Informe conjunto sobre la situación de los detenidos en la bahía de Guantánamo*, adoptado el 27 de febrero de 2006, párr. 87.

[489] Manual para la Investigación y Documentación Eficaces de la Tortura y otros Tratos o Penas Crueles, Inhumanos o Degradantes (Protocolo de Estambul), Oficina del Alto Comisionado de las Naciones Unidas para los Derechos Humanos, párrs. 145(M) y 234, disponible en: http://www.acnur.org/biblioteca/pdf/3123.pdf.

sufrimiento grave, el acto de mantener a un detenido aislado puede calificar como tortura[490].

414.   La Comisión subraya que el aislamiento celular como medida disciplinaria no debe aplicarse en condiciones tales que constituya una forma de trato cruel, inhumano y degradante, esto implica *inter alia* que el Estado debe garantizar condiciones mínimas de alojamiento para los reclusos castigados[491]. Lo fundamental es que las condiciones de las celdas destinadas al régimen de aislamiento cumplan con los mismos estándares internacionales aplicables a la generalidad de los espacios destinados al alojamiento de reclusos, el que las condiciones de estas celdas sean peores, no solo no tiene justificación válida alguna, sino que representa además un agravamiento indebido de la sanción y pone en peligro la propia salud de la persona sometida a aislamiento.

415.   De acuerdo con la Declaración de Estambul, la reclusión en régimen de aislamiento puede producir graves daños psicológicos y a veces fisiológicos en las personas, las cuales pueden presentar síntomas que van desde el insomnio y la confusión hasta la alucinación y la psicosis. Estos efectos negativos sobre la salud pueden comenzar a manifestarse tras sólo unos pocos días de reclusión y agravarse progresivamente[492].

416.   A este respecto, la Corte Europea ha establecido que el aislamiento sensorial prolongado unido al aislamiento social conducen indudablemente a la destrucción de la personalidad; por lo tanto, constituye una forma de trato inhumano que no puede justificarse por exigencias de seguridad o cualquier otro motivo[493].

417.   En atención a esta consideración, la CIDH subraya que la salud de las personas que se encuentren en régimen de aislamiento debe ser monitoreada de forma regular por el personal médico[494], particularmente en lo que a la prevención del suicidio se refiere (a este respecto véase también la sección E del Capítulo III del presente informe). En los casos en los que el personal de salud considere que no debe someterse a una persona a aislamiento, o que debe interrumpirse la aplicación de dicha medida, deberá someterse un dictamen a las autoridades competentes.

---

[490] TPIY, El Fiscal v. Krnojelac Caso No. IT-97-25, Sala II de Primera Instancia, sentencia del 15 de marzo de 2002, párr. 183.

[491] CIDH, Comunicado de Prensa 56/11 - Relatoría sobre los Derechos de las Personas Privadas de Libertad culmina visita a Suriname. Washington, D.C., 9 de junio de 2011, Anexo, párr. 15.

[492] La mayoría de los efectos que produce el aislamiento solitario son de naturaleza psicológica, esta medida puede producir alteraciones agudas, y hasta crónicas, en las siguientes áreas: ansiedad, depresión, ira, alteraciones cognitivas, distorsiones de percepción, paranoia y psicosis. A nivel fisiológico se pueden presentar problemas gastro-intestinales, cardiovasculares, genito-urinarios, migrañas y fatiga profunda. Véase: Shalev, Sharon, *A sourcebook on solitary confinement*, Mannheim Centre for Criminology, LSE, 2008, págs. 15 y 16. Disponible en: http://solitaryconfinement.org/uploads/sourcebook_web.pdf.

[493] European Court of Human Rights, *Case of Ramírez Sánchez v. France*, (Application no. 59450/00), Judgment of July 4, 2006, Grand Chamber, paras. 120-123.

[494] A este respecto véase también, Reglas Mínimas para el Tratamiento de Reclusos, (Regla 32.3).

418. Asimismo, el personal de salud de los centros de privación de libertad deberá evaluar periódicamente las celdas y los lugares destinados al aislamiento de personas y formular recomendaciones a las autoridades correspondientes[495]. El personal de salud deberá actuar con independencia y autonomía en el ejercicio de estas facultades de monitoreo, de forma tal que no se pierda la confianza que los internos les han depositado y de manera que no se vea afectada la relación médico-paciente que debe regir entre ambos. La CIDH considera que estas obligaciones de supervisión médica derivan directamente del deber del Estado de garantizar los derechos a la vida e integridad personal de los reclusos.

D. Requisas

419. Como ya se ha mencionado, las autoridades del Estado tienen el deber ineludible de garantizar el buen orden y la seguridad interna en los centros de privación de libertad, así como de hacer cumplir las disposiciones legales y reglamentarias destinadas a regular la actividad de estos establecimientos. En ese sentido, las requisas o inspecciones en las instalaciones donde los reclusos viven, trabajan o se reúnen son un mecanismo necesario para el decomiso de efectos ilegales como armas[496], drogas, alcohol, celulares, entre otros; o bien para prevenir tentativas de evasión. Sin embargo, estos procedimientos deben practicarse de acuerdo con protocolos y procedimientos claramente establecidos en la ley y de forma tal que se respeten los derechos fundamentales de las personas privadas de libertad. De lo contrario puede convertirse en un mecanismo utilizado para castigar y agredir arbitrariamente a los reclusos.

420. Con respecto a las requisas o inspecciones en las instalaciones donde los reclusos viven, trabajan o se reúnen[497], los Principios y Buenas Prácticas establecen los siguientes parámetros fundamentales:

---

[495] Esta obligación se deriva de los deberes generales de los médicos o la autoridad de salud competente de inspeccionar, evaluar y asesorar a la dirección de los centros de privación de libertad respecto de las condiciones sanitarias y de higiene del establecimiento, y de supervisar constantemente las condiciones de salud de las personas sometidas a aislamiento como sanción disciplinaria. Véase al respecto, disposiciones de las Reglas Mínimas para el Tratamiento de Reclusos,(Reglas 26.1 y 32.3); y las Reglas Penitenciarias Europeas (Regla 44(b) y (c)). En este sentido, el 3 de mayo de 2011, la CIDH luego de recibir información acerca del suicidio de un recluso en una celda de aislamiento, solicitó al Estado argentino *inter alia* informar acerca de la existencia de informes oficiales emitidos por el personal médico acerca de la idoneidad de las condiciones del pabellón donde se aplicaba el asilamiento con fines disciplinarios en el lugar donde aquel se encontraba.

[496] Así por ejemplo, la Corte Interamericana ha ordenado expresamente el decomiso de armas en poder de los reclusos como medida urgente para proteger la vida e integridad personal de los reclusos en situaciones de gravedad y urgencia en el contexto de cárceles con altos niveles de violencia Véase al respecto: Corte I.D.H., Asunto de la Cárcel de Urso Branco respecto Brasil, Resolución de la Corte Interamericana de Derechos Humanos de 18 de junio de 2002, Resolutivo 1.

[497] Con relación a las inspecciones y registros, las Reglas Penitenciarias Europeas disponen *inter alia* que la legislación nacional establecerá las situaciones en las que se pueden llevar a cabo inspecciones y registros, así como su naturaleza; que deberá capacitarse al personal encargado de estos procedimientos de forma tal que los mismos sean efectivos y se lleven a cabo respetando la dignidad de las personas y sus bienes personales; y que el detenido estará presente cuando se registren sus efectos personales a menos que las técnicas del registro o el daño potencial al personal lo impidan (Regla 54).

Principio XXI: Los registros corporales, la inspección de instalaciones y las medidas de organización de los lugares de privación de libertad, cuando sean procedentes de conformidad con la ley, deberán obedecer a los criterios de necesidad, razonabilidad y proporcionalidad. [...] Las inspecciones o registros practicados al interior de las unidades e instalaciones de los lugares de privación de libertad, deberán realizarse por autoridad competente, conforme a un debido procedimiento y con respeto a los derechos de las personas privadas de libertad.

Asimismo, la Corte Interamericana ha establecido como criterio general, que:

El Estado debe asegurarse que las requisas sean correcta y periódicamente realizadas, destinadas a la prevención de la violencia y la eliminación del riesgo, en función de un adecuado y efectivo control al interior de los pabellones por parte de la guardia penitenciaria, y que los resultados de estas requisas sean debida y oportunamente comunicados a las autoridades competentes[498].

421.   A este respecto, la Relatoría de PPL durante su visita a El Salvador recibió numerosos testimonios de malos tratos proferidos a los internos durante las requisas que se realizan al interior de las cárceles con el apoyo de la Unidad de Mantenimiento del Orden (UMO). De acuerdo con la información recibida, las autoridades encargadas de ejecutar estas requisas tendrían la práctica de golpear a los internos y destruir sus pertenencias injustificadamente[499].

422.   En el marco de una audiencia temática sobre la situación de las personas privadas de libertad en Panamá, los peticionarios aportaron información según la cual los efectivos policiales sistemáticamente humillaban a los internos durante las requisas. De acuerdo con la información aportada, las autoridades tendrían la práctica de entrar violentamente en las celdas expulsando a sus ocupantes, a veces desnudos; de desvalijar, destruir o robar sus artículos personales; de mojarles intencionalmente los colchones y la ropa; e incluso en algunas ocasiones habrían procedido a cortar las sogas de las hamacas que se ven obligados a utilizar a causa del hacinamiento[500].

423.   En el contexto del caso *Rafael Arturo Pacheco Teruel y otros*, relativo al Penal de San Pedro Sula en Honduras, los peticionarios presentaron testimonios

---

[498] Corte I.D.H., Asunto de las Penitenciarías de Mendoza respecto Argentina, Resolución de la Corte Interamericana de Derechos Humanos de 26 de noviembre de 2010, Considerando 52.

[499] CIDH, Comunicado de Prensa 104/10 – Relatoría de la CIDH constata deficiencias estructurales de sistema penitenciario de El Salvador. Washington, D.C., 20 de octubre de 2010, Anexo, punto 7º. A este respecto véase también, Informe Especial de la Procuraduría para la Defensa de los Derechos Humanos de El Salvador presentado al Comité contra la Tortura de la ONU, en octubre de 2009, párrs. 209, 212 y 213.

[500] CIDH, Audiencia Temática: *Violación a los derechos humanos en las cárceles de Panamá*, 131º período ordinario de sesiones, solicitada por CIDEM, la Clínica Internacional de Derechos Humanos de la Universidad de Harvard y la Comisión de Justicia y Paz, 7 de marzo de 2008.

concurrentes de familiares de las víctimas en los que éstos indicaban que cada vez que los agentes de la policía realizaban requisas o inspecciones en la celda donde se encontraban las víctimas [destinada a la reclusión de supuestos miembros de la mara Salvatrucha] éstos les robaban o destruían sus enseres personales[501].

424.   Asimismo, de acuerdo con información aportada por la Universidad Diego Portales, el 10 de mayo de 2010 durante una requisa en la cárcel de Villarica en Chile, diez reclusos habrían sido llevados desnudos al patio del recinto por efectivos de Gendarmería quienes los habrían golpeado y sometido a una "sesión de ejercicios". Luego, los habrían devuelto a sus celdas donde los habrían mojado con agua fría para evitar que les quedaran marcas de los golpes[502].

425.   La CIDH observa que en el ámbito penitenciario una de las situaciones más frecuentes en las que de manera actual e inmediata las autoridades hacen uso de la fuerza es precisamente en la práctica de las requisas[503]. Sin embargo, como toda manifestación del uso de la fuerza, las requisas también deben practicarse con estricto respeto a la vida e integridad personal de los privados de libertad.

426.   En este sentido, la Corte Interamericana en el caso *Montero Aranguren y otros* reiteró y desarrolló el principio fundamental de que "el uso de la fuerza por parte de los cuerpos de seguridad estatales debe estar definido por la excepcionalidad, y debe ser planteado y limitado proporcionalmente por las autoridades". Con lo cual, "sólo podrá hacerse uso de la fuerza o de instrumentos de coerción cuando se hayan agotado y hayan fracasado todos los demás medios de control"[504]. Asimismo, el Código de Conducta para Funcionarios Encargados de Hacer Cumplir la Ley[505], dispone en su artículo 3, que "[l]os funcionarios encargados de hacer cumplir la ley podrán usar la fuerza sólo cuando sea estrictamente necesario y en la medida que lo requiera el desempeño de sus tareas".

427.   En el contexto específico del uso de la fuerza en el ámbito penitenciario, las Reglas Mínimas para el Tratamiento establecen que los funcionarios de los establecimientos penitenciarios al hacer empleo de la fuerza deben atenerse a principios de legalidad, necesidad, proporcionalidad y supervisión[506]. En el mismo sentido, los

---

[501] CIDH, Informe No. 118/10, Caso 12.680, Fondo, Rafael Arturo Pacheco Teruel y otros, Honduras, 22 de octubre de 2010, párr. 46. Véase en el mismo sentido, con respecto a Honduras: ONU, Subcomité para la Prevención de la Tortura, *Informe sobre la visita a Honduras del SPT*, CAT/OP/HND/1, adoptado el 10 de febrero de 2010, párr. 237.

[502] Universidad Diego Portales, Centro de Derechos Humanos de la Facultad de Derecho, *Informe Anual sobre Derechos Humanos en Chile 2010*, págs. 116 y 117.

[503] A este respecto véase por ejemplo, Corte I.D.H., *Caso del Penal Miguel Castro Castro Vs. Perú*. Sentencia de 25 de noviembre de 2006. Serie C No. 160, párr. 326; y CIDH, Informe No. 67/11, Caso 11.157, Admisibilidad y Fondo, Gladys Espinoza Gonzáles, Perú, 31 de marzo de 2011, párrs. 142, 148, 149, 151 y 184.

[504] Corte I.D.H., *Caso Montero Aranguren y otros (Retén de Catia) Vs. Venezuela*. Sentencia de 5 de julio de 2006. Serie C No. 150, párr. 67.

[505] ONU, Código de Conducta para Funcionarios Encargados de Hacer Cumplir la Ley, adoptado por la Asamblea General mediante Resolución 34/169 del 17 de diciembre de 1979.

[506] Reglas Mínimas para el Tratamiento de los Reclusos, (Regla 54.1).

Principios y Buenas Prácticas sobre la Protección de las Personas Privadas de Libertad disponen de forma más amplia que,

> [e]l personal de los lugares de privación de libertad no empleará la fuerza y otros medios coercitivos, salvo excepcionalmente, de manera proporcionada, en casos de gravedad, urgencia y necesidad, como último recurso después de haber agotado previamente las demás vías disponibles, y por el tiempo y en la medida indispensables para garantizar la seguridad, el orden interno, la protección de los derechos fundamentales de la población privada de libertad, del personal o de las visitas[507].

428.   El uso de la fuerza y el empleo de medios coercitivos durante las requisas sólo se justifica en la medida en que los propios reclusos muestren conductas violentas o de alguna forma ataquen o traten de agredir a las autoridades. Si en cambio los internos no están en condiciones de usar la fuerza contra los agentes de seguridad o contra terceros, y están reducidos a una situación de indefensión, el examen de proporcionalidad ya no tiene aplicación[508], por lo cual toda manifestación de violencia por parte de las autoridades en estas condiciones se caracterizaría, según sea el caso, como tortura o tratos crueles, inhumanos y degradantes. En definitiva, es innecesario y contrario al derecho a la integridad personal de los reclusos el que exista la práctica institucionalizada de acompañar las requisas con un despliegue deliberado y excesivo de violencia y de fuerza.

429.   La CIDH considera como una buena práctica el que las autoridades penitenciarias permitan la presencia de representantes de otras instituciones nacionales de derechos humanos durante las requisas, siempre que no existan razones claras de seguridad que lo desaconsejen. Así por ejemplo, durante su visita a Uruguay de julio de 2011 el Relator sobre PPL fue informado que el Comisionado Parlamentario para el Sistema Carcelario y su equipo habían implementado la práctica de acudir a los centros penitenciarios durante las requisas, lo que se considera una buena práctica. El monitoreo y la supervisión independiente de estos procedimientos contribuye a prevenir la tortura, los tratos crueles inhumanos y degradantes, y otras arbitrariedades en las cárceles.

E.   **Condiciones de reclusión**

430.   Como ya se ha mencionado en el presente informe, toda persona privada de libertad tiene derecho a ser tratada humanamente, con irrestricto respeto a su dignidad inherente, a sus derechos y garantías fundamentales. Esto implica que el Estado como garante de los derechos de las personas bajo su custodia, no sólo tiene el deber especial de respetar y garantizar su vida e integridad personal, sino que debe asegurar condiciones

---

[507] CIDH, *Principios y Buenas Prácticas sobre la Protección de las Personas Privadas de Libertad en las Américas*, (Principio XXIII.2).

[508] ONU, Relator Especial sobre la Tortura y otros Tratos Crueles, Inhumanos o Degradantes, *Informe presentado a la Comisión de Derechos Humanos* (hoy Consejo), E/CN.4/2006/6, adoptado el 16 de diciembre de 2005, párr. 38.

mínimas que sean compatibles con su dignidad[509]. Tales condiciones no deberán constituir un factor aflictivo adicional al carácter de por sí punitivo de la privación de la libertad. El tratar a toda persona privada de libertad con humanidad y respeto de su dignidad es una norma universal que debe ser aplicaba sin distinción de ningún género, y que no puede depender de los recursos materiales con que cuente el Estado[510].

431.   La atención a las condiciones de las cárceles en el hemisferio no sólo es un deber jurídico concreto derivado de la Convención y la Declaración Americana, sino que es una prioridad establecida al más alto nivel de voluntad política por los Estados del Continente en los Planes de Acción de las Cumbres de las Américas[511].

432.   La CIDH ha indicado que el Estado debe asegurar los siguientes requisitos mínimos indispensables: "el acceso a agua potable, instalaciones sanitarias adecuadas para la higiene personal, espacio, luz y ventilación apropiada, alimentación suficiente; y un colchón y ropa de cama adecuados"[512]. Tradicionalmente la CIDH ha considerado que las Reglas: 10, 11, 12, 15 y 21 de las Reglas Mínimas para el Tratamiento de Reclusos constituyen criterios de referencia confiables en cuanto a las normas internacionales mínimas para el trato humano de los reclusos en lo relativo al alojamiento, higiene y ejercicio físico[513]. Y ha considerado que las mismas se aplican independientemente del tipo de comportamiento por el que la persona en cuestión haya sido encarcelada y del nivel de

---

[509] CIDH, *Principios y Buenas Prácticas sobre la Protección de las Personas Privadas de Libertad en las Américas*, (Principio I).

[510] ONU, Comité de Derechos Humanos, Observación General No. 21: Trato humano de las personas privadas de libertad, adoptado en el 44º periodo de sesiones (1992), párr. 4. En *Recopilación de las Observaciones Generales y Recomendaciones Generales Adoptadas por Órganos Creados en Virtud de Tratados de Derechos Humanos*, Volumen I, HRI/GEN/1/Rev.9 (Vol. I) adoptado el 27 de mayo de 2008, pág. 242.

[511] Véase al respecto: Plan de Acción de la III Cumbre de las Américas, celebrada en Quebec, Canadá en 2001, disponible en: http://www.summit-americas.org/III%20Summit/Esp/III%20summit-esp.htm; Documentos de la II Cumbre de las Américas, celebrada en Santiago de Chile en 1998, disponibles en: http://www.summit-americas.org/Human%20Rights/HUMAN-RIGHTS-SP.htm; y Plan de Acción de la I Cumbre de las Américas, celebrada en Miami, EEUU en 1994, disponible en: http://www.summit-americas.org/Miami%20Summit/Human-Rights-sp.htm.

[512] CIDH, Informe de Seguimiento - *Acceso a la Justicia e Inclusión Social: El Camino hacia el Fortalecimiento de la Democracia en Bolivia*, OEA/Ser/L/V/II.135. Doc. 40, adoptado el 7 de agosto de 2009, Cap. V, párr. 123.

[513] Estas normas disponen: Los locales destinados a los reclusos y especialmente a aquellos que se destinan al alojamiento de los reclusos durante la noche, deberán satisfacer las exigencias de la higiene, habida cuenta del clima, particularmente en lo que concierne al volumen de aire, superficie mínima, alumbrado, calefacción y ventilación (Regla 10). En todo local donde los reclusos tengan que vivir o trabajar: (a) Las ventanas tendrán que ser suficientemente grandes para que el recluso pueda leer y trabajar con luz natural; y deberán estar dispuestas de manera que pueda entrar aire fresco, haya o no ventilación artificial; (b) La luz artificial tendrá que ser suficiente para que el recluso pueda leer y trabajar sin perjuicio de su vista (Regla 11). Las instalaciones sanitarias deberán ser adecuadas para que el recluso pueda satisfacer sus necesidades naturales en el momento oportuno, en forma aseada y decente (Regla 12). Se exigirá de los reclusos el aseo personal y a tal efecto dispondrán de agua y de los artículos de aseo indispensables para su salud y limpieza (Regla 15). El recluso que no se ocupe de un trabajo al aire libre deberá disponer, si el tiempo lo permite, de una hora al día por lo menos de ejercicio físico adecuado al aire libre. Los reclusos jóvenes y otros cuya edad y condición física lo permitan, recibirán durante el período reservado al ejercicio una educación física y recreativa. Para ello, se pondrá a su disposición el terreno, las instalaciones y el equipo necesario (Reglas 21.1 y 2).

desarrollo del Estado[514]. Actualmente, la posición de la CIDH respecto de estas condiciones mínimas está establecida en los Principios y Buenas Prácticas sobre la Protección de las Personas Privadas de Libertad en las Américas.

433.   En el examen de casos contenciosos, tanto la Comisión[515], como la Corte Interamericana[516] han tomado en consideración el *efecto o impacto acumulativo* de las condiciones de reclusión a las que ha sido sometida una persona, a fin de determinar si éstas en su conjunto han constituido una forma de trato cruel, inhumano y degradante.

434.   Así, la Corte ha determinado una multiplicidad de circunstancias que combinadas pueden llegar a constituir tratos crueles, inhumanos o degradantes en los términos de los artículos 5.1 y 5.2 de la Convención, por ejemplo[517]: la falta de infraestructuras adecuadas; la reclusión en condiciones de hacinamiento; sin ventilación y luz natural; en celdas insalubres; sin camas (durmiendo en el suelo o en hamacas); sin atención médica adecuada ni agua potable; sin clasificación por categorías (p. ej. entre niños y adultos, o entre procesados y condenados); sin servicios sanitarios adecuados (teniendo que orinar o defecar en recipientes o bolsas plásticas); sin condiciones mínimas de privacidad en los dormitorios; con alimentación escasa y de mala calidad; con pocas oportunidades de hacer ejercicios; sin programas educativos o deportivos, o con posibilidades muy limitadas de desarrollar tales actividades; con restricciones indebidas al régimen de visitas; con la aplicación periódica de formas de castigo colectivo y otros

---

[514] CIDH, Informe No. 28/09, Caso 12.269, Fondo, Dexter Lendore, Trinidad y Tobago, 20 de marzo de 2009, párrs. 30 y 31; CIDH, Informe No. 78/07, Caso 12.265, Fondo, Chad Roger Goodman, Bahamas, 15 de octubre de 2007, párrs. 86-87; CIDH, Informe No. 67/06, Caso 12.476, Fondo, Oscar Elías Biscet y otros, Cuba, 21 de octubre de 2006, párr. 152; CIDH, Informe No. 76/02, Caso 12.347, Fondo, Dave Sewell, Jamaica, 27 de diciembre de 2002, párrs. 114 y 115.

[515] CIDH, Informe No. 28/09, Caso 12.269, Fondo, Dexter Lendore, Trinidad y Tobago, 20 de marzo de 2009, párr. 34; CIDH, Informe No. 76/02, Caso 12.347, Fondo, Dave Sewell, Jamaica, 27 de diciembre de 2002, párr. 116, CIDH, Informe No. 56/02, Caso 12.158, Fondo, Benedict Jacob, Grenada, 21 de octubre 2002, párr. 94; CIDH, Informe No. 41/04, Caso 12.417, Fondo, Whitley Myrie, Jamaica, 12 de octubre de 2004, párr. 46.

[516] Al respecto véase por ejemplo, Corte I.D.H., *Caso Vélez Loor Vs. Panamá*. Sentencia de Excepciones Preliminares, Fondo, Reparaciones y Costas. Sentencia de 23 de noviembre de 2010. Serie C. No. 218, párr. 227; Corte I.D.H., *Caso Boyce et al. Vs. Barbados*. Excepción Preliminar, Fondo, Reparaciones y Costas. Sentencia de 20 de noviembre de 2007. Serie C No. 169, párr. 94.

[517] Corte I.D.H., *Caso Loayza Tamayo Vs. Perú*. Sentencia de 17 de septiembre de 1997. Serie C No. 33, párr. 89; Corte I.D.H., *Caso Cantoral Benavides Vs. Perú*. Sentencia de 18 de agosto de 2000. Serie C No. 69, párr. 85; Corte I.D.H., *Caso Hilaire, Constantine y Benjamin y otros Vs. Trinidad y Tobago*. Sentencia de 21 de junio de 2002. Serie C No. 94, párr. 76.b; Corte I.D.H., *Caso Caesar Vs. Trinidad y Tobago*. Sentencia de 11 de marzo de 2005. Serie C No. 123, párr. 99; Corte I.D.H., *Caso Tibi Vs. Ecuador*. Sentencia de 7 de septiembre de 2004. Serie C No. 114, párr. 151; Corte I.D.H., *Caso Suárez Rosero Vs. Ecuador*. Sentencia de 12 de noviembre de 1997. Serie C No. 35, párr. 91; Corte I.D.H., *Caso "Instituto de Reeducación del Menor" Vs. Paraguay*. Sentencia de 2 de septiembre de 2004. Serie C No. 112, párrs. 165-171; Corte I.D.H., *Caso Fermín Ramírez Vs. Guatemala*. Sentencia de 20 de junio de 2005. Serie C No. 126, párrs. 54.55, 54.56 y 54.57; Corte I.D.H., *Caso Raxcacó Reyes Vs. Guatemala*. Sentencia de 15 de septiembre de 2005. Serie C No. 133, párr. 43.23; Corte I.D.H., *Caso García Asto y Ramírez Rojas Vs. Perú*. Sentencia de 25 de noviembre de 2005. Serie C No. 137, párrs. 97.55, 97.56 y 97.57; Corte I.D.H., *Caso López Álvarez Vs. Honduras*. Sentencia de 1 de febrero de 2006. Serie C No. 141, párrs. 54.48 y 108; Corte I.D.H., *Caso del Penal Miguel Castro Castro Vs. Perú*. Sentencia de 25 de noviembre de 2006. Serie C No. 160, párrs. 296 y 297; Corte I.D.H., *Caso Montero Aranguren y otros (Retén de Catia) Vs. Venezuela*. Sentencia de 5 de julio de 2006. Serie C No. 150, párrs. 90-99 y 104; Corte I.D.H., *Caso Boyce et al. Vs. Barbados*. Excepción Preliminar, Fondo, Reparaciones y Costas. Sentencia de 20 de noviembre de 2007. Serie C No. 169, párrs. 94-102.

maltratos; en condiciones de aislamiento e incomunicación; y en lugares extremadamente distantes del domicilio familiar y bajo condiciones geográficas severas.

435.   Esto sin perjuicio de que, como se ha visto en el presente informe, determinadas situaciones como la falta de atención médica, o la falta de separación entre niños y adultos o entre hombres y mujeres, puedan caracterizar por sí mismas como violaciones al derecho a la integridad personal. Además, cuando el Estado somete intencionalmente a una persona a condiciones de reclusión particularmente lesivas con un fin determinado ello puede llegar a constituir tortura[518]. Esta sería, por ejemplo, la práctica constante del gobierno cubano contra los disidentes políticos[519]; o el tratamiento dado por el gobierno de los Estados Unidos a los detenidos en la base naval de Guantánamo[520].

436.   A lo largo de los años y por medio del ejercicio de sus distintas funciones, la CIDH se ha referido ampliamente acerca de las condiciones de reclusión en los Estados del continente; en la absoluta mayoría de estos casos la realidad observada no se ajusta a los estándares internacionales vigentes[521].

437.   En el marco del seguimiento a la situación de los derechos humanos en Haití, la CIDH ha constatado que la situación penitenciaria de ese país se ha caracterizado por la carencia generalizada de infraestructura adecuada y suficiente para albergar a la población reclusa; las personas son mantenidas en espacios hacinados sin ventilación ni entradas de luz natural, ni espacio para dormir; por la falta de atención médica, por lo que los presos padecen un estado de mala salud generalizada; y por la desnutrición de los prisioneros. En todas las cárceles hay celdas inhabitables, faltan camas para los internos y en algunos casos ni siquiera hay dormitorios para los propios guardias[522].

---

[518] A este respecto el Protocolo de Estambul contempla entre los diferentes métodos de tortura una categoría específica relativa a las condiciones de reclusión, según la cual se puede infligir daños físicos y psicológicos a una persona por medio de su confinamiento en: celdas pequeñas o atestadas, en solitario, condiciones anti-higiénicas, sin instalaciones sanitarias, con administración irregular de alimentos y agua o de alimentos y agua contaminados, con exposición a temperaturas extremas, negándole toda intimidad y sometiéndole a desnudez forzada (párr. 145 -m-).

[519] A este respecto véase por ejemplo: CIDH, *Informe Anual 2010*, Capítulo IV, Cuba, OEA/Ser.L/V/II.Doc.5 corr. 1, adoptado el 7 de marzo de 2011, párrs. 361-365.

[520] A este respecto véase por ejemplo: ONU, Presidenta-Relatora del Grupo de Trabajo sobre la Detención Arbitraria, el Relator Especial sobre la Independencia de los Magistrados y Abogados, el Relator Especial sobre la Tortura y otros Tratos o Penas Crueles, Inhumanos o Degradantes y el Relator Especial sobre el Derecho de toda Persona al Disfrute del Más Alto Nivel Posible de Salud Física y Mental, *Informe conjunto sobre la situación de los detenidos en la bahía de Guantánamo*, adoptado el 27 de febrero de 2006, párrs. 49-50.

[521] Una referencia comprensiva que abarque la totalidad de esta realidad sería sumamente extensa y excede el marco del presente informe, por lo cual para ilustrar esta situación se presentan algunos ejemplos representativos, sin que esto signifique una "lista negra" o "ranking" de los países que presentan las peores deficiencias a este respecto, pues, como ya se ha mencionado, la falta de condiciones adecuadas de reclusión es una problemática general que toca a la absoluta mayoría de los Estados de la región.

[522] CIDH, *Observaciones de la Comisión Interamericana de Derechos Humanos sobre su visita a Haití en abril de 2007*, OEA/Ser.L/V/II.131. Doc. 36, adoptado el 2 de marzo de 2008, párrs. 31-33; CIDH, *Haití: ¿Justicia Frustrada o Estado de Derecho? Desafíos para Haití y la Comunidad Internacional*, Cap. III, párr. 209.

438.   Asimismo, durante una reunión sostenida en el curso de la visita *in loco* a Bolivia de 2006 el Director General de Régimen Penitenciario calificó las cárceles del país como "basureros de personas", debido a las malas condiciones de infraestructura y al abandono a que estuvieron sometidas durante años. A este respecto, la CIDH consideró además que la precariedad de la infraestructura y la insuficiencia presupuestaria se refleja también en condiciones inaceptables de salud, higiene y alimentación en las cárceles bolivianas[523].

439.   En su visita *in loco* a Jamaica de 2008 la CIDH constató las graves condiciones de reclusión en las estaciones de policía de *Spanish Town* y de *Hunts Bay*, observando que los detenidos se amontonaban en celdas oscuras, sin ventilación y sucias. Oficiales de policía de *Spanish Town* informaron que los detenidos con discapacidad mental se encontraban encerrados en el baño de las celdas. Además, la delegación observó alarmada que en la comisaría de *Hunts Bay* los detenidos se encontraban terriblemente hacinados y viviendo en medio de la basura y la orina[524].

440.   En el caso de la Cárcel de Challapalca, en Perú, la Comisión, luego de evaluar las condiciones generales de reclusión de ese establecimiento, entre otras, su ubicación a una altura de 4,600 metros sobre el nivel del mar y en una zona inhóspita extremadamente distante de cualquier núcleo poblacional, en condiciones climáticas extremas, recomendó al Estado inhabilitar de inmediato dicha cárcel y trasladar a los reclusos allí detenidos a centros penitenciarios cercanos a sus entornos familiares[525].

441.   Por su parte, el Relator sobre PPL durante su visita a Suriname constató que las condiciones de detención en la Estación de Policía de Geyersvlijt eran palpablemente peores que las observadas en los centros penitenciarios visitados. En esta comisaría, particularmente en la sección de varones, se observó un grave problema de hacinamiento, con todas las consecuencias que esta situación acarrea, como la violencia entre internos, el contagio de enfermedades, la falta de camas (algunos internos debían dormir en hamacas dentro de las celdas). Además, las condiciones sanitarias y de higiene eran deplorables, los inodoros se encontraban en mal estado; la basura que se produce en las celdas se depositaba en bolsas que luego se almacenaban en el baño cerca de los inodoros y las duchas, y que sólo se sacaban una vez a la semana; y había presencia de insectos, ratas y otras alimañas. Todo esto en un ambiente hacinado, caluroso y cerrado, carente de ventilación y luz natural. En estas condiciones, la mayoría de los internos, tanto hombres, como mujeres, manifestaron que permanecían en encierro absoluto en sus celdas durante casi todo el día[526].

---

[523] CIDH, *Acceso a la Justicia e Inclusión Social: El Camino hacia el Fortalecimiento de la Democracia en Bolivia*, Cap. III, párr. 206.

[524] CIDH, Comunicado de Prensa 59/08 - CIDH publica observaciones preliminares sobre visita a Jamaica. Kingston, Jamaica, 5 de diciembre de 2008.

[525] CIDH, *Informe Especial sobre la Situación de los Derechos Humanos en la Cárcel de Challapalca*, párr. 119; CIDH, *Segundo Informe sobre la Situación de los Derechos Humanos en Perú*, Cap. IX, párr. 24(12).

[526] CIDH, Comunicado de Prensa 56/11 - Relatoría sobre los Derechos de las Personas Privadas de Libertad culmina visita a Suriname. Washington, D.C., 9 de junio de 2011, Anexo, párrs. 19 y 20.

442. Asimismo, en el curso de su visita a Uruguay, el Relator sobre PPL constató que las condiciones edilicias, sanitarias y de higiene de los módulos 1, 2 y 4 del Complejo Carcelario Santiago Vásquez (ComCar) eran absolutamente inadecuadas para el alojamiento de seres humanos. Estos módulos eran espacios oscuros, húmedos, fríos, insalubres, llenos de basura, sin entradas adecuadas de aire y luz natural, en los que las aguas negras salían de los desagües a los pisos y las celdas, lo que además de ser antihigiénico, generaba una atmósfera densa de olores nauseabundos. La propia infraestructura de estos módulos estaba totalmente corroída y desgastada, observándose hoyos y boquetes en las paredes y el piso de los pasillos. En esas condiciones de insalubridad se constató la presencia de personas portadoras de VIH. A este respecto, la CIDH recomendó al Estado clausurar dichos módulos y trasladar a los internos[527].

443. En algunos casos graves y urgentes las CIDH ha considerado que las condiciones de detención, más allá de no adecuarse a los estándares internacionales aplicables, ponían en riesgo a las personas de sufrir daños irreparables; y por lo tanto, fueron objeto de medidas cautelares, así por ejemplo:

444. En el curso de su reciente visita a la Provincia de Buenos Aires, la Relatoría de PPL constató que la Comisaría de Ensenada Seccional 3ª, cuya capacidad real de alojamiento era de 6 plazas, alojaba al momento de la visita 20 personas en una situación de hacinamiento absoluto (y según se comprobó, dos semanas antes había llegado a albergar hasta 28 detenidos). Se observó además, que en cada celda dormían 3 personas y en el suelo del corredor otras 11, una seguida de la otra. Los detenidos permanecían encerrados en estas condiciones 24 horas al día sin acceso a luz natural, salvo un pequeño enrejado a través del cual tienen contacto con los abogados y las visitas. Se constató que todos los detenidos de esa comisaría habían permanecido ahí por periodos de entre 3 a 18 meses, incluso se encontró una persona de 75 años que sufría de artritis y que llevaba allí 45 días[528].

445. Asimismo, en junio de 2009 la CIDH otorgó medidas cautelares para proteger a las personas recluidas en el centro de detención de Polinter-Neves en Río de Janeiro. Al momento del otorgamiento de estas medidas la Comisión tomó en consideración que este establecimiento, cuya capacidad era de 250 plazas albergaba 759 personas, las cuales se encontraban en una situación alarmante de hacinamiento; sin recibir atención médica necesaria, especialmente para el tratamiento de tuberculosis e infecciones cutáneas; y alojados en espacios cerrados extremadamente calientes (de hasta 56º Celsius), húmedos, malolientes y carentes de ventilación y entradas de luz natural. Se informó que ante la falta de espacios disponibles y camas algunos de los detenidos dormían atados a las rejas, siendo conocidos comúnmente como "hombres murciélagos"[529].

---

[527] CIDH, Comunicado de Prensa 76/11 – Relatoría recomienda adopción de política pública carcelaria integral en Uruguay. Washington, D.C., 25 de julio de 2011, Anexo, párrs. 25 y 27.

[528] CIDH, Expediente de la Medida Cautelar MC-187-10.

[529] CIDH, Expediente de la Medida Cautelar MC-236-08. Posteriormente la población reclusa de este establecimiento fluctuó de la siguiente manera: 575 personas (agosto de 2009); 727 (agosto de 2009); 722

Continúa...

446.   Así pues, el concepto general de condiciones de reclusión es muy amplio y comprende algunos aspectos que por su naturaleza y relevancia son analizados en capítulos o secciones específicas del presente informe, como por ejemplo: los servicios de salud, el contacto de los reclusos con sus familiares, los programas de rehabilitación y el deber del Estado de asegurar un entorno seguro para la vida e integridad personal de los reclusos. Por ello, en esta sección se hace énfasis en los siguientes aspectos fundamentales: el hacinamiento, las condiciones de albergue, higiene y vestido, y la alimentación y agua potable.

1.   Hacinamiento

447.   Como se ha visto en el presente informe, si bien la mayoría de los Estados enfrentan desafíos muy similares en el respeto y garantía de los derechos humanos de las personas privadas de libertad -cuya gravedad puede variar- actualmente el problema más grave que afecta a la absoluta mayoría de los países de la región es el hacinamiento. Esta realidad no es nueva, desde hace más de 45 años la CIDH ha venido refiriéndose a este problema en los Estados de la región[530], y así lo ha hecho reiteradamente –al igual que su Relatoría sobre PPL– en casi todos sus informes en los que se ha analizado la situación de personas privadas de libertad.

448.   La trascendencia y dimensiones de esta realidad no sólo han sido puestas de manifiesto por la CIDH como órgano de monitoreo de los derechos humanos en la región, sino que la misma también ha sido reconocida al más alto nivel político por los Estados miembros de la OEA en su Asamblea General[531]. Asimismo, las autoridades responsables de las políticas penitenciarias y carcelarias de los Estados miembros de la OEA, en el marco del REMJA, han señalado como uno de los principales retos a nivel regional: el hacinamiento y las deficiencias en la infraestructura de las cárceles[532].

449.   Recientemente el ILANUD en un estudio regional encontró que dos de los principales problemas o necesidades de los sistemas penitenciarios de América Latina son, precisamente, el hacinamiento y la deficiente calidad de vida en las prisiones[533].

...continuación
(noviembre de 2009); 622 (marzo 2010); 803 (mayo de 2010); 570 (agosto de 2010); 580 (septiembre de 2010); 453 (noviembre de 2010); y 544 (enero de 2011).

[530] Véase a este respecto, CIDH, *Informe sobre la Actuación de la Comisión Interamericana de Derechos Humanos en la República Dominicana*, OEA/Ser.L/V/II.13. Doc 14 Rev. (español), adoptado el 15 de octubre de 1965, Cap. II.A.

[531] OEA, Resolución de la Asamblea General, AG/RES. 2510 (XXXIX-O/09), aprobada el 4 de junio de 2009; OEA, Resolución de la Asamblea General, AG/RES. 2403 (XXXVIII-O/08), aprobada el 13 de junio de 2008; OEA, Resolución de la Asamblea General, AG/RES. 2283 (XXXVII-O/07), aprobada el 5 de junio de 2007; y OEA, Resolución de la Asamblea General, AG/RES. 2233 (XXXVI-O/06), aprobada el 6 de junio de 2006.

[532] OEA, Reunión de Ministros de Justicia o de Ministros o Procuradores Generales de las Américas (REMJA), Informe de la Primera Reunión de Autoridades Responsables de las Políticas Penitenciarias y Carcelarias de los Estados Miembros de la OEA, OEA/Ser.K/XXXIV GAPECA/doc.03/03, adoptado el 17 de octubre de 2003, disponible en: http://www.oas.org/dsp/documentos/ministerial/1ra%20reunion%20carceles-informe.pdf.

[533] Instituto Latinoamericano de las Naciones Unidas para la Prevención del Delito y Tratamiento del Delincuente (ILANUD), *Cárcel y Justicia Penal en América Latina y el Caribe*, 2009, págs. 28-31.

450.	Con relación a este tema, la mayoría de los Estados que presentaron sus respuestas al cuestionario publicado con motivo del presente informe, reconocieron que uno de los principales desafíos que enfrentan es precisamente la falta de capacidad para albergar a la población reclusa. Así por ejemplo, Brasil indicó que su sistema penitenciario enfrenta un cuadro crítico de sobrepoblación con un déficit de 180,000 plazas. A este respecto, una de las preguntas del referido cuestionario se refería específicamente a la capacidad de alojamiento de cada centro penal y a cuál era su población real, los Estados que respondieron a la misma aportaron la siguiente información oficial[534]:

Argentina	El Estado argentino informó que la capacidad real de alojamiento de las Unidades del Servicio Penitenciario Federal (era de 10,337 plazas, y que la población de las mismas (en abril de 2010) era de 9,426 internos. De acuerdo con la información aportada, todas y cada una de estas unidades se encontraba dentro del límite de su capacidad locativa.
Bolivia	La capacidad total de alojamiento de la lista de 23 recintos penitenciarios, en junio de 2010, sería de 3,738 y la población penal de los mismos, sería de 7,700 reclusos; siendo los más representativos el penal de San Pedro, en La Paz (capacidad 400/población 1,450), y el penal de Palmasola, en Santa Cruz (capacidad 600/población 2,186). Asimismo, los recintos penales de Montero (Santa Cruz), San Pedro y San Pablo (Cochabamba), todos con capacidad para 30 personas, alojaban a junio de 2010, 162, 141 y 164 personas respectivamente.
Chile	De acuerdo con cifras oficiales actualizadas al 31 de diciembre de 2009 se presentó la siguiente información por regiones:[535] • Arica y Parincota (1 UP): capacidad de diseño 1,100/población 2,190; • Tarapaca (3 UP): capacidad de diseño 2,233/población 2,628; • Antofagasta (5 UP): capacidad de diseño 1,378/población 2,398; • Atacama (3 UP): capacidad de diseño 524/población 1,147; • Coquimbo (4 UP): capacidad de diseño 2,022/población 2,186; • Valparaíso (10 UP): capacidad de diseño 2,574/población 5,749; • O'Higgins (5 UP): capacidad de diseño 2,332/población 2,813; • El Maule (11 UP): capacidad de diseño 1,985/población 2,819; • El Bío Bío (13 UP): capacidad de diseño 3,245/población 4,820; • La Araucana (11 UP): capacidad de diseño 1,759 /población 2,680; • Los Ríos (3 UP): capacidad de diseño 1,473/población 1,191; • Los Lagos (5 UP): capacidad de diseño 1863/población 1,840; • Aysén (4 UP): capacidad de diseño 290/población 236; • Magallanes (3 UP): capacidad de diseño 423/población 388; • Metropolitana (13 UP): capacidad de diseño 12,011/población 20,588. En este contexto, se destaca, por ejemplo la situación de las siguientes Unidades Penales: CDP Santiago Sur (capacidad 2,446/población 6,803); CDP

---

[534] Es importante destacar que en ninguna de las respuestas enviadas por los Estados se aportan datos relacionados a los índices de alojamiento de personas en Comisarías o Estaciones de Policías, las cuales en los hechos muchas veces son utilizadas en gran medida como centros de reclusión.

[535] Debido a la gran cantidad de Unidades o Establecimientos Penitenciarios del Sistema Cerrado, la información ha sido organizada según los totales por región, y al final se presentan algunos ejemplos de casos representativos.

	San Miguel (capacidad 892/población 1,790); CP Arica (capacidad 1,100/población 2,190); CCP Antofagasta (capacidad 684/población 1,251); CCP Copiapó (capacidad 252/población 759); CCP Talca (capacidad 566/población 1,002); y CP Concepción (capacidad 1,220/población 2,255).
Costa Rica	La capacidad total de alojamiento en los Centros de Atención del Programa Institucional, al 20 de mayo de 2010, era de 8,523 cupos y la población real total de los mismos ascendía a 9,770 internos; siendo los tres más grandes el CAI Reforma, San Rafael de Alajuela (capacidad 2,016/población 2,231); el CAI Gerardo Rodríguez, San Rafael de Alajuela (capacidad 952/población 1,121); el CAI Pococi, La Leticia Guápiles (capacidad 874/población 970); y el CAI San Rafael, San Rafael de Alajuela (capacidad 744/población 826).
Ecuador	La capacidad total de alojamiento de los 42 Centros de Rehabilitación Social, al 30 de septiembre de 2010, era de 9,403 plazas y el total de personas privadas de libertad en los mismos a esa fecha era de 13,237 internos (cifra que incluye: sentenciados, procesados y contraventores). Asimismo, el Estado informó que a julio del 2010, el total de la población penal (incluyendo la población penitenciaria flotante, ascendía a 18,300 personas). De acuerdo con la información aportada por el Estado, los cuatro establecimientos que presentaban un mayor déficit de plazas en términos absolutos, a julio de 2010, eran: Guayaquil CDP (población 161/plazas 140); Quito CDP No. 1 (población 573/plazas 275); Guayaquil Varones No. 1 (población 3,598/plazas 2,792); Quito CDP 24 de mayo No. 2 (población 168 /plazas 130).
El Salvador	La capacidad total de los 20 centros penales del país, en abril de 2010, era de 8,110 plazas y albergaban a esa fecha un total de 22,707 reclusos. Así por ejemplo: el Centro Penal de Apanteos, con una capacidad para 1,800 internos, albergaba en la fecha indicada 3,344; el Centro Penal La Esperanza, con capacidad para 850, 4,700; y el Centro Penal de Ilopango, cuya capacidad es de 250, 1,477.
Guatemala	La capacidad total de los 20 centros penitenciarios del país, a mayo de 2010, era de 6,610 plazas y su ocupación real de 10,512 privados de libertad. En este contexto, se destaca el Centro Preventivo de la Zona 18 (capacidad 1,500/población 2,843); la Granja Cantel (capacidad 625/ocupación 1,167); la Granja Canadá (capacidad 600/población 1,163); el Centro de Detención Los Jocotes de Zacapa (capacidad 158/población 571); y el Centro de Detención de Mazatenango (capacidad 120/población 402).
Guyana	La capacidad total de las 5 prisiones del país, en septiembre de 2010, era de 1,580 plazas y su población real de 2007 reclusos, siendo la más representativa la prisión de Georgetown, cuya capacidad es de 600 plazas y que a esa fecha alojaba 967.
México	El Estado mexicano indicó que, a septiembre de 2010, todos los Centros Federales de Readaptación Social, incluyendo el Centro Federal de Rehabilitación Psicosocial, tienen una población interna inferior a su capacidad instalada. Con respecto al Complejo Penitenciario de Islas Marías, se informó que albergaba 2,685 internos y que "su capacidad instalada se encuentra sujeta a ampliación".
Nicaragua	La capacidad total de los ocho centros penales del país, a septiembre de 2010, era de 4,742 plazas, y su ocupación real de 6,071 personas; destacándose: el Centro Penal de Granada, que con una capacidad de 469 cupos alojaba 851 personas.

Panamá	La capacidad total de los 19 centros penales del país, a septiembre de 2010, era de 7,088 plazas, y su población de 11,578 internos; destacándose: el Centro Penitenciario La Joyita (capacidad 1,850/población 4,027); el Centro Penitenciario La Joya (capacidad 1,556/población 1,871); el Centro de Rehabilitación Nueva Esperanza (capacidad 1,008/población 1,305); la Cárcel de David (capacidad 300/población 906); y la Cárcel de La Chorrera (capacidad 175/población 494).
Paraguay	La capacidad total de las 15 instituciones penitenciarias del país, al 13 de mayo de 2010, era de 4,951 plazas, y su población de 6,270 personas privadas de libertad; destacándose: la Penitenciaría Nacional de Tacumbú (capacidad 1,800/población 3,138); la Penitenciaría Reg. PJ. Caballero y la Penitenciaría Reg. Misiones, ambas con capacidad para 90 personas, y que respectivamente albergaban 657 y 442 personas.
Perú	De acuerdo con cifras oficiales actualizadas al 23 de mayo de 2010 se presentó la siguiente información por regiones:[536] • Región Norte (13 EP): capacidad de albergue 4,840/población 6,264; • Región Lima (16 EP): capacidad de albergue 11,413/población 23,472; • Región Oriente Pucallpa (4 EP): capacidad de albergue 1,734/población 2,941; • Región Centro Huancayo (9 EP): capacidad de albergue 1,763/población 4,026; • Región Sur Oriente Cusco (10 EP): capacidad de albergue 1,632/población 2,248; • Región Sur Arequipa (6 EP): capacidad de albergue 1,010/población 1,785; • Región Nor Oriente San Martín (8 EP): capacidad de albergue 1,304/población 3,010; • Región Altiplano Puno (5 EP): capacidad de albergue 1,198/población 1,014. Así, el Estado ha informado que la capacidad general de albergue es de 24,894 para una población de 44,760 internos; en este contexto, sobresalen los siguientes establecimientos penitenciarios: EP. Lurigancho (capacidad 3,204/población 8,877); EP. Callao (capacidad 572/población 2,598); EP. de Cañete 567/1,975); EP. de Pucallpa (capacidad 484/población 1,340); EP. de Chanchamayo (capacidad 120/población 497); y EP. de Ayacucho (capacidad 644/población 1,706).
Suriname[537]	Los cuatro centros penitenciarios del país, a febrero de 2011, tenían en conjunto una capacidad total de alojamiento de 1,277 cupos, y una población total de 1,010; indicando que cada uno de estos establecimientos se encuentra por debajo del límite de su capacidad.

[536] Debido a la gran cantidad de Establecimientos Penitenciarios, la información ha sido organizada según los totales por región, y al final se presentan algunos ejemplos de casos representativos.

[537] Para una referencia más reciente de la información estadística de Suriname véase: CIDH, Comunicado de Prensa 56/11 - Relatoría sobre los Derechos de las Personas Privadas de Libertad culmina visita a Suriname. Washington, D.C., 9 de junio de 2011, Anexo.

Trinidad y Tobago	Los ocho centros penitenciarios del país, a febrero de 2010, tenían en conjunto una capacidad de alojamiento de 4,386 plazas, y una población total de 3,672; por lo tanto, por debajo de su capacidad total. Sin embargo, algunas prisiones individualmente consideradas sí están considerablemente sobrepobladas, por ejemplo: la Prisión de Puerto España (capacidad 250/población 460); la Prisión para Reos Condenados de Carrera (capacidad 185/población 380); y el centro Remand Yard (capacidad 655/población 981).
Uruguay[538]	La capacidad locativa del Sistema Penitenciario uruguayo a marzo de 2010 se componía de 6,413 plazas, ascendiendo la población carcelaria a 8,785 reos.
Venezuela	De acuerdo con cifras oficiales actualizadas a junio de 2010 se informa[539]: • Casa de Reeducación, Rehabilitación e Internado Judicial El Paraíso (La Planta): capacidad 600/población 1,940; • Internado Judicial Capital Rodeo I: capacidad 750/población 2,145; • Internado Judicial Capital Rodeo II: capacidad 684/población 1,161; • Centro Penitenciario Metropolitano Complejo Yare: capacidad 750/población 1,334; • Centro Penitenciario Metropolitano Yare III: población 140 (no se indica capacidad); • Instituto Nacional de Orientación Femenina (INOF): capacidad 240/población 676; • Internado Judicial de Los Teques: capacidad 700/población 1,340; • Cárcel Nacional de Maracaibo (Sabaneta): capacidad 800/población general 2,514; • Internado Judicial de Falcón: capacidad 750/población general 898; • Comunidad Penitenciaria de Coro: capacidad 818/población general 560; • Centro Penitenciario de la Región Centro Occidental (Uribana): capacidad 860/población general 1,785; • Centro Penitenciario Los Llanos (Guanare): capacidad 800/población 949; • Internado Judicial de Trujillo: capacidad 400/población 714; • Internado Judicial de Barinas: capacidad 540/población general 1,616; • Centro Penitenciario Región Andina: capacidad 776/población general 1,550; • Centro Penitenciario de Occidente (Santa Ana): capacidad 1,500/población general 2,254; • Internado Judicial de Apure: capacidad 418/población general 500; • Internado Judicial de Yaracuy: capacidad 300/población 839; • Internado Judicial de Carabobo (Tocuyito): capacidad 1,200/población general de 3,810; • Centro Penitenciario de Carabobo (Mínima): capacidad

---

[538] Para una referencia más reciente de la información estadística de Uruguay véase: CIDH, Comunicado de Prensa 76/11 – Relatoría recomienda adopción de política pública carcelaria integral en Uruguay. Washington, D.C., 25 de julio de 2011, Anexo.

[539] En el caso de aquellos establecimientos penitenciarios que tienen anexos femeninos se incluye esta población dentro de la denominación de "población general", en cambio aquellos que son sólo masculinos el total de reclusos se denomina "población".

> 300/población 96;
>
> - Centro Penitenciario de Aragua (Tocorón): capacidad 550/población general 3,332;
> - Centro Experimental de Reclusión y Rehabilitación de Jóvenes Adultos (CERRA): capacidad 50/población 5;
> - Internado Judicial de Los Pinos: capacidad 600/población 922;
> - Penitenciaría General de Venezuela: capacidad inicial 3,000/población 915;
> - Internado Judicial de Anzoátegui (Puente Ayala): capacidad 650/población 1,071;
> - Internado Judicial de Sucre (CUMANA): capacidad 135/población general 424;
> - Internado Judicial de Carúpano: capacidad 120/población general 571;
> - Centro Penitenciario Región Oriental (El Dorado): capacidad 200/población 138;
> - Internado Judicial de Ciudad Bolívar (Vista Hermosa): capacidad 400/población 1,060;
> - Internado Judicial de la Región Insular (Margarita): capacidad 510/población general 1,693;
> - Centro Penitenciario Femenino Región Insular: capacidad 54/población 18;
> - Internado Judicial de Monagas (La Pica): capacidad 800/población general 1,156.

451. La CIDH observa que el hacinamiento es la consecuencia previsible de los siguientes factores fundamentales: (a) la falta de infraestructura adecuada para alojar a la creciente población penitenciaria; (b) la implementación de políticas represivas de control social que plantean la privación de la libertad como respuesta fundamental a las necesidades de seguridad ciudadana (llamadas de "mano dura" o "tolerancia cero"; (c) el uso excesivo de la detención preventiva y de la privación de libertad como sanción penal[540]; y (d) la falta de una respuesta rápida y efectiva por parte de los sistemas judiciales para tramitar, tanto las causas penales, como todas aquellas incidencias propias del proceso de ejecución de la pena (por ejemplo en la tramitación de las peticiones de libertad condicional).

452. Con respecto a las políticas que propician el empleo del encarcelamiento como instrumento para la disminución de los niveles de violencia, la CIDH indicó en su Informe sobre Seguridad Ciudadana y Derechos Humanos que:

> [M]ás allá de lo debatible de su eficacia, [estas políticas] han generado incrementos en la población penitenciaria. Sin embargo, la inmensa mayoría de los países de la región no contaban, ni cuentan, con la infraestructura ni con los recursos humanos o técnicos necesarios en su sistema penitenciario para garantizar a las personas privadas de libertad

---

[540] A este respecto véase también: ONU, Grupo de Trabajo sobre Detenciones Arbitrarias, Informe Anual presentado al Consejo de Derechos Humanos, E/CN.4/2006/7, adoptado el 12 de diciembre de 2005, Cap. III:(B) *Excesiva aplicación de la pena de prisión*, párrs. 60 - 67.

un trato humano. Consecuentemente, dichos sistemas no están en condiciones de constituirse en herramientas efectivas para contribuir a la prevención de la violencia y el delito[541].

453.   Esta realidad fue claramente observada por el Relator sobre PPL en el curso de su visita a El Salvador, en la que constató que si bien el sistema penitenciario salvadoreño tenía una capacidad instalada de 8,110 plazas, albergaba en octubre de 2010 más de 24,000 personas. Sin embargo, la actividad criminal y los niveles de violencia continúan aumentando a pesar del empleo masivo de la detención. A este respecto, la CIDH consideró que "aquellas reformas penales destinadas a producir cambios significativos deben ir acompañadas de la consiguiente adecuación de las instituciones judiciales y penitenciarias, pues serán estas esferas las que recibirán de forma directa el impacto de estas reformas legislativas"[542].

454.   En el mismo sentido, el Relator sobre la Tortura de la ONU ha considerado que, en general, la utilización de la prisión como medida habitual y no de último recurso no ha servido para reducir los índices de delincuencia ni para prevenir la reincidencia. Sino que por el contrario, esto impacta negativamente en el sistema penitenciario; por ello, en lugar de los sistemas penales y penitenciarios orientados a encerrar personas debe darse mayor prioridad a la reforma profunda del sistema de administración de justicia, introduciendo un nuevo enfoque que tenga como objetivo la rehabilitación y la reinserción de los delincuentes a la sociedad[543].

455.   El hacinamiento de personas privadas de libertad genera fricciones constantes entre los reclusos e incrementa los niveles de violencia en las cárceles[544]; dificulta que éstos dispongan de un mínimo de privacidad; reduce los espacios de acceso a las duchas, baños, el patio etc.; facilita la propagación de enfermedades; crea un ambiente en el que las condiciones de salubridad, sanitarias y de higiene son deplorables; constituye un factor de riesgo de incendios y otras situaciones de emergencia[545]; e impide el acceso a las –generalmente escasas– oportunidades de estudio y trabajo, constituyendo una verdadera barrera para el cumplimiento de los fines de la pena privativa de la libertad.

---

[541] CIDH, *Informe sobre Seguridad Ciudadana y Derechos Humanos*, párr. 157.

[542] CIDH, Comunicado de Prensa 104/10 – Relatoría de la CIDH constata deficiencias estructurales de sistema penitenciario de El Salvador. Washington, D.C., 20 de octubre de 2010, Anexo.

[543] ONU, Relator Especial sobre la Tortura y otros Tratos o Penas Crueles, Inhumanos o Degradantes, Informe de la Misión a Uruguay, A/HRC/13/39/Add.2, adoptado el 21 de diciembre de 2009, Cap. IV: *Administración de justicia penal: causas subyacentes del colapso de los sistemas penitenciario y de administración de justicia*, párrs. 100 y 101.

[544] Las consideraciones al hacinamiento han sido una constante en aquellas cárceles con altos índices de violencia respecto de las cuales la Corte Interamericana ha otorgado medidas provisionales. Así por ejemplo, la cárcel de Tocorón, en Venezuela, cuya capacidad es de 750 plazas tenía al momento del otorgamiento de las medidas provisionales una población de 3,211 reclusos. Corte I.D.H., Asunto Centro Penitenciario de Aragua "Cárcel de Tocorón" respecto Venezuela, Resolución del Presidente de la Corte Interamericana de Derechos Humanos de 1 de noviembre de 2010, Visto 2a).

[545] Así por ejemplo, el hacinamiento fue uno de los factores claves del resultado fatal de muertos en los incendios ocurridos en la Cárcel Departamental de Rocha, en Uruguay el 8 de julio de 2010; y en la Cárcel de San Miguel, en Chile el 8 de diciembre de 2010.

456.	Esta situación genera serios problemas en la gestión de los establecimientos penitenciarios, afectando, por ejemplo, la prestación de los servicios médicos y el ejercicio de los esquemas de seguridad de la cárcel. Además, favorece el establecimiento de sistemas de corrupción en los que los presos tengan que pagar por los espacios, el acceso a los recursos básicos y a condiciones tan básicas como una cama[546].

457.	Otra grave consecuencia del hacinamiento es la imposibilidad de clasificar a los internos por categorías, por ejemplo, entre procesados y condenados, lo que en la práctica genera una situación generalizada contraria al régimen establecido por el artículo 5.4 de la Convención Americana, y al deber del Estado de dar a los procesados un trato distinto, acorde con el respeto de los derechos a la libertad personal y a la presunción de inocencia.

458.	El incremento dramático del hacinamiento en los centros penitenciarios en algunos países ha conducido a que las autoridades tengan que recluir personas por largos periodos de tiempo en centros de detención provisional y en comisarías o estaciones de policía[547]. Esta práctica genera graves violaciones a los derechos de los reclusos, entre otras razones porque: (a) estos establecimientos no están diseñados para el alojamiento de personas por periodos prolongados, y por lo tanto carecen de los servicios básicos para este fin; (b) no es posible la clasificación de los internos por categorías, lo que acarrea graves consecuencias en términos de seguridad y tratamiento; y (c) el personal policial no está capacitado para la custodia directa de reclusos, ni es parte de sus funciones naturales.

459.	Sobre este particular, la CIDH ha establecido que "deben adoptarse las medidas legislativas y las reformas estructurales necesarias para que la detención en sede policial sea utilizada en la menor medida posible, sólo hasta que una autoridad judicial determine la situación de la persona arrestada"[548].

460.	El hacinamiento de personas privadas de libertad puede llegar a constituir en sí mismo una forma de trato cruel, inhumano y degradante, violatoria del derecho a la integridad personal y de otros derechos humanos reconocidos internacionalmente. En definitiva, esta situación constituye una grave deficiencia estructural que trastoca por completo el cumplimiento de la finalidad esencial que la Convención Americana le atribuye a las penas privativas de libertad: la reforma y la rehabilitación social de los condenados.

---

[546] Véase a este respecto por ejemplo, ONU, Subcomité para la Prevención de la Tortura, *Informe sobre la visita a México del SPT*, CAT/OP/MEX/1, adoptado el 27 de mayo de 2009, párr. 169.

[547] Véase a este respecto por ejemplo: CIDH, *Observaciones de la Comisión Interamericana de Derechos Humanos sobre su visita a Haití en abril de 2007*, OEA/Ser.L/V/II.131. Doc. 36, adoptado el 2 de marzo de 2008, Cap. IV, párr. 34; CIDH, *Informe sobre la Situación de los Derechos Humanos en Brasil*, OEA/Ser.L/V/II.97. Doc. 29 rev. 1, adoptado el 29 de septiembre de 1997, Cap. IV, párr. 7; CIDH, Comunicado de Prensa 64/10 – Relatoría de la CIDH constata graves condiciones de detención en la provincia de Buenos Aires. Washington, D.C., 21 de junio de 2010. Véase también: ONU, Relator Especial sobre la Tortura y otros Tratos o Penas Crueles, Inhumanos o Degradantes, Informe de la Misión a Brasil, E/CN.4/2001/66/Add.2, adoptado el 30 de marzo de 2001, Cap. II: *Protección de los Detenidos contra la Tortura*, párrs. 119 y 120.

[548] CIDH, Comunicado de Prensa 56/11 - Relatoría sobre los Derechos de las Personas Privadas de Libertad culmina visita a Suriname. Washington, D.C., 9 de junio de 2011, Anexo, párr. 23.

461.   La CIDH reconoce que la creación de nuevas plazas –sea por medio de la construcción de nuevas instalaciones o de la modernización y ampliación de otras– es una medida esencial para combatir el hacinamiento y adecuar los sistemas penitenciarios a necesidades presentes; sin embargo, esta sola medida no representa una solución sostenible en el tiempo. Así como tampoco representan soluciones sostenibles a este problema la adopción de medidas de efecto inmediato como los indultos presidenciales o la liberación colectiva de determinadas categorías de presos, por razones de edad, condición de salud, levedad de los delitos, entre otras. Aunque las mismas pueden ser necesarias en situaciones en las que es necesario adoptar medidas urgentes de impacto inmediato.

462.   La atención efectiva del hacinamiento requiere además que los Estados adopten políticas y estrategias que incluyan, por ejemplo: (a) las reformas legislativas e institucionales necesarias para asegurar un uso más racional de la prisión preventiva, y que realmente se recurra a esta medida de forma excepcional; (b) la observancia de los plazos máximos establecidos legalmente para la permanencia de personas en detención preventiva; (c) la promoción del uso de medidas alternativas o sustitutivas de la detención preventiva y de la privación de libertad como pena[549]; (d) el uso de otras figuras propias del proceso de la ejecución de la sentencia, como las libertades condicionales, asistidas y las redenciones de pena por trabajo o estudio;   (e) la modernización de los sistemas de administración de justicia de forma tal que se agilicen los procesos penales; y (f) la prevención de las detenciones ilegales o arbitrarias por parte de las fuerzas policiales.

463.   Asimismo, como medida contra el hacinamiento, los Principios y Buenas Prácticas disponen que la ocupación de establecimientos por encima del número de plazas establecido será prohibida por la ley, y que ésta deberá establecer los mecanismos para remediar de manera inmediata cualquier situación de alojamiento por encima del número de plazas establecido. Además, que las autoridades judiciales competentes deberán adoptar remedios adecuados en ausencia de una regulación efectiva[550].

464.   Los Estados tienen el deber fundamental de establecer criterios claros para definir la capacidad máxima de sus instalaciones penitenciarias[551]. A este respecto, los Principios y Buenas Prácticas establecen que "[d]icha información, así como la tasa de ocupación real de cada establecimiento o centro deberá ser pública, accesible y

---

[549] A este respecto, en el marco del REMJA, las autoridades responsables de políticas penitenciarias y carcelarias de los Estados miembros de la OEA recomendaron: "recurrir a sanciones alternativas en el marco de la legislación nacional vigente. Entre otras, se dará preferencia a las siguientes medidas: sanciones verbales, libertad condicional, penas privativas de derechos, penas en dinero, incautación o confiscación, indemnización a la víctima, suspensión de la sentencia o condena diferida, servicios a la comunidad, obligación de acudir regularmente a un centro determinado, arresto domiciliario, la remisión, el indulto y la liberación con fines laborales o educativos". OEA, Reunión de Ministros de Justicia o de Ministros o Procuradores Generales de las Américas (REMJA), Informe de la Segunda Reunión de Autoridades Responsables de las Políticas Penitenciarias y Carcelarias de los Estados Miembros de la OEA, OEA/Ser.K/XXXIV GAPECA/doc.8/08, adoptado el 16 de diciembre de 2008, disponible en: http://www.oas.org/dsp/espanol/cpo_documentos_carceles.asp.

[550] CIDH, *Principios y Buenas Prácticas sobre la Protección de las Personas Privadas de Libertad en las Américas*, (Principio XVII).

[551] CIDH, *Quinto Informe sobre la Situación de los Derechos Humanos en Guatemala*, Cap. VIII, párr. 48.

regularmente actualizada". Además, disponen que la ley debe establecer y regular los procedimientos para impugnar estos datos[552].

465.   La capacidad de alojamiento de los centros de privación de libertad deberá formularse teniendo en cuenta criterios como: el espacio real disponible por recluso; la ventilación; la iluminación; el acceso a los servicios sanitarios; el número de horas que los internos pasan encerrados en sus celdas o dormitorios; el número de horas que éstos pasan al aire libre; y las posibilidades que tengan de hacer ejercicio físico, trabajar, entre otras actividades. Sin embargo, la capacidad real de alojamiento es la cantidad de espacio con que cuenta cada interno en la celda en la que se le mantiene encerrado. La medida de este espacio resulta de la división del área total del dormitorio o celda entre el número de sus ocupantes. En este sentido, como mínimo, cada interno debe contar con espacio suficiente para dormir acostado, para caminar libremente dentro de la celda o dormitorio, y para acomodar sus efectos personales[553].

466.   De no analizarse a fondo las causas reales del hacinamiento y sus posibles soluciones a largo plazo, todos los planes y proyectos de creación y habilitación de plazas no pasarán de ser meros paliativos para un problema que seguirá aumentando inexorablemente con el paso del tiempo.

2.   Albergue, condiciones de higiene y vestido

467.   Con respecto al albergue, los Principios y Buenas Prácticas establecen:

Principio XII.1: Las personas privadas de libertad deberán disponer de espacio suficiente, exposición diaria a la luz natural, ventilación y calefacción apropiadas, según las condiciones climáticas del lugar de privación de libertad. Se les proporcionará una cama individual, ropa de cama apropiada, y las demás condiciones indispensables para el descanso nocturno. Las instalaciones deberán tomar en cuenta las necesidades especiales de las personas enfermas, las portadoras de discapacidad, los niños y niñas, las mujeres embarazadas o madres lactantes, y los adultos mayores, entre otras.

468.   A este respecto, la CIDH ha observado que una de las causas más frecuentes por las cuales las personas privadas de libertad no disponen de condiciones adecuadas de albergue es por la práctica extendida de utilizar como centros de privación de libertad edificios e instalaciones que no fueron diseñados originalmente para tales funciones; o que son sumamente antiguos, y que en los hechos no son aptos o suficientes para servir como centros de privación de libertad.

---

[552] CIDH, *Principios y Buenas Prácticas sobre la Protección de las Personas Privadas de Libertad en las Américas*, (Principio XVII).

[553] Comité Internacional de la Cruz Roja (CICR), *Water, Sanitation, Hygiene and Habitat in Prisons* (2005), págs. 19 y 20.

469.   Así por ejemplo, en el curso de su misión a la Provincia de Buenos Aires la Relatoría sobre PPL pudo observar que las comisarías visitadas no eran recintos diseñados originalmente para el alojamiento de personas por periodos prolongados, sino estructuras de otra naturaleza que posteriormente fueron modificadas[554]. Asimismo, en su visita de trabajo a Uruguay, el Relator sobre PPL observó las graves deficiencias estructurales del Centro Femenino de Cabildo, el cual originalmente había sido un convento construido en 1898 y que actualmente no ofrecía condiciones mínimas de seguridad[555].

470.   En este sentido, en el cuestionario publicado con motivo del presente informe se solicitó información relativa a la antigüedad de los centros penitenciarios y si los mismos habían sido diseñados para ese fin específico. Al respecto, algunos Estados aportaron la siguiente información:

Argentina	De las 54 Unidades Penitenciarias de la Provincia de Buenos Aires, diez de ellas no fueron construidas con ese fin específico. Además, de las 54 Unidades Penitenciarias, tres fueron construidas entre 1877 y 1882; cuatro entre 1913 y 1951; y el resto son posteriores a 1960.
Bolivia	De los 18 centros penitenciarios del país, tres fueron construidos entre 1832 y 1900; tres entre 1935 y 1957; y el resto con posterioridad a 1980.
Ecuador	De los 40 centros de rehabilitación del país, cuatro fueron construidos entre 1860 y 1900; seis entre 1915 y 1954; y el resto a partir de 1964.
El Salvador	El Estado salvadoreño informó de forma transparente que: "Los únicos Centros Penales que se han construido como tal, son el Centro de Readaptación para Mujeres de Ilopango, el Centro Penal de Máxima Seguridad de Zacatecoluca, y el Centro Penal Izalco. El resto, han sido habilitados para el fin de cárceles, tal es el caso del Centro Penal de Seguridad de San Francisco Gotera y del Centro Preventivo y de Cumplimiento de Penas de San Miguel, que eran beneficios de café; la Penitenciaría Occidental de Santa Ana, que es un anexo de la Segunda Brigada de Infantería; y la Penitenciaría Central la Esperanza, construido para ser una escuela".
Guyana	De los cinco centros penitenciarios de este Estado, tres fueron construidos originalmente entre 1832 y 1860, y los otros dos en la década de los 70s.
Nicaragua	De los ocho centros penales del país, tres no fueron construidos originalmente para ser cárceles: el Centro Penitenciario de Chinandega, que originalmente era un albergue para las personas que pernoctaban en espera del tren y que funcionaba también como dormitorio público; el Centro Penitenciario de Mujeres de Veracruz, que era una quinta particular; y el Centro Penitenciario de Bluefields, "que son las instalaciones antiquísimas donde estuvo instaurado el Rey Mosco de la Costa del Caribe".
Panamá	De los 24 establecimientos utilizados oficialmente como Centros Penales, quince fueron construidos inicialmente como cuarteles de policía hace aproximadamente 50 años, la mayoría con adaptaciones realizadas posteriormente. Además, los centros penitenciarios de La Joya y La Joyita,

---

[554] CIDH, Comunicado de Prensa 64/10 – Relatoría de la CIDH constata graves condiciones de detención en la provincia de Buenos Aires. Washington, D.C., 21 de junio de 2010.

[555] CIDH, Comunicado de Prensa 76/11 – Relatoría recomienda adopción de política pública carcelaria integral en Uruguay. Washington, D.C., 25 de julio de 2011, Anexo, párr. 29.

	los dos más poblados del país, fueron originalmente instalaciones militares y luego policiales que se adaptaron para alojar reclusos luego de la clausura de la Cárcel Modelo a mediados de los 90s.
Trinidad y Tobago	De las 8 instituciones penitenciarias del Estado, sólo tres han sido construidas para ser cárceles, las otras cinco tuvieron inicialmente otro destino. Éstas son: *Port Spain Prison*, construida en 1812 como un manicomio y posteriormente remodelada para alojar prisioneros; *Carrera Convict Prison*, construida en 1877 como un centro de acogida para trabajadores migratorios, luego usada como establecimiento para leprosos en cuarentena y finalmente convertida en una prisión en 1937; *Tobago Prison*, una estructura que originalmente hacía parte de la Estación de Policía de Scarborough y declarada prisión de distrito en 1902; *Golden Grove Prison*, construida inicialmente en 1940 como una instalación militar, y convertida en cárcel en 1947; y *Remand Yard*, construida en 1940 como un cine para las fuerzas aliadas durante la Segunda Guerra Mundial, y que luego fue convertida en un centro de detención preventiva en 1974.

471.   En este contexto, además de los estándares internacionales vigentes en materia de albergue e infraestructura, la CIDH observa que a nivel técnico las autoridades penitenciarias de los Estados miembros de la OEA han instado a sus países a:

> [P]romover soluciones a las condiciones de deficiencia en infraestructura que presenten los establecimientos penales, con el fin de evitar el hacinamiento y las nocivas consecuencias para la vida interna que este fenómeno conlleva, procurando alcanzar estándares mínimos de atención y seguridad personal. De este modo, resulta fundamental trabajar en el desarrollo de mecanismos que contribuyan a incentivar la modernización de la infraestructura carcelaria, sean estos de carácter jurídico, económico, social o político[556].

472.   Las condiciones básicas de albergue incluyen el que los reclusos cuenten con espacio para dormir y con una cama individual. De acuerdo con los criterios técnicos de la Cruz Roja Internacional, las camas deben tener un área mínima de 2 metros de largo por 0.8 de ancho[557]. La CIDH ha establecido además que el concepto "cama individual", de acuerdo con el uso corriente del término, implica que dicho mueble o estructura debe tener necesariamente un colchón[558]. Este requisito mínimo indispensable para el alojamiento digno de las personas privadas de libertad no se cumple con la instalación de hamacas en las paredes de las celdas –práctica común en las cárceles de la región–, las

---

[556] OEA, Reunión de Ministros de Justicia o de Ministros o Procuradores Generales de las Américas (REMJA), Informe de la Segunda Reunión de Autoridades Responsables de las Políticas Penitenciarias y Carcelarias de los Estados Miembros de la OEA, OEA/Ser.K/XXXIV GAPECA/doc.8/08, adoptado el 16 de diciembre de 2008, disponible en: http://www.oas.org/dsp/espanol/cpo_documentos_carceles.asp.

[557] Comité Internacional de la Cruz Roja (CICR), *Water, Sanitation, Hygiene and Habitat in Prisons* (2005), pág. 21.

[558] CIDH, Comunicado de Prensa 56/11 - Relatoría sobre los Derechos de las Personas Privadas de Libertad culmina visita a Suriname. Washington, D.C., 9 de junio de 2011, Anexo, párr. 9; CIDH, *Quinto Informe sobre la Situación de los Derechos Humanos en Guatemala*, Cap. VIII, párr. 69.

cuales además, cuando son colgadas a cierta altura del suelo representan en sí mismas un factor de riesgo de caídas para los internos.

473. Con respecto a las condiciones de higiene y vestido, los Principios y Buenas Prácticas establecen:

> Principio XII.2: Las personas privadas de libertad tendrán acceso a instalaciones sanitarias higiénicas y suficientes, que aseguren su privacidad y dignidad. Asimismo, tendrán acceso a productos básicos de higiene personal, y a agua para su aseo personal, conforme a las condiciones climáticas. Se proveerá regularmente a las mujeres y niñas privadas de libertad los artículos indispensables para las necesidades sanitarias propias de su sexo.

> Principio XII.3: El vestido que deben utilizar las personas privadas de libertad será suficiente y adecuado a las condiciones climáticas, y tendrá en cuenta la identidad cultural y religiosa de las personas privadas de libertad. En ningún caso las prendas de vestir podrán ser degradantes ni humillantes.

474. El cumplimiento de estas disposiciones implica *inter alia* que el Estado debe proveer a los reclusos artículos esenciales de aseo personal como pasta dental y papel higiénico, sin que éstos tengan que comprarlos dentro de la cárcel o depender únicamente de que sus familiares o compañeros se los provean[559]. Además, los reclusos deben contar con un mínimo de privacidad para hacer sus necesidades fisiológicas y contar con inodoros o letrinas en sus celdas o bien, tener la posibilidad de acceder regularmente a estos servicios, sin necesidad de guardar la orina o el excremento en bolsas o recipientes plásticos dentro de sus celdas o arrojarlos por las ventanas al exterior de las mismas.

3. Alimentación y agua potable

475. Con respecto a la alimentación los Principios y Buenas Prácticas disponen:

> Principio XI.1: Las personas privadas de libertad tendrán derecho a recibir una alimentación que responda, en cantidad, calidad y condiciones de higiene, a una nutrición adecuada y suficiente, y tome en consideración las cuestiones culturales y religiosas de dichas personas, así como las necesidades o dietas especiales determinadas por criterios médicos. Dicha alimentación será brindada en horarios regulares, y su suspensión o limitación, como medida disciplinaria, deberá ser prohibida por la ley.

476. En el ejercicio de sus funciones de monitoreo, tanto la CIDH, como su Relatoría sobre PPL, han observado en la mayoría de los centros de privación de libertad

---

[559] A este respecto véase por ejemplo, CIDH, Comunicado de Prensa 56/11 - Relatoría sobre los Derechos de las Personas Privadas de Libertad culmina visita a Suriname. Washington, D.C., 9 de junio de 2011, Anexo, párr. 8.

visitados que los alimentos no se proveen a los reclusos en condiciones apropiadas de cantidad, calidad e higiene. Por lo que, en la práctica, las personas privadas de libertad tienen que comprar o conseguir de alguna otra forma sus alimentos dentro de la cárcel[560], y/o depender de sus familiares para que se los provean. Lo que en definitiva crea espacios para las desigualdades y la corrupción a lo interno de los centros penitenciarios. Asimismo, es frecuente que en algunas cárceles los internos opten por cocinar sus alimentos con mecanismos improvisados dentro de sus propias celdas, lo que además incrementa el número de conexiones eléctricas irregulares con el consiguiente riesgo de incendios[561].

477.   En el curso de la visita de la Relatoría sobre PPL a El Salvador un aspecto ampliamente denunciado y constatado durante las visitas a cárceles fue la deficiente alimentación ofrecida a las personas privadas de libertad. Se observó que en general, el contenido nutritivo y las condiciones de calidad e higiene de la alimentación eran ostensiblemente insuficientes, con una carencia casi total de proteínas. Además, la comida se servía de forma degradante, teniendo los internos que consumirla con las manos y en trastos improvisados[562]. Igualmente, en su visita a la Provincia de Buenos Aires la Relatoría verificó con preocupación que en los pabellones de separación del área de convivencia ("buzones") los internos sometidos a reclusión en régimen de aislamiento no contaban con agua corriente y tenían que comer con la mano. A este respecto, la CIDH subrayó que "es indispensable que el Estado provea a los detenidos utensilios básicos para que éstos ingieran sus alimentos en condiciones mínimas de dignidad"[563].

478.   Asimismo, en su visita a Ecuador el Relator sobre PPL observó que a nivel general existe una carencia de recursos para proveer alimentación adecuada a los detenidos, y que el presupuesto diario de un dólar por privado de libertad es insuficiente para cubrir adecuadamente las necesidades alimenticias de la población penitenciaria[564].

479.   En algunos casos se ha observado a pesar de que el Estado destina los recursos necesarios para la alimentación de los reclusos, estos insumos son comercializados ilegalmente por las propias autoridades penitenciarias, por lo que en

---

[560] Así por ejemplo, el Relator de PPL durante su visita a Uruguay, recibió el testimonio de un interno transgénero recluido en el modulo 1 del Complejo Carcelario Santiago Vásquez, quien manifestó que ejercía la prostitución a cambio de dinero y elementos de primera necesidad, como alimentos.

[561] A este respecto véase por ejemplo: CIDH, Comunicado de Prensa 76/11 – Relatoría recomienda adopción de política pública carcelaria integral en Uruguay. Washington, D.C., 25 de julio de 2011, Anexo, párr. 28.

[562] CIDH, Comunicado de Prensa 104/10 – Relatoría de la CIDH constata deficiencias estructurales de sistema penitenciario de El Salvador. Washington, D.C., 20 de octubre de 2010, Anexo, punto 6.

[563] CIDH, Comunicado de Prensa 64/10 – Relatoría de la CIDH constata graves condiciones de detención en la provincia de Buenos Aires. Washington, D.C., 21 de junio de 2010.

[564] CIDH, Comunicado de Prensa 56/10 - Relatoría sobre Personas Privadas de Libertad culmina visita a Ecuador. Washington, D.C., 28 de mayo de 2010. En el mismo sentido, en su Informe Especial de País de Ecuador de 1997, la CIDH recibió información según la cual el presupuesto asignado para cubrir las tres comidas diarias de los reclusos era de 70 centavos de dólar. CIDH, *Informe sobre la Situación de los Derechos Humanos en Ecuador*, Cap. VI.

definitiva nunca llegan hasta los presos[565]. O bien, no existen controles exhaustivos del presupuesto asignado a estos fines[566]. Asimismo, la CIDH considera que el delegar la facultad de distribuir los alimentos dentro de la cárcel a determinados grupos de reclusos – típicamente aquellos que ostentan el poder real en los establecimientos o incluso líderes religiosos[567]–, es una práctica peligrosa que impide la distribución racional y equitativa de los alimentos y perpetúa los sistemas de corrupción y abusos en las cárceles.

480.   Asimismo, algunos Estados han optado por contratar empresas privadas para que éstas suministren la comida a los centros penitenciarios, lo que se conoce también como servicios de *catering*. A pesar de que esta iniciativa en principio puede parecer ventajosa, la CIDH ha observado que aun en Estados que la han implementado persisten las deficiencias, tanto en la calidad y cantidad de los alimentos entregados, como en su distribución a la población reclusa[568]. A este respecto, la CIDH reitera que aun cuando la alimentación de las personas privadas de libertad sea concesionada en un tercero, "el Estado sigue siendo responsable de la supervisión y control de calidad de los productos entregados por las empresas de *catering*, y de que tales productos efectivamente lleguen íntegros hasta los presos"[569]. La CIDH considera además, que los Estados deben asegurar la plena vigencia de los principios básicos de libre concurrencia, igualdad entre los contratantes, publicidad y transparencia en estos procesos de contratación pública.

481.   Con respecto al agua potable los Principios y Buenas Prácticas establecen que, "[t]oda persona privada de libertad tendrá acceso en todo momento a agua potable

---

[565] A este respecto véase por ejemplo: CIDH, *Informe sobre la Situación de los Derechos Humanos en Brasil*, Cap. IV, párr. 18; CIDH, Comunicado de Prensa 76/11 – Relatoría recomienda adopción de política pública carcelaria integral en Uruguay. Washington, D.C., 25 de julio de 2011, Anexo, párr. 55.

[566] A este respecto véase por ejemplo, CIDH, *Segundo Informe sobre la Situación de los Derechos Humanos en Perú*, Cap. IX, párr. 15.

[567] A este respecto véase por ejemplo, el informe: *Del Portón para Acá se Acaban los Derechos Humanos: Injusticia y desigualdad en las cárceles panameñas*, preparado por la Clínica de Derechos Humanos de la Universidad de Harvard, pág. 124, disponible en: http://www2.ohchr.org/english/bodies/hrc/docs/ngos/HarvardClinicPanamaprisons.pdf. Presentado en: CIDH, Audiencia Temática: *Violación a los Derechos Humanos en las Cárceles de Panamá*, 131º período ordinario de sesiones, solicitada por CIDEM, la Clínica Internacional de Derechos Humanos de la Universidad de Harvard y la Comisión de Justicia y Paz, 7 de marzo de 2008.

[568] A este respecto véase por ejemplo: CIDH, *Quinto Informe sobre la Situación de los Derechos Humanos en Guatemala*, Cap. VIII, párr. 57; El informe: *Del Portón para Acá se Acaban los Derechos Humanos: Injusticia y desigualdad en las cárceles panameñas*, preparado por la Clínica de Derechos Humanos de la Universidad de Harvard, págs. 59-64 disponible en: http://www2.ohchr.org/english/bodies/hrc/docs/ngos/HarvardClinicPanamaprisons.pdf. Presentado en: CIDH, Audiencia Temática: *Violación a los Derechos Humanos en las Cárceles de Panamá*, 131º período ordinario de sesiones, solicitada por CIDEM, la Clínica Internacional de Derechos Humanos de la Universidad de Harvard y la Comisión de Justicia y Paz, 7 de marzo de 2008. Estas deficiencias en la calidad de los alimentos servidos por los servicios de *catering* también fue observada por la Relatoría de PPL durante su visita a la Provincia de Buenos Aires en junio de 2010.

[569] CIDH, Comunicado de Prensa 76/11 – Relatoría recomienda adopción de política pública carcelaria integral en Uruguay. Washington, D.C., 25 de julio de 2011, Anexo, párr. 55.

suficiente y adecuada para su consumo. Su suspensión o limitación, como medida disciplinaria, deberá ser prohibida por la ley"[570].

482.   Asimismo, la Corte ha establecido que "la falta de suministro de agua para el consumo humano es un aspecto particularmente importante de las condiciones de detención", y que:

> [L]a ausencia de las condiciones mínimas que garanticen el suministro de agua potable dentro de un centro penitenciario constituye una falta grave del Estado a sus deberes de garantía hacia las personas que se encuentran bajo su custodia, toda vez que las circunstancias propias del encierro impiden que las personas privadas de libertad satisfagan por cuenta propia una serie de necesidades básicas que son esenciales para el desarrollo de una vida digna, tales como el acceso a agua suficiente y salubre[571].

483.   De acuerdo con los criterios técnicos de la Cruz Roja Internacional, la cantidad mínima de agua que una persona necesita para sobrevivir es de 3 a 5 litros por día. Este mínimo puede aumentar de acuerdo con el clima y la cantidad de ejercicio físico que hagan los internos. Además, el mínimo requerido por persona para cubrir todas sus necesidades es de 10 a 15 litros de agua al día, siempre que las instalaciones sanitarias estén funcionando adecuadamente; y la cantidad mínima de agua que deben poder almacenar los internos dentro de sus celdas es de 2 litros por persona por día, si éstos están encerrados por periodos de hasta 16 horas, y de 3 a 5 litros por persona por día, si lo están por más de 16 horas o si el clima es caluroso[572].

484.   La falta de provisión y tratamiento del agua potable[573], así como de alimentos en buen estado[574], es un factor permanente de enfermedades y complicaciones de salud de los internos.

F.   Traslado y transporte de reclusos

485.   El traslado y transporte de reclusos es otro de los elementos relevantes propios de la relación de sujeción especial entre el Estado y las personas bajo su custodia,

---

[570] CIDH, *Principios y Buenas Prácticas sobre la Protección de las Personas Privadas de Libertad en las Américas*, (Principio XI.2).

[571] Corte I.D.H., *Caso Vélez Loor Vs. Panamá*. Sentencia de Excepciones Preliminares, Fondo, Reparaciones y Costas. Sentencia de 23 de noviembre de 2010. Serie C. No. 218, párrs. 215 y 216.

[572] Comité Internacional de la Cruz Roja (CICR), *Water, Sanitation, Hygiene and Habitat in Prisons* (2005), págs. 34-36.

[573] A este respecto véase por ejemplo, CIDH, Comunicado de Prensa 56/11 - Relatoría sobre los Derechos de las Personas Privadas de Libertad culmina visita a Suriname. Washington, D.C., 9 de junio de 2011, Anexo, párrs. 6 y 20.

[574] A este respecto véase por ejemplo: CIDH, Comunicado de Prensa 104/10 – Relatoría de la CIDH constata deficiencias estructurales de sistema penitenciario de El Salvador. Washington, D.C., 20 de octubre de 2010, Anexo, punto 6.

en cuyo contexto puede resultar vulnerado tanto el derecho a la integridad personal, como otros derechos fundamentales. En la práctica, tanto el traslado mismo, como las condiciones en las que se realiza pueden llegar a tener un impacto importante en la situación del propio interno y en la de su familia. Asimismo, cuando los traslados son ejecutados arbitrariamente o en condiciones contrarias al respeto de los derechos humanos de los reclusos, pueden llegar a constituir espacios poco visibles o zonas grises para comisión de abusos por parte de las autoridades.

486. Es precisamente en atención a esta realidad que los instrumentos internacionales relativos a las personas privadas de libertad establecen una serie de parámetros y directrices generales dirigidas a proteger los derechos fundamentales de los reclusos durante los traslados. En este sentido, los Principios y Buenas Prácticas establecen:

> Los traslados de las personas privadas de libertad deberán ser autorizados y supervisados por autoridades competentes, quienes respetarán, en toda circunstancia, la dignidad y los derechos fundamentales, y tomarán en cuenta la necesidad de las personas de estar privadas de libertad en lugares próximos o cercanos a su familia, a su comunidad, al defensor o representante legal, y al tribunal de justicia u otro órgano del Estado que conozca su caso.
>
> Los traslados no se deberán practicar con la intención de castigar, reprimir o discriminar a las personas privadas de libertad, a sus familiares o representantes; ni se podrán realizar en condiciones que les ocasionen sufrimientos físicos o mentales, en forma humillante o que propicien la exhibición pública (Principio IX.4).

Asimismo, disponen que en ningún caso el traslado de reclusos será utilizado para justificar "la discriminación, la imposición de torturas, tratos o penas crueles, inhumanos o degradantes, o condiciones de privación de libertad más rigurosas o menos adecuadas a un determinado grupo de personas" (Principio XIX).

487. Estos estándares también están reconocidos a nivel universal en las Reglas Mínimas para el Tratamiento de Reclusos, Regla 45; el Conjunto de Principios para la Protección de Todas las Personas sometidas a Cualquier Forma de Detención o Prisión, Principio 20; las Reglas de las Naciones Unidas para la Protección de los Menores Privados de Libertad, Regla 26; y los Principios sobre Salud Mental, Principio 7.2. Por su parte, y en sentido concordante, las Reglas Penitenciarias Europeas, Reglas 17.1, 17.3 y 32.

488. La Comisión Interamericana en el ejercicio de sus distintas funciones se ha referido en varias ocasiones acerca de situaciones en las que el traslado de personas privadas de libertad ha vulnerado sus derechos humanos.

489. Así por ejemplo, en el marco del seguimiento a la situación de los derechos humanos en Cuba, la CIDH se ha referido consistentemente al traslado deliberado de presos políticos a prisiones excesivamente distantes del lugar donde viven sus familias como castigo adicional al régimen inhumano de reclusión al que son sometidos. A esta

circunstancia hay que sumar las dificultades de transporte, las restricciones al régimen de visitas y el acoso a que el régimen somete a los familiares de los presos políticos. Así por ejemplo, el ex-preso político Pedro Pablo Álvarez declaró en audiencia pública celebrada en la sede de la CIDH el 28 de octubre de 2008 haber sido internado en la prisión de Canaleta, en la provincia de Ciego de Ávila, distante cerca de quinientos kilómetros de la ciudad de la Habana[575].

490.   Durante su reciente visita a la Provincia de Buenos Aires, el Relator de Personas Privadas de Libertad constató que las autoridades penitenciarias tenían la práctica de realizar traslados sucesivos e indiscriminados de reclusos como forma de control interno de los penales o como medida disciplinaria –práctica conocida como *la calesita*–, con la agravante de que durante el traslado muchas veces se sometía a los internos a distintas formas de tratos crueles, inhumanos y degradantes. De hecho, uno de los internos entrevistados durante la visita manifestó haber recorrido en seis años más de 40 (de las 54) Unidades del Servicio Penitenciario Bonaerense. A este respecto, el Relator destacó que la reubicación constante de estas personas en distintos establecimientos de la vasta provincia de Buenos Aires afectaba el contacto regular con sus familias y les impedía el acceso a los programas laborales y educativos necesarios para su resocialización[576]. El Relator constató además que esta práctica no sólo era consecuencia de una mentalidad institucional muy arraigada, sino también de la sobrepoblación de las Unidades Penitenciarias.

491.   De acuerdo con información recibida durante esa visita, la cifra de internos que fueron trasladados 3 o más veces durante el 2008 era de 5,643. Además, durante ese año el Sistema Penitenciario Bonaerense habría dispuesto un total de 47,709 traslados, de los cuales 26,385 carecían de una motivación clara: 18,928 por "reubicación", 7,378 por motivo no especificado y 79 sin motivo. Estos traslados por lo general se realizan mediante actos de violencia por parte del personal penitenciario, comenzando casi siempre con el criqueo de brazos tras la espalda y la posición de "motoneta", con el propósito de

---

[575] CIDH, *Informe Anual 2008*, Capítulo IV, Cuba, OEA/Ser.L/II.134, Doc. 5 Rev.1, adoptado el 25 de febrero de 2009, párr. 194. A este respecto véase también: CIDH, *Informe Anual 2005*, Capítulo IV, Cuba, OEA/Ser.L/V/II.124. Doc. 7, adoptado el 27 de febrero de 2006, párr. 77; y CIDH, *Informe Anual 2002*, Capítulo IV, Cuba, OEA/Ser.L/II.117. Doc. 1 rev. 1, adoptado el 7 de marzo de 2003, párr. 69.

[576] CIDH, Comunicado de Prensa 64/10 – Relatoría de la CIDH constata graves condiciones de detención en la provincia de Buenos Aires. Washington, D.C., 21 de junio de 2010. Posteriormente, durante audiencia de seguimiento a esta visita celebrada el 28 de marzo de 2011 durante el 141º período ordinario de sesiones, los representantes del gobierno de la Provincia de Buenos Aires anunciaron la adopción de la Resolución Ministerial No. 1938/10, mediante la cual se fija una serie de pautas orientadas a racionalizar y limitar los traslados. Esta Resolución Ministerial dispuso, entre otras cosas, que quince Unidades Carcelarias sean destinadas exclusivamente al alojamiento de condenados, y que todas las plazas disponibles en las Unidades Carcelarias del radio conurbano y de La Plata –regiones que entre ambas concentran el 80% del total de reclusos– sean para internos provenientes de los departamentos judiciales cercanos a las mismas, procediéndose del mismo modo con las Unidades Carcelarias del interior las que sólo podrán alojar, en cada caso –y salvo las de condenados– detenidos provenientes del distrito jurisdiccional en que se encuentran situadas. Cfr. Tomo I, Sección II.7 y II.8 de la información proporcionada por el Gobierno de la Provincia de Buenos Aires en dicha audiencia.

producir dolor y además neutralizar cualquier tipo de reacción, al tiempo que son golpeados por los agentes penitenciarios[577].

492.   La CIDH también ha recibido información según la cual, en algunos casos, el traslado de personas como forma de castigo no necesariamente implica su destino en un establecimiento distante, sino que muchas veces el castigo consiste precisamente en trasladar intencionalmente a la persona a una cárcel cuyas condiciones son mucho peores[578]. Del mismo modo, y como consecuencia de costumbres institucionales firmemente arraigadas, sucede también que muchas veces los traslados de determinados reclusos a cárceles que presentan mejores condiciones de reclusión –o cárceles "VIP"– son autorizados selectivamente en atención a la posición social o nivel de influencia de tales reclusos, y no necesariamente en los criterios establecidos en la ley o los reglamentos correspondientes[579]. Estos patrones, bastante generalizados en la región, traen como consecuencia que en la práctica los sistemas penitenciarios tengan "sub-sistemas" en los que se dé un trato diferenciado a los reclusos.

493.   Por otro lado, las personas privadas de libertad también son vulnerables de sufrir agresiones por parte de las autoridades durante su transporte o desplazamiento de un lugar a otro. Así por ejemplo, el Subcomité contra la Tortura de la ONU constató en su misión a México que:

> La mayor parte de los supuestos actos de brutalidad policial que fueron comunicados a la delegación durante su visita al Estado parte, habrían tenido lugar en las calles o en las camionetas de la policía durante el transporte de los detenidos a las instalaciones policiales. Además, prácticamente todos los detenidos que alegaron haber recibido algún tipo de maltrato explicaron que esos actos tuvieron lugar fuera de las instalaciones policiales y que, por lo general, tenían los ojos vendados durante el tiempo en que eran trasladados[580].

Posteriormente, el SPT informó que en el curso de su misión a Paraguay los detenidos entrevistados manifestaron reiteradamente "haber sido objeto de tortura y/o malos tratos

---

[577] Comité Contra la Tortura de la Comisión Provincial por la Memoria en su Informe Anual 2009: *El Sistema de la Crueldad IV*, págs. 109, 110 y 117.

[578] Con respecto al uso de traslados como forma de castigo véase también: ONU, Relator Especial sobre la Tortura y otros Tratos o Penas Crueles, Inhumanos o Degradantes, Informe de la Misión a Paraguay, A/HRC/7/3/Add.3, adoptado el 1 de octubre de 2007, Cap. IV: *Condiciones de la detención*, párr. 74.

[579] A este respecto véase por ejemplo, el informe: *Del Portón para Acá se Acaban los Derechos Humanos: Injusticia y desigualdad en las cárceles panameñas*, preparado por la Clínica de Derechos Humanos de la Universidad de Harvard, págs. 96-97 y 128-131, disponible en: http://www2.ohchr.org/english/bodies/hrc/docs/ngos/HarvardClinicPanamaprisons.pdf. Presentado en: CIDH, Audiencia Temática: *Violación a los Derechos Humanos en las Cárceles de Panamá*, 131º período ordinario de sesiones, solicitada por CIDEM, la Clínica Internacional de Derechos Humanos de la Universidad de Harvard y la Comisión de Justicia y Paz, 7 de marzo de 2008.

[580] ONU, Subcomité para la Prevención de la Tortura, *Informe sobre la visita a México del SPT*, CAT/OP/MEX/1, adoptado el 27 de mayo de 2009, párr. 141.

durante el arresto, el traslado a la comisaría y/o durante las primeras horas de la detención"[581].

494.   Durante su visita a la Provincia de Buenos Aires, la Relatoría de Personas Privadas de Libertad recibió información según la cual en el 2008 el interno Oscar Chaparro habría fallecido sofocado en un camión del Ministerio de Seguridad durante un traslado. Los peritos habrían comprobado que la caja donde era transportado Chaparro carecía de ventilación y con temperaturas de hasta 40º, además ese viaje que debió haber durado cinco horas, demoró un día[582].

495.   Asimismo, ha sido ampliamente documentado que los detenidos de la bahía de Guantánamo durante los traslados llevaban grilletes, estaban encadenados y encapuchados o se los forzaba a llevar auriculares y máscaras[583].

496.   A este respecto, la CIDH subraya –además de lo dispuesto por los estándares internacionales aplicables al traslado de reclusos– que los deberes especiales del Estado de respetar y garantizar los derechos a la vida e integridad personal de las personas bajo su custodia, no se limitan al contexto específico de los centros de privación de libertad, sino que se mantienen en todo momento mientras estas personas se encuentren en custodia del Estado; por ejemplo, mientras son transportados hacia los centros de detención, o de ahí a otros lugares como hospitales, juzgados etc., o cuando son trasladados de un centro de reclusión a otro. En estos casos permanece la obligación perentoria del Estado de no someter a estas personas a tratos crueles, inhumanos o degradantes. Además, el transporte de personas privadas de libertad por motivos oficiales se hará siempre a expensas de la administración.

497.   Además, el Estado como garante de los derechos a la vida e integridad de las personas bajo su custodia debe abstenerse de trasladar reclusos a establecimientos de reclusión en los que hayan indicios claros de que existe un riesgo cierto de que sufran un daño irreparable. En estos casos las autoridades deben actuar con la debida diligencia y objetividad en la evaluación de los posibles factores de riesgo y la viabilidad del traslado. Este mismo criterio es aplicable a la reubicación de internos en los distintos módulos, pabellones o sectores dentro de un mismo establecimiento carcelario.

498.   Por otro lado, los estándares internacionales aplicables al traslado y transporte de personas privadas de libertad establecen también como medidas de protección –por ejemplo, contra las desapariciones y la incomunicación– el derecho de

---

[581] ONU, Subcomité para la Prevención de la Tortura, *Informe sobre la visita a Paraguay del SPT*, CAT/OP/PRY/1, adoptado el 7 de junio de 2010, párr. 67.

[582] Comité Contra la Tortura de la Comisión Provincial por la Memoria en su Informe Anual 2009: *El Sistema de la Crueldad IV*, pág. 151.

[583] ONU, Presidenta-Relatora del Grupo de Trabajo sobre la Detención Arbitraria, el Relator Especial sobre la Independencia de los Magistrados y Abogados, el Relator Especial sobre la Tortura y otros Tratos o Penas Crueles, Inhumanos o Degradantes y el Relator Especial sobre el Derecho de toda Persona al Disfrute del Más Alto Nivel Posible de Salud Física y Mental, *Informe conjunto sobre la situación de los detenidos en la bahía de Guantánamo*, adoptado el 27 de febrero de 2006, párr. 54.

toda persona detenida o presa de comunicar inmediatamente a su familia o a un tercero su traslado a otro establecimiento[584]; y el deber de las autoridades de consignar en los registros de personas que ingresan en los centros de privación de libertad, entre otros, la autoridad que ordena y ejecuta el traslado y el día y la hora en que el mismo se llevó a cabo[585].

499.   El cumplimiento de estas normas relativas a la publicidad y registro de los traslados de reclusos es particularmente relevante en el caso de traslados colectivos de internos como medida de seguridad o como parte de operativos destinados a asegurar la seguridad interna en las cárceles. En este tipo de situaciones no sólo permanece el derecho individual de cada recluso de comunicar a un tercero su traslado, sino que el Estado tiene el deber de informar sin mayor dilación acerca de la nueva ubicación y las condiciones personales de los internos[586].

500.   La CIDH considera que el Estado debe garantizar el control judicial efectivo de los mismos, en los términos de los artículos 8 y 25 de la Convención y XVIII de la Declaración Americana. Esto implica que independientemente de cuál sea la autoridad competente para autorizar y/o ejecutar los traslados[587], dicha autoridad debe informar al juez o tribunal a cuyo cargo se encuentra la persona privada de libertad acerca del traslado, antes de realizarlo o inmediatamente después. La autoridad judicial competente deberá tener las facultades para revocar dicho traslado si considera que el mismo es ilegal, arbitrario o vulnera derechos fundamentales del interno; además, en todo caso, la ley deberá disponer de los recursos judiciales adecuados y efectivos para impugnar dichos traslados cuando se considere que los mismos afectan derechos humanos de los reclusos.

G.   Condiciones de reclusión de los condenados a pena de muerte

501.   En varios de los Estados miembros de la OEA la pena de muerte sigue siendo una forma de sanción penal establecida en el ordenamiento jurídico y ejercida en la práctica[588]; así por ejemplo, en los Estados Unidos la población de reclusos en el corredor de la muerte (condenados a pena de muerte independientemente de su estatus procesal

---

[584] Reglas Mínimas para el Tratamiento de Reclusos, (Regla 44.3); Conjunto de Principios para la Protección de Todas las Personas sometidas a Cualquier Forma de Detención o Prisión, (Principio 16); Reglas de las Naciones Unidas para la Protección de los Menores Privados de Libertad, (Regla 22); y las Reglas Penitenciarias Europeas, (Regla 24.8).

[585] CIDH, *Principios y Buenas Prácticas sobre la Protección de las Personas Privadas de Libertad en las Américas*, (Principio IX.2).

[586] A este respecto véase por ejemplo, Corte I.D.H., Asuntos de Determinados Centros Penitenciarios de Venezuela, Resolución de la Corte Interamericana de Derechos humanos de 6 de julio de 2011, Vistos 11 y Considerandos 10 y 12.

[587] CIDH, *Principios y Buenas Prácticas sobre la Protección de las Personas Privadas de Libertad en las Américas*, (Principio IX.4).

[588] A este respecto véase también la información publicada por: The Death Penalty Project, disponible en: http://www.deathpenaltyproject.org/content_pages/5.

particular) en 2010 ascendía a 3,242 personas[589]. Otro tanto suman algunos países del Caribe anglófono que aún tienen en sus cárceles reos condenados a pena de muerte[590].

502.   En este contexto, a lo largo de los últimos años, los órganos del Sistema Interamericano se han venido pronunciando, en el ámbito de sus respectivas competencias, con respecto a distintos aspectos relacionados con la aplicación de la pena de muerte en Estados Miembros de la OEA. Estos pronunciamientos han abarcado temas como la tendencia general a abolir la pena de muerte; la falta de convencionalidad de la pena de muerte obligatoria; la "prueba del escrutinio más riguroso" de las garantías judiciales en los procesos en los que se condena a muerte a una persona; la aplicación de las normas del debido proceso en el trámite de las solicitudes de indulto, amnistía y conmutación de la pena; y el llamado síndrome del corredor de la muerte (*death row phenomenon*)[591], consecuencia de la angustia e incertidumbre que producen la espera de una eventual ejecución.

503.   Además, es una constante en la mayoría de estos casos que las condiciones de reclusión a las que eran sometidos los condenados a pena capital –que por lo general eran peores que las del resto de la población penitenciaria– caracterizaban tratos crueles, inhumanos y degradantes.

504.   Así por ejemplo, la CIDH en sus Informes de Fondo de los casos *Whitley Myrie*; *Dave Sewell*; *Denton Aitken*; *Joseph Thomas*; *Leroy Lamey y otros*; y *Desmond Mckenzie y otros*, se refirió a las condiciones de reclusión de los condenados a muerte en la Penitenciaría del Distrito de St. Catherine, en Jamaica. En estos casos se determinó que las víctimas: (a) permanecieron en condiciones de encierro de más de 23 horas al día; (b) que no se les entregó colchones, por lo que tuvieron que dormir sobre el cemento; (c) que los únicos utensilios que tenían en sus celdas eran una jarra para el agua de beber y un balde o recipiente para sus necesidades, el que sólo se le permitía vaciar una vez al día; (d) que las celdas eran calurosas, incómodas y carentes de ventilación suficiente; (e) que las condiciones de higiene eran deficientes (el desagüe de aguas residuales frente a la celda siempre desbordado); (f) que la comida que se les suministraba era insuficiente y venía en mal estado; (g) que no recibían atención médica ni psiquiátrica adecuada; y (h) que no tenían acceso a actividades laborales ni educativas[592].

---

[589] De acuerdo con información publicada por el Death Penalty Information Center, disponible en: http://www.deathpenaltyinfo.org/death-row-inmates-state-and-size-death-row-year.

[590] Actualmente todos los países del Caribe anglófono mantienen la pena de muerte en sus ordenamientos jurídicos, a pesar de que muy pocos la siguen aplicando en la práctica; igualmente Guatemala en su legislación penal conserva la pena de muerte, a pesar de que la aplicó por última vez hace una década.

[591] Con respecto al fenómeno del corredor de la muerte véase: European Court of Human Rights, *Case of Soering v. The United Kingdom*, (Application no. 14038/88), Judgment of July 7, 1989, Court's Plenary, y Pratt & Morgan v. Attorney General of Jamaica, 2 A.C.1, 4 All E.R. 769 (British Privy Council 1993). A este respecto véase también la información publicada por el Death Penalty Information Center, disponible en: http://www.deathpenaltyinfo.org/.

[592] CIDH, Informe No. 41/04, Caso 12.417, Fondo, Whitley Myrie, Jamaica, 12 de octubre de 2004, párrs. 17, 40-44; CIDH, Informe No. 76/02, Caso 12.347, Fondo, Dave Sewell, Jamaica, 27 de diciembre de 2002, párrs 110 y 111; CIDH, Informe No. 58/02, Caso 12.275, Fondo, Denton Aitken, Jamaica, 21 de octubre de 2002, párrs. 131-134; CIDH, Informe No. 127/01, Caso 12.183, Fondo, Joseph Thomas, Jamaica, 3 de diciembre de 2001,

Continúa...

505. En el mismo sentido, en los casos *Benedict Jacob*; *Paul Lallion*; y *Rudolph Baptiste*, la CIDH se pronunció con respecto a las condiciones de reclusión de los condenados a muerte en la Prisión de Richmond Hill en Grenada, los cuales se encontraban alojados en celdas individuales de dos por tres metros, sin entradas de luz natural ni ventilación suficiente. Debían hacer sus necesidades orgánicas en un balde de plástico que sólo se les permitía vaciar una vez al día. Sólo se les permitía recibir visitas una vez al mes por 15 minutos, y escribir y recibir una carta al mes. Además, no se les permitía el acceso a los servicios de la penitenciaría, como la biblioteca o los servicios religiosos[593]. Asimismo, en los Informes de Fondo de los casos *Chad Roger Goodman* y *Michael Edwards y otros*, se comprobó que las condiciones de reclusión en el pabellón o corredor de la muerte de la Prisión de Foxhill en Bahamas eran sustancialmente similares a las presentes en los otros países del Caribe a los que ya se ha hecho referencia, con la diferencia de que en estos casos a las víctimas sólo se les sacaba de sus celdas por diez minutos cuatro días a la semana, estando el resto del tiempo en encierro absoluto[594].

506. Recientemente, la CIDH aprobó su *Informe No. 60/11* en el que se declaró la admisibilidad de catorce peticiones relativas a la aplicación de la pena de muerte en varios estados de los Estados Unidos. En una de estas peticiones, se refiere que las condiciones de los condenados a muerte en la prisión de Polunsky, en Texas, serían las siguientes:

> [L]os condenados a muerte están recluidos en celdas de aproximadamente 60 pies cuadrados (5.57 m2) y completamente segregados de los demás privados de libertad. Asimismo, se les prohibiría todo contacto físico con familiares, amigos y abogados, inclusive en los días y horas previas a la ejecución. A los reclusos con problemas disciplinarios, que serían la mayoría en el caso de las personas con problemas mentales, se les permitiría salir de sus celdas para hacer ejercicio solamente de tres a cuatro horas por semana y ello en unas pequeñas "jaulas". [...] Señala [la peticionaria] que las condiciones de detención en el corredor de la muerte en Texas son más duras que en muchas de las prisiones de alta seguridad del resto del país[595].

...continuación

párrs. 40, 42, 122, 130-132; CIDH, Informe No. 49/01, Casos 11.826, 11.843, 11.846, 11.847, Fondo, Leroy Lamey y otros, Jamaica, 4 de abril de 2001, párrs. 199-203; CIDH, Informe No. 41/00, Casos 12.023, 12.044, 12.107, 12.126 y 12.146, Fondo, Desmond McKenzie y otros, Jamaica, 13 de abril de 2000, párrs. 286-288.

[593] CIDH, Informe No. 56/02, Caso 12.158, Fondo, Benedict Jacob, Grenada, 21 de octubre de 2002, párrs. 91, 95 y 97; CIDH, Informe No. 55/02, Caso 11.765, Fondo, Paul Lallion, Grenada, 21 de octubre de 2002, párrs. 84, 88 y 90; CIDH, Informe No. 38/00, Caso 11.743, Fondo, Rudolph Baptiste, Grenada, 13 de abril de 2000, párrs. 134, 137 y 138.

[594] CIDH, Informe No. 78/07, Caso 12.265, Fondo, Chad Roger Goodman, Bahamas, 15 de octubre de 2007, párrs. 31, 83, 84 y 87; CIDH, Informe No. 48/01, Caso 12.067, Fondo, Michael Edwards y otros, Bahamas, 12.067, 12.068, 12.086, párrs. 192-194.

[595] CIDH, Informe No. 60/11, Admisibilidad, Peticiones 11.575, 12.201, 2566-02, 4538-02, 4659-02, 784-03, 580-04, 607-04, 187-05, 1246-05, 360-06, 1232-07, 873-10, 907-10, Clarence Allen Lackey y otros, Estados Unidos, 24 de marzo de 2011, párr. 90. Véase en el mismo sentido, y con respecto a la Prisión de Polunsky en Texas, CIDH, Informe No. 90/09, Fondo, Caso 12.644, Medellín, Ramírez Cárdenas y Leal García, Estados Unidos, 7 de agosto de 2009, párr. 60.

507. Además en seis de las catorce peticiones que conforman este caso se alega que las víctimas sufrieron el llamado "síndrome del corredor de la muerte", debido al tiempo excesivamente prolongado en que permanecieron en espera de ejecución. A este respecto se alega que: (a) Clarence Allen Lackey (Texas) fue ejecutado luego de casi dos décadas de haber sido condenado, y que habría sido obligado a prepararse para una ejecución inminente en cinco oportunidades (dos de las cuales habrían sido suspendidas horas antes de la ejecución); (b) Anthony Green (Carolina del Sur) habría estado 14 años en el corredor de la muerte; (c) Robert Karl Hicks (Georgia) habría estado en espera de ejecución por 18 años; (d) Troy Albert Kunkle (Texas) habría estado en espera por 19 años; (e) David Powell (Texas) habría sido enjuiciado tres veces y sumado más de 30 años en espera en el corredor de la muerte; y (f) Ronnie Gardner (Utah) habría permanecido 25 años en espera de ser ejecutado[596].

508. Asimismo, en el contexto de las medidas cautelares otorgadas a favor del señor Manuel Valle (MC-301-11), condenado a pena de muerte en Florida, la CIDH observó que éste habría permanecido 33 años en el corredor de la muerte, desde 1978[597].

509. Las condiciones de detención de las personas condenadas a pena de muerte han sido materia de fondo en varias sentencias de la Corte Interamericana. A este respecto, en el proceso del caso *Hilaire, Constantine y Benjamin y otros*, la perita Gaietry Pargass (*Privy Council Officer*) se refirió a las siguientes características del corredor de la muerte (*death row*) de la Penitenciaría de Puerto España en Trinidad y Tobago[598]:

> No se permite a los abogados ingresar al corredor de la muerte, excepto cuando se le lee al recluso la orden de ejecución (*death warrant*), caso en el cual la entrevista se realiza en una habitación contigua a la cámara de ejecución (*execution chamber*). Por lo tanto, la información que puede obtenerse sobre las condiciones de detención en el corredor de la muerte depende en gran medida de lo que el interno le comunique a su abogado.

> Las celdas del corredor de la muerte carecen de ventilación adecuada, por lo cual son extremadamente calientes e incómodas. Además hay muy poca entrada de luz natural, por lo cual, pese a que existe iluminación artificial durante las 24 horas del día, las celdas permanecen oscuras y lúgubres durante el día. Siendo aún más oscuras aquellas localizadas en la

---

[596] CIDH, Informe No. 60/11, Fondo, Peticiones 11.575, 12.201, 2566-02, 4538-02, 4659-02, 784-03, 580-04, 607-04, 187-05, 1246-05, 360-06, 1232-07, 873-10, 907-10, Clarence Allen Lackey y otros, Estados Unidos, 24 de marzo de 2011, párrs. 41-47.

[597] El 28 de septiembre de 2011, a pesar de la vigencia de las referidas medidas cautelares, se realizó la ejecución judicial de Manuel Valle en una prisión del estado de Florida. CIDH, Comunicado de Prensa 106/11 - CIDH condena ejecución de Manuel Valle en EEUU, Washington, D.C., 6 de octubre de 2011.

[598] Corte I.D.H., *Caso Hilaire, Constantine y Benjamin y otros Vs. Trinidad y Tobago*. Sentencia de 21 de junio de 2002, párr. 77 c); peritaje escrito de Gaietry Pargass entregado a la Corte el 22 de enero de 2002, págs 3-7, disponible en: http://www.corteidh.or.cr/expediente_caso.cfm?id_caso=71. En este mismo sentido, véase también: CIDH, Informe No. 28/09, Fondo, Dexter Lendore, Trinidad y Tobago, 20 de marzo de 2009, párrs. 28 y 29. En el que la CIDH se pronunció con respecto a las condiciones de reclusión en el pabellón de la muerte en la Prisión de Puerto España, en Trinidad y Tobago.

zona contigua a la cámara de ejecución. Por otro lado, el hecho de que la iluminación artificial se mantenga encendida las 24 horas del día afecta el sueño de los internos, además el calor que emiten estas luces hace aún más calurosas las celdas.

No hay servicios higiénicos adecuados. Los internos deben realizar sus necesidades en una cubeta o recipiente plástico, los cuales sólo son vaciados dos veces al día. Lo que genera un hedor insoportable en las celdas. Éstos tienen que hacer sus necesidades en sus celdas sin privacidad alguna a la vista de otros internos y de los agentes de seguridad. Además, cuando fallan los mecanismos de provisión de agua los internos no pueden vaciar ni limpiar adecuadamente estos recipientes en los que hacen sus necesidades.

Los reclusos del corredor de la muerte permanecen encerrados 23 o más horas al día. Durante la mañana se les permite salir de sus celdas por aproximadamente 15 minutos para vaciar su recipiente plástico, recoger agua potable y ducharse.

Además, sólo son sacados de sus celdas para tomar aire de una a cuatro veces por semana, durante este tiempo cada prisionero es mantenido esposado. El área destinada a tal efecto es pequeña, atestada de personas y adyacente a otros sanitarios, por lo cual, por un lado es extremadamente difícil hacer algún tipo de ejercicio, y por otro el ambiente es desagradable.

510.   En el caso *Raxcacó Reyes*, la perita Aída Castro-Conde presentó un análisis de la situación de los condenados a pena de muerte en el sector 11 del Centro de Detención Preventiva para Hombres de la Zona 18 y el Centro de Alta Seguridad de la Granja Modelo de Rehabilitación Canadá de Escuintla ("El Infiernito"), en Guatemala[599]. Según consta en el referido peritaje, en ese momento había 35 personas en el denominado "corredor de la muerte" en Guatemala.

511.   La sicóloga Castro-Conde indicó que los condenados a la pena de muerte que se encontraban en el sector 11 del Preventivo de la Zona 18 vivían en condiciones de encierro total, sin la posibilidad de practicar ejercicios al aire libre. Asimismo, que los permisos para participar en actividades recreativas, de estudio, de trabajo e incluso para participar en servicios religiosos son sistemáticamente denegados. Además, que las únicas actividades laborales que practican los condenados a pena de muerte consisten en manualidades que pueden elaborar con materiales que ellos mismos se procuran o les proveen sus familiares o amigos.

---

[599] Corte I.D.H., *Caso Raxcacó Reyes Vs. Guatemala*. Sentencia de 15 de septiembre de 2005. Serie C No. 133, párr. 37.e); peritaje escrito de Aída Castro-Conde rendido ante fedatario público y presentado a la Corte el 20 de mayo de 2005, disponible en: http://www.corteidh.or.cr/expediente_caso.cfm?id_caso=141. A este respecto véase también: Corte I.D.H., *Caso Fermín Ramírez Vs. Guatemala*. Sentencia de 20 de junio de 2005. Serie C No. 126, párrs. 47.d), 54.54-54.61, 111-121.

512. La Lic. Castro-Conde registró además, que la atención médica es insuficiente y la atención a la salud mental es prácticamente inexistente para los condenados a pena de muerte. Para quienes el estrés del encarcelamiento y la incertidumbre de la condena aumenta la incidencia de los problemas de salud mental y por consiguiente, la salud física. De acuerdo con este dictamen, los condenados a la pena de muerte se encuentran bajo la amenaza constante de ser ejecutados, circunstancia que los aterroriza, deprime, les produce pérdida del sueño, pesadillas e incluso pensamientos suicidas. Asimismo, la incertidumbre por la espera en la resolución de sus recursos o la decisión adversa recaída en los mismos es otro factor importante de estrés y depresión. En definitiva, "los condenados a muerte se encuentran en una situación que afecta su salud mental y produce enfermedades sicosomáticas". En sus conclusiones, la Lic. Castro-Conde afirmó que las condiciones de reclusión de los condenados a muerte son sumamente restrictivas, lo que aumenta la desesperación y los daños sicológicos y sicosomáticos[600].

513. En atención a las consideraciones anteriores, la Comisión Interamericana reafirma que toda persona privada de libertad debe recibir un trato humano, acorde con el respeto a su dignidad inherente. En este sentido, los deberes del Estado de respetar y garantizar el derecho a la integridad personal a todas las personas sometidas a su jurisdicción aplican independientemente de la naturaleza de la conducta por la cual la persona en cuestión ha sido privada de libertad[601]. Esto implica que las condiciones de reclusión a las que se somete a las personas condenadas a pena de muerte deben cumplir con las mismas normas y estándares internacionales aplicables a la generalidad de las personas privadas de libertad. En particular, deben tener acceso en pie de igualdad: a los servicios de salud de la cárcel; a los programas educativos, laborales y de capacitación; a los talleres y materiales de lectura; y a las actividades culturales, deportivas y religiosas; y al contacto con el mundo exterior y con sus familiares[602].

514. El acceso de los condenados a pena de muerte a estas actividades es fundamental para contribuir a que estas personas puedan sobrellevar de mejor manera la angustia propia de su condición, y porque en definitiva, su exclusión arbitraria de tales actividades constituiría una forma de trato discriminatorio.

---

[600] A este respecto, la Lic. Castro-Conde mencionó entre las recomendaciones generales de su dictamen las siguientes:

(a) crear programas permanentes de sicoterapia para readaptación psicosocial; (b) realizar una exploración exhaustiva de la sicoterapia individual de cada una de las personas condenadas a la pena de muerte; (c) proporcionar sicoterapia al grupo familiar para fortalecer la terapia individual del interno, enseñándoles técnicas para el manejo del estrés y la depresión y replantear nuevas relaciones entre el interno y la familia apoyada en el análisis de las relaciones pasadas y presentes; y (d) facilitar el acceso al servicio médico para proporcionar tratamiento y medicamentos adecuados a cada condenado a muerte.

[601] CIDH, Informe No. 41/00, Casos 12.023, 12.044, 12.107, 12.126 y 12.146, Fondo, Desmond McKenzie y otros, Jamaica, 13 de abril de 2000, párr. 288.

[602] Véase también, UNODC, *Handbook on prisoners with special needs*, 2009, págs. 171-173, disponible en: http://www.unodc.org/documents/justice-and-prison-reform/Prisoners-with-special-needs.pdf.

515.	No existe, por tanto, justificación alguna para someter a esta categoría de reclusos a condiciones más restrictivas o gravosas que las del resto de los reclusos. De hacerlo, el Estado estaría añadiendo una cuota adicional de sufrimiento a la situación de por sí angustiante de quienes se encuentran frente a una posible ejecución, cuya espera puede durar años e incluso décadas antes de que haya un resultado definitivo. Por el contrario, las autoridades penitenciarias deben adoptar medidas de protección para mitigar este nivel de sufrimiento inherente a la condición de los condenados a muerte.

516.	Así, de acuerdo con los estándares vigentes de la ONU[603], los Estados deben adoptar medidas concretas con relación a los reclusos condenados a pena de muerte, como por ejemplo: (a) crear las condiciones adecuadas para asegurar que éstos tengan acceso regular y efectivo a sus defensores y a sus representantes consulares en el caso de extranjeros[604]; (b) disponer que el personal penitenciario de custodia directa de estas personas sea cuidadosamente seleccionado y entrenado para tales funciones, en particular que sean capaces de identificar signos de angustia y trastornos mentales, y de reaccionar prontamente frente a tales situaciones; (c) proveer con regularidad atención psicológica y/o psiquiátrica; y (d) establecer vínculos con ONGs que tengan programas de apoyo a reclusos condenados a pena de muerte y promover las visitas y asistencia de tales organizaciones.

517.	Como ya se ha mencionado, las personas privadas de libertad condenadas a pena de muerte no deben ser sometidas, por el hecho de serlo, a condiciones de reclusión más gravosas que las del resto de la población carcelaria. En particular, no deben ser sometidas a segregación o aislamiento como régimen regular de reclusión[605], sino solamente como castigo disciplinario en los mismos casos y bajo las mismas condiciones en las que estas medidas se apliquen al resto de los reclusos. Así como tampoco resulta razonable establecer la presunción de que todos los reos acusados de delitos susceptibles de pena capital tengan necesariamente que ser recluidos en régimen de máxima seguridad.

---

[603] UNODC, *Handbook on prisoners with special needs*, 2009, págs. 169-172, disponible en: http://www.unodc.org/documents/justice-and-prison-reform/Prisoners-with-special-needs.pdf.

[604] Estas medidas en particular se sustentan en el deber reforzado del Estado de asegurar los derechos a las garantías judiciales y a la protección judicial en los casos de personas procesadas por delitos que admiten pena capital o que ya han sido condenadas a esta pena. Véase al respecto las disposiciones 4, 5 y 6 de las Salvaguardias para Garantizar la Protección de los Derechos de los Condenados a la Pena de Muerte, Aprobadas por el Consejo Económico y Social en su Resolución 1984/50, de 25 de mayo de 1984; y Corte I.D.H., *Caso Hilaire, Constantine y Benjamin y otros Vs. Trinidad y Tobago*. Sentencia de 21 de junio de 2002. Serie C No. 94, párr. 148.

[605] De acuerdo con la Declaración de Estambul sobre el Uso y los Efectos del Aislamiento Solitario, adoptada el 9 de diciembre de 2007 durante el Simposio Internacional sobre Trauma Sicológico celebrado en esa ciudad, debe prohibirse la aplicación del aislamiento solitario a personas condenadas a pena de muerte sobre la base de su condena a esta pena. A este respecto véase también, UNODC, *Handbook on prisoners with special needs*, 2009, pág. 161, disponible en: http://www.unodc.org/documents/justice-and-prison-reform/Prisoners-with-special-needs.pdf.

H. Recomendaciones

518. Con respecto al respeto y garantía del derecho a la integridad personal de las personas privadas de libertad, la CIDH reitera las recomendaciones formuladas en el Capítulo II del presente informe relativas a:

1. El mantenimiento del control efectivo de los centros de privación de libertad y a la prevención de hechos de violencia.

2. Al control judicial de la privación de la libertad.

3. El ingreso, registro y examen médico inicial de las personas privadas de libertad.

4. Al uso de la fuerza por parte de las autoridades encargadas de los centros de privación de libertad.

5. Al derecho a la atención médica de las personas privadas de libertad.

Además, la CIDH recomienda:

6. Que los Estados promuevan una política de prevención general de los actos de tortura y los tratos crueles, inhumanos y degradantes por parte de sus agentes y de terceros. En este sentido, deben desarrollarse campañas públicas de repudio a la tortura y a la cultura de violencia e impunidad.

7. Publicar en todas las comisarías e instalaciones policiales en las que se mantengan personas privadas de libertad información visible y disponible al público sobre la prohibición de la tortura, los tratos crueles, inhumanos y degradantes, y sobre cómo y ante quién denunciar estos hechos.

8. Capacitar al personal policial para que informe sistemáticamente de sus derechos a las personas arrestadas o detenidas y para que preste asistencia para el ejercicio de dichos derechos desde el momento mismo de la detención. La capacitación policial deberá tener un carácter preventivo.

9. Adoptar las medidas necesarias para asegurar que quienes presenten denuncias o quejas por tortura estén protegidos contra represalias.

10. Adoptar las medidas necesarias para garantizar que las declaraciones o confesiones obtenidas bajo cualquier tipo de coacción no sean aceptadas como prueba; y para que la carga de la prueba de que una persona fue sometida a tortura no recaiga en la presunta víctima, sino que sean las autoridades quienes demuestren que tales manifestaciones fueron voluntarias. Ninguna declaración o confesión hecha por una persona privada de libertad que no se haga en presencia de una autoridad judicial

o de su abogado, debería tener valor probatorio, salvo como prueba contra los acusados de haber obtenido tales declaraciones por medios ilícitos.

11. Garantizar que toda persona acusada de un delito cuente con la asistencia de un abogado o de un defensor de oficio desde el momento en que deba rendir sus primeras declaraciones.

12. Elaborar protocolos y procedimientos claros en los que se establezca la forma de conducir los interrogatorios, y someter esta práctica a revisiones periódicas. Debe registrarse debidamente la identidad de los funcionarios que lleven a cabo la detención y los interrogatorios. Tanto los procesados y sus abogados, como los jueces deberán tener acceso a esa información.

13. Adoptar las medidas legislativas, administrativas e institucionales necesarias para asegurar que el ejercicio de las funciones disciplinarias en los centros de privación de libertad esté debidamente reglamentada. Asimismo, se recomienda enfáticamente a los Estados erradicar definitivamente la práctica de delegar facultades disciplinarias en los propios reclusos, sobre todo la posibilidad de aplicar sanciones.

14. Establecer un sistema uniforme de registros de medidas disciplinarias, en el que conste la identidad del infractor, la sanción adoptada, la duración de la misma y el oficial que la ordenó.

15. Adoptar las medidas legislativas, administrativas e institucionales necesarias para asegurar que la reclusión en régimen de aislamiento sea realmente utilizada de forma excepcional, por el periodo más breve posible, sujeta a control judicial y supervisión médica, y en las condiciones descritas en el presente capítulo.

16. Asegurar que las normas disciplinarias sean conocidas por las autoridades y funcionarios a cuyo cargo se encuentran los centros de privación de libertad, y que sean ampliamente divulgadas entre la población reclusa, y disponibles a cualquier otra persona interesada.

17. Adoptar las medidas de control y monitoreo necesarias para asegurar que las requisas en los centros de privación de libertad sean conducidas de forma tal que se respete el derecho a la integridad personal de los reclusos, en particular que no se recurra al uso desproporcionado de la fuerza, ni se utilice el mecanismo de las requisas como forma de agredir y humillar a los presos.

18. Adoptar las medidas que sean necesarias, en los términos del presente informe, para asegurar que las personas privadas de libertad sean recluidas en condiciones dignas congruentes con el principio del trato

humano. En particular, adoptar medidas concretas de impacto inmediato y a mediano y largo plazo para prevenir y erradicar el hacinamiento.

19.   Establecer sistemas eficaces de supervisión o control interno de las condiciones de reclusión y del trato recibido por las personas privadas de libertad en comisarías y estaciones de policía. Además, en la medida de lo posible, permitir que las personas recluidas en comisarías y estaciones de policía por más de 24 horas tengan la posibilidad de realizar ejercicio físico fuera de sus celdas, al menos una vez al día, por no menos de una hora.

20.   Garantizar que los procedimientos y directrices establecidas en el Manual para la Efectiva Investigación y Documentación de la Tortura y Otros Tratos o castigos Crueles, Inhumanos o Degradantes –conocido comúnmente como Protocolo de Estambul– sean seguidos sistemáticamente por las autoridades a cargo de investigar, documentar y presentar dictámenes relativos a actos de tortura. El seguimiento de estas directrices y procedimientos son fundamentales, toda vez que la mayoría de los métodos de tortura están diseñados para lograr el máximo impacto, dejando la menor cantidad posible de huellas y rastros

V. ATENCIÓN MÉDICA[606]

A. Estándares fundamentales

519.   El proveer la atención médica adecuada a las personas privadas de libertad es una obligación que se deriva directamente del deber del Estado de garantizar la integridad personal de éstas (contenido en los artículos 1.1 y 5 de la Convención Americana y I de la Declaración Americana). En ese sentido, la CIDH ha establecido que "[e]n el caso de las personas privadas de libertad la obligación de los Estados de respetar la integridad física, de no emplear tratos crueles, inhumanos y de respetar la dignidad inherente al ser humano, se extiende a garantizar el acceso a la atención médica adecuada"[607].

520.   A este respecto, la Corte Interamericana ha establecido que,

[C]onforme al Artículo 5 de la Convención Americana, el Estado tiene el deber de proporcionar a los detenidos revisión médica regular y atención y tratamiento adecuados cuando así se requiera. A su vez, el Estado debe permitir y facilitar que los detenidos sean atendidos por un facultativo elegido por ellos mismos o por quienes ejercen su representación o custodia legal[608], según las necesidades específicas de su situación real[609].

521.   Con relación al contenido y alcances generales del derecho de las personas privadas de libertad a la atención médica, el Principio X de los Principios y Buenas Prácticas de la CIDH establece que:

Las personas privadas de libertad tendrán derecho a la salud, entendida como el disfrute del más alto nivel posible de bienestar físico, mental y social, que incluye, entre otros, la atención médica, psiquiátrica y odontológica adecuada; la disponibilidad permanente de personal

---

[606] Corresponde destacar que en la redacción de este Capítulo la Comisión contó con el asesoramiento técnico del Equipo de Derechos Humanos (Oficina de Género, Diversidad y Derechos Humanos) de la Organización Panamericana de la Salud, que ofreció su valiosa colaboración con respecto a datos, estudios y estándares internacionales.

[607] CIDH, Demanda ante la Corte I.D.H. en el Caso de Pedro Miguel Vera Vera, Caso No. 11.535, Ecuador, 24 de febrero de 2010, párr. 42. Asimismo, la CIDH ha establecido que "[s]i el Estado no cumple con esta obligación, por acción o omisión, incurre en la violación del artículo 5 de la Convención y, en casos de muerte de reclusos, en la violación del artículo 4 del mismo instrumento". CIDH, *Tercer Informe sobre la Situación de los Derechos Humanos en Colombia,* Cap. XIV, párr. 33.

[608] Corte I.D.H., *Caso Montero Aranguren y otros (Retén de Catia) Vs. Venezuela.* Sentencia de 5 de julio de 2006. Serie C No. 150, párr. 102; Corte I.D.H., *Caso García Asto y Ramírez Rojas Vs. Perú.* Sentencia de 25 de noviembre de 2005. Serie C No. 137, párr. 127; Corte I.D.H., *Caso Tibi Vs. Ecuador.* Sentencia de 7 de septiembre de 2004. Serie C No. 114, párr. 156.

[609] Corte I.D.H., Asunto María Lourdes Afiuni respecto Venezuela, Resolución del Presidente de la Corte Interamericana de Derechos Humanos de 10 de diciembre de 2010, Considerando 11. En este asunto, dadas las condiciones específicas de la beneficiaria de las medidas y la conducta del Estado, la Corte consideró que sin perjuicio de la atención médica que pudieran brindar las instituciones Estatales, el Estado debía adoptar las providencias necesarias para que la Sra. Afiuni fuese atendida por médicos de su elección en el evento de necesitar atención médica especializada (Considerando 12 y puntos Resolutivos 2 y 3).

médico idóneo e imparcial; el acceso a tratamiento y medicamentos apropiados y gratuitos; la implementación de programas de educación y promoción en salud, inmunización, prevención y tratamiento de enfermedades infecciosas, endémicas y de otra índole; y las medidas especiales para satisfacer las necesidades particulares de salud de las personas privadas de libertad pertenecientes a grupos vulnerables o de alto riesgo, tales como: las personas adultas mayores, las mujeres, los niños y las niñas, las personas con discapacidad, las personas portadoras del VIH/SIDA, tuberculosis, y las personas con enfermedades en fase terminal.

522.   En cuanto a la calidad de los servicios médicos este principio establece que, "[e]l tratamiento deberá basarse en principios científicos y aplicar las mejores prácticas". Además, que "[e]n toda circunstancia la prestación del servicio de salud deberá respetar los principios siguientes: confidencialidad de la información médica[610]; autonomía de los pacientes respecto de su propia salud; y consentimiento informado en la relación médico-paciente".

523.   Asimismo, la CIDH ha tomado en cuenta como estándares internacionales aplicables las disposiciones 22 a la 26 de las Reglas Mínimas de las Naciones Unidas para el Tratamiento de Reclusos[611], y lo dispuesto por los Principios de Ética Médica Aplicables a la Función del Personal de Salud, Especialmente los Médicos, en la Protección de Personas Presas y Detenidas contra la Tortura y otros Tratos Crueles, Inhumanos o Degradantes[612], cuyo principio fundamental establece:

El personal de salud, especialmente los médicos, encargado de la atención médica de personas presas o detenidas tiene el deber de brindar protección a la salud física y mental de dichas personas y de

[610] En la práctica son pocos los supuestos en los que el personal de salud tenga que comunicar información confidencial del paciente al director de la prisión o a otras autoridades. Por otro lado, si se considera que por motivos de seguridad el recluso debe ser vigilado durante su visita a los servicios médicos, deberá procurarse que los agentes de seguridad estén en una posición en la que puedan ver al recluso, pero no escuchar la conversación. El Principio de confidencialidad implica también que los historiales médicos de los reclusos deben guardarse con la debida reserva, de forma tal que su acceso sea exclusivo del personal médico del establecimiento.

[611] Véase al respecto por ejemplo, CIDH, Informe No. 67/06, Caso 12.476, Fondo Oscar Elías Biscet y otros, Cuba, 21 de octubre de 2006, párr. 155.

[612] Adoptados por la Asamblea General de las Naciones Unidas en su Resolución 37/134, de 18 de diciembre de 1982. Otro referente ético relevante es el *Juramento de Atenas*, adoptado por el Consejo Internacional de Servicios Médicos en 1979, disponible en: http://www.medekspert.az/pt/chapter1/resources/The%20Oath%20of%20Athens.pdf. De acuerdo con esta declaración, los profesionales de la salud se comprometen a brindar sus servicios con el más alto nivel de calidad posible, sin prejuicios de ningún tipo y observando la ética profesional. En particular se comprometen a: (1) abstenerse de autorizar o aprobar cualquier tipo de castigo corporal; (2) abstenerse de participar en cualquier forma de tortura; (3) no participar en ninguna forma de experimentación científica practicada a personas privadas de libertad sin su consentimiento informado; (4) a respetar la confidencialidad de cualquier información recibida de los reclusos en el curso de la relación profesional médico-paciente; y (5) a sustentar sus dictámenes únicamente en las necesidades de sus pacientes, para lo cual el estado de salud de éstos tiene prioridad sobre cualquier otra consideración no médica.

tratar sus enfermedades al mismo nivel de calidad que brindan a las personas que no están presas o detenidas (Principio 1).

524. Así por ejemplo, durante su visita a Suriname la Relatoría de Personas Privadas de Libertad observó que la mayoría de los reclusos y reclusas entrevistados en penitenciarías de adultos manifestaron que la atención médica que se les proveía era deficiente y que no se les brindaban los medicamentos adecuados. Algunos de ellos señalaron específicamente que las consultas eran sumamente superficiales y breves, al punto que los médicos les recetaban solamente analgésicos, sin prestar mayor atención a los síntomas que presentaban[613]. Igualmente, durante su visita a Uruguay, la Relatoría verificó que en la antigua cárcel de mujeres de Cabildo, en Montevideo, la atención odontológica gratuita que se ofrecía a las reclusas se limitaba a la extracción de piezas dentales[614].

525. Como ya se ha establecido en el presente informe, las personas privadas de libertad se encuentran en una posición de subordinación frente al Estado, del que dependen jurídicamente y de hecho para la satisfacción de todas sus necesidades. Por eso, al privar de libertad a una persona, el Estado adquiere un nivel especial de responsabilidad y se constituye en garante de sus derechos fundamentales, en particular de sus derechos a la vida y a la integridad personal, de donde se deriva su deber de salvaguardar la salud de los reclusos brindándoles, entre otras cosas, la asistencia médica requerida[615].

526. La provisión de atención médica adecuada es un requisito material mínimo e indispensable que debe ser cumplido por el Estado para garantizar un trato humano a las personas bajo su custodia[616]. La pérdida de libertad no debe representar jamás la pérdida del derecho a la salud. Del mismo modo, tampoco es tolerable que el encarcelamiento agregue enfermedad y padecimientos físicos y mentales adicionales a la privación de libertad[617].

527. Este deber a cargo de los Estados, como ha especificado la Corte Interamericana, "no significa que existe una obligación de cumplir con todos los deseos y preferencias de la persona privada de libertad en cuanto a atención médica, sino con

---

[613] CIDH, Comunicado de Prensa 56/11 - Relatoría sobre los Derechos de las Personas Privadas de Libertad culmina visita a Suriname. Washington, D.C., 9 de junio de 2011, Anexo, párr. 11.

[614] CIDH, Comunicado de Prensa 76/11 – Relatoría recomienda adopción de política pública carcelaria integral en Uruguay. Washington, D.C., 25 de julio de 2011, Anexo, párr. 30.

[615] Corte I.D.H., *Caso Vélez Loor Vs. Panamá*. Sentencia de Excepciones Preliminares, Fondo, Reparaciones y Costas. Sentencia de 23 de noviembre de 2010. Serie C. No. 218, párr. 198. Véase también, CIDH, Informe No. 67/06, Caso 12.476, Fondo, Oscar Elías Biscet y otros, Cuba, 21 de octubre de 2006, párr. 155.

[616] Corte I.D.H., *Caso García Asto y Ramírez Rojas Vs. Perú*. Sentencia de 25 de noviembre de 2005. Serie C No. 137, párr. 126.

[617] El Código de Conducta para Funcionarios Encargados de Hacer Cumplir la Ley, señala en su artículo 6 que "[l]os funcionarios encargados de hacer cumplir la ley asegurarán la plena protección de la salud de las personas bajo su custodia y, en particular, tomarán medidas inmediatas para proporcionar atención médica cuando se precise".

aquellas verdaderamente necesarias conforme a su situación real"[618]. Por lo tanto, "la falta de atención médica adecuada podría considerarse en sí misma violatoria del artículo 5.1 y 5.2 de la Convención dependiendo de las circunstancias concretas de la persona en particular, el tipo de dolencia que padece, el lapso transcurrido sin atención y sus efectos acumulativos"[619].

528.   La Corte Europea al referirse al contenido y alcances del artículo 3 de la Convención Europea ha establecido que debido a las necesidades propias de la privación de libertad, la salud y el bienestar de los reclusos deben ser debidamente asegurados mediante, entre otras cosas, la provisión de atención médica necesaria[620]. Por lo que, dependiendo de las circunstancias concretas del caso, la falta de atención médica adecuada puede llegar a constituir una forma de tratamiento violatorio al derecho a la integridad personal[621].

529.   De igual forma, la Constitución de la Organización Mundial de la Salud (OMS) establece un principio internacional fundamental en virtud del cual el "goce del grado máximo de salud que se pueda lograr es uno de los derechos fundamentales de todo ser humano…"[622]. El derecho de toda persona al goce del grado máximo de salud que se pueda lograr (en adelante "el derecho a la salud") sólo puede verse garantizado si se respetan las obligaciones establecidas por el derecho internacional de los derechos humanos. Tal y como han puesto de manifiesto todos los Estados de la Organización Panamericana de la Salud (OPS)[623], y ha quedado documentado en la Resolución del Consejo Directivo CD50/R.8 ("*La Salud y los Derechos Humanos*"[624]) y como se contempla a lo largo de todo este capitulo, el derecho internacional de los derechos humanos ofrece un marco conceptual y jurídico valioso para unificar estrategias que mejoren la salud de los grupos sociales mas pobres y excluidos, entre los que se incluye el de las personas privadas de libertad.

---

[618] Corte I.D.H., *Caso Montero Aranguren y otros (Retén de Catia) Vs. Venezuela*. Sentencia de 5 de julio de 2006. Serie C No. 150, párr. 102.

[619] Corte I.D.H., *Caso Montero Aranguren y otros (Retén de Catia) Vs. Venezuela*. Sentencia de 5 de julio de 2006. Serie C No. 150, párr. 103.

[620] European Court of Human Rights, *Case of Mouisel v. France*, (Application no. 67263/01), Judgment of November 14, 2002, First Section, para. 40; European Court of Human Rights, *Case of Kudla v. Poland*, (Application no. 30210/96), Judgment of October 26, 2000, Grand Chamber, para. 94.

[621] European Court of Human Rights, *Case of Keenan v. the United* Kingdom, (Application no. 27229/95), Judgment of April 3, 2001, Third Section, para. 111; European Court of Human Rights, *Case of of Ílhanm v. Turkey*, (Application no. 22277/93), Judgment of June 27, 2000, Grand Chamber, para. 87.

[622] Constitución de la Organización Mundial de la Salud (OMS) disponible en: http://apps.who.int/gb/bd/PDF/bd47/SP/constitucion-sp.pdf.

[623] La Organización Panamericana de la Salud (OPS) es un organismo internacional de salud pública con 100 años de experiencia dedicados a mejorar la salud y las condiciones de vida de los pueblos de las Américas. Goza de reconocimiento internacional como parte del Sistema de las Naciones Unidas, y actúa como Oficina Regional para las Américas de la Organización Mundial de la Salud. Dentro del Sistema Interamericano, es el organismo especializado en temas salud.

[624] OPS, Resolución: Salud y Derechos Humanos, CD50/R.8, adoptada el 29 de septiembre de 2010.

530. Este deber del Estado de proporcionar la atención médica adecuada e idónea a las personas bajo su custodia es aún mayor en aquellos casos en que las lesiones o la afectación en la salud de los reclusos es producto de la acción directa de las autoridades[625]. Así como también, en aquellos casos de personas privadas de libertad que sufren enfermedades cuya falta de tratamiento puede ocasionar la muerte.

531. Por otro lado es importante subrayar que aun en aquellos casos en los que el Estado ha delegado la prestación de los servicios de salud de las cárceles en empresas o agentes privados –como sucede por ejemplo en Colombia– el mismo sigue siendo responsable por la prestación adecuada de tales servicios. Esto tiene su fundamento general en la doctrina ampliamente desarrollada y asentada en el Sistema Interamericano, según la cual los Estados no sólo son responsables por las acciones directas de sus agentes, sino también por la de terceros particulares cuando éstos actúan a instancias del Estado, o con su tolerancia o aquiescencia.

532. Sobre este particular, la Corte Interamericana estableció en el caso *Ximenes Lopes*:

> [L]la acción de toda entidad, pública o privada, que está autorizada a actuar con capacidad estatal, se encuadra en el supuesto de responsabilidad por hechos directamente imputables al Estado, tal como ocurre cuando se prestan servicios en nombre del Estado. [...] [L]os Estados tienen el deber de regular y fiscalizar toda la asistencia de salud prestada a las personas bajo su jurisdicción, como deber especial de protección a la vida y a la integridad personal, independientemente de si la entidad que presta tales servicios es de carácter público o privado[626].

La CIDH considera que con respecto a las personas privadas de libertad, en sentido amplio[627], los deberes del Estado de regulación y fiscalización de la asistencia de salud prestada por agentes privados es aun mayor, precisamente en función de la posición especial de garante en la que se coloca el Estado frente a las personas sujetas a su custodia.

533. La falta de provisión de servicios médicos adecuados y de la atención médica necesaria que requieren las enfermedades contagiosas en los centros de privación de libertad, constituye una situación particularmente grave que puede llegar a convertirse en un problema de salud pública, tal y como veremos más adelante en este capítulo al abordar las enfermedades transmisibles. Las prisiones y centros de detención no son recintos aislados y cerrados en sí mismos, sino que son lugares en los que existe un constante flujo de personas (además de los propios internos, funcionarios, visitantes, entre

---

[625] Corte I.D.H., *Caso del Penal Miguel Castro Castro Vs. Perú*. Sentencia de 25 de noviembre de 2006. Serie C No. 160, párr. 302.

[626] Corte I.D.H., *Caso Ximenes Lopes Vs. Brasil*. Sentencia de 4 de julio de 2006. Serie C No. 149, párrs. 87 y 89.

[627] En los términos de la *Disposición General* de los Principios y Buenas Prácticas sobre la Protección de las Personas Privadas de Libertad en las Américas.

otros) por lo que, existe alto riesgo de propagación de las enfermedades transmisibles presentes en los centros de privación de libertad (como VIH/SIDA, tuberculosis, hepatitis, enfermedades de transmisión sexual y enfermedades desatendidas) que puede llegar a afectar gravemente a las comunidades situadas en el entorno de estos establecimientos y a la población en general.

534.   Por lo tanto, además de existir importantes consideraciones relativas a los derechos humanos de los propios reclusos, los Estados deben dar atención prioritaria a las condiciones de salud en las cárceles como elemento fundamental de toda política de salud pública. En relación con este punto, la CIDH ha establecido que:

> El Estado deberá garantizar que los servicios de salud proporcionados en los lugares de privación de libertad funcionen en estrecha coordinación con el sistema de salud pública, de manera que las políticas y prácticas de salud pública sean incorporadas en los lugares de privación de libertad[628].

En este sentido, la CIDH considera que lo fundamental es adoptar un enfoque preventivo frente a la presencia de enfermedades en las cárceles, y partir de ahí organizar los sistemas o mecanismos de provisión de servicios médicos a las personas privadas de libertad.

535.   Asimismo, la CIDH reitera que los Estados deben adoptar medidas especiales para satisfacer las necesidades particulares de salud de las personas privadas de libertad pertenecientes a grupos de alto riesgo como: las personas adultas mayores, las mujeres, los niños y las niñas, los jóvenes y adolescentes, las personas con discapacidad, las personas portadoras del VIH/SIDA, tuberculosis, y las personas con enfermedades en fase terminal[629]. Sin embargo, un análisis comprensivo de las obligaciones de los Estados con respecto a estos grupos amerita un estudio mucho más extenso y pormenorizado que excede los objetivos del presente informe.

B.   Principales desafíos identificados y estándares aplicables

536.   Con respecto a las principales deficiencias observadas por la CIDH en las cárceles de la región se encuentran las siguientes:

(a)   la falta de personal de salud idóneo y suficiente;

(b)   la falta de abastecimiento de medicamentos, de insumos y equipo médico;

(c)   las deficiencias en la infraestructura de las clínicas u hospitales que funcionan en las cárceles;

---

[628] CIDH, *Principios y Buenas Prácticas sobre la Protección de las Personas Privadas de Libertad en las Américas*, (Principio X); en concordancia con las Reglas Mínimas para el Tratamiento de Reclusos, (Regla 22.1).

[629] CIDH, *Principios y Buenas Prácticas sobre la Protección de las Personas Privadas de Libertad en las Américas*, (Principio X).

(d)   la falta de condiciones laborales adecuadas para que los profesionales de salud cumplan sus funciones profesionales y seguridad adecuadas;

(e)   la falta de elementos como mobiliario, camillas, ropa de cama, materiales para la limpieza y otros que son básicos para la prestación de servicios de salud en condiciones mínimamente aceptables; y

(f)   la falta de procedimientos claros y eficaces para determinar que internos que requieren atención médica especializada o procedimientos que no se pueden realizar dentro de la cárcel tengan los medios para conseguir la atención, así como su transporte en forma oportuna a los centros hospitalarios donde aquellos sean dispensados.

1.   Desafíos relativos al acceso a los servicios médicos

537.   Es una realidad extendida en la mayoría de los países de la región que el personal de salud asignado a los centros de privación de libertad es insuficiente para cubrir las necesidades mínimas de la población reclusa. En este contexto, la presencia de los médicos –y sobre todo de los especialistas– muchas veces es esporádica, presentándose éstos durante algunos días a la semana o por pocas horas durante el día, lo que por lo general impide que el servicio se preste en condiciones mínimas de calidad.

538.   Como ejemplo ilustrativo de esta situación, el Relator sobre la Tortura de la ONU indicó lo siguiente tras su misión a Brasil de 2000:

> En la casa de detenção de Carandiru (São Paulo), el Relator Especial observó con preocupación un cartel en el quinto piso que indicaba que la enfermería carecía de medicamentos, que el médico vendría una vez por semana y que sólo se le daría el nombre de diez reclusos para que los atendiera. Al parecer, el tratamiento médico fuera de la prisión se organizaba raras veces y con reticencia. La supuesta falta de vehículos o de policías militares disponibles para escoltar a los enfermos al hospital, la ausencia de planificación o de citas concertadas y, en algunos casos, la escasa disposición de los médicos a atender a reclusos daban lugar con frecuencia a la denegación de un tratamiento médico rápido y adecuado[630].

539.   Asimismo, en muchas cárceles de la región la responsabilidad de los servicios médicos recae principalmente en otros profesionales de salud, como paramédicos enfermeros o auxiliares, quienes muchas veces deben hacer frente a situaciones profesionales delicadas de gran complejidad que exceden sus capacidades. Incluso, en algunos casos se ha registrado el empleo informal de los propios internos en funciones de salud que por su naturaleza no deberían serles asignadas, sin perjuicio de que existan

---

[630] ONU, Relator Especial sobre la Tortura y otros Tratos o Penas Crueles, Inhumanos o Degradantes, Informe de la Misión a Brasil, E/CN.4/2001/66/Add.2, adoptado el 30 marzo de 2001, Cap: II *Protección de los Detenidos contra la Tortura*, párr. 125.

oportunidades de trabajo para los reclusos en las clínicas u hospitales de los establecimientos penitenciarios, pero dentro de sus capacidades.

540.   Otro problema generalizado y arraigado en los establecimientos penitenciarios de la región es el relativo a la falta –o impedimento– de acceso de los reclusos a los servicios médicos[631]. Así por ejemplo, en aquellas cárceles que tienen sistemas de "autogobierno" o "gobierno compartido" en las que las autoridades penitenciarias delegan o permiten la concentración de poder en determinados internos, son éstos los que deciden quién accede o no a los servicios médicos. Asimismo se da en algunas cárceles la práctica del cobro de dinero o "derecho de paso" en determinados sectores, lo que impide o dificulta gravemente el acceso a los servicios médicos a quienes no tienen los recursos para desplazarse por el penal.

541.   En otros casos, son los propios agentes de seguridad o las autoridades civiles los que cobran "cuotas" a los reclusos para sacarlos de las celdas y llevarlos a las clínicas; o bien, determinan arbitrariamente qué reclusos acceden a los servicios médicos, sin ningún criterio de selección, ni por urgencia, ni por patología, ni siguiendo ningún tipo de lineamiento científico médico asistencial. En ocasiones son las propias autoridades o ciertos presos los que comercian ilícitamente –a precios superiores a los del mercado– con medicamentos que deberían ser distribuidos gratuitamente por el Estado[632], o con certificados médicos, traslados a hospitales externos, entre otros.

542.   Así, sucede con frecuencia que aquellos presos con mayor poder o recursos económicos reciben un trato preferencial, muchas veces acaparando innecesariamente los escasos recursos de salud disponibles, en detrimento del resto de la población reclusa. Todo lo cual genera una serie de relaciones reales de poder y círculos de corrupción que impiden, de hecho, que aquellos reclusos que realmente necesitan de los servicios médicos accedan a ellos.

543.   Otra situación de hecho que afecta gravemente el acceso y la prestación adecuada de los servicios de salud, es la falta de condiciones de seguridad interna en los establecimientos penitenciarios. Así por ejemplo, en el trámite de las medidas provisionales de las Penitenciarías de Mendoza, una de las situaciones que fue denunciada inicialmente por los peticionarios, fue precisamente que los médicos no subían a los pabellones por temor a sufrir daños en su vida e integridad física, por lo que los internos tenían que presentar acciones de *habeas corpus* para ser atendidos[633]. De hecho, según se estableció, ni siquiera los agentes penitenciarios entraban con frecuencia en los pabellones. En este sentido, como ya ha sido indicado previamente en este informe, el Estado tiene el deber irrenunciable de ejercer el control del orden interno de los

---

[631] Véase a este respecto por ejemplo: CIDH, Comunicado de Prensa 64/10 – Relatoría de la CIDH constata graves condiciones de detención en la provincia de Buenos Aires. Washington, D.C., 21 de junio de 2010.

[632] Véase a este respecto por ejemplo: CIDH, Comunicado de Prensa 76/11 – Relatoría recomienda adopción de política pública carcelaria integral en Uruguay. Washington, D.C., 25 de julio de 2011, Anexo, párr. 55.

[633] Corte I.D.H., Asunto de las Penitenciarías de Mendoza respecto Argentina, Resolución de la Corte Interamericana de Derechos Humanos de 18 de junio de 2005, Vistos 9(f).

establecimientos de privación de libertad, condición esencial para garantizar el acceso a los servicios de salud.

544.   La CIDH observa también que por regla general en la región, la provisión de servicios de salud en comisarías, estaciones de policía y otros centros transitorios de detención es aún más precaria que en los centros penitenciarios[634]. Por regla general, estos establecimientos, destinados en principio a la detención transitoria de personas, carecen de servicios de salud adecuados y muchas veces de los recursos necesarios para llevar a los reclusos a centros hospitalarios externos cuando sea necesario. Además, es el personal policial, por lo general sin formación médica, quien decide sobre el acceso de las personas privadas de libertad a cuidados médicos.

545.   Durante su visita a Suriname, por ejemplo, la Relatoría sobre los Derechos de las Personas Privadas de Libertad constató que en la Comisaría de *Geyersvlijt* los servicios de salud eran cubiertos regularmente por una religiosa que acudía a ese establecimiento una vez por semana a brindar atención de enfermería[635].

546.   También en el contexto del caso *Pedro Miguel Vera Vera y otros*, recientemente decidido por la Corte Interamericana, la CIDH estableció que la víctima, quien había sido herido de bala en el abdomen al momento de su arresto, falleció debido a complicaciones ocasionadas por la falta de atención médica adecuada durante los primeros días de su detención mientras estaba a órdenes de la policía[636].

547.   Estas consideraciones son relevantes si se toma en cuenta que en muchos países de la región –sobre todo a causa de la falta de capacidad de los sistemas penitenciarios– existe la práctica de utilizar comisarías y estaciones de policía como centros regulares de detención en los que se aloja un número importante de reos procesados e incluso condenados; a pesar de que tales establecimientos no están diseñados, ni cuentan con los servicios adecuados para ser utilizados con estos fines.

548.   En estos lugares, por lo general, no se realizan exámenes médicos iniciales a los detenidos que ingresan, en los que se verifiquen sus condiciones de salud o la existencia de lesiones recientes; o bien, si se realizan estos exámenes, los mismos son practicados superficialmente, o por profesionales de la salud que no cuentan con la independencia necesaria[637].

---

[634] A este respecto véase también: ONU, Subcomité para la Prevención de la Tortura, *Informe sobre la visita a Honduras del SPT,* CAT/OP/HND/1, adoptado el 10 de febrero de 2010, párrs. 177-178; ONU, Subcomité para la Prevención de la Tortura, *Informe sobre la visita a Paraguay del SPT,* CAT/OP/PRY/1, adoptado el 7 de junio de 2010, párr. 129.

[635] CIDH, Comunicado de Prensa 56/11 - Relatoría sobre los Derechos de las Personas Privadas de Libertad culmina visita a Suriname. Washington, D.C., 9 de junio de 2011, Anexo, párr. 20.

[636] CIDH, Demanda ante la Corte I.D.H. en el Caso de Pedro Miguel Vera Vera, Caso No. 11.535, Ecuador, 24 de febrero de 2010, párrs. 21-32.

[637] A este respecto véase también: ONU, Subcomité para la Prevención de la Tortura, *Informe sobre la visita a México del SPT,* CAT/OP/MEX/1, adoptado el 27 de mayo de 2009, párrs.130-139; ONU, Subcomité para la Prevención de la Tortura, *Informe sobre la visita a Paraguay del SPT,* CAT/OP/PRY/1, adoptado el 7 de junio de

Continúa...

549.   Por otro lado, como se ha mencionado en el presente informe, es una realidad generalizada en la región que las personas privadas de libertad se vean obligadas a depender en gran medida de sus familiares, o de terceras personas, para la satisfacción de sus necesidades básicas, lo que en algunos casos implica la entrega de medicamentos, dietas especiales u otros elementos necesarios para el cuidado de la salud de los presos, como anteojos, prótesis, y otras necesidades. A este respecto, la CIDH reafirma que el Estado tiene el deber de proporcionar determinadas necesidades básicas de los presos, como por ejemplo la provisión de medicamentos, particularmente a aquellas personas que no cuentan con los recursos para proveérselos. En cualquier caso, cuando los reclusos satisfagan estas necesidades gracias al apoyo de sus familiares o terceros, es importante que los controles destinados a evitar el ingreso de sustancias ilegales no obstaculicen la entrega de los efectos básicos que aquellos necesitan.

550.   En contextos muy específicos, como el de la represión a los presos políticos en Cuba, la CIDH ha observado que la denegación deliberada de atención médica ha sido empleada como una forma concreta de agresión contra estos reclusos. Sobre este particular, la CIDH ha manifestado reiteradamente su preocupación:

> [R]especto a la gran cantidad de presos políticos que estarían sufriendo enfermedades crónicas de tipo visual, renal, cardíaco y pulmonar, sin que se les brinde la atención médica apropiada, incluidas varias personas mayores de edad. Por el contrario, es de conocimiento de la CIDH que las autoridades penitenciarias han impedido a los familiares de los disidentes políticos privados de libertad entregarles a éstos los medicamentos que requieren para tratar sus enfermedades y que no son proporcionados por el Estado[638].

2.   Desafíos relativos al acceso a la atención médica especializadas

551.   Son recurrentes también las deficiencias en los traslados de reclusos a clínicas y hospitales externos con el fin de recibir tratamientos especializados o no disponibles en los centros de privación de libertad[639], debido, entre otras razones, a la inoperancia de las autoridades judiciales o administrativas que deben autorizar los

---

...continuación

2010, párrs. 91-98. ONU, Subcomité para la Prevención de la Tortura, *Informe sobre la visita a Honduras del SPT*, CAT/OP/HND/1, adoptado el 10 de febrero de 2010, párrs. 152-156.

[638] CIDH, *Informe Anual 2010*, Capítulo IV, Cuba, OEA/Ser.L/V/II.Doc.5 corr. 1, adoptado el 7 de marzo de 2011, párr. 361; CIDH, *Informe Anual 2009*, Capítulo IV, Cuba, OEA/Ser.L/II, Doc. 51 corr. 1, adoptado el 30 diciembre de 2009, párr. 281; CIDH, *Informe Anual 2008*, Capítulo IV, Cuba, OEA/Ser.L/II.134, Doc. 5 Rev.1, adoptado el 25 de febrero de 2009, párr. 197; CIDH, *Informe Anual 2007*, Capítulo IV, Cuba, OEA/Ser.L/II.130, Doc. 22 Rev.1, adoptado el 29 de diciembre de 2007, párr. 110; CIDH, *Informe Anual 2006*, Capítulo IV, Cuba, OEA/Ser.L/V/II.127. Doc. 4 ver. 1, adoptado el 3 de marzo de 2007, párr. 70. Véase también, CIDH, Informe No. 67/06, Caso 12.476, Fondo, Oscar Elías Biscet y otros, Cuba, 21 de octubre de 2006, párr 157.

[639] A este respecto véase por ejemplo: CIDH, *Quinto Informe sobre la Situación de los Derechos Humanos en Guatemala*, Cap. VIII, párr. 60; CIDH, *Informe sobre la Situación de los Derechos Humanos en República Dominicana*, Cap. VI, párr. 291; CIDH, *Informe sobre la Situación de los Derechos Humanos en Brasil*, Cap. IV, párr. 16.

traslados; a la falta de vehículos y de personal disponible para ejecutarlos; a la renuencia arbitraria e injustificada de las autoridades; o simplemente por la lejanía geográfica del respectivo establecimiento penitenciario.

552.   En situaciones de urgencia la imposibilidad o la demora en el transporte de los internos a centros hospitalarios puede traer como consecuencia la muerte u otro tipo de daños irreparables. En otras circunstancias, puede ocasionar que éstos pierdan las citas médicas o la continuidad de tratamientos que son importantes para su condición particular de salud.

553.   Como ejemplo claro de esta situación, la CIDH en su Informe Especial sobre la Situación de los Derechos Humanos en la Cárcel de Challapalca, en Perú destacó:

> [E]l traslado al hospital más cercano, ubicado en población de Juliaca, lleva más de cinco horas por tierra en un camión mediano de carga que es el único vehículo que posee el penal, lo cual ha llegado a generar situaciones de tal magnitud como las que influyeron en la pronta atención del interno Manuel Ipanaque Tovar, quien falleció el 13 de octubre de 1999 en el Hospital Regional de Juliaca, después de haber sufrido unas lesiones aparentemente por un accidente con puntas de acero en su cuello y tórax sobre las dos de la tarde de ese día y haber recibido solamente atención médica a las nueve de la noche cuando ingresó a este centro hospitalario[640].

554.   En algunos casos, los reclusos, por el hecho de serlo, reciben un trato discriminatorio o diferencial en los centros hospitalarios externos. A este respecto, los Principios Básicos de la ONU para el Tratamiento de los Reclusos establecen que éstos "tendrán acceso a los servicios de salud de que disponga el país, sin discriminación por su condición jurídica". Por su parte, el Relator sobre la Tortura de la ONU subrayó en un pronunciamiento posterior que, "los Estados tienen la obligación de respetar el derecho a la salud, absteniéndose de denegar o limitar el acceso igual de todas las personas, incluidas las privadas de su libertad, a los servicios de salud preventivos, curativos y paliativos"[641].

3.   El impacto de las condiciones de reclusión en la salud de las personas privadas de libertad

555.   En otros casos, la localización geográfica de un establecimiento penitenciario representa por sí misma un factor de riesgo para la salud de los internos. Así por ejemplo, la CIDH en su visita a la Cárcel de Challapalca, en Perú, constató que al estar ubicada a 4,600 metros de altura, el nivel de oxígeno era menor y los internos eran propensos a desarrollar el denominado mal de montaña agudo o "soroche" que podía

---

[640] CIDH, *Informe Especial sobre la Situación de los Derechos Humanos en la Cárcel de Challapalca*, párr. 66.

[641] ONU, Relator Especial sobre la Tortura y otros Tratos Crueles, Inhumanos o Degradantes, *Informe anual presentado a la Comisión de Derechos Humanos* (hoy Consejo), E/CN.4/2004/56, adoptado el 23 de diciembre de 2003, párr. 56.

llegar a ser crónico (enfermedad de monje). Esta situación era aun más grave dado de que muchos de los internos provenían de lugares de poca altura sobre el nivel del mar y que los servicios de salud en esa cárcel eran deficientes[642].

556.   Adicionalmente a las situaciones descritas, la CIDH considera que existen dos factores fundamentales que se sitúan en la base de las deficiencias en las condiciones de salud de los centros de privación de libertad de la región: (1) la falta de medidas preventivas; y (2) la sobrepoblación y el hacinamiento. Cuando se tratan debidamente estos dos aspectos de la gestión penitenciaria, es posible hacer un uso mucho más racional y eficiente de los servicios de salud disponibles.

557.   Con respecto al primer punto, la CIDH subraya que debe darse atención prioritaria a las condiciones estructurales, sanitarias y de higiene de los centros de privación de libertad; que estos establecimientos cuenten con suficientes entradas de aire y luz natural; que se provea a los reclusos alimentos y agua potable en cantidad y calidad suficientes; que se realicen exámenes médicos iniciales adecuados a los reclusos; y que se dé tratamiento adecuado a aquellos que ingresan con enfermedades contagiosas. Asimismo que se haga énfasis en la implementación de programas de educación y promoción en salud; capacitación del personal; inmunización, prevención y tratamiento de las enfermedades infecciosas, endémicas y de otras índoles; y en la distribución de condones y lubricantes, entre otras medidas similares[643]. Incluso, las condiciones mismas de las celdas destinadas al aislamiento de reclusos como castigo disciplinario deben ser evaluadas por las autoridades médicas, como medida para prevenir alteraciones psicofísicas e incluso la ocurrencia de suicidios en esos calabozos[644].

558.   El otro factor relevante que afecta gravemente el mantenimiento de las condiciones de salud de las personas privadas de libertad es el hacinamiento, lo que genera, entre otras cosas: la sobresaturación de los servicios de salud; la propagación de enfermedades contagiosas de todo tipo; la imposibilidad de contar con espacios para tratar adecuadamente a aquellos internos que necesitan tratamiento especial; y, como se ha dicho, incrementa fricciones y disputas entre los presos que muchas veces dejan como resultado heridos graves e incluso muertos[645].

---

[642] CIDH, *Informe Especial sobre la Situación de los Derechos Humanos en la Cárcel de Challapalca*, párrs. 62-63.

[643] A este respecto véase por ejemplo: CIDH, Comunicado de Prensa 56/11 - Relatoría sobre los Derechos de las Personas Privadas de Libertad culmina visita a Suriname. Washington, D.C., 9 de junio de 2011, Anexo, párr. 13.

[644] Esta obligación se deriva de los deberes generales de los médicos o la autoridad de salud competente de inspeccionar, evaluar y asesorar a la dirección de los centros de privación de libertad respecto de las condiciones sanitarias y de higiene del establecimiento, y de supervisar constantemente las condiciones de salud de las personas sometidas a aislamiento como sanción disciplinaria. Véase al respecto disposiciones de las Reglas Mínimas para el Tratamiento de Reclusos (Reglas 26.1 y 32.3); y las Reglas Penitenciarias Europeas (Regla 44(b) y (c)).

[645] Así por ejemplo, el STP luego de su misión a México informó acerca de un caso en el que hubo un resultado de muerte como consecuencia de la situación de hacinamiento. ONU, Subcomité para la Prevención de la Tortura, *Informe sobre la visita a México del SPT,* CAT/OP/MEX/1, adoptado el 27 de mayo de 2009, párr. 177.

559. La Comisión subraya que independientemente de las dificultades económicas que pudiera estar atravesando el Estado en un momento determinado, el hecho de privar de libertad a una persona implica siempre el deber irrenunciable de proveer atención médica adecuada, la cual incluye medidas de prevención, diagnóstico y tratamiento de enfermedades. Asimismo, considera que el cumplimiento de este deber del Estado no recae únicamente en el personal de salud, sino que depende fundamentalmente de la administración penitenciaria y de aquellas autoridades responsables de diseñar las políticas de salud pública y de asignar los recursos necesarios para implementarlas.

4. Consideraciones específicas relativas al personal de salud

560. El personal de salud no deberá tratar a los reclusos de forma autoritaria o arrogante, ni conducirse de una manera que sugiera que se le está haciendo un favor al preso o que es un privilegio que reciba atención médica. Este tipo de conductas son contrarias a los principios éticos que deben guiar la actuación del personal de salud[646]; comprometen la calidad del servicio de salud brindado; y no contribuyen a ganar la confianza de los presos.

561. Además, y como salvaguardia contra la tortura y los malos tratos, físicos o mentales a los prisioneros, es fundamental que los profesionales de la salud que brinden atención médica a personas bajo custodia del Estado ejerzan sus funciones con la debida autonomía e independencia, libres de cualquier forma de injerencia, coacción o intimidación por parte de otras autoridades[647]. Estas condiciones de independencia y autonomía no sólo deben garantizársele al personal que trabaja en los centros de privación de libertad, sino también a aquellos que en determinadas circunstancias deben prestar atención médica a detenidos y presos en hospitales externos cuando éstos son llevados allí para recibir atención médica.

562. El Protocolo de Estambul al referirse a la labor de aquellos médicos adscritos a servicios de seguridad del Estado, reconoce que en determinadas circunstancias los intereses de su empleador y de sus colegas no médicos pueden entrar en colisión con los mejores intereses de los pacientes privados de libertad, y especifica que:

> Cualesquiera que sean las circunstancias de su empleo, todo profesional de la salud tiene el deber fundamental de cuidar a las personas a las que se le pide que examine o trate. No pueden ser obligados ni contractualmente ni por ninguna otra consideración a comprometer su independencia profesional. Es preciso que realicen una evaluación

---

[646] Establecidos, entre otros, en los ya citados: Principios de Ética Médica Aplicables a la Función del Personal de Salud, Especialmente los Médicos, en la protección de Personas Presas y Detenidas contra la Tortura y otros Tratos o Penas Crueles, Inhumanas o Degradantes; y el *Juramento de Atenas*, adoptado por el Consejo Internacional de Servicios Médicos en 1979.

[647] Corte I.D.H., *Caso Vélez Loor Vs. Panamá*. Sentencia de Excepciones Preliminares, Fondo, Reparaciones y Costas. Sentencia de 23 de noviembre de 2010. Serie C. No. 218, párr. 236; Corte I.D.H., *Caso Bayarri Vs. Argentina*. Excepción Preliminar, Fondo, Reparaciones y Costas. Sentencia de 30 de octubre de 2008. Serie C No. 187, párr. 92; Corte I.D.H., *Caso Montero Aranguren y otros (Retén de Catia) Vs. Venezuela*. Sentencia de 5 de julio de 2006. Serie C No. 150, párr. 102.

objetiva de los intereses de la salud de sus pacientes y actúen en consecuencia[648].

563.	En este sentido, la Relatoría sobre los Derechos de las Personas Privadas de Libertad durante su visita a Uruguay observó como una buena práctica el que se esté implementando progresivamente en las cárceles la provisión de atención médica a cargo de la Administración de Servicios de Salud del Estado (ASSE)[649]. Esta medida, que a la fecha se ha implementado en cuatro establecimientos penitenciarios, presenta varias ventajas tanto en términos de la calidad de los servicios brindados, como en términos de la independencia institucional del personal médico que no depende del Ministerio del Interior.

564.	De acuerdo con el Protocolo de Estambul, los médicos adscritos a servicios de seguridad del Estado deben negarse a seguir cualquier procedimiento que pueda dañar al paciente o dejarle física o psicológicamente vulnerable a cualquier daño; y cuando el recluso es un niño o adolescente o un adulto en situación de riesgo, el médico tiene el deber adicional de actuar como defensor[650]. Asimismo, los profesionales de la salud deben denunciar y poner en conocimiento de las autoridades competentes cualquier situación abusiva, inadecuada o contraria a la ética cometida contra los pacientes por parte de los miembros de los servicios de seguridad en los que trabajan, sin exponer a los pacientes o a sus familias o exponerse a sí mismos a graves riesgos previsibles[651].

## 5.	Consideraciones específicas relativas a la prevención y tratamiento de enfermedades transmisibles

565.	Si bien la lista de enfermedades transmisibles que son frecuentes en los establecimientos de privación de libertad es extensa, vamos a centrarnos en algunas consideraciones sobre el VIH/SIDA, la tuberculosis y otras enfermedades infecciosas desatendidas, principalmente las cutáneas. Esto no significa que estas enfermedades sean más importantes que otras muchas que también son una realidad constante en los centros de privación de libertad, como por ejemplo, la hepatitis, las enfermedades de transmisión sexual y las enfermedades gastrointestinales.

---

[648] Manual para la Investigación y Documentación Eficaces de la Tortura y otros Tratos o Penas Crueles, Inhumanos o Degradantes (Protocolo de Estambul), Oficina del Alto Comisionado de las Naciones Unidas para los Derechos Humanos, párr. 66, disponible en: http://www.acnur.org/biblioteca/pdf/3123.pdf.

[649] CIDH, Comunicado de Prensa 76/11 – Relatoría recomienda adopción de política pública carcelaria integral en Uruguay. Washington, D.C., 25 de julio de 2011, Anexo, párr. 13.

[650] El deber de los miembros del personal de salud de abstenerse de participar de cualquier forma en actos que violen el derecho a la integridad personal de las personas en custodia del Estado es ampliamente desarrollado en los Principios de Ética Médica Aplicables a la Función del Personal de Salud, Especialmente los Médicos, en la protección de Personas Presas y Detenidas contra la Tortura y otros Tratos o Penas Crueles, Inhumanas o Degradantes, adoptados por la Asamblea General de la ONU, en su Resolución 37/194, del 18 de diciembre de 1982.

[651] Manual para la Investigación y Documentación Eficaces de la Tortura y otros Tratos o Penas Crueles, Inhumanos o Degradantes (Protocolo de Estambul), Oficina del Alto Comisionado de las Naciones Unidas para los Derechos Humanos, párr. 67, disponible en: http://www.acnur.org/biblioteca/pdf/3123.pdf.

VIH/SIDA

566. Las personas privadas de libertad que viven con VIH/SIDA y con tuberculosis u otras enfermedades desatendidas, como las cutáneas, constituyen uno de los grupos mas estigmatizados de la población penal. El miedo y el prejuicio hacia estas enfermedades los coloca en una posición de riesgo de ser sometidos a aislamiento social, violencia y otros abusos a sus derechos humanos, tanto por parte de otros reclusos, como del personal penitenciario. Esto se debe, en muchos casos, al resultado de la falta de información acerca de las vías de contagio de tales enfermedades; la naturaleza cerrada y promiscua de las cárceles; y el estigma y discriminación hacia determinados grupos como trabajadores/as sexuales, usuarios de drogas y personas LGTBI[652].

567. De acuerdo con información recibida por la CIDH en el marco de una audiencia temática sobre la situación de los derechos humanos de las personas privadas de libertad en la Provincia de Buenos Aires, las muertes por VIH/SIDA y enfermedades oportunistas constituyeron en 2009 la principal causa de muerte en unidades penitenciarias. De acuerdo con información suministrada por el Comité Contra la Tortura de la Comisión Provincial por la Memoria,

> [En la provincia de Buenos Aires] la muerte de una persona detenida con VIH/SIDA es clasificada por el servicio penitenciario como *no traumática*, o sea *natural*. Esta clasificación desestima cualquier investigación por parte de la justicia acerca del modo en que influyeron las condiciones y el régimen de detención para el tratamiento adecuado de la enfermedad: mala alimentación, falta de higiene, condiciones edilicias inapropiadas, falta de tratamientos médicos o inadecuada y discontinua provisión de los mimos[653].

568. En este sentido, la CIDH insta a los Estados a adoptar las medidas legislativas, institucionales y de otra índole que sean necesarias para prevenir y eliminar los patrones discriminatorios contra las personas con VIH/SIDA privadas de libertad. Estas personas son susceptibles a ser víctimas de discriminación múltiple cuando además de ser discriminadas por razón de su género, orientación sexual, religión o raza, además lo son por ser portadoras de VIH[654]. En particular debe prestarse atención a la cuestión de la discriminación fundada en la orientación sexual de personas portadoras de VIH; a este respecto, el Relator sobre la Tortura de la ONU ha señalado:

---

[652] WHO, *Health in Prisons: a WHO guide to the essentials in prison health*, 2007, pág. 61, disponible en: http://www.who.int/hiv/pub/idu/euro_health_prison/en/index.html.

[653] CIDH, Audiencia Temática: *Situación de derechos humanos de las personas privadas de libertad en la Provincia de Buenos Aires*, 141º período ordinario de sesiones, solicitada por el CELS y la Comisión por la Memoria de la Provincia de Buenos Aires, 28 de marzo de 2011; Comité Contra la Tortura de la Comisión Provincial por la Memoria en su Informe Anual 2010: *El Sistema de la Crueldad V*, pág. 98.

[654] ONU, Relator Especial sobre la Tortura y otros Tratos Crueles, Inhumanos o Degradantes, *Informe anual presentado a la Comisión de Derechos Humanos* (hoy Consejo), E/CN.4/2004/56, adoptado el 23 de diciembre de 2003, párr. 63.

Las actitudes y creencias derivadas de mitos y miedos relacionados con el VIH/SIDA y la sexualidad contribuyen a la estigmatización y la discriminación contra las minorías sexuales. Además, la percepción de que los miembros de estas minorías no respetan las barreras sexuales o cuestionan los conceptos predominantes del papel atribuido a cada sexo parece contribuir a su vulnerabilidad a la tortura como manera de "castigar" su comportamiento no aceptado[655].

569.   En el caso *Jorge Odir Miranda Cortez y otros*, la Comisión Interamericana se pronuncio *inter alia* acerca de la protección judicial que el Estado debe garantizar a las personas portadoras de VIH/SIDA, y estableció –siguiendo la línea jurisprudencial de la Corte Europea– que la efectividad de los recursos judiciales destinados a tutelar los derechos de estas personas está inextricablemente ligada a la rapidez con la que se deciden. En el caso específico, la CIDH consideró que lo que se estaba discutiendo en el recurso de amparo interpuesto por las víctimas no sólo era su salud, sino su supervivencia, y por lo tanto, los tribunales nacionales debieron actuar con un grado mayor de diligencia en su resolución. Así, la CIDH estableció que en situaciones de esta naturaleza las instancias judiciales destinadas a sustanciar tales recursos deben atenderlos de forma prioritaria, independientemente de la carga de trabajo que tengan[656].

Tuberculosis[657] y otras enfermedades desatendidas[658]

570.   La CIDH observa que la tuberculosis (TB) es otra de las principales enfermedades presentes en los centros de privación de libertad[659]. A pesar de la importancia que reviste este tema, y que la mayoría de los mecanismos de derechos humanos, regionales e internacionales dedicados a trabajar el contexto carcelario, incluyan el tema entre sus prioridades, la CIDH considera que faltan estudios completos y detallados sobre cuál es la mejor forma de contemplar, desde la perspectiva de los derechos humanos, la cuestión de la TB en los centros de privación de libertad, donde se desarrollen

---

[655] ONU, Relator Especial sobre la Tortura y otros Tratos Crueles, Inhumanos o Degradantes, *Informe anual presentado a la Comisión de Derechos Humanos* (hoy Consejo), E/CN.4/2004/56, adoptado el 23 de diciembre de 2003, párr. 64.

[656] CIDH, Informe No. 27/09, Caso 12.249, Fondo, Jorge Odir Miranda Cortez y otros, El Salvador, 20 de marzo de 2009, párrs. 47-48 y 52-53. A este respecto véase también: ONU, Relator Especial sobre la Tortura y otros Tratos Crueles, Inhumanos o Degradantes, *Informe anual presentado a la Comisión de Derechos Humanos* (hoy Consejo), E/CN.4/2004/56, adoptado el 23 de diciembre de 2003, párr. 59.

[657] Véase a este respecto, Organización Panamericana de la Salud (OPS), *Guía para el Control de la Tuberculosis en Poblaciones Privadas de Libertad en América Latina y el Caribe*, 2008, disponible en: http://www.paho.org/Spanish/AD/DPC/CD/tb-prisiones-guia-ctl.pdf.

[658] Véase a este respecto, OPS, Informe sobre Eliminación de las Enfermedades Desatendidas y otras Infecciones Relacionadas con la Pobreza, CD49/9, adoptado el 10 de julio de 2009; y OPS, Resolución sobre Eliminación de las Enfermedades Desatendidas y otras Infecciones Relacionadas con la Pobreza, CD49.R19, adoptada el 2 de octubre de 2009.

[659] A este respecto véase entre otros: CIDH, *Informe sobre la Situación de los Derechos Humanos en República Dominicana*, Cap. VI, párr. 292. Además de las fuentes señaladas en esta sección, véase también: ICRC/TBCTA, *Guidelines for control of tuberculosis in Prisons* (2009), disponible en: http://www.tbcta.org/Uploaded_files/Zelf/GuidelineTBPrisons1252321251.pdf.

esfuerzos necesarios para frenar el estigma y la discriminación con los que conviven las personas privadas de libertad que padecen esta enfermedad.

571.   Como ya se explicó anteriormente, los centros penitenciarios no son centros cerrados. Están compuestos por personal de custodia, de salud, técnicos y obreros, que ingresan y egresan todos los días de los recintos, además de los visitantes que entran y salen después de mantener contacto estrecho y frecuente con las personas privadas de libertad. Los centros penitenciarios son considerados como grandes reservorios de TB, exponiendo a los internos a la enfermedad, atentando contra su derecho a la salud y convirtiendo a los centros de reclusión en una amenaza para la población en general. La TB en centros penitenciarios, por tanto, representa un importante problema de salud pública, razón por la que las autoridades políticas deben incluir la salud de las personas privadas de libertad en las políticas de salud.

572.   La coinfección TB/VIH en centros penitenciario representa además un serio problema de salud por la alta transmisión de ambas enfermedades. El progresivo deterioro de la inmunidad en los individuos infectados por el VIH, predispone a que contraigan una serie de infecciones oportunistas, entre ellas la TB. Es por ello por lo que el control de la TB en estos ámbitos no puede abordarse sin tener en cuenta la prevención y el control del VIH.

573.   En este contexto, el Relator sobre la Tortura de la ONU ha subrayado que:

[N]egar a los reclusos la posibilidad de recibir información, educación y medios de prevención del VIH, la prueba voluntaria, el asesoramiento, la confidencialidad y la atención médica en materia de VIH, así como la posibilidad de someterse voluntariamente a tratamientos experimentales, podrían constituir tratos o penas crueles, inhumanos o degradantes[660].

574.   La CIDH subraya que lo fundamental con respecto a la presencia del VIH/SIDA en los centros de privación de libertad es, al igual que todas las enfermedades presentes en las cárceles, adoptar un enfoque preventivo. A partir de ahí, debe brindárseles a estas personas tratamiento gratuito y evitarse su aislamiento por la sola razón de padecer tal enfermedad[661].

---

[660] ONU, Relator Especial sobre la Tortura y otros Tratos Crueles, Inhumanos o Degradantes, *Informe anual presentado a la Comisión de Derechos Humanos* (hoy Consejo), E/CN.4/2004/56, adoptado el 23 de diciembre de 2003, párr. 54.

[661] Con respecto al aislamiento de personas con VIH/SIDA véase también: las Reglas Penitenciarias Europeas, (Regla 42.3(i)).

C.   Recomendaciones

575.   Con respecto al cumplimiento por parte del Estado de su deber de proveer atención médica a las personas privadas de libertad, la CIDH recomienda:

1.   Adoptar e implementar políticas públicas integrales orientadas a asegurar las condiciones de salud de los establecimientos de privación de libertad. Dichas políticas deben estar orientadas a la prevención, diagnóstico y tratamiento oportuno de enfermedades, así como a la atención de grupos de reclusos en particular situación de riesgo, de acuerdo con los términos del presente capítulo y siempre en línea con los instrumentos regionales e internacionales de Derechos Humanos relacionados con la salud[662]. En concreto, y al respecto, se fomentará:

    a.   la incorporación de normas y estándares regionales e internacionales de derechos humanos en las políticas nacionales de personas privadas de libertad así como en los proyectos de ley en la materia;

    b.   la promoción y el fortalecimiento de la capacitación técnica del personal sanitario de los centros de privación de libertad sobre los instrumentos internacionales de derechos humanos que sean aplicables al contexto carcelario;

    c.   la cooperación técnica de entidades y agencias especializadas en la formulación, revisión y, si fuera necesario, reformulación de planes nacionales y la legislación sobre salud aplicada a los centros de privación de libertad.

    d.   la participación en eventos regionales para aprender de las buenas prácticas de otros países en la materia y observar ejemplos de cómo contribuir a que el derecho básico a la salud sea reconocido como tal entre las personas privadas de libertad.

2.   Fomentar las medidas presupuestarias necesarias para asegurar, en el marco de esas políticas públicas mencionadas, que los centros de privación de libertad cuenten con personal de salud cualificado, medicamentos, equipo e insumos suficientes para satisfacer las necesidades médicas de la población que alojan.

3.   Implementar mecanismos de supervisión y monitoreo externo de los servicios de salud que se ofrecen en los centros de privación de libertad, y adoptar las medidas legislativas, administrativas, presupuestarias y de otra índole necesarias para asegurar que los servicios de salud en los

---

[662] Véase en el mismo sentido: OPS, Resolución: Salud y Derechos Humanos, CD50/R.8, adoptada el 29 de septiembre de 2010.

centros de privación de libertad sean prestados por personal independiente de las autoridades penitenciarias.

4. Abordar el acceso a la salud en los centros de privación de libertad desde la base, como una cuestión de salud pública. Para ello se sugiere que se coordinen esfuerzos que promuevan las relaciones entre los distintos ministerios involucrados en la salud de personas privadas de libertad de manera que se establezcan prioridades comunes encaminadas a proteger y promover el acceso a la salud por parte de todas las personas que se encuentran privadas de libertad.

5. Cooperar con los mecanismos de Derechos Humanos existentes que trabajan en la protección de los derechos básicos de las personas privadas de libertad. Esto incluye:

   a. promover iniciativas con los mecanismos regionales e internacionales de derechos humanos en la invitación, preparación, e implementación de visitas a los países;

   b. promover la ratificación de aquellos instrumentos relativos a la promoción de derechos humanos de personas privadas de libertad que aún no hayan sido ratificados, (por ejemplo el Protocolo Facultativo a la Convención contra la Tortura, OPCAT).

6. Adoptar las medidas necesarias para que en todo momento se garantice la independencia del personal de salud encargado de la atención de personas en custodia del Estado, de forma tal que puedan ejercer sus funciones libres de la injerencia, intimidación o influencia de otras autoridades no médicas. Para ello se recomienda que se promueva y difunda ampliamente entre los profesionales a cargo de centros donde se encuentren personas privadas de libertad, el contenido y la mejor práctica de implementación del Protocolo.

7. Agilizar los procedimientos para asegurar que aquellos reclusos que requieran atención médica fuera de los centros de privación de libertad sean transportados oportunamente. Asimismo, garantizar que los mismos, no reciban un trato discriminatorio, de menor calidad o que se obstaculice de alguna manera su acceso a dicha atención médica.

8. Igualmente, se adoptarán las medidas necesarias para asegurar que el acceso de los reclusos a los servicios de salud de los centros de privación de libertad, sea gratuito, equitativo, transparente y que responda efectivamente a las necesidades médicas de los internos.

9. Promover un sistema de registros médicos sistemático e integral; promover el derecho de los reclusos a acceder a un profesional médico en cualquier momento y en forma gratuita. Los Estados tienen el deber

de adoptar medidas para hacer efectivo este derecho. Los reclusos deben poder dirigirse a los profesionales médicos en forma confidencial y sin que sus solicitudes sean obstaculizadas o filtradas por los guardias o por otros reclusos.

10. Adoptar las directrices del caso, para que las historias clínicas de los reclusos se mantengan bajo estricta confidencialidad y que solo el personal médico pueda tener acceso a las mismas. Asimismo, adoptar las medidas administrativas correspondientes, para que las historias clínicas de los internos los acompañen, incluso en el caso de que sean trasladados a distintos establecimientos penitenciarios; y que se conserven por un tiempo razonable en caso de que estas personas vuelvan a ingresar en el sistema.

11. Fomentar la participación de todos los actores relevantes, incluyendo la sociedad civil, en el análisis de cuáles serían las mejores prácticas para combatir el hacinamiento en las prisiones. Para ello, deben tenerse en cuenta las nefastas consecuencias que este tema presenta a todos los niveles, y analizarlo como una cuestión de salud pública en el caso, por ejemplo, de enfermedades infecciosas como el VIH/SIDA o la TB.

12. Adoptar políticas públicas integrales orientadas a la prevención y tratamiento de enfermedades de alta presencia en las cárceles como el VIH/SIDA, la tuberculosis y otras enfermedades infecciosas desatendidas, hepatitis, enfermedades de transmisión sexual y enfermedades gastrointestinales (bacterias, protozoarios, helmintos y virus) en los términos del presente capítulo.

13. Contribuir en la promoción del conocimiento de enfermedades infecciosas desatendidas mediante el fomento de estudios conjuntos y participación en talleres nacionales, regionales e internacionales con miras a cuantificar la prevalencia de casos de las distintas enfermedades infecciosas desatendidas, particularmente las cutáneas, entre los privados de libertad. Asimismo, se recomienda analizar las mejores prácticas sobre cómo atender las necesidades específicas de estos grupos de personas. Dichas acciones deberían ir encaminadas a contribuir en la lucha contra la discriminación hacia este grupo de la población carcelaria.

14. Capacitar al personal de salud al servicio de la población carcelaria sobre las enfermedades infecciosas desatendidas, los modos de transmisión y los métodos para la prevención y la curación de las mismas.

15. Adoptar un compromiso que tenga como objetivo eliminar o reducir las enfermedades infecciosas desatendidas y otras infecciones relacionadas con la pobreza. En este sentido, la CIDH insta a los Estados a que determinen cuáles son las enfermedades infecciosas desatendidas prioritarias en el contexto carcelario.

VI.   RELACIONES FAMILIARES DE LOS INTERNOS

A.   Estándares fundamentales[663]

576.   La CIDH ha establecido que, el Estado tiene la obligación de facilitar y reglamentar el contacto entre los reclusos y sus familias, y de respetar los derechos fundamentales de éstos contra toda interferencia abusiva y arbitraria. Al respecto, la CIDH ha reiterado que las visitas familiares de los reclusos son un elemento fundamental del derecho a la protección de la familia de todas las partes afectadas en esta relación, así:

> [E]n razón de las circunstancias excepcionales que presenta el encarcelamiento, el Estado tiene la obligación de tomar medidas conducentes a garantizar efectivamente el derecho de mantener y desarrollar las relaciones familiares. Por lo tanto, la necesidad de cualquier medida que restrinja este derecho debe ajustarse a los requisitos ordinarios y razonables del encarcelamiento[664].

577.   De las obligaciones generales de respeto y garantía de los derechos humanos establecidas en el artículo 1.1 de la Convención y del deber específico de proteger a la familia impuesto por el artículo 17.1 de la misma, surge claramente que el Estado como garante de los derechos de las personas sometidas a su custodia, tiene la obligación positiva de crear las condiciones necesarias para hacer efectivo el contacto de las personas privadas de libertad con sus familias (el cual, por regla general se da por medio de tres vías: correspondencia, visitas y llamadas telefónicas). En particular, el Estado debe atender todas aquellas deficiencias estructurales que impiden que el contacto y la comunicación entre los internos y sus familias se den en condiciones dignas, seguras y con suficiente regularidad.

578.   Para las personas privadas de libertad, el apoyo de sus familiares es esencial en muchos aspectos, que van desde lo afectivo y emocional hasta el sustento material. En la mayoría de las cárceles de la región, los elementos que necesitan los presos para satisfacer sus necesidades más elementales no le son suministrados por el Estado, como debería ser, sino por sus propios familiares o por terceros. Por otro lado, a nivel emocional y sicológico, el mantenimiento del contacto familiar es tan importante para los

---

[663] El tema del contacto con la familia y la comunidad de los niños, niñas y adolescentes privados de libertad es ampliamente desarrollado por la CIDH en: CIDH, *Informe sobre Justicia Juvenil y Derechos Humanos en las Américas*, párrs. 389-405.

[664] CIDH, Informe No. 67/06, Caso 12.476, Fondo, Oscar Elías Biscet y otros, Cuba, 21 de octubre de 2006, párr. 237; CIDH, Informe No. 38/96, Caso 10.506, Fondo, X y Y, Argentina, 15 de octubre de 1996, párr. 97 y 98. En el mismo sentido, la Corte Europea ha indicado que toda privación de libertad llevada a cabo de acuerdo con la ley entraña por su propia naturaleza una limitación a la vida privada y familiar. Sin embargo, es una parte esencial del derecho de todo recluso al respeto a su vida familiar y que las autoridades penitenciarias le brinden las facilidades necesarias para que pueda mantener contacto con su familia. European Court of Human Rights, *Case of Messina v. Italy* (No. 2), (Application no. 25498/94), Judgment of September 28, 2000, Second Section, para. 61.

reclusos, que su ausencia se considera un factor objetivo que contribuye a incrementar el riesgo de que éstos recurran al suicidio[665].

B.   Principales desafíos identificados y estándares aplicables

579.   La CIDH ha observado que fundamentalmente existen dos grandes obstáculos para mantenimiento de una interacción normal entre los internos y sus familias: (a) la falta de condiciones para que las visitas puedan llevarse a cado de forma digna, es decir, en condiciones aceptables de privacidad, higiene y seguridad; y (b) el trato humillante o denigrante hacia los familiares de los reclusos por parte de las autoridades durante los días de visitas. Este tipo de situaciones, además de afectar directamente a los familiares de los reclusos, son factores que desincentivan el que éstos acudan a visitar a los reclusos, lo que definitivamente impacta en el mantenimiento de las relaciones familiares de los reclusos.

1.   La falta de condiciones para que las visitas puedan llevarse a cabo en condiciones de privacidad, higiene y seguridad

580.   La CIDH ha observado que en la mayoría de los países de la región los centros de privación de libertad carecen de las instalaciones y las condiciones mínimas necesarias para que las visitas puedan realizarse en un ambiente que ofrezca un mínimo de privacidad, higiene y seguridad para los visitantes. En muchos casos la falta de espacios adecuados obliga a las familias a reunirse en las propias celdas, pasillos, pabellones e instalaciones internas en las que habitan los reclusos; y en muchos casos también, los familiares que acuden a las visitas están considerablemente expuestos, e incluso sometidos a las dinámicas de violencia que imperan en las cárceles.

581.   Así por ejemplo, en una audiencia temática reciente sobre la situación de las personas privadas de libertad en Venezuela, los peticionarios plantearon que la violencia que se vive en las cárceles también afecta a los familiares de los reclusos[666], y aportó información según la cual durante el 2010 cuatro familiares de internos habrían sido asesinadas por armas de fuego en incidentes ocurridos en tres centros penales[667].

582.   Asimismo, de acuerdo con información ampliamente difundida, la CIDH tomó conocimiento que en agosto de 2010 un interno de nacionalidad holandesa recluido en el Penal San Pedro (ex Lurigancho), en Perú, mató a su novia durante un día de visita y

---

[665] World Health Organization (WHO), *Preventing Suicide in Jails and Prisons*, (update 2007), pág. 16, disponible en: http://www.who.int/mental_health/prevention/suicide/resource_jails_prisons.pdf.

[666] A este respecto véase también, Corte I.D.H., Asunto Centro Penitenciario de la Región Centro Occidental: Cárcel de Uribana respecto Venezuela, Resolución de la Corte Interamericana de 2 de febrero de 2007, Vistos 2(g).

[667] CIDH, Audiencia Temática: *Situación de las personas privadas de libertad en Venezuela*, 141º período ordinario de sesiones, solicitada por el Observatorio Venezolano de Prisiones (OVP), la Comisión de Derechos Humanos de la Federación de Abogados de Venezuela, y el Centro por la Justicia y el Derecho Internacional (CEJIL), 29 de marzo de 2011.

enterró el cadáver en el interior de su celda. El cadáver de la víctima fue hallado tres meses después, luego que el presunto autor confesara[668].

583.   Por otro lado, en aquellos centros penales que se rigen de hecho por sistemas de "autogobierno" o "gobierno compartido", los familiares y otras personas que acuden a las visitas están directamente expuestos a secuestros, cobros de cuotas extorsivas, actos de prostitución forzada, y todo tipo de abusos y atropellos por parte de quienes *de facto* ejercen el control de estas cárceles. En estos casos, surge la responsabilidad internacional del Estado por su negligencia en mantener un régimen en el que se proteja la vida e integridad personas de quienes acuden como visitantes a las cárceles, permitiendo y tolerando que sus derechos sean violados por terceros.

584.   Asimismo, es inaceptable desde todo punto de vista que las autoridades penitenciarias exijan el pago de cuotas o la realización de otros actos a los internos para que éstos accedan a sus días de visitas, o para permitirles el acceso a los teléfonos públicos o al envío de correspondencia[669]. El Estado tiene el deber de detectar y erradicar este tipo de prácticas, así como de investigar y sancionar a aquellos funcionarios que incurran en ellas o las encubran.

585.   El mantenimiento de un régimen adecuado de visitas implica además, que éstas tengan lugar en sitios distintos de aquellos en los cuales habitan los internos. El Estado tiene el deber de crear instalaciones adecuadas para que las visitas tengan lugar de forma digna y en condiciones de seguridad, sin que los familiares, entre los cuales hay niños, tengan que ingresar a las áreas internas destinadas al alojamiento y actividades de los reclusos. Los Estados deben erradicar este tipo de prácticas aun cuando las mismas estén firmemente arraigadas debido a las deficiencias estructurales de las cárceles, e independientemente de que los propios reclusos las prefieran. Debe procurarse también que los niños y adolescentes que ingresen como visitantes a centros de privación de libertad estén acompañados en todo momento por un familiar, responsable legal, o por la persona que éste o ésta designe.

586.   De igual forma, los Estados deben garantizar que las visitas íntimas de pareja de los reclusos y reclusas también se realicen dignamente en condiciones mínimas de higiene, seguridad y respeto por parte de los funcionaros. Esto implica que deben

---

[668] Véase al respecto, Perú 21, *Holandés mató y enterró a mujer en penal*, 29 de noviembre de 2010, disponible en: http://peru21.pe/noticia/676510/holandes-mato-enterro-pareja-penal; RPP, *Separan a funcionarios por asesinato de mujer en penal de Lurigancho*, 29 de noviembre de 2010, disponible en: http://www.rpp.com.pe/2010-11-29-separan-a-funcionarios-por-asesinato-de-mujer-en-penal-de-lurigancho-noticia_314749.html; La República, *Reo Holandés asesina a joven peruana y la entierra en su celda de Lurigancho*, 30 de noviembre de 2010, disponible en http://www.larepublica.pe/30-11-2010/reo-holandes-asesina-joven-peruana-y-la-entierra-en-su-celda-de-lurigancho; El Comercio, *Familiares de mujer asesinada en penal de Lurigancho reconocieron el cadáver en la morgue*, 29 de noviembre de 2010, disponible en: http://www.larepublica.pe/30-11-2010/reo-holandes-asesina-joven-peruana-y-la-entierra-en-su-celda-de-lurigancho.

[669] Así por ejemplo, la CIDH durante su visita *in loco* a Colombia de 1997 "recibió informaciones reiteradas que en algunas prisiones, los internos o sus familias deben pagar ocultamente para recibir autorización de visitas". CIDH, *Tercer Informe sobre la Situación de los Derechos Humanos en Colombia*, Cap. XIV, párr. 40.

crearse locales destinados a este propósito y evitar la práctica de que los reclusos y reclusas reciban a sus parejas en sus propias celdas. Además, los Estados deben supervisar adecuadamente y ejercer un monitoreo estricto de la forma como se llevan a cabo este tipo de visitas para prevenir cualquier tipo de irregularidad, tanto en la concesión de los permisos de visitas conyugales, como en la práctica de las mismas. La falta de controles en este ámbito, permite la comisión de irregularidades que pueden ir desde el cobro de cuotas indebidas para acceder a este tipo de visitas[670], hasta el ejercicio ilegal de la prostitución[671].

2. Trato humillante o denigrante hacia los familiares de los reclusos

587.   Es frecuente que durante las visitas a centros de reclusión los familiares de los detenidos, que por lo general son mujeres, niños y personas de edad avanzada, tengan que esperar turno durante varias horas, muchas veces a la intemperie y cargando paquetes; someterse a inspecciones rigurosas, tanto corporales, como de sus pertenencias, que en muchos casos tienen un carácter denigrante; y en definitiva someterse a autoridades policiales o militares encargadas de la seguridad externa de los centros penitenciarios, que por lo general no están debidamente capacitadas para tratar a los visitantes; y que no actúan con sujeción a las autoridades civiles, sino que responden únicamente a las cadenas de mando a las que pertenecen, lo que en los hechos crea espacios para actuaciones arbitrarias y carentes de supervisión y determinación de responsabilidades.

588.   A este respecto, un problema ampliamente documentado, tanto por la CIDH, como por los mecanismos de la ONU, es la práctica de realizar revisiones denigrantes a las mujeres que acuden a las visitas, las cuales pueden incluir revisiones vaginales y

---

[670] Así por ejemplo, en el curso de la visita de trabajo realizada por el Comisionado Rodrigo Escobar Gil a México en septiembre de 2011, recibió un informe redactado por la Comisión de Derechos Humanos del Distrito Federal en el que se indicaba que: "Otro problema persistente es la falta de requisitos específicos en los reglamentos de los Centros de Reclusión que permitan criterios para el acceso a la visita íntima, por lo cual se favorecen prácticas de corrupción para la celebración de visitas íntimas clandestinas, como sucede en el caso del Reclusorio Norte, Oriente y Sur del D.F., donde se ha podido documentar esta práctica al interior de las denominadas "cabañas". Informe redactado a efecto de la mencionada visita, titulado *La Figura del Arraigo y la Situación de las Personas Privadas de Libertad*. Asimismo, el Relator de la ONU sobre la Tortura observó en su visita a Paraguay de 2006, "el establecimiento de los llamados 'privados', pequeños cuartos para reuniones íntimas. Sin embargo, recibió repetidas denuncias de que los detenidos tienen que pagar sumas sustanciales para que se les permita utilizar un privado, ya sea oficial como no oficialmente. Ello significa, por una parte, que los detenidos pobres no pueden disfrutar de este derecho, y por otra, que los privados contribuyen a la corrupción en el sistema carcelario". ONU, Relator Especial sobre la Tortura y otros Tratos o Penas Crueles, Inhumanos o Degradantes, Informe de la Misión a Paraguay, A/HRC/7/3/Add.3, adoptado el 1 de octubre de 2007, Cap. IV: *Condiciones de la detención*, párr. 72. En sentido coincidente la CIDH, en el marco de una audiencia temática celebrada en 2006, recibió información según la cual se habría observado en Paraguay la práctica generalizada de cobrar multas a las mujeres reclusas para ejercer su derecho a las visitas íntimas. CIDH, Audiencia Temática: *Situación de las mujeres privadas de libertad en Argentina, Bolivia, Chile, Paraguay y Uruguay*, 126º período ordinario de sesiones, solicitada por CEJIL, CLADEM-Chile, CODEHUPY, INECIP-Paraguay, y la Universidad Diego Portales, 24 de octubre de 2006.

[671] A este respecto véase por ejemplo, Comisión Parlamentaria de Investigación (CPI), *Informe sobre el Sistema Carcelario Brasileño*, 2009, págs. 260-262. Presentado en el marco de la Audiencia Temática: *Situación del sistema penitenciario en Brasil*, celebrada en el 138º período ordinario de sesiones de la CIDH.

anales. Así por ejemplo, en el curso de su visita *in loco* a Perú de 1998 la CIDH informó, luego de visitar varias cárceles, que:

> [L]as mujeres son sometidas generalmente a un chequeo denigrante, a través de una revisión vaginal, que, por demás, se efectuaría con el mismo guante para todas las mujeres que acuden a cada uno de los penales. Se agrega que las mujeres son luego obligadas a saltar, semidesnudas y en posición de cuclillas, y que adicionalmente se les toca[672].

589.   Esta práctica de los registros corporales e intrusivos denigrantes a mujeres y niñas que acuden como visitantes a los centros penitenciarios también ha sido constatada por el Relator sobre los Derechos de las Personas Privadas de Libertad de la CIDH de manera especial en sus visitas de trabajo a Chile de 2008 y a El Salvador de 2010[673]; así como por otros mecanismos de Naciones Unidas, como el Subcomité de la ONU para la Prevención de la Tortura, en su misión a México de 2008[674], y el Relator Especial sobre la Tortura, en su visita a Brasil de 2000[675]. El uso de este tipo de prácticas en Brasil también fue expuesto recientemente en el contexto de una audiencia temática realizada en la sede de la Comisión Interamericana en marzo de 2010, durante su 138º periodo de sesiones[676].

590.   De acuerdo con los estándares fijados por la CIDH en los Principios y Buenas Prácticas (Principio XXI), el empleo de registros *corporales* a las personas privadas de libertad y a sus visitantes no deberán aplicarse de forma indiscriminada, sino que debe responder a criterios de necesidad, razonabilidad y proporcionalidad. Además, deben practicarse "en condiciones sanitarias adecuadas, por personal calificado del mismo sexo, y deberán ser compatibles con la dignidad humana y con el respeto a los derechos fundamentales. Para ello, los Estados Miembros utilizarán medios alternativos que tomen

---

[672] CIDH, *Segundo Informe sobre la Situación de los Derechos Humanos en Perú*, Cap. IX, párr. 19. A este respecto véase también: CIDH, *Informe sobre la Situación de los Derechos Humanos en República Dominicana*, Cap. VI, párr. 298. CIDH, *Tercer Informe sobre la Situación de los Derechos Humanos en Colombia*, Cap. XIV, párr. 41.

[673] CIDH, Comunicado de Prensa 104/10 – Relatoría de la CIDH constata deficiencias estructurales de sistema penitenciario de El Salvador. Washington, D.C., 20 de octubre de 2010, Anexo; CIDH, Comunicado de Prensa 39/08 - Relatoría sobre Derechos de Personas Privadas de Libertad concluye visita a Chile. Santiago de Chile, 28 de agosto de 2008.

[674] ONU, Relator Especial sobre la Tortura y otros Tratos o Penas Crueles, Inhumanos o Degradantes, Informe de la Misión a Brasil, E/CN.4/2001/66/Add.2, adoptado el 30 de marzo de 2001, Cap. II: *Protección de los Detenidos contra la Tortura*, párr. 122.

[675] ONU, Subcomité para la Prevención de la Tortura, *Informe sobre la visita a México del SPT*, CAT/OP/MEX/1, adoptado el 27 de mayo de 2009, párr. 267.

[676] CIDH, Audiencia Temática: *Situación del sistema penitenciario en Brasil*, 138º período ordinario de sesiones, solicitada por AATR, ACAT, CFEMEA, Comisión de Derechos Humanos y Minorías de la Cámara de Diputados, Comisión Parlamentaria de Investigación sobre el Sistema Penitenciario Brasileño (CPI), Justicia Global, Núcleo de Estudios por la Paz y DDHH de la Universidad de Brasilia, 19 de marzo de 2010.

en consideración procedimientos y equipo tecnológico u otros métodos apropiados". En cambio, los registros *intrusivos vaginales y anales* serán prohibidos por la ley[677].

591.   La CIDH reitera que los Estados no sólo tienen la facultad, sino la obligación de mantener la seguridad y el orden interno en las cárceles, lo que implica el adecuado control del ingreso de efectos ilícitos como armas, drogas, licor, teléfonos celulares, entre otros. Sin embargo, la implementación de estos esquemas de seguridad debe llevarse a cabo de forma tal que se respeten los derechos fundamentales de los internos y sus familias. Es esencial que el personal de custodia directa de los internos y de seguridad externa de los centros penitenciarios esté capacitado para mantener un balance entre el cumplimiento de sus funciones de seguridad y el trato digno hacia los visitantes.

592.   Es importante que existan normas e indicaciones claras sobre el tipo de objetos cuyo ingreso está permitido o prohibido, y que tales disposiciones puedan ser conocidas por los familiares. Una buena práctica al respecto es colocar carteles o letreros en lugares visibles al público. Lo importante en esta materia es fijar un régimen sin variaciones frecuentes, en el que tales normas sean implementadas de manera consistente y organizada. De forma tal que se reduzcan los espacios de arbitrariedad y se mantenga un clima de respeto recíproco entre las autoridades y las visitas.

593.   Por otro lado, en la práctica el trato denigrante o arbitrario por parte de las autoridades hacia los familiares de los reclusos es un factor que incrementa sensiblemente los niveles de tensión y estrés en la población reclusa, lo que eventualmente puede resultar en hechos de violencia o en manifestaciones de protesta.

C.   Traslados a lugares distantes

594.   Cuando el acceso a los establecimientos de detención y penitenciarios se hace extremadamente difícil u oneroso para los familiares, al punto de imposibilitar el contacto regular, se afecta inevitablemente el derecho de ambas partes a mantener relaciones familiares. Por lo que, dependiendo de las particularidades del caso este hecho podría constituir una violación al derecho a la protección de la familia, y eventualmente de otros derechos como el derecho a la integrad personal o al debido proceso.

595.   Así por ejemplo, la CIDH ha determinado que las condiciones geográficas de la Cárcel de Challapalca, en Tacna, Perú dificultan a tal punto la realización de las visitas familiares que constituyen una restricción indebida a este derecho. Dicho centro penal está ubicado sobre la cordillera de los Andes, a una altura de 4,600 metros de altura sobre el nivel del mar y a dos días de viaje desde Lima, por lo que los familiares de los detenidos debían turnarse entre ellos para realizar las visitas semanales. Además, debido a la altura el acceso de los niños y personas mayores es imposible[678].

---

[677] Este estándar fue fijado por la CIDH en los Principios y Buenas Prácticas y constituye una interpretación progresiva de su dictamen emitido doce años antes en el Informe No. 38/96 del caso *X y Y v. Argentina*, en el que la CIDH concluyó que las inspecciones vaginales podían ser admisibles siempre que se cumplieran determinados requisitos específicos, entre ellos la existencia de una orden judicial que las autorizara.

[678] CIDH, *Informe Especial sobre la Situación de los Derechos Humanos en la Cárcel de Challapalca*, párrs. 20, 88, 89 y 117.

596.   En el caso *Oscar Elías Biscet y otros*, la CIDH concluyó que el traslado deliberado de presos políticos a establecimientos penitenciarios localizados a distancias extremas de sus familias, y las restricciones arbitrarias a las visitas familiares y conyugales, eran violatorias del derecho a la constitución y protección de la familia[679].

597.   Asimismo, en el marco del seguimiento general a la situación de los derechos humanos en Cuba, la CIDH ha verificado que una de las principales medidas aflictivas y humillantes empleadas deliberadamente por el gobierno contra los disidentes políticos es su ubicación en centros penales localizados a distancias extremas de su domicilio. A este respecto la CIDH ha recibido información según la cual,

> [Los presos políticos] son internados en prisiones muy distantes al lugar donde viven sus familias con el objeto de dificultar las visitas, se les restringe o impide las visitas de sus familiares, se les restringe o impide que puedan recibir alimentos o medicamentos enviados por sus familiares y se les impide entrevistarse con funcionarios de organismos internaciones de derechos humanos[680].

> [E]n la mayoría de los casos sólo se permite [a los presos políticos] una visita familiar al mes y en algunos casos una visita cada tres meses, sin que medie un criterio determinado. También se informó a la Comisión que en varios casos cuando los familiares llegan al día de visita, luego de haber esperado por varias semanas y viajado a las cárceles lejanas, no se les permite entrar y se ven obligados a volver a su casa y esperar un mes más sin ninguna explicación[681].

598.   De igual forma, en el curso de su reciente visita a Argentina el Relator de PPL constató la práctica por parte del Servicio Penitenciario Bonaerense de trasladar reiteradamente a los reclusos, llevándolos compulsivamente de una Unidad Penitenciaria a otra en el vasto territorio de la Provincia de Buenos Aires, lo que en la mayoría de los casos los somete a un alejamiento excesivo de sus familias por periodos prolongados de

---

[679] CIDH, Informe No. 67/06, Caso 12.476, Fondo, Oscar Elías Biscet y otros, Cuba, 21 de octubre de 2006, párrs. 239-240. A este respecto véase también: CIDH, Informe No. 3/11, Petición 491-98, Admisibilidad, Néstor Rolando López y otros, Argentina, 5 de enero de 2011. En este caso, la CIDH consideró la caracterización *prima facie* de las alegadas violaciones a los artículos 17 (derecho a la protección de la familia) y 5 (derecho a la integridad personal) de la Convención Americana, en relación al traslado de reclusos de la provincia de Neuquén a Unidades del Servicio Penitenciario Federal ubicadas en lugares muy distantes del domicilio de sus familias.

[680] CIDH, *Informe Anual 2008*, Capítulo IV, Cuba, OEA/Ser.L/II.134, Doc. 5 Rev.1, adoptado el 25 de febrero de 2009, párr. 194. A este respecto el ex-preso político José Luis García Paneque declaró a la prensa española luego de su liberación que: "durante los siete años y cuatro meses que estuvo encarcelado, pasó por nueve prisiones. Los dos primeros años estuvo en régimen de aislamiento solitario, el que a su juicio supone 'el trato más cruel e infrahumano que se le puede infringir a una persona'. Sólo le permitían una llamada telefónica al mes, mientras que las visitas de familiares se reducían a sólo dos horas al trimestre. La visita conyugal tenía lugar cada cinco meses". CIDH, *Informe Anual 2010*, Capítulo IV, Cuba, OEA/Ser.L/V/II.Doc.5 corr. 1, adoptado el 7 de marzo de 2011, párr. 362.

[681] CIDH, *Informe Anual 2005*, Capítulo IV, Cuba, OEA/Ser.L/V/II.124. Doc. 7, adoptado el 27 de febrero de 2006, párr. 78.

tiempo[682]. Esta práctica afecta de manera particular a aquellas familias con escasos recursos económicos, para el desplazamiento a lugares distantes resulta excesivamente oneroso.

599.   Por otro lado, la reclusión de personas en lugares extremadamente distantes de su domicilio, y en muchos casos de las sedes judiciales en las que se tramitan sus procesos, puede ser una circunstancia que dificulte el acceso a sus defensores y su propia comparecencia al juicio o a otras diligencias procesales en las que se requiera su presencia[683]. Por otro lado, en casos de personas indígenas, el distanciamiento de sus comunidades puede generar además una serie de consecuencias que deben ser analizadas a partir de la trascendencia que para estas personas tiene el mantener los vínculos con su lugar de origen[684].

600.   Con respecto a los traslados, los Principios y Buenas Prácticas disponen,

> Principio IX (4). Los traslados de las personas privadas de libertad deberán ser autorizados y supervisados por autoridades competentes, quienes respetarán, en toda circunstancia, la dignidad y los derechos fundamentales, y tomarán en cuenta la necesidad de las personas de estar privadas de libertad en lugares próximos o cercanos a su familia, a su comunidad, al defensor o representante legal, y al tribunal de justicia u otro órgano del Estado que conozca su caso[685].

601.   Si bien en algunos casos el traslado de una persona a un lugar distante de su domicilio pudiera estar justificada, lo importante es que la legislación interna regule esta materia de acuerdo con criterios claros que prevengan el posible empleo arbitrario o injustificado de esta medida. Además, en todo caso en el que una persona privada de libertad considere que ha sufrido un daño concreto o menoscabo de algunos de sus

---

[682] CIDH, Comunicado de Prensa 64/10 – Relatoría de la CIDH constata graves condiciones de detención en la provincia de Buenos Aires. Washington, D.C., 21 de junio de 2010. Posteriormente, durante audiencia de seguimiento a esta visita celebrada el 28 de marzo de 2011 durante el 141º período ordinario de sesiones, los representantes del gobierno de la Provincia de Buenos Aires anunciaron la adopción de la Resolución Ministerial No. 1938/10, mediante la cual se fija una serie de pautas orientadas a racionalizar y limitar los traslados. Esta Resolución Ministerial dispuso, entre otras cosas, que quince Unidades Carcelarias sean destinadas exclusivamente al alojamiento de condenados, y que todas las plazas disponibles en las Unidades Carcelarias del radio conurbano y de La Plata —regiones que entre ambas concentran el 80% del total de reclusos— sean para internos provenientes de los departamentos judiciales cercanos a las mismas, procediéndose del mismo modo con las Unidades Carcelarias del interior las que sólo podrán alojar, en cada caso —y salvo las de condenados— detenidos provenientes del distrito jurisdiccional en que se encuentran situadas. Cfr. Tomo I, Sección II.7 y II.8 de la información proporcionada por el Gobierno de la Provincia de Buenos Aires en dicha audiencia.

[683] CIDH, *Segundo Informe sobre la Situación de los Derechos Humanos en Perú*, Cap. IX, párr. 21; y CIDH, *Informe sobre la Situación de los Derechos Humanos en República Dominicana*, Cap. VI, párrs. 161 y 162.

[684] CIDH, *Quinto Informe sobre la Situación de los Derechos Humanos en Guatemala*, Cap. VIII, párr. 65.

[685] Véase en el mismo sentido, Conjunto de Principios sobre la Protección para la Protección de todas las Personas Sometidas a Cualquier forma de Detención o Prisión (Principio 20); las Reglas de las Naciones Unidas para la Protección de los Menores Privados de Libertad (Regla 30); los Principios sobre Salud Mental (Principio 7.2).

derechos fundamentales con motivo de haber sido objeto de un traslado, ésta deberá contar con la posibilidad de presentar un recurso ante la autoridad judicial competente.

602.   En atención a estas consideraciones la CIDH observa que el Estado debe adoptar todas aquellas medidas conducentes a asegurar que las personas privadas de libertad no sean recluidas en establecimientos ubicados a distancias extremadamente distantes de su comunidad, sus familiares y representantes legales. Asimismo, el Estado debe examinar los casos individuales de los presos y facilitar en la medida de lo posible su traslado a un centro de privación de libertad cercano al lugar donde reside su familia[686].

603.   En muchos casos la ubicación de presos en cárceles distantes se da como consecuencia de la sobrepoblación de los establecimientos que están en su jurisdicción. En este sentido, es fundamental que los Estados superen aquellas deficiencias estructurales que ocasionan la concentración de reclusos exclusivamente en determinadas áreas geográficas, y procuren la construcción de centros de privación de libertad en aquellas jurisdicciones cuya actividad judicial lo demande. De forma tal que se mantenga una distribución geográfica racional de la población penitenciaria.

D.   Recomendaciones

604.   Con respecto al mantenimiento de las relaciones familiares de los internos y el contacto de los mismos con el mundo exterior, la CIDH recomienda:

1.   Regular mediante ley todos los aspectos relacionados con el régimen de visitas de forma tal que se promueva y garantice el mantenimiento de las relaciones familiares de las personas privadas de libertad.

2.   Implementar en los centros de privación de libertad espacios físicos adecuados para que se lleven a cabo las visitas en condiciones de privacidad, seguridad e higiene.

3.   Establecer normas claras acerca de la forma como deben conducirse las visitas y del ingreso de productos por parte de los visitantes, las cuales deberán estar fijadas a la vista del público.

4.   Capacitar debidamente al personal de seguridad de los centros de privación de libertad tanto en materia de seguridad y controles, como en el trato que deben brindar a las personas que acuden durante las visitas. Además, implementar el uso de métodos y dispositivos tecnológicos u otros métodos apropiados, incluyendo la requisa del propio personal. De forma tal que no se someta a los familiares de los internos a inspecciones corporales vejatorias.

---

[686] ONU, Subcomité para la Prevención de la Tortura, *Informe sobre la visita a Honduras del SPT*, CAT/OP/HND/1, adoptado el 10 de febrero de 2010, párr. 248.

5. Asegurar que el personal que ejerza tareas de seguridad en contacto directo con las personas que acuden durante las visitas sea personal penitenciario especializado en el trabajo de centros de privación de libertad y que responda a las autoridades civiles, y no miembros del ejército o de los cuerpos policiales.

6. Implementar las visitas íntimas de pareja, regulando su ejercicio sin distinciones basadas en consideraciones de género u orientación sexual. Además, llevar a cabo todas aquellas reformas estructurales necesarias para que las visitas íntimas de pareja se puedan llevar a cabo efectivamente y en condiciones de dignidad, privacidad e higiene.

7. Poner a disposición de los internos que van a participar de las visitas conyugales preservativos, lubricantes e información básica sobre salud sexual y reproductiva.

8. Adoptar las medidas necesarias para procurar que las personas privadas de libertad sean recluidas en establecimientos penitenciarios ubicados a una distancia razonable de su familia, comunidad, apoderados legales, y los tribunales competentes para sus respectivos procesos. Salvo situaciones excepcionales en que tales medidas estén debidamente justificadas.

9. Implementar planes de acción a mediano y largo plazo para garantizar una distribución racional y proporcional de la población penitenciaria de acuerdo con las distintas áreas geográficas y jurisdicciones penales existentes.

10. Asegurar que en cada centro de privación de libertad haya instalados suficientes teléfonos públicos para garantizar la comunicación de la población reclusa con el exterior de la cárcel conforme al reglamento.

VII. CONCLUSIÓN

A. La finalidad de las penas privativas de la libertad: contenido y alcance del artículo 5.6 de la Convención Americana

605.   El artículo 5.6 de la Convención establece que: "Las penas privativas de la libertad tendrán como finalidad esencial la reforma y la readaptación social de los condenados". Esta disposición constituye una norma con alcance y contenido propios cuyo cumplimiento efectivo implica que los Estados deben adoptar todas aquellas medidas necesarias para la consecución de tales fines. En términos similares, el artículo 10.3 del Pacto Internacional de Derechos Civiles y Políticos dispone que: "El régimen penitenciario consistirá en un tratamiento cuya finalidad esencial será la reforma y la readaptación social de los penados [...]".

606.   Asimismo, de acuerdo con la información aportada por aquellos Estados que respondieron al cuestionario enviado con motivo del presente informe, las Constituciones de Bolivia (artículo 74), Ecuador (artículo 201), El Salvador (artículo 27.3), Guatemala (artículo 19), México (artículo 18), Nicaragua (artículo 19), Panamá (artículo28), Paraguay (artículo 20), Perú (artículo 139.22), Uruguay (artículo 26) y Venezuela (artículo 272) le atribuyen expresamente a las penas privativas de la libertad fines congruentes con los establecidos en el derecho internacional de los derechos humanos.

607.   Por su parte, la Comisión Interamericana, en atención a una interpretación evolutiva del citado artículo 5.6 de la Convención, estableció en el Preámbulo de los Principios y Buenas Prácticas que: "las penas privativas de libertad tendrán como finalidad esencial la reforma, la readaptación social y la rehabilitación personal de los condenados; la resocialización y reintegración familiar; así como la protección de las víctimas y de la sociedad", este enunciado se desarrolla con mayor amplitud en los Principios XII y XIV.

608.   Así, aun cuando existe una relación directa entre el cumplimiento de los fines de las penas privativas de la libertad y la prevención del delito y la violencia (la protección de las víctimas y la sociedad")[687], el mandato contenido en el artículo 5.6 de la Convención está dirigido fundamentalmente a establecer la obligación institucional del Estado de dar a las personas condenadas la asistencia y las oportunidades necesarias para desarrollar su potencial individual y hacer frente de manera positiva a su retorno a la sociedad, así como la prohibición de entorpecer este desarrollo[688]. Es decir, el objeto de la

---

[687] CIDH, *Informe sobre Seguridad Ciudadana y Derechos Humanos*, párr. 155.

[688] Así por ejemplo, en su *Informe sobre la Situación de los Derechos Humanos en la Cárcel de Challapalca*, la CIDH consideró que las directivas del Instituto Nacional Penitenciario y las del penal no solo no brindaban a las personas allí recluidas medios o programas de trabajo o de alguna actividad productiva, sino que restringían las pocas iniciativas de actividades económicas lícitas de los internos como una circunstancia adicional para hacerles sentir el rigor de la pena impuesta en la sentencia. CIDH, *Informe Especial sobre la Situación de los Derechos Humanos en la Cárcel de Challapalca*, párr. 107.

norma es la persona, lo que implica necesariamente que los reclusos deben tener acceso efectivo a actividades productivas que favorezcan el cumplimiento de estos fines[689].

609.   Así, los Estados deben adoptar políticas públicas integrales, orientadas a la readaptación social y la rehabilitación personal de los condenados. El logro de estos objetivos, depende necesariamente del establecimiento de un sistema integral en el que los Estados establezcan planes y programas de trabajo, educación y otros, orientados a brindar a los reclusos las herramientas necesarias para su eventual retorno a la sociedad[690].

610.   La CIDH observa que uno los problemas más graves y extendidos en la región es precisamente la falta de políticas públicas orientadas a promover la rehabilitación y la readaptación social de las personas condenadas a penas privativas de la libertad[691]. En este sentido, el hecho de que la población carcelaria del Estado sea significativamente joven, hace aún más imprescindible el que se desarrollen políticas efectivas de rehabilitación, que incluyan oportunidades de estudio y trabajo; toda vez que se trata de una población que puede tener una vida productiva por delante, y que de no ser así dicha población corre el riesgo de permanecer en un ciclo de exclusión social y reincidencia criminal[692].

611.   A este respecto, la CIDH subraya que la condición fundamental para el logro de los fines de la pena es que el Estado, como garante de los derechos de las personas privadas de libertad, adopte las medidas necesarias para respetar y garantizar los derechos a la vida e integridad personal de los reclusos, y asegure condiciones de reclusión compatibles con su dignidad humana. Así, por ejemplo, es imposible cualquier expectativa de rehabilitación personal y readaptación en sistemas penitenciarios en los que existen patrones sistemáticos de tortura y tratos crueles, inhumanos y degradantes contra los reclusos por parte de las propias autoridades; en los que se reportan altos índices de violencia carcelaria; en los que existen cárceles en las que el control efectivo de la seguridad interna es ejercido por los propios presos, y no por las autoridades competentes; o en los que el Estado no provee condiciones mínimas de espacio, alimentación, higiene y atención médica.

---

[689] CIDH, Informe No. 118/10, Caso 12.680, Fondo, Rafael Arturo Pacheco Teruel y otros, Honduras, 22 de octubre de 2010, párr. 86.

[690] CIDH, Comunicado de Prensa 56/11 - Relatoría sobre los Derechos de las Personas Privadas de Libertad culmina visita a Suriname. Washington, D.C., 9 de junio de 2011, Anexo, párr. 17.

[691] Asimismo, un estudio reciente elaborado por ILANUD concluyó que de los cinco problemas o necesidades principales de los sistemas penitenciarios de América Latina, el primero es la ausencia de políticas integrales que comprendan, entre otros elementos, la rehabilitación de los reclusos. Instituto Latinoamericano de las Naciones Unidas para la Prevención del Delito y Tratamiento del Delincuente (ILANUD), *Cárcel y Justicia Penal en América Latina y el Caribe*, 2009, págs. 28-31.

[692] CIDH, *Informe sobre la Situación de los Derechos Humanos en Brasil*, Cap. IV, párr. 24. En el mismo sentido véase también: ONU, Relator Especial sobre la Tortura y otros Tratos o Penas Crueles, Inhumanos o Degradantes, Informe de la Misión a Paraguay, A/HRC/7/3/Add.3, adoptado el 1 de octubre de 2007, Cap. IV: *Condiciones de la detención*, párr. 76.

612.   Otra grave deficiencia estructural que obstaculiza la implementación efectiva de cualquier sistema de actividades para los reclusos, es la sobrepoblación. La masificación de los sistemas penitenciarios impide el acceso de la mayor parte de los reclusos a las –generalmente pocas– oportunidades de trabajo y estudio, imposibilitando su adecuada clasificación[693]; lo que genera una situación de hecho contraria al régimen establecido por el artículo 5.6 de la Convención. Por lo tanto, el logro de la finalidad esencial de la pena mediante el tratamiento penitenciario adecuado, presupone necesariamente erradicar la sobrepoblación y el hacinamiento[694].

613.   Si los Estados no garantizan condiciones mínimas en las que se respeten los derechos humanos de los reclusos, y no destinan los recursos suficientes que posibiliten la implementación de estos planes y proyectos, no tendría ningún efecto práctico relevante el que el ordenamiento jurídico –y el discurso político– se refiera a la readaptación social y la rehabilitación como fines del sistema penitenciario. Por lo tanto, el primer paso de toda política integral diseñada por el Estado para el cumplimiento de los fines de la pena, debe dirigirse primero a hacer frente a las deficiencias estructurales.

614.   La CIDH observa que la ejecución de los programas de rehabilitación también puede verse afectada por, entre otros, los factores siguientes: (a) la falta de transparencia y equidad en la asignación de las plazas para participar en estas actividades[695]; (b) la falta de personal técnico para las evaluaciones de los internos, necesarias para que éstos ingresen a los programas[696]; (c) la mora judicial, lo que además

---

[693] De acuerdo con las Reglas Mínimas, la clasificación de los reclusos por categorías tiene entre sus finalidades esenciales la atención a sus necesidades individuales con respecto a la rehabilitación o al desarrollo propio (Regla 67). Asimismo, la Regla 63(3) establece que: "Es conveniente evitar que en los establecimientos cerrados el número de reclusos sea tan elevado que llegue a constituir un obstáculo para la individualización del tratamiento".

[694] CIDH, *Informe sobre la Situación de los Derechos Humanos en México*, Cap. III, párr. 236.

[695] CIDH, Comunicado de Prensa 64/10 – Relatoría de la CIDH constata graves condiciones de detención en la provincia de Buenos Aires. Washington, D.C., 21 de junio de 2010. Asimismo, en su visita a Suriname, el Relator de PPL constató que no existen criterios claros para la adjudicación de cupos en los talleres y que, de hecho, esta materia no está debidamente regulada porque en la práctica hay un gran margen de discrecionalidad de parte de las autoridades. CIDH, Comunicado de Prensa 56/11 - Relatoría sobre los Derechos de las Personas Privadas de Libertad culmina visita a Suriname. Washington, D.C., 9 de junio de 2011, Anexo, párr. 16.

[696] A este respecto véase por ejemplo: Informe presentado por la Clínica de Derechos Humanos de la Universidad de Harvard, *Del Portón para Acá se Acaban los Derechos Humanos: Injusticia y desigualdad en las cárceles panameñas,* pág. 108, disponible en : http://www2.ohchr.org/english/bodies/hrc/docs/ngos/HarvardClinicPanamaprisons.pdf. Presentado en: CIDH, Audiencia Temática: *Violación a los Derechos Humanos en las Cárceles de Panamá*, 131º período ordinario de sesiones, solicitada por CIDEM, la Clínica Internacional de Derechos Humanos de la Universidad de Harvard y la Comisión de Justicia y Paz, 7 de marzo de 2008. A este respecto véase también el informe preparado por el CPTRT y COFADEH: *Situación del Sistema Penitenciario en Honduras*, págs. 37 y 38, presentado en el marco de la Audiencia Temática: *Situación de las personas privadas de libertad en Honduras*, 124º período ordinario de sesiones de la CIDH, solicitada por Casa Alianza; CEJIL; CODEH; COFADEH; CPTRT, 7 de marzo de 2006; y CIDH, Audiencia Temática: *Situación de los Derechos Humanos de las Personas Privadas de Libertad en Guatemala*, 141º período ordinario de sesiones, solicitada por Centro por la Justicia y el Derecho Internacional (CEJIL), Unidad de Protección de Defensores y Defensoras de Derechos Humanos (UDEFEGUA), Instituto de Estudios Comparados en Ciencias Penales de Guatemala (ICCPG), 29 de marzo de 2011.

contribuye al incremento de la sobrepoblación[697]; (d) la dispersión geográfica y el alejamiento de los centros urbanos[698]; (e) la exclusión arbitraria de determinados grupos de reclusos[699]; (f) la falta de personal de seguridad suficiente para supervisar las actividades educativas, laborales y culturales; y (g) el traslado constante de internos de forma arbitraria, lo que impide la continuidad de cualquier actividad productiva que éstos estén desarrollando[700].

615.   Por otro lado, la participación de los reclusos en estas actividades debe ser siempre voluntaria y no coactiva, pues la concepción actual de la rehabilitación promueve un mayor reconocimiento de que los cambios verdaderos y el desarrollo propio provienen de la elección[701]. Lo que implica además, que el tratamiento penitenciario debe estar encaminado a fomentar en los reclusos el respeto de sí mismos y desarrollar su sentido de la responsabilidad[702].

616.   En este sentido, el modelo educativo que adopte el Estado no debe estar determinado únicamente a tratar las posibles deficiencias psicológicas de los delincuentes, o en su desarrollo moral, o concebirse solamente como un medio para la capacitación laboral del recluso; sino que la preocupación fundamental en la educación en el entorno penitenciario debería ser la dignidad humana. La dignidad humana presupone el respeto de la persona, tanto en su actualidad, como en su potencialidad. Por ello, la educación debería estar orientada al desarrollo integral de la persona[703].

---

[697] A este respecto véase por ejemplo: CIDH, *Informe sobre la Situación de los Derechos Humanos en Ecuador*, Cap. VI, párrs. 225.

[698] Así por ejemplo, en el marco de una audiencia temática sobre la situación de las personas privadas de libertad en la Costa Atlántica de Nicaragua, la CIDH recibió información según la cual las condiciones de reclusión en el Centro Penitenciario de Bluefields y en las celdas policiales de Puerto Cabezas son extremadamente pobres, y que los reclusos no tienen posibilidades de acceso a los mismos programas de trabajo que los internos de otras zonas del país, por lo que tampoco pueden acceder a las reducciones de la condena por trabajo realizado. Por esta razón, muchos de los internos de esta zona, que mayoritariamente son personas afrodescendientes o pertenecientes a comunidades Miskito, solicitan ser trasladados a otros centros penitenciarios, lo que frecuentemente les acarrea problemas de discriminación y desarraigo de sus comunidades y su grupo familiar. CIDH, Audiencia Temática: *Condiciones penitenciarias de las personas privadas de libertad en la Costa Atlántica de Nicaragua*, 133º período ordinario de sesiones, solicitada por CEJIL y CENIDH, el 27 de octubre de 2008.

[699] Así por ejemplo, en el contexto del caso *Rafael Arturo Pacheco Teruel* se estableció que a los internos asociados a la "Mara Salvatrucha (MS-13)" se les excluía de hecho de la mayoría de las actividades productivas a las que tenían acceso el resto de los reclusos del Penal de San Pedro Sula en Honduras. CIDH, Informe No. 118/10, Caso 12.680, Fondo, Rafael Arturo Pacheco Teruel y otros, Honduras, 22 de octubre de 2010, párr. 86.

[700] A este respecto véase por ejemplo: CIDH, Comunicado de Prensa 64/10 – Relatoría de la CIDH constata graves condiciones de detención en la provincia de Buenos Aires. Washington, D.C., 21 de junio de 2010.

[701] Reforma Penal Internacional (RPI), Manual de Buena Práctica Penitenciaria: Implementación de las Reglas Mínimas de Naciones Unidas para el Tratamiento de los Reclusos, 2002, pág. 117.

[702] Reglas Mínimas para el Tratamiento de Reclusos, (Regla 65).

[703] ONU, Relator Especial sobre el Derecho a la Educación, *Informe sobre el derecho a la educación de las personas privadas de libertad*, A/HRC/11/8, adoptado el 2 de abril de 2009, párrs. 17 y 18.

617.   En cuanto a la naturaleza que debe tener el trabajo penitenciario, las Reglas Mínimas disponen *inter alia* que debe ser "productivo"; que "en la medida de lo posible, ese trabajo deberá contribuir [...] a mantener o aumentar la capacidad del recluso para ganar honradamente su vida después de su liberación"; y que "se dará formación profesional en algún oficio útil a los reclusos que estén en capacidad de aprovecharla"[704]. Es decir, el trabajo penitenciario, además de servir para incentivar la cultura de trabajo y combatir el ocio, debe procurar ser útil para la buena marcha del establecimiento penal y/o para la capacitación del propio recluso.

618.   Con respecto al tema desarrollado en este capítulo, una de las preguntas del cuestionario publicado con motivo de este informe se refería al porcentaje de la población penitenciaria del país que participa en programas de estudio o trabajo (sean intramuros o extramuros). La información aportada por los Estados que respondieron a dicha pregunta es la siguiente:

Argentina	De la población reclusa en unidades del Sistema Penitenciario Federal, al finalizar el ciclo lectivo 2009, el 1.3% acudió a programas de alfabetización; el 34% a educación a nivel primario; el 19.35% al nivel medio-nivel polimodal; y el 3.8% del total de la población penal recibió instrucción de nivel universitario. Además, el Estado indicó que el 48% del total de la población penal participaba de programas laborales (de estos 4,560 reclusos, 2,760 eran condenados y 1,800 procesados).
Brasil	De los 1,148 centros penales del país, 448 tienen estructuras para el desenvolvimiento de actividades productivas (el 38%). En este contexto, 89,009 presos desarrollan actividades laborales, lo que representa el 24% de la población penal del país.
Chile	(1) en el sistema penitenciario tradicional, cuya población total es de aproximadamente 31,200 reclusos, se observó, al 31 de diciembre de 2009 una matrícula de 6,302 internos en enseñanza básica (5,674 hombres y 628 mujeres) y de 6,278 en enseñanza media (5,805 hombres y 473 mujeres); además, a esa fecha había un total de 16,497 internos que participaban en programas laborales. (2) En los establecimientos penales concesionados, también al 31 de diciembre de 2009, el 28% de los internos condenados estaban matriculados en actividades educativas, y el 32% de la población penal estuvo involucrada en actividades laborales.
Colombia	Al 12 de mayo de 2010 había 25,408 internos participando en programas de estudio; 22,927 en programas de trabajo y 945 en programas de enseñanza, para un total de 49,280 internos; lo que representaba el 61% de la población de intramuros existente a esa fecha.
Costa Rica	En el 2010 el porcentaje de estudiantes en los diferentes niveles de educación era del 43% del total de la población privada de libertad, sea esta indiciada o sentenciada (un total aproximado de 9,793 personas). Con referencia a la población sentenciada, los estudiantes comprenden 59% de un total aproximado de 6,164 presos.
Ecuador	En junio de 2010 el porcentaje de internos que realizaba algún tipo de actividad laboral era del 39.86% de un total de 11,440 (esta cifra no incluye a los contraventores).

---

[704] Reglas Mínimas para el Tratamiento de Reclusos, (Reglas 71.3, 7.4 y 7.5).

Guatemala	En el 2010 había 843 internos participando en programas educativos en el sistema penitenciario guatemalteco, de un total de aproximadamente 10,512 reclusos.
México	Los porcentajes a nivel nacional, en cuanto a la participación de la población penitenciaria en actividades productivas son de un 50% en trabajo, y un 45% en educación.
Nicaragua	El 40% del total de la población penal participa en programas educativos y de capacitación técnica. Además, hay 193 internos ubicados en régimen abierto que participan de programas comunitarios.
Panamá	Las cifras presentadas fueron las siguientes: 2,273 internos participaban en programas educativos; 15 tenían permiso de estudio extramuros; 1,001 participaban en actividades laborales intramuros; 30 tenían permisos de trabajo extramuros; 150 realizaban labor comunitaria; y 51 estaban en régimen de depósito domiciliario. De una población penal total de 12,172 personas a agosto de 2010 (4,760 condenados y 7,412 procesados).
Suriname	Aproximadamente menos del 15% de los reclusos participan en programas de capacitación; estas actividades no están reguladas en el ordenamiento jurídico.
Trinidad y Tobago	Los porcentajes de participación en programas de estudio y trabajo, en el periodo comprendido entre enero y diciembre de 2009, eran los siguientes: 20% de los reclusos condenados varones, 18% de las reclusas condenadas mujeres; el 58% de los niños y adolescentes privados de libertad; y aproximadamente el 40% de la población en prisión preventiva.
Uruguay	Se pasó de 1,103 plazas laborales y 435 educativas en todo el país en el año 2004, a 2,444 plazas laborales y 1,313 educativas totalmente ocupadas en el 2010, lo que representa un 42% de la población reclusa.
Venezuela	En marzo de 2010, había 7,141 reclusos participando en actividades laborales en los distintos establecimientos penitenciarios y 6,042 inscritos en programas de educación formal. Además a esa fecha se dictaron un total de 98 cursos de capacitación académica (educación no formal) en los cuales participó una población de 1,875 privados de libertad. En el 2009 la población penitenciaria ascendía a 32,624 reclusos.

619. En los hechos, y a pesar de las cifras oficiales que suelen presentar los Estados, la CIDH ha observado que una constante en los sistemas penitenciarios es la falta de oportunidades de trabajo para los reclusos, y sobre todo de trabajo productivo. Es normal que en una cárcel, por su propia naturaleza, se empleen reclusos en tareas de limpieza, asistencia en las cocinas, atención en los kioscos y economatos, e incluso como asistentes en determinadas tareas de oficina (sacando fotocopias etc.), pero estas no pueden ser las únicas opciones de trabajo que se ofrezcan siempre a los reclusos, es preciso que los Estados adopten las medidas necesarias para emprender otras iniciativas y proyectos; y que, en observancia de los requisitos y controles legales vigentes, se promueva mucho más el trabajo extramuros de los reclusos.

620. Asimismo, la CIDH ha observado en diversas ocasiones que muchas veces las autoridades nacionales presentan información relativa a la implementación de programas de trabajo y capacitación, como talleres de carpintería, ebanistería, panaderías, entre otros, pero en los hechos, la realidad constatada es otra. Con frecuencia tales talleres están desprovistos del equipo básico para su funcionamiento, e incluso en muchos casos se

ha visto que los propios internos tienen que procurarse por sí mismos los materiales y los insumos para trabajar. Además, por regla general lo que se hace en estos talleres no pasa de una actividad artesanal que desarrollan unos pocos reclusos. De igual manera, es una realidad en muchas cárceles de la región que aquellos puestos de trabajo intramuros donde se realizan actividades más ligeras y en ambientes más cómodos y seguros, se otorgan de manera preferencial a determinados reclusos.

621.   También se ha observado en los centros penitenciarios que existe un número importante de presos que desempeñan tareas informales, como la venta de confites, cigarrillos, víveres, artículos de aseo, o el lustrar zapatos, etc., las cuales no pueden ser calificados como trabajo penitenciario propiamente dicho porque no son productivas para el funcionamiento mismo del establecimiento penitenciario, ni desarrollan capacidad o potencial alguno en los internos.

622.   Algo similar sucede *mutatis mutandis* con las actividades educativas, hay una gran cantidad de internos teóricamente matriculados en los cursos y programas de todo tipo, pero esas cifras no necesariamente reflejan la realidad porque no siempre registran la cantidad de internos que efectivamente asistieron a los cursos de forma consistente, y que aquellos los completaron.

623.   Asimismo, varios Estados de la región han adoptado leyes por medio de las cuales se descuentan días de la condena por días de trabajo y/o estudio (llamadas leyes de "2x1" o "3x1"), como incentivo al desarrollo de estas actividades. La CIDH considera que este tipo de iniciativas legislativas son definitivamente positivas y que, de ser implementadas adecuadamente, pueden constituir herramientas valiosas para el logro de los fines de la pena. En este sentido, la CIDH reitera que lo principal es que los Estados, además de adoptar estas normas, desarrollen los planes y proyectos para crear las plazas de trabajo y/o estudios necesarios para que los presos efectivamente puedan acceder a estas figuras establecidas en la ley[705]. Asimismo, y desde otra perspectiva, las autoridades penitenciarias y judiciales competentes deben ejercer los controles necesarios para que estos mecanismos de redención de la pena no sean utilizados de forma fraudulenta por determinados presos como una vía para la impunidad, lo que desnaturaliza el objeto original de la figura y fomenta la corrupción.

624.   Por otro lado, la CIDH considera que es esencial que toda política penitenciaria orientada a lograr la rehabilitación personal y la readaptación social de los condenados, deberá prever planes y proyectos capaces de prestar al recluso puesto en libertad una ayuda post-penitenciaria eficaz que le permita readaptarse a la comunidad y que tienda a disminuir los prejuicios hacia él[706]. Esta ayuda post-penitenciaria deberá lograrse con la participación y ayuda de la comunidad y de instituciones públicas y privadas, y con el debido respeto de los intereses de las víctimas. A este respecto, juegan

---

[705] CIDH, Comunicado de Prensa 76/11 – Relatoría recomienda adopción de política pública carcelaria integral en Uruguay. Washington, D.C., 25 de julio de 2011, Anexo, párr. 56.

[706] Reglas Mínimas para el Tratamiento de Reclusos, (Regla 64); y Reglas de las Naciones Unidas para la Protección de los Menores Privados de Libertad, (Regla 80).

un papel importante los incentivos, incluso fiscales, que el Estado pueda ofrecer a las empresas privadas que participen activamente de estos planes.

625.   En el caso de los niños, adolescentes y jóvenes que salen de los sistemas penales y correccionales, esta ayuda es aún más necesaria, toda vez que estos se encuentran en la etapa más productiva de sus vidas y porque es preciso prevenir su reincidencia en esas edades tempranas[707]. En atención a la relevancia que cobra la atención post-penitenciaria en los niños y adolescentes, las Reglas de las Naciones Unidas para la Protección de los Menores Privados de Libertad establecen que: "Todos los menores deberán beneficiarse de medidas concebidas para ayudarles a reintegrarse en la sociedad, la vida familiar y la educación o el trabajo después de ser puestos en libertad. A tal fin se deberán establecer procedimientos, inclusive la libertad anticipada, y cursos especiales"[708].

626.   Finalmente, la CIDH reitera que el trabajo y la educación son derechos económicos, sociales y culturales reconocidos a toda persona a nivel interamericano y universal; y cuya plena efectividad los Estados se han comprometido a desarrollar progresivamente hasta el máximo de sus recursos disponibles[709]. Así, el Estado se obliga a mejorar la situación de estos derechos, y simultáneamente asume la prohibición de reducir los niveles de protección de estos derechos, o, en su caso, de derogarlos, sin una justificación suficiente[710]. En los hechos esta obligación se traduce en el deber del Estado de adoptar políticas públicas orientadas a mejorar constantemente tanto la calidad, como la disponibilidad y alcance de las actividades educativas, culturales y laborales destinadas al cumplimiento de los fines de las penas privativas de la libertad.

B.   Grupos en particular situación de riesgo o históricamente sometidos a discriminación

627.   Como ya se ha mencionado, este informe tiene como objetivos fundamentales identificar los desafíos principales que enfrentan los Estados Miembros de la OEA en el respeto y garantía de los derechos de las personas privadas de libertad; reiterar y fijar aquellos estándares de protección que sean aplicables; y formular las recomendaciones pertinentes para la efectiva implementación de tales estándares. Por lo que hay una serie de temas cuya importancia es fundamental, pero que dada la orientación y el diseño del presente informe no son desarrollados en el mismo.

---

[707] A este respecto la CIDH subraya que los objetivos de las sanciones en la justicia juvenil exigen la implementación de programas de educación, incluida la escolarización formal, la formación profesional y para el trabajo, y las actividades recreativas y deportivas. Este tema es ampliamente desarrollado por la CIDH en su Informe *Justicia Juvenil y Derechos Humanos en las Américas*, párrs. 474 - 517.

[708] Reglas Mínimas para el Tratamiento de Reclusos, (Regla 64); y Reglas de las Naciones Unidas para la Protección de los Menores Privados de Libertad, (Regla 79).

[709] Véase a este respecto, artículos 1, 6, 7 y 13 del Protocolo de San Salvador, y los artículos 2, 6, 7 y 13 del Pacto Internacional de Derechos Económicos, Sociales y Culturales.

[710] CIDH, *Lineamientos para la Elaboración de Indicadores de Progreso en Materia de Derechos Económicos, Sociales y Culturales*, OEA/Ser.L/V/II.132 Doc. 14 rev. 1, adoptado el 19 de julio de 2008, párr. 6.

628. Entre los que se cuenta, el empleo generalizado y excesivo de la detención preventiva; la separación y condiciones de detención de las personas privadas de libertad en espera de juicio; el control judicial durante la fase de la ejecución de la pena privativa de la libertad; el derecho a la asistencia consular de los acusados; las visitas íntimas de pareja; y particularmente los deberes especiales de protección que tiene el Estado frente a aquellas personas privadas de libertad que se encuentran en particular situación de riesgo de sufrir violaciones a sus derechos humanos, como lo son: las mujeres, en particular las mujeres embarazadas y las madres lactantes; los niños y niñas; las personas adultas mayores; las personas con discapacidad; y las lesbianas, gays, bisexuales, trans e intersexo (comunidades LGTBI); entre otros, los cuales además, en conjunto, representan un porcentaje relevante de la población de privados de libertad en las Américas.

629. Por ello, dada la importancia y complejidad que revisten estos temas la Comisión Interamericana y su Relatoría sobre los Derechos de las Personas Privadas de Libertad los desarrollan en el marco de estudios posteriores.

C. Recomendaciones

630. Para que las penas privativas de la libertad cumplan con la finalidad esencial que les atribuye el derecho internacional de los derechos humanos, la CIDH recomienda:

1. Adoptar políticas penitenciarias integrales orientadas a lograr la readaptación social y la rehabilitación personal de los condenados. Estas políticas deberán contemplar como elemento fundamental la creación de oportunidades de trabajo, capacitación y estudio para las personas privadas de libertad; y destinar los recursos humanos y financieros necesarios para su implementación.

2. Establecer mecanismos ágiles, equitativos y transparentes para la adjudicación de los cupos o plazas en los programas de estudio, capacitación y trabajo. A este respecto, debe revisarse la actividad de las Juntas o Consejos Técnicos a fin de adecuar sus capacidades a las necesidades de la población penitenciaria.

3. Adoptar las medidas legislativas, institucionales y de otra naturaleza que sean necesarias para asegurar el control judicial efectivo de la ejecución de las penas privativas de la libertad. En particular, deberá dotarse a los jueces de ejecución penal de los recursos materiales y humanos necesarios para ejercer su mandato en condiciones idóneas, incluyendo la provisión de los medios de transporte necesarios para que regularmente realicen visitas a los centros penales.

4. Adoptar las medidas necesarias para brindar asistencia legal pública a aquellas personas que cumplen condena y que están en situación de poder solicitar beneficios penitenciarios.

5.   Ejercer un monitoreo de las actividades y decisiones de las autoridades administrativas y judiciales en lo atinente a la asignación de plazas de trabajo, capacitación y estudio; a la concesión de beneficios penitenciarios; y a la adopción de otras decisiones propias de la fase de ejecución de la pena, a fin prevenir, investigar y sancionar posibles irregularidades y actos de corrupción.

6.   Garantizar que las órdenes de libertad sean efectivamente notificadas a sus destinatarios o a sus representantes legales, y que las mismas sean ejecutadas inmediatamente. Además, mantener sistemas que permitan verificar la posible existencia de personas privadas de libertad que ya han cumplido condena.

7.   Establecer sistemas de bases de datos que contengan la información personal y procesal de todas aquellas personas sujetas a procesos penales, de forma tal que esta información sea de fácil acceso para las autoridades competentes y los familiares y representantes legales de los reclusos.

8.   Implementar programas de seguimiento y apoyo post-penitenciario para facilitar la reincersión social y reintegración familiar de las personas que han terminado de cumplir penas privativas de la libertad. En este sentido, debe tenerse en cuenta la importancia de coordinar estas medidas con los servicios comunitarios existentes e incluso con el sector privado.

INTER-AMERICAN COMMISSION ON HUMAN RIGHTS

OEA/Ser.L/V/II.
Doc. 64
31 December 2011
Original: Spanish

REPORT ON THE HUMAN RIGHTS OF PERSONS DEPRIVED OF LIBERTY IN THE AMERICAS

2011
Internet: http://www.cidh.org

OAS Cataloging-in-Publication Data

Inter-American Commission on Human Rights
   Informe sobre los derechos humanos de las personas privadas de libertad
   en las Américas /
   Comisión Interamericana de Derechos Humanos.
   v. ; cm. (OEA documentos oficiales ; OEA/Ser.L)
   ISBN 978-0-8270-5743-2
1. Human rights--Americas. 2. Civil rights--America 3. Imprisonment--America. 4.
Detention of persons--America.
5. Prisoners--Legal status, laws, etc.--America. 6. Prisons--Law and legislation--
America. I. Title. II. Escobar Gil, Rodrigo.
III. Series. IV. Series. OAS official records ; OEA/Ser.L.

                       OEA/Ser.L/V/II. Doc.64

Document published thanks to the financial support of Spain.
Positions herein expressed are those of the Inter-American Commission
on Human Rights and do not reflect the views of Spain.

Approved by the Inter-American Commission on Human Rights on December 31, 2011

REPORT ON THE HUMAN RIGHTS OF PERSONS DEPRIVED OF LIBERTY IN THE AMERICAS

TABLE OF CONTENTS

PREFACE

Since its establishment, the Inter-American Commission on Human Rights has devoted special attention to the situation of persons deprived of liberty in the Americas. Accordingly, from its first country reports on Cuba and the Dominican Republic, until the most recent one, on Venezuela and Honduras, the Commission has been referring consistently to the rights of persons deprived of liberty. Visits to centers of detention have been a constant in the most than 90 on-site visits that it has carried out in the last 50 years. In addition, the Inter-American Commission on Human Rights has adopted a large number of reports on contentious cases and has granted a large number of precautionary measures aimed at protecting persons deprived of liberty in the Americas.

The Commission has found that respect for the rights of persons deprived of liberty is one of the main challenges faced by the member States of the Organization of American States. It is a complex matter that requires the design and implementation of medium- and long-term public policies, as well as the adoption of immediate measures necessary to address the current and urgent situations that gravely affect fundamental human rights of the inmate population.

The nature of the problems identified in this report reveals the existence of serious structural shortcomings that gravely impair non-derogable human rights, such as the right to life and to humane treatment of inmates, and that in practice prevent penalties of deprivation of liberty from meeting their essential aim as established by the American Convention: the reform and social readaptation of convicts. Therefore, in order for the prison systems – and particularly the deprivation of liberty as a response to crime – to serve their essential purpose, the States must adopt specific measures aimed at addressing these structural shortcomings.

In these circumstances, the Inter-American Commission on Human Rights presents this report for the purpose of helping the member States of the Organization of American States to fulfill their international obligations, and to serve as a useful tool for the work of those institutions and organizations committed to the promotion and defense of the rights of persons deprived of liberty.

The Inter-American Commission on Human Rights highlights and recognizes the work of Commissioner Rodrigo Escobar Gil, Rapporteur on the Rights of Persons Deprived of Liberty, in directing the work to produce this report. In addition, the Commission thanks the contribution of the Pan American Health Organization on all issues related to the right to medical care of persons deprived of liberty; and of the Centro de Estudios de Derecho Internacional (Center for Studies in International Law) of the Universidad Javeriana of Colombia on comparative constitutional law.

The preparation of this report was possible thanks to valuable financial support from the Government of Spain.

REPORT ON THE HUMAN RIGHTS OF PERSONS DEPRIVED OF LIBERTY IN THE AMERICAS

I. INTRODUCTION

A. Context and purpose of this report

1.   For 50 years the Inter-American Commission on Human Rights (hereinafter "the Inter-American Commission", "the Commission", or the "IACHR") has been monitoring the situation of persons deprived of liberty in the Americas through its various mechanisms, and particularly since the Commission established its Rapporteurship on the Rights of Persons Deprived of Liberty (hereinafter "the Rapporteurship" or "the Rapporteurship of PDL") in March 2004[1].

2.   Accordingly, the IACHR has observed that the most serious and widespread problems in the region are:

(a)   overcrowding and overpopulation;

(b)   the deficient conditions of confinement, both physical conditions and the lack of basic services;

(c)   the high incidence of prison violence and the lack of effective control by the authorities;

(d)   the use of torture in the context of criminal investigations;

(e)   the excessive use of force by those in charge of security at prisons;

(f)   the excessive use of preventive detention, which has direct repercussions on overpopulation of the prisons[2];

(g)   the lack of effective means for protecting vulnerable groups;

(h)   the lack of labor and educational programs, and the lack of transparency in the mechanisms of access to these programs; and

(i)   corruption and the lack of transparency in prison management.

3.   These challenges in respecting and ensuring the rights of persons deprived of liberty identified by the IACHR are fundamentally the same as those that have been observed regularly in the Americas by the monitoring mechanisms of the United

---

[1] During the 2004-2011 period, the Rapporteurship has conducted twenty working visits to fifteen countries in the hemisphere: Uruguay (July 2011); Suriname (May 2011); El Salvador (October 2010); Argentina (June 2010); Ecuador (May 2010); Uruguay (May 2009); Argentina (April 2009); Paraguay (September 2008); Chile (August 2008); Mexico (August 2007); Haiti (June 2007); Argentina (December 2006); Bolivia (November 2006); Brazil (September 2006); Dominican Republic (August 2006); Colombia (November 2005); Honduras (December 2004); Brazil (June 2005); Argentina (December 2004); and Guatemala (November 2004). In the course of these working visits the team of the Rapporteurship has conducted visits to prisons and other places of detention; and has held meetings with high level authorities and civil society organization who are committed to advocate in favor of the Rights of persons deprived of liberty. The official web page of the Rapporteurship of Persons Deprived of Liberty is available at: http://www.oas.org/es/cidh/ppl/default.asp.

[2] The excessive use of preventive detention is another serious problem in the absolute majority of countries of the region, and is in turn the cause of other serious problems such as overcrowding and the failure to separate persons awaiting trial from the convicted. The excessive use of this measure is a broad and complex issue on which the Commission will be producing a thematic report in due course.

Nations that make visits to prisons and centers of detention.[3] The nature of this situation reveals the existence of series structural shortcomings that gravely affect non-derogable human rights, such as the rights to life and humane treatment of prisoners, and in practice they keep penalties that entail deprivation of liberty from serving the essential purpose established in the American Convention, namely the reform and social readaptation of the convicts.

4.　　　　The Inter-American Commission on Human Rights considers that this unchanging reality is the result of decades of neglect of the prison problem by the successive governments of the States in the region, and of the apathy of the societies, which traditionally prefer not to look at the prisons. Accordingly, centers of detention have become areas that go unmonitored and unsupervised in which violence, arbitrariness and corruption have traditionally prevailed.

5.　　　　The fact that persons in the custody of the State are in a situation of special vulnerability, together with the frequent lack of any public policy on the matter, has often meant that the conditions in which these persons are kept are characterized by the systematic violation of their human rights.[4] Therefore, for the prison systems and the deprivation of liberty as a response to crime to be able to serve their essential purpose, it is essential that the States take specific steps to address these structural shortcomings.

6.　　　　In this matter, the member States of the OAS, in the context of the General Assembly, have observed with concern "the critical situation of violence and overcrowding in places of deprivation of freedom in the Americas," highlighting "the need to take concrete measures to prevent this situation in order to ensure the exercise of the human rights of persons deprived of freedom."[5] In consideration of this situation, the General Assembly has asked the IACHR "to continue reporting on the situation of persons under any form of detention or imprisonment in the Hemisphere and, using as a basis its work on the subject, to continue making reference to the problems and best practices it observes."[6]

---

[3] The IACHR also takes into consideration that the United Nations Latin American Institute for the Prevention of Crime and the Treatment of Offenders (ILANUD), in its recent publication *Crime, Criminal Justice and Prison in Latin America and the Caribbean* states that the five main problems or needs of prison systems in Latin America are: (a) the lack of comprehensive policies (criminological, human rights, prison, rehabilitation, gender, criminal justice); (b) prison overcrowding, stemming from low budgets and the lack of adequate infrastructure; (c) the deficient quality of life in the prisons; (d) the insufficiency of prison personnel and their lack of adequate training; and (e) the lack of training and work programs for prisoners. United Nations Latin American Institute for the Prevention of Crime and the Treatment of Offenders (ILANUD), *Crime, Criminal Justice and Prison in Latin America and the Caribbean*, 2009, pp. 28-31.

[4] IACHR, *Second Report on the Situation of Human Rights in Peru*, OEA/Ser.L/V/II.106. Doc. 59 rev., adopted on June 2, 2000. (hereinafter "*Second Report on the Situation of Human Rights in Peru*"), Ch. IX, para. 1.

[5] OAS, General Assembly Resolution, AG/RES. 2668 (XLI-O/11), adopted on June 7, 2011; ,OAS, General Assembly Resolution, AG/RES. 2592 (XL-O/10), adopted on June 8, 2010; OAS, General Assembly Resolution, AG/RES. 2510 (XXXIX-O/09), adopted on June 4, 2009; OAS, General Assembly Resolution, AG/RES. 2403 (XXXVIII-O/08), adopted on June 13, 2008; OAS, General Assembly Resolution, AG/RES. 2283 (XXXVII-O/07), adopted on June 5, 2007; and OAS, General Assembly Resolution, AG/RES. 2233 (XXXVI-O/06), adopted on June 6, 2006.

[6] OAS, General Assembly Resolution, AG/RES. 2668 (XLI-O/11), adopted on June 7, 2011, operative paragraph 3; OAS, General Assembly Resolution, AG/RES. 2592 (XL-O/10), adopted on June 8, 2010, operative

Continues...

7.   In response to the context described herein, the IACHR has prepared this report, which identifies the main patterns of violations of the human rights of persons deprived of liberty in the region, and analyzes which international standards apply to these violations. This is with the fundamental objective of making specific recommendations to the States geared to ensuring full respect of and guarantees for prisoners' rights. It is directed first and foremost to public authorities, and also to civil society organizations and other actors associated with the work of persons deprived of liberty. The Commission clarifies that this is a framework report that encompasses a variety of issues that may be developed more extensively in subsequent thematic reports.

B.   Principles and fundamental contents

8.   This report is based on the fundamental principle that the State is in a special position as guarantor when it comes to persons deprived of liberty, and that as such, it assumes specific duties to respect and guarantee the fundamental rights of these persons; and in particular the rights to life and humane treatment, which are an essential condition for attaining the special purposes of using deprivation of liberty as a penalty: the reform and social readaptation of convicts. Thus, the exercise of the power of custody entails the special responsibility of ensuring that the deprivation of liberty serves its purpose and does not lead to the violation of other basic rights.[7]

9.   Moreover, and like the *Principles and Best Practices on the Protection of the Persons Deprived of Liberty in the Americas* (hereinafter also "the Principles and Best Practices of the IACHR"), this report is based on the principle of humane treatment according to which every person deprived of liberty is to be accorded humane treatment, with unrestricted respect for his or her inherent dignity, and fundamental rights and guarantees, and strictly abiding by international human rights instruments.[8] This fundamental principle is widely accepted in international law.

10.   In addition, this report is based on the fundamental idea that respect for the fundamental rights of persons deprived of liberty is not in conflict with the aims of

---

...continuation

paragraph 3; OAS, General Assembly Resolution, AG/RES. 2510 (XXXIX-O/09), adopted on June 4, 2009, operative paragraph 3; OAS, General Assembly Resolution, AG/RES. 2403 (XXXVIII-O/08), adopted on June 13, 2008, operative paragraph 3; OAS, General Assembly Resolution, AG/RES. 2283 (XXXVII-O/07), adopted on June 5, 2007, operative paragraph 3; and OAS, General Assembly Resolution, AG/RES. 2233 (XXXVI-O/06), adopted on June 6, 2006, operative paragraph 3; OAS, General Assembly Resolution, AG/RES. 2125 (XXXV-O/05), adopted on on June 7, 2005, operative paragraph 11; OAS, General Assembly Resolution, AG/RES. 2037 (XXXIV-O/04), adopted on June 8, 2004, operative paragraph 3; and OAS, General Assembly Resolution, AG/RES. 1927 (XXXIII-O/03), adopted on June 10, 2003, operative paragraph 3.

[7] IACHR, *Fifth Report on the Situation of Human Rights in Guatemala*, OEA/Ser.L/V/II.111. Doc. 21 rev., adopted on April 6, 2001, (hereinafter "*Fifth Report on the Situation of Human Rights in Guatemala*"),Ch. VIII, para. 1.

[8] IACHR, *Principles and Best Practices on the Protection of Persons Deprived of Liberty in the Americas*, adopted by the IACHR by Resolution 1/08 at its 131st regular period of sessions, held March 3 to 14, 2008, (hereinafter "*Principles and Best Practices on the Protection of Persons Deprived of Liberty in the Americas*"), Principle I.

citizen security, but that to the contrary it is an essential element for their attainment. In this regard, in the *Report on Citizen Security and Human Rights*, the Commission indicated:

> Most prison institutions in the region are today a breeding ground for the violence with which the societies in the Hemisphere are coping. In the Commission's view, the priorities of the public policies that the member States of the region put into practice for citizen security should be measures to prevent violence and crime in the three generally accepted categories: (1) primary prevention, which are measures directed at the entire population, and have to do with programs in public health, education, employment and instruction in observance of human rights and building a democratic citizenry; (2) secondary prevention, which involves measures that focus on individuals or groups who are more vulnerable to violence and crime, using targeted programs to reduce the risk factors and open up social opportunities; and (3) tertiary prevention, which involves individualized measures directed at persons already engaged in criminal conduct, who are serving a sentence or have recently completed their sentence. Particularly important here are the programs that target persons serving prison sentences.[9]

11.   A prison system that operates adequately is necessary for ensuring the security of the citizenry and sound administration of justice. When the prisons do not receive needed attention or resources, their operations become distorted, and instead of providing protection they become schools of crime and antisocial behavior that foster recidivism instead of rehabilitation.[10]

12.   As for its content, this report is organized into six chapters in which the IACHR refers to those issues that are considered the most serious and widespread in the region, those that affect more strongly the fundamental rights of the of the persons deprived of liberty as a whole. While acknowledging that this reality also includes other elements and thus other issues of great importance that are not directly addressed at this time, they will be analyzed in subsequent thematic reports.

13.   Chapter II, which relates to *The guarantor role of the State before the persons deprived of liberty*, departs from the fundamental idea that when the State deprives a person from his/her freedom, it assumes a special responsibility from which specific duties of respect and guarantee of their rights derive, and from which a strong presumption of international responsibility arises with regard to the damage people suffer while under its custody.

14.   In this sense, it is clearly established that the first duty of the State as guarantor of the persons under its custody, is the duty to exercise effective control and

---

[9] IACHR, *Report on Citizen Security and Human Rights*, OEA/Ser.L/V/II. Doc. 57, adopted on December 31 2009, (hereinafter "*Report on Citizen Security and Human Rights*"), para. 155.

[10] IACHR, *Fifth Report on the Situation of Human Rights in Guatemala*, Ch. VIII, paras. 68 and 69.

internal security of the prisons. If this essential condition is not met, it becomes difficult for the State to ensure the fundamental legal rights of persons in its custody. In this regard, it is unacceptable from every point of view that there are a number of prisons in the region that are governed by systems of "self-government", in which effective control of all internal aspects of the prison are in the hands of certain prisoners or criminal gangs, or systems of "shared governance", in which these gangs share the power and profits with the prison authorities. When this occurs, the State becomes unable to guarantee the minimal human rights of prisoners and completely turns upside down and distorts the object and purpose of the deprivation of liberty. In these cases, there is an increase in the levels of violence and deaths in prisons; a creation of dangerous circles of corruption, among other consequences of the lack of institutional control in prisons.

15.   Likewise, it also refers to the high rates of prison violence in some countries of the region such as Venezuela, which according to the information provided by this State, there were 1,865 deaths and 4,358 wounded in violence (riots, brawls and fights) in prisons in the period 2005-2009. In this respect, it is recommended as a measure to prevent violence, to reduce the overcrowding and overpopulation; to effectively prevent the entry of weapons, drugs, alcohol and other illicit substances to prisons, to establish a proper classification and separation of prisoners; to ensure continuous training and appropriate prison staff; and to end impunity by investigating and punishing acts of violence that are committed.

16.   Similarly, this opening chapter develops other basic duties of the State arising from its role as guarantor of the rights of persons deprived of liberty, such as: (a) to secure a prompt and effective judicial control of detention, as a fundamental guarantee of the rights to life and physical integrity of detained persons; (b) the duty to maintain complete records, organized and reliable regarding the people entering the detention centers, and the duty to conduct an initial medical examination of detainees to determine the possible existence of signs of violence and the presence of communicable diseases that warrant specific treatment; (c) the need for suitable, qualified prison staff to exercise their functions under appropriate conditions, which must be civil in nature and institutionally separate from the police or the army –especially if in direct contact with inmates or their families–; the duty to resort to the use of force – deadly and not deadly – only when strictly necessary, proportionate to the nature of the situation that is sought to control, according to previously established protocols for that purpose, and ensuring that such actions are subject to institutional and judicial controls; and the duty to establish appropriate judicial resources and complaint systems effective against possible human rights violations arising from the conditions of detention.

17.   Chapter III on the *Right to life* discusses the main situations in which the Commission has observed that the lives of persons deprived of liberty are at risk, the most important one being prison violence among inmates. Thereafter, there is a wide range of scenarios ranging from those in which the authorities themselves are directly responsible , for the deaths of prisoners (including extrajudicial executions, enforced disappearances and deaths due to excessive use of force), to cases in which the inmates resort to suicide, to situations where the victim's death was due, for example, to lack of timely medical care.

18.   In this context, most deaths are caused by acts of violence between inmates. According to official data collected as part of this report, the number of violent deaths in prisons in some States, in addition to the aforementioned case of Venezuela, was as follows: Chile 203 (2005-2009); Ecuador 172 (2005-June 2010); and Colombia 113 (2005-2009). In this chapter, it is emphasized that in all of these cases, the State, as guarantor of the rights of persons in its custody, has a duty to investigate through its own due diligence the death of all persons who died while under its custody, even in those cases in which they initially appear as suicides or deaths by natural causes.

19.   Chapter IV on the *Right to personal integrity*, highlights that the current widespread and common cause for the use of torture is for criminal investigative purposes, a situation that has been widely documented, both by the Commission, as other international monitoring mechanisms, in countries like Mexico, Paraguay, Ecuador, Brazil and very specifically in the Guantanamo naval base in the territory of the United States, among others. This section discusses the main causes of this phenomenon: the existence of inherited institutional practices and a culture of violence firmly rooted in the State's security forces; the impunity with which these events are held; the lack of training, equipment and resources necessary for the security forces responsible for investigating crimes to have the right tools to perform their functions; policies of "tough" or "0 tolerance"; and the granting of probative value to evidence obtained under torture. In this regard, the Commission promotes the adoption of concrete measures to prevent torture, effective judicial control of detention, diligent and effective investigation of these acts, and the need for State authorities send a clear, determined and energetic message of repudiation of torture and cruel, inhuman and degrading treatment.

20.   Also, this chapter presents the main international standards that should govern the exercise of disciplinary functions in the prisons, with the emphasis on the duty to establish legal and regulatory rules to clearly define what behaviors are likely to be punished and what are the possible penalties, in addition to providing for a process, though simple, that secures certain minimum safeguards to protect the individual against the arbitrary exercise of disciplinary powers. In this sense, the existence of flexible and effective disciplinary systems that effectively serve to maintain internal order in the prisons is essential for its proper functioning.

21.   The right to humane treatment of prisoners may also be violated by the severe conditions of confinement in which they are kept. In this sense, overcrowding generates a series of conditions that are contrary to the very purpose of imprisonment as a penalty. Overcrowding increases the friction and outbreaks of violence between inmates, fosters the spread of disease, hinders access to basic services and health services of the prisons, increases the risk factor for the occurrence of fires and other disasters, and prevents access to rehabilitation programs, among other serious effects. This problem, common to all countries of the region, is in turn the result of other serious structural deficiencies such as excessive use of pretrial detention, the use of incarceration as a unique response to the needs of public safety, and the lack of adequate facilities to house inmates.

22.   Chapter V on *Health Care*, establishes that the State's duty to provide health services to persons in their custody is an obligation which derives directly from its

duty to guarantee the rights to life and humane treatment of prisoners, and that this international responsibility is maintained even in the event that such services are provided in prisons by private contractors. Likewise, it also analyzes several major obstacles faced by detainees when they require medical attention, such as lack of personnel and supplies sufficient to meet actual demand.

23.   In the Chapter VI on *Family relations of inmates*, it is recognized that maintaining family contact and relations of the persons deprived of liberty, not only is a right protected by the international law of human rights, but is a condition essential for their social rehabilitation and reintegration into society. In addition, in many places of deprivation of liberty, basic resources and services do not meet minimum standards, and the relatives of the inmates are forced to meet these needs.

24.   The IACH emphasizes that States should create the conditions for family visits to occur in a dignified manner, in other words, in conditions of security, privacy and hygiene; additionally, the staff of the prisons should be adequately trained to deal with the families of the prisoners, avoiding in particular the use of humiliating body searches and inspections, especially in the body of women who come to visit. States should use technological or other appropriate methods, including for the search of their own personnel, so as to minimize such degrading procedures.

25.   In the concluding chapter, the Commission highlights that the reform and social rehabilitation of convicted persons, as an essential aim of the deprivation of liberty (Article 5.6 of the Convention), are public safety guarantees[11] as well as rights of the individuals deprived of liberty. Therefore, this provision is a norm with its own content and scope of which is derived from the corresponding obligation of the State to implement programs of work, study and other services necessary for the detainees to have the choice of a dignified life project. This duty of the State is particularly relevant when considering that in most countries of the region the prisons are populated mostly by young people who are in the prime of their lives.

26.   Furthermore, the Inter-American Commission on Human Rights positively considers the transparency of many States to recognize the presence of important challenges in this area, as well as the need for significant reforms to overcome them. In this sense, when researching for the preparation of this report, the IACH has taken note of all measures and initiatives that States have identified as recent advances in compliance with its international obligations regarding the persons deprived of liberty. In this regard, there have been interesting initiatives related to the provision of medical services in prisons, with the signing of cooperation agreements with educational institutions; the formation of proposals to encourage the creation of new work options for inmates; and even some have taken into consideration interesting options to support and monitor the post-detention. All the initiatives lead to the conclusion that it is possible to create positive changes in this area and address the major challenges faced by member States of the OAS

---

[11] IACHR, *Access to Justice and Social Inclusion: The Road Towards Strengthening Democracy in Bolivia*, OEA/Ser.L/V/II. Doc. 34, adopted on June 28, 2007, (hereinafter "*Access to Justice and Social Inclusion: The Road Towards Strengthening Democracy in Bolivia*"), Ch. III, para. 209.

C.   Legal framework

27.   International human rights treaties enshrine rights that the States must guarantee to all persons under their jurisdiction. Accordingly, international human rights treaties are inspired by common higher values focused on the protection of the human being; they are applied in keeping with the notion of collective guarantee; they enshrine essentially objective obligations; and they have specific supervisory mechanisms.[12] In addition, besides ratifying human rights treaties the States undertake the task to interpret and apply their provisions such that the guarantees that the treaties establish are truly practical and effective[13]; in other words, they must be carried out in good faith so that they have a useful effect and serve the purpose for which they were adopted.

28.   In the Inter-American human rights system the rights of persons deprived of liberty are protected fundamentally in the American Convention on Human Rights (hereinafter "the Convention" or "the American Convention"), which entered into force in July 1978 and which at the present is binding for 24 member States of the OAS.[14] In the case of the other States, the fundamental instrument is the American Declaration of the Rights and Duties of Man (hereinafter "the American Declaration")[15], adopted in 1948 and incorporated into the Charter of the Organization of American States through the Protocol of Buenos Aires, adopted in February 1967. In addition, all the other treaties that are part of the Inter-American legal regime for protection of human rights contain provisions applicable to the protection of the rights of persons deprived of liberty, mainly the Inter-American Convention to Prevent and Punish Torture, which entered into force in February 1987, and which as of this writing has been ratified by 18 member States of the OAS.[16]

29.   In addition to these international obligations acquired by the States of the region in the context of the Organization of American States, most of these States are

---

[12] I/A Court H. R., *Control of Legality in the Excercice of the Atributions of the Inter-American Comisión on Human Rights (Arts. 41 y 44 of the American Convention on Human Rights)*. Advisory Opinion OC-19/05 of November 28, 2005. Series A No. 19, para. 21.

[13] I/A Court H.R., *Case of Baena Ricardo et al. V. Panama. Jurisdiction*. Judgment of November 28, 2003. Series C No. 104, para.66; I/A Court H.R., *Case of Ivcher Bronstein V. Peru. Jurisdiction*. Judgment of September 24, 1999. Series C No. 54, para. 37. I/A Court H.R., *Case of the Constitutional Court V. Peru. Jurisdiction*. Judgment of September 24, 1999. Series C No. 55, para. 36.

[14] These are: Argentina, Barbados, Bolivia, Brazil, Chile, Colombia, Costa Rica, Dominica, Dominican Republic, Ecuador, El Salvador, Grenada, Guatemala, Haiti, Honduras, Jamaica, Mexico, Nicaragua, Panama, Paraguay, Peru, Suriname, Uruguay, and Venezuela.

[15] Its application to persons deprived of liberty has been consistently reaffirmed by the member States of the OAS in the context of its General Assembly. See, OAS, General Assembly Resolution AG/RES. 2668 (XLI-O/11), adopted June 7, 2011; OAS, General Assembly Resolution AG/RES. 2592 (XL-O/10), adopted on June 8, 2010; OAS, General Assembly Resolution AG/RES. 2510 (XXXIX-O/09), adopted on June 4, 2009; OAS, General Assembly Resolution, AG/RES. 2403 (XXXVIII-O/08), adopted on June 13, 2008; OAS, General Assembly Resolution, AG/RES. 2283 (XXXVII-O/07), adopted on June 5, 2007; and OAS, General Assembly Resolution, AG/RES. 2233 (XXXVI-O/06), adopted on June 6, 2006; and OAS, General Assembly Resolution, AG/RES. 2125 (XXXV-O/05), adopted on June 7, 2005.

[16] These are: Argentina, Bolivia, Brazil, Chile, Colombia, Costa Rica, Dominican Republic, Ecuador, El Salvador, Guatemala, Mexico, Nicaragua, Panama, Paraguay, Peru, Suriname, Uruguay, and Venezuela.

also parties to analogous treaties adopted in the context of the United Nations (hereinafter also "the Universal human rights system"); particularly the International Covenant on Civil and Political Rights, which entered into force in March 1976, and which to date has been ratified by 30 States of the Americas[17], and the Convention against Torture and other Cruel, Inhuman or Degrading Treatment or Punishment, which came into force in June 1987, and to which 23 States of this region are party.[18] The same can be said in relation to other treaties adopted in the context of United Nations and which also contain provisions directly applicable to the prison population, such as the Convention on the Rights of the Child, which is fundamental for the protection of this sector of the prison population, and which has been ratified by all the States of the region except the United States of America.

30.   The IACHR reaffirms that international human rights law demands that the State guarantee the rights of the persons under their custody.[19] Accordingly, one of the most important predicates of the international responsibility of States in relation to human rights is to care for the life and physical and psychological integrity of persons deprived of liberty.[20]

31.   In addition, all the constitutions of the OAS member States contain provisions that directly or indirectly apply to essential aspects of the deprivation of liberty. In this regard, the absolute majority of constitutions of the region contain general provisions aimed at protecting the rights to life and humane treatment of their inhabitants, and some of them make specific reference to the respect for this right of persons who are confined or in custody.[21] In addition, several of these constitutions expressly establish that penalties entailing deprivation of liberty, or the prison systems, shall be geared to or have as their aim the reeducation and/or social reinsertion of convicts.[22]

---

[17] These are: Argentina, Bahamas, Barbados, Belize, Bolivia, Brazil, Canada, Chile, Colombia, Costa Rica, Dominica, Dominican Republic, Ecuador, El Salvador, Guatemala, Guyana, Haiti, Honduras, Jamaica, Mexico, Nicaragua, Panama, Paraguay, Peru, St. Vincent and the Grenadines, Suriname, Trinidad and Tobago, United States of America, Uruguay, and Venezuela.

[18] These are: Antigua and Barbuda, Argentina, Belize, Bolivia, Brazil, Canada, Chile, Colombia, Costa Rica, Cuba, Ecuador, El Salvador, Guatemala, Guyana, Honduras, Mexico, Nicaragua, Panama, Paraguay, Peru, St. Vincent and the Grenadines, Uruguay, and Venezuela.

[19] IACHR, *Democracy and Human Rights in Venezuela*, OEA/Ser.L/V/II. Doc. 54, adopted on December 30, 2009, (hereinafter "*Democracy and Human Rights in Venezuela*"), Ch. VI, para. 814.

[20] IACHR, Report No. 60/99, Case of 11,516, Merits, Ovelário Tames, Brazil, April 13, 1999, para. 39.

[21] See, *e.g.*, Constitution of the Argentina Nation, Art. 18; Constitution of the Plurinational State of Bolivia, Art. 73; Constitution of the Federative Republic of Brazil, Title II, Ch. I, Art. 5.XLIX; Constitution of the Republic of Cuba, Art. 58; Constitution of the Republic of Guatemala, Art. 19(a); Constitution of the Republic of Haiti, Art. 25; Constitution of the Republic of Honduras, Art. 68; Constitution of the Republic of Panama, Art. 28; Constitution of the Oriental Republic of Uruguay, Art. 26; and Constitution of the Bolivarian Republic of Venezuela, Art. 46.

[22] See, *e.g.*, Constitution of the Plurinational State of Bolivia, Art. 74; Constitution of the Republic of Ecuador, Art. 201; Constitution of the Republic of El Salvador, Art. 27(3); Constitution of the Republic of Guatemala, Art. 19; Constitution of the United Mexican States, Art. 18; Constitution of the Republic of Nicaragua, Art. 39; Constitution of the Republic of Panama, Art. 28; Constitution of Peru, Art. 139(22); Constitution of the Oriental Republic of Uruguay, Art. 26; and Constitution of the Bolivarian Republic of Venezuela, Art. 272.

32.   Indeed some States have included more specific safeguards in their constitutions related, for example, to the intake and registration of persons who enter prisons;[23] the separation and difference in treatment between persons charged and persons convicted;[24] the separation of children and adolescents from adults,[25] and of men from women[26]; and the maintenance of communication between the prisoners and their families,[27] among others.

33.   The international legal framework taken into consideration to draw up this thematic report is made up fundamentally of the international human rights instruments adopted in the framework of the Inter-American human rights system, mainly: the American Declaration,[28] the American Convention,[29] and the Inter-American Convention to Prevent and Punish Torture.[30] In addition, to the extent that they apply, are the Additional Protocol to the American Convention in the area of Economic, Social and Cultural Rights "Protocol of San Salvador;"[31] the Inter-American Convention on the Prevention, Punishment and Eradication of Violence against Women "Convention of Belém do Pará;"[32] the Inter-American Convention on Forced Disappearance of Persons[33]; and the

---

[23] See, *e.g.*, Constitution of the Plurinational State of Bolivia, Art. 23 (VI); and Constitution of the Republic of Chile, Art. 19(7)(d).

[24] See, *e.g.*, Constitution of the Republic of Ecuador, Art. 77(2); Constitution of the Republic of Guatemala, Art. 10; Constitution of the Republic of Haiti, Art. 44; Constitution of the Republic of Honduras, Art. 86; Constitution of the United Mexican States, Art. 18; Constitution of the Republic of Nicaragua, Art. 33(5); and Constitution of the Republic of Paraguay, Art. 21.

[25] See, *e.g.*, Constitution of the Plurinational State of Bolivia, Art. 23(II); Constitution of the Federative Republic of Brazil, Title II, Ch. I, Art. 5.XLVIII; Constitution of the Republic of Nicaragua, Art. 35; Constitution of the Republic of Panama, Art. 28; Constitution of the Republic of Paraguay, Art. 21; and Constitution of the Oriental Republic of Uruguay, Art. 43.

[26] See, *e.g.*, Constitution of the Federative Republic of Brazil, Title II, Ch. I, Art. 5.XLVIII; Constitution of the United Mexican States, Art. 18; Constitution of the Republic of Nicaragua, Art. 39; Constitution of the Republic of Paraguay, Art. 21; Constitution of the Oriental Republic of Uruguay, Art. 43.

[27] See, *e.g.*, Constitution of the Republic of Ecuador, Art. 51(2); and Constitution of the Republic of Guatemala, Art. 19(c).

[28] OAS, *American Declaration of the Rights and Duties of Man*, adopted at the Ninth International Conference of American States, Bogotá, Colombia, 1948.

[29] OAS, *American Convention on Human Rights*, signed in San José, Costa Rica, November 22, 1969, at the Specialized Inter-American Conference on Human Rights.

[30] OAS, *Inter-American Convention to Prevent and Punish Torture*, adopted in Cartagena, Colombia, on December 9, 1985, at the 15th regular session of the General Assembly.

[31] OAS, *Additional Protocol to the American Convention on Human Rights in the area of Economic, Social and Cultural Rights "Protocol of San Salvador,"* adopted in San Salvador, El Salvador, on November 17, 1988, at the 18th regular session of the General Assembly.

[32] OAS, *Inter-American Convention on the Prevention, Punishment and Eradication of Violence against Women "Convention of Belém do Pará,"* adopted in Belém do Pará, Brazil, June 9, 1994, at the 24th regular session of the General Assembly.

[33] OAS, *Inter-American Convention on Forced Disappearance of Persons*, adopted in Belém do Pará, Brazil, June 9, 1994, at the 24th regular session of the General Assembly.

Inter-American Convention on the Elimination of All Forms of Discrimination against Persons with Disabilities.[34]

34.   Particularly relevant for the analysis of this report are the *Principles and Best Practices on the Protection of Persons Deprived of Liberty in the Americas*, adopted by the Inter-American Commission on Human Rights in March 2008 in the context of its 131st period of sessions. This document is a review of the current international standards and the criteria issued by the organs of the Inter-American human rights system regarding persons deprived of liberty. In addition, contributions by OAS member States, experts, and civil society organizations were taken into account while drafting it.

35.   The corresponding treaties adopted in the framework of the United Nations are also part of the legal framework of this report, particularly: the International Covenant on Civil and Political Rights;[35] the Convention against Torture and other Cruel, Inhuman or Degrading Treatment or Punishment[36], and its Optional Protocol,[37] and the Convention on the Rights of the Child.[38]

36.   Other relevant treaties and instruments include the Standard Minimum Rules for the Treatment of Prisoners;[39] the Basic Principles for the Treatment of Prisoners;[40] the Body of Principles for the Protection of All Persons under Any Form of Detention or Imprisonment;[41] the United Nations Rules for the Protection of Juveniles Deprived of their Liberty;[42] the Principles of Medical Ethics relevant to the role of health personnel, particularly physicians, in the protection of prisoners and detainees against torture, and

---

[34] OAS, *Inter-American Convention on the Elimination of All Forms of Discrimination against Persons with Disabilities*, adopted in Guatemala City, Guatemala, on June 7, 1999, at the 29th regular session of the General Assembly.

[35] United Nations, International Covenant on Civil and Political Rights, approved and open for signature, ratification and accession by General Assembly resolution 2200 A (XXI), December 16, 1966.

[36] United Nations, Convention against Torture and Other Cruel, Inhuman or Degrading Treatment or Punishment, adopted and open for signature, ratification and accession by General Assembly resolution 39/46, of December 10, 1984.

[37] United Nations, Optional Protocol to the Convention against Torture and Other Cruel, Inhuman or Degrading Treatment or Punishment, adopted by General Assembly resolution 57/199, of December 18, 2002.

[38] United Nations, Convention on the Rights of the Child, approved and open for signature by General Assembly resolution 44/25, of November 20, 1989.

[39] United Nations, Standard Minimum Rules for the Treatment of Prisoners, adopted at the First United Nations Congress on the Prevention of Crime and the Treatment of Offenders, held in Geneva in 1955, and approved by the Economic and Social Council in its resolutions 663C (XXIV) of July 31, 1957 and 2076 (LXII) of May 13, 1977.

[40] United Nations, Basic Principles for the Treatment of Prisoners, adopted and proclaimed by General Assembly resolution 45/111, December 14, 1990.

[41] United Nations, Body of Principles for the Protection of All Persons under Any Form of Detention or Imprisonment, adopted by UN General Assembly resolution 43/173, of December 9, 1988.

[42] United Nations, United Nations Rules for the Protection of Juveniles Deprived of their Liberty, adopted by General Assembly resolution 45/113, December 14, 1990.

other cruel, inhuman or degrading treatment or punishment;[43] the Code of Conduct for Law Enforcement Officials;[44] the Basic Principles on the Use of Force and Firearms by Law Enforcement Officials;[45] United Nations Standard Minimum Rules for Non-custodial Measures (Tokyo Rules);[46] and the United Nations Standard Minimum Rules for the Administration of Juvenile Justice (the Beijing Rules).[47]

37. These international instruments have been used consistently by the Commission and by the Inter-American Court (hereinafter also "the Court") as guidance for interpretation in determining the content and scope of the provisions of the American Convention in cases involving persons deprived of liberty, particularly the Standard Minimum Rules for the Treatment of Prisoners, which it's importance and universality have been recognized by both the Court[48] and the Commission.[49]

D.   Scope of the concept of deprivation of liberty

38. While this report is focused mainly on the situation of persons deprived of liberty in prisons, provisional detention centers, and police stations, the IACHR underscores that the concept of "deprivation of liberty" encompasses:

---

[43] United Nations, Principles of Medical Ethics relevant to the role of health personnel, particularly physicians, in the protection of prisoners and detainees against torture, and other cruel, inhuman or degrading treatment or punishment, adopted by UN General Assembly resolution 37/194, December 18, 1982.

[44] United Nations, Code of Conduct for Law Enforcement Officials, adopted by General Assembly resolution 34/169, December 17, 1979.

[45] United Nations, Basic Principles on the Use of Force and Firearms by Law Enforcement Officials, adopted by the Eighth United Nations Congress on the Prevention of Crime and the Treatment of Offenders, held in Havana, Cuba, from August 27 to September 7, 1990.

[46] United Nations, United Nations Standard Minimum Rules for Non-custodial Measures (Tokyo Rules), adopted by General Assembly resolution 45/110, December 14, 1990.

[47] United Nations, United Nations Standard Minimum Rules for the Administration of Juvenile Justice (the Beijing Rules), adopted by General Assembly resolution 40/33, November 29, 1985.

[48] See in this regard, I/A Court H.R., *Case of Raxcacó Reyes V. Guatemala*. Judgment of September 15, 2005. Series C No. 133, para. 99.

[49] See in this regard, *Special Report on the Human Rights Situation at the Challapalca prison*, OEA/Ser.L/V/II.118, doc. 3, adopted on October 9, 2003, (hereinafter "*Special Report on the Human Rights Situation at the Challapalca prison*"), paras. 16 and 17; IACHR, Report No. 28/09, Merits, Dexter Lendore, Trinidad and Tobago, March 20, 2009, paras. 30 and 31; IACHR, Report No. 78/07, Merits, Chad Roger Goodman, Bahamas, October 15, 2007, paras. 86-87; IACHR, Report No. 67/06, Case 12.476, Merits, Oscar Elías Biscet *et al.*, Cuba, October 21, 2006, para. 152; IACHR, Report No. 76/02, Case 12,347, Merits, Dave Sewell, Jamaica, December 27, 2002, paras. 114 and 115; IACHR, Report No. 58/02. Case 12,275, Merits, Denton Aitken, Jamaica, October 21, 2002, para. 134 and 135; Report No. 127/01, Case 12,183, Merits, Joseph Thomas, Jamaica, December 3, 2001, para. 133; IACHR, Report No. 49/01, Cases 11,826, 11,843, 11,846, 11,847, Merits, Leroy Lamey, Kevin Mykoo, Milton Montique, Dalton Daley, Jamaica, April 4, 2001, para. 204; IACHR, Report No. 48/01, Merits, Cases 12,067, 12,068 and 12,086, Michael Edwards, Omar Hall, Brian Schroeter and Jerónimo Bowleg, Bahamas, April 4, 2001, para. 195; and IACHR, Report No. 41/00, Cases 12,023, 12,044, 12,107, 12,126, 12,146, Merits, Desmond McKenzie *et al.*, Jamaica, April 13, 2000, para. 289. In addition, in its country reports the IACHR has repeatedly used both the Standard Minimum Rules and the results of the international instruments mentioned above.

> Any form of detention, imprisonment, institutionalization, or custody of a person in a public or private institution which that person is not permitted to leave at will, by order of or under *de facto* control of a judicial, administrative or any other authority, for reasons of humanitarian assistance, treatment, guardianship, protection, or because of crimes or legal offenses. This category of persons includes not only those deprived of their liberty because of crimes or infringements or non compliance with the law, whether they are accused or convicted, but also those persons who are under the custody and supervision of certain institutions, such as: psychiatric hospitals and other establishments for persons with physical, mental, or sensory disabilities; institutions for children and the elderly; centers for migrants, refugees, asylum or refugee status seekers, stateless and undocumented persons; and any other similar institution the purpose of which is to deprive persons of their liberty.[50]

Therefore, the considerations set forth in this report apply to these other settings. In effect, the deprivation of liberty of a person is a condition that can occur in different contexts; therefore, the States' obligations to respect and ensure human rights transcend merely prison and police-related situations.[51]

39.   In practice, the IACHR has decided several cases in which the facts alleged occurred in places other than prisons, such as airports,[52] military checkpoints,[53] INTERPOL offices,[54] naval bases,[55] clandestine detention centers,[56] and psychiatric hospitals,[57] among others. In addition, it has issued precautionary measures to protect persons who at the time of the facts were confined in psychiatric hospitals,[58] military hospitals,[59] and

---

[50] IACHR, *Principles and Best Practices on the Protection of Persons Deprived of Liberty in the Americas*, (General Provision).

[51] This broad concept of the deprivation of liberty is reflected in several international instruments. Thus, for example, the Optional Protocol to the Convention against Torture and Other Cruel, Inhuman or Degrading Treatment or Punishment (OP-CAT) provides that for its purposes deprivation of liberty is understood to mean "any form of detention or imprisonment or the placement of a person in a public or private custodial setting which that person is not permitted to leave at will by order of any judicial, administrative or other authority." (Article 4.2)

[52] IACHR, Report No. 84/09, Case 12,525, Merits, Nelson Iván Serrano Sáenz, Ecuador, August 6, 2009.

[53] IACHR, Report No. 53/01, Case 11,565, Merits, Ana Beatriz and Celia González Pérez, Mexico, April 4, 2001.

[54] IACHR, Report No. 64/99, Merits, Case 11,778, Ruth del Rosario Garcés Valladares, Ecuador, April 13, 1999.

[55] IACHR, Report No. 1/97, Case 10,258, Merits, Manuel García Franco, February 18, 1998.

[56] IACHR, Report No. 31/96, Case 10,526, Merits, Diana Ortiz, Guatemala, October 16, 1996.

[57] IACHR, Application to the I/A Court H.R. in the Case of Damiao Ximenes Lopes, Case No. 12,237, Brazil, October 1, 2004.

[58] Precautionary Measures MC-277-07, *Hospital Neuropsiquiátrico*, Paraguay.

[59] Precautionary Measures MC-209-09, *Franklin José Brito Rodríguez*, Venezuela.

orphanages.[60] In different reports reference has also been made to the conditions of detention at centers where migrants are held.[61]

E.   Methodology and terms used

40.   As part of building this report, the IACHR published a questionnaire that was sent to the member States of the OAS and other relevant actors involved in the issue. The questionnaire was answered by 20 member States of the OAS, and by a large number of civil society organizations, experts, and academic institutions. In addition, a Regional Seminar on Best Prison Practices was held in Buenos Aires from November 12 to 16, 2007, that included the participation of non-governmental organizations, universities and academic centers, international organizations, and representatives from 16 Latin American States.[62]

41.   With respect to the factual basis of the issues addressed in this report, primary consideration has been given to the direct observations by the IACHR during its on-site visits, and by its Rapporteur on the Rights of Persons Deprived of Liberty in the course of its working visits. Consideration has also been given to all those situations and trends observed by the IACHR in the exercise of its competence with respect to petitions and cases; and in the context of its immediate monitoring mechanisms, and press releases and requests for information from the States, made based on the authority vested in the IACHR by Article 41 of the American Convention. In addition, note is taken of the pronouncements on persons deprived of liberty by the IACHR in Chapter IV of its Annual Reports, on countries that pose major challenges in ensuring respect for the human rights of the persons under their jurisdiction.

42.   Also relevant is the information obtained by mechanisms of the United Nations in its missions to States of the Americas, in particular by the Working Group on Arbitrary Detention,[63] the Special Rapporteur on Torture and other Cruel, Inhuman or Degrading Treatment or Punishment of the United Nations (hereinafter also "UN Rapporteur on Torture"),[64] and the Subcommittee against Torture (hereinafter also "SPT").[65] In other words, this report is constructed fundamentally on the basis of actual situations directly observed.

---

[60] Precautionary Measures MC-554-03, *"Michael Roberts,"* Jamaica.

[61] See, in general, see in general the official website of the Rapporteurship on the Rights of Migrant Workers and Their Families: available at: http://www.cidh.oas.org/Migrantes/Default.htm.

[62] The reports and conclusions of the Latin American Seminar on Good Prison Practices are available at: http://www.oas.org/es/cidh/ppl/actividades/seminario.asp.

[63] It has made eight monitoring visits in the Americas to the following states: Colombia (2008); Honduras (2006); Nicaragua (2006); Ecuador (2006); Canada (2005); Argentina (2003); Mexico (2002); and Peru (1998).

[64] He has made seven visits to the following states: Uruguay (2009); Paraguay (2006); Brazil (2000); Chile (1995); Colombia (1994); Mexico (1997); and Venezuela (1996).

[65] To date it has published three reports on monitoring visits to countries of the region: Honduras (2009), Paraguay (2009), and Mexico (2008).

43.   Consideration is also given to the reports issued as part of the monitoring by the Human Rights Committee (hereinafter also "HRC") and the Committee against Torture (hereinafter also "CAT"), with respect to observance of the International Covenant on Civil and Political Rights and the Convention against Torture and other Cruel, Inhuman or Degrading Treatment or Punishment, respectively.

44.   In addition, the information provided by different civil society organizations which in recent years have presented more than 50 thematic hearings on issues related to persons deprived of liberty, all of which has been taken into account. The IACHR also takes note of the studies and reports prepared by specialized agencies such as the United Nations Office on Drugs and Crime (UNODC); the United Nations Development Program (UNDP); the United Nations Latin American Institute for the Prevention of Crime and the Treatment of Offenders (ILANUD); and the Department of Public Security of the OAS; and other relevant current documents, such as those produced in the context of the 12th United Nations Congress on Crime Prevention and Criminal Justice.

45.   In this report, the following terms are used:

(a)   "Detained person or detainee": refers to any person deprived of liberty except as a result of a conviction for an offence.

(b)   "Imprisoned person or prisoner": refers to any person deprived of liberty as the result of a conviction for an offence.

(c)   "Person deprived of liberty," "prisoner," or "inmates": generically understood as any person deprived of liberty in either of the aforementioned situations; these terms refer broadly to persons subject to any form of confinement or imprisonment.

(d)   "Arrest": the act of apprehending a person for the alleged commission of an offence or by the action of an authority.

(e)   "Detention center": refers to all establishments for holding persons who have not yet been criminally convicted.

(f)   "Penitentiary", "prison", "jail," "penal center" or "center of confinement": refers to those establishments for holding persons provisionally or preventively and those for holding prisoners who have been convicted.

(g)   "Penitentiary system": refers to the institution entrusted with the administration of the jails and the whole set of prison establishments.

II. THE STATE'S POSITION AS GUARANTOR OF THE RIGHTS OF PERSONS DEPRIVED OF LIBERTY

46.   As the basis of the international obligations assumed by the States parties, the American Convention on Human Rights establishes in its Article 1(1) that the States "undertake to respect the rights and freedoms recognized herein and to ensure to all persons subject to their jurisdiction" without any discrimination whatsoever. These general obligations to *respect* and *ensure*, binding on the State with respect to any person, imply a greater commitment by the State when dealing with persons in a situation of risk or vulnerability.

47.   The respect for human rights – based on the recognition of the dignity inherent to the human being – constitutes a limit on State activity, which applies to any branch or official who exercises power over the individual. The obligation to guarantee implies that the state must adopt all "necessary measures" to make certain that every person under their jurisdiction can effectively enjoy his or her rights.[66] This obligation entails that the States must prevent, investigate, punish, and make reparation for any violation of human rights.

48.   In this regard, the Inter-American Court has established that "from the general obligations to respect and guarantee rights, derive special duties, which can be ascertained based on the particular needs of protection of the legal person, considering the personal condition or the specific situation of the person."[67] Such is the case of persons deprived of liberty, who, for the duration of their detention or imprisonment, are subject to the effective control of the State.

49.   In effect, the principal element that defines the deprivation of liberty is the individual's dependence on the decisions made by the personnel of the establishment where he or she is being held.[68] In other words, the State authorities exercise complete control over the person who is under their custody.[69] This particular context of subordination of the prisoner to the State – which constitutes a legal relationship of public law – fits within the category of *ius administrativista* known as a special relationship of subordination, by virtue of which the State, by depriving a person of liberty, becomes the

---

[66] I/A Court H.R., *Exceptions to the Exhaustion of Domestic Remedies* (Articles 46(1), 46(2)(a) and 46(2)(b) American Convention on Human Rights. Advisory Opinion OC-11/90 of August 10, 1990. Series A No. 11, para. 34.

[67] I/A Court H.R., *Case of Vélez Loor V. Panama.* Preliminary Objections, Merits, Reparations and Costs. Judgment of November 23, 2010. Series C. No. 218, para. 98; I/A Court H.R., *Case of the Massacre of Pueblo Bello V. Colombia.* Judgment of January 31, 2006. Series C No. 140, para. 111; I/A Court H.R., *Case of González et al. ("Cotton Field") V. Mexico.* Preliminary Objection, Merits, Reparations and Costs. Judgment of November 16, 2009. Series C No. 205, para. 243.

[68] United Nations, Working Group on Arbitrary Detention, Report submitted to the Human Rights Council, A/HRC/10/21, adopted on February 16, 2009. Ch. III: *Thematic considerations*, para. 46.

[69] I/A Court H.R., Provisional Measures in the matter of María Lourdes Afiuni, Venezuela, Order of the President of the Inter-American Court of Human Rights, December 10, 2010, Considering paragraph 11; I/A Court H.R., *Case of Bulacio V. Argentina.* Judgment of September 18, 2003. Series C No. 100, para. 126.

guarantor of all those rights not restricted by the very act of deprivation of liberty; and the prisoner, for his or her part, is subject to certain statutory and regulatory obligations that he or she must observe.

50.   The position of guarantor in which the State is situated is the basis for all those measures which, under international human rights law, it must adopt in order to respect and ensure the rights of persons deprived of liberty.

51.   The Inter-American Court – following the European Court of Human Rights – established as of the case of *Neira Alegría et al.*, that "every person deprived of her or his liberty has the right to live in detention conditions compatible with her or his personal dignity, and the State must guarantee to that person the right to life and to humane treatment. Consequently, since the State is the institution responsible for detention establishments, it is the guarantor of these rights of the prisoners."[70]

52.   Subsequently, in the case of the *"Juvenile Reeducation Institute,"* the Court further developed this concept, and added *inter alia* that:

> Given this unique relationship and interaction of subordination between an inmate and the State, the latter must undertake a number of special responsibilities and initiatives to ensure that persons deprived of their liberty have the conditions necessary to live with dignity and to enable them to enjoy those rights that may not be restricted under any circumstances or those whose restriction is not a necessary consequence of their deprivation of liberty and is, therefore, impermissible. Otherwise, deprivation of liberty would effectively strip the inmate of all his rights, which is unacceptable.[71]

53.   Similarly, the IACHR established more than a decade ago in its Report on the Merits No. 41/99 in the case of *Minors in Detention* that:

> The State, by depriving a person of his liberty, places itself in the unique position of guarantor of his right to life and to humane treatment. When it detains an individual, the State introduces that individual into a "total institution"--such as a prison--where the various aspects of his life are subject to an established regimen; where the prisoner is removed from his natural and social milieu; where the established regimen is one of absolute control, a loss of privacy, limitation of living space and, above

---

[70] I/A Court H.R., *Case of Neira Alegría et al. V. Peru*. Judgment of January 19, 1995. Series C No. 20, para. 60. This fundamental criterion has been reiterated consistently by the Inter-American Court both in its judgments and in its orders on provisional measures; with respect to the latter, the first such decision was in its order granting provisional measures on the Urso Branco Prison, Brazil, Order of the Inter-American Court of Human Rights, June 18, 2002, Considering paragraph 8.

[71] I/A Court H.R., *Case of "Juvenile Reeducation Institute" V. Paraguay*. Judgment of September 2, 2004. Series C No. 112, paras. 152 and 153. See also, I/A Court H.R., *Case of Montero Aranguren et al. (Detention Center of Catia)*. Judgment of July 5, 2006. Series C No. 150, para. 87.

all, a radical decline in the individual's means of defending himself. All this means that the act of imprisonment carries with it a specific and material commitment to protect the prisoner's human dignity so long as that individual is in the custody of the State, which includes protecting him from possible circumstances that could imperil his life, health and personal integrity, among other rights.[72]

54.   The State is in the role of guarantor in situations such as internment in psychiatric hospitals and institutions for persons with disabilities; institutions for children and older adults; centers for migrants, refugees, asylum seekers, stateless persons, and undocumented persons; and any other similar institution that deprives persons of liberty.[73] In each of these situations the specific measures adopted by the State will be determined by the particular conditions and needs of the group in question.

55.   Similarly, the duty of the State to respect and ensure the rights of the persons deprived of liberty is not limited to what happens within the institutions mentioned, but also extends to circumstances such as the transfer of prisoners from one establishment to another; their transfer to judicial proceedings; and their transfer to hospital centers outside the confines of the institution in question.

56.   In addition, in those cases in which the provision of certain basic services in jails – such as food or medical care – has been delegated or given in concession to private persons, the State must supervise and control the conditions in which such services are provided.

57.   Another legal consequence particular to the deprivation of liberty is the rebuttable presumption that the State is internationally responsible for violations of the rights to life or to humane treatment committed against persons under its custody. The State bears the burden to rebut that presumption with sufficient evidence to the contrary. Accordingly, the State has the responsibility to ensure the rights of the individuals under its custody and to provide the information and evidence on what happens to them.[74]

---

[72] IACHR, *Special Report on the Human Rights Situation at the Challapalca prison in Peru*, para. 113; IACHR, Report No. 41/99, Merits, Minors in Detention, Honduras, March 10 1999, para. 135.

[73] IACHR, Principles and Best Practices on Persons Deprived of Liberty in the Americas, General Provision.

[74] I/A Court H.R., *Case of Tibi V. Ecuador*. Judgment of September 7, 2004. Series C No. 114, para. 129; I/A Court H.R., *Case of Bulacio V. Argentina*. Judgment of September 18, 2003. Series C No. 100, para. 126. This presumption was recognized by the Inter-American Court when granting of provisional measures in the matter of the Urso Branco Prison, in Brazil, in which the Court held:

In light of the responsibility of the State to adopt security measures to protect persons who are under its jurisdiction, the Court deems that this duty is more evident with respect to persons detained in a State detention center, in which case the responsibility of the State must be presumed regarding what happens to those who are under its custody. I/A Court H.R., Provisional Measures, Matter of Urso Branco Prison, Brazil, Order of the Inter-American Court of Human Rights, June 18, 2002, Considering paragraph 8.

58.   The Commission considers that the exercise by the State of its *position as guarantor* of the rights of persons deprived of liberty entails a complex task in which the competences of different State institutions come together. These range from the executive and legislative branches, entrusted with determining prison policies and legislating the legal order necessary for the implementation of those polices, to administrative entities and authorities who perform their functions directly in the jails.[75] The judiciary, in addition to hearing criminal cases, is entrusted with reviewing the legality of the act of detention; judicial protection of the conditions of confinement; and judicial oversight of enforcement of the penalty entailing deprivation of liberty. In this regard, the IACHR has found that the shortcomings of the judicial institutions have a direct impact on both the individual situation of the persons deprived of liberty and the general situation of the prison systems.[76]

59.   In relation to this point, the analysis by the United Nations Rapporteur on Torture in the report on his visit to Uruguay is particularly enlightening. He concluded that "in many, if not all, of the problems faced by the penitentiary system and the juvenile justice system are a direct result of the lack of a comprehensive criminal justice policy."[77] In addition, the Working Group on Arbitrary Detention observed after its mission to Ecuador:

> The absence of a genuine administration in the judiciary, the lack of funds and the general perception of a lack of independence, of politicization and of corruption in the judiciary, the police and the prison system have had a real impact on the enjoyment of human rights, mainly affecting the most destitute people, who account for the large majority of the prison population.[78]

---

[75] For example, the IACHR, in its recent report *Access to Justice and Social Inclusion: The Road Towards Strengthening Democracy in Bolivia*, after analyzing the various challenges the Bolivian State faces in terms of its prison administration, concluded:

> The prison situation observed in Bolivia and the resulting problems are complex, and call for official responses developed through dialogue and coordination among the three branches of government, some of which should be implemented immediately while others could be carried out in the medium and long term. The Commission therefore urges the executive, judicial and legislative branches of Bolivia to encourage interagency dialogue and debate with a view to remedying the situation of human rights of persons deprived of liberty, taking a comprehensive view and applying solutions that carry the agreement of all sectors involved. IACHR, Country Report on Bolivia: *Access to Justice and Social Inclusion: The Road Towards Strengthening Democracy in Bolivia*, OEA/Ser.L/V/II. Doc. 34, adopted on June 28, 2007, Ch. III, para. 214.

[76] In this respect see, *IACHR, Fifth Report on the Situation of Human Rights in Guatemala*, Ch. VIII, para. 2; IACHR, *Report on the Situation of Human Rights in Ecuador*, OEA/Ser.L/V/II.96. Doc. 10 rev. 1, adopted on April 24, 1997. (hereinafter "*Report on the Situation of Human Rights in Ecuador*"), Ch. VI.

[77] United Nations, Special Rapporteur on Torture and other Cruel, Inhuman or Degrading Treatment or Punishment, Report of the Mission to Uruguay, A/HRC/13/39/Add.2, adopted on December 21, 2009. Ch. IV: *Administration of criminal justice: underlying causes for collapsing administration of justice and penitentiary systems*, para. 77. The problems that the United Nations Rapporteur identified in Uruguay, such as the sluggishness of the judicial system, the routine use of pretrial detention, and the application of a punitive penitentiary policy are common in many countries of the region.

[78] United Nations, Working Group on Arbitrary Detention, *Report on Mission to Ecuador*, A/HRC/4/40/Add.2, adopted on October 26, 2006, para. 98.

60.	In addition to the political will of the States to address the challenges posed by the prison situation, and the normative and institutional measures that can be adopted, it is fundamental to recognize the importance of an adequate allocation of resources that makes it possible to implement prison policies.[79] In effect, the adoption of specific measures aimed at resolving the structural shortcomings of the prisons requires a major decision to earmark the resources necessary to cover everything from such basic needs as provision of food, drinking water, and hygienic services to implementing work and educational programs that are fundamental for meeting the objectives of the penalty, and, if necessary, to adequately cover the prison systems' operating costs.

61.	In addition, the lack of economic resources does not justify the violation, by the State, of non-derogable rights of persons deprived of liberty.[80] In this regard, the Inter-American Court has consistently affirmed that "the States cannot invoke economic hardships to justify imprisonment conditions that do not comply with the minimum international standards and respect the inherent dignity of the human being."[81]

62.	The IACHR has made pronouncements along the same lines on several occasions;[82] for example, on referring to the conditions of detention of children and adolescents deprived of liberty in Haiti, where it affirmed that "proper attention to the rights of Haitian children and adolescents cannot wait until Haiti's complex political and social problems are resolved."[83] In addition, the IACHR, in reports on the merits on Jamaica, has indicated that the provisions on treatment in Article 5 of the American Convention apply independent of the level of development of the State party to the Convention,[84] and even if the economic or budgetary circumstances of the State party may make it difficult to observe it.[85]

---

[79] See in this regard, IACHR, Report on the Situation of Human Rights in Ecuador, Ch. VI; and IACHR, *Report on the Situation of Human Rights in Brazil*, OEA/Ser.L/V/II.97. Doc. 29 rev. 1, adopted on September 29, 1997. (hereinafter "*Report on the Situation of Human Rights in Brazil*"), Ch. IV.

[80] United Nations, Human Rights Committee, General Comment No. 21: Humane treatment of persons deprived of liberty, adopted at the 44th session (1992), para. 4. In: Compilation of General Comments and General Recommendations adopted by human rights treaty bodies, Volume I, HRI/GEN/1/Rev.9 (Vol. I) adopted on May 27, 2008, p. 242.

[81] I/A Court H.R., *Case of Vélez Loor V. Panama*. Preliminary Objections, Merits, Reparations and Costs. Judgment of November 23, 2010. Series C. No. 218, para. 198; I/A Court H.R., *Case of Boyce et al. V. Barbados*. Preliminary Objection, Merits, Reparations and Costs. Judgment of November 20, 2007. Series C No. 169, para. 88; I/A Court H.R., *Case of Montero Aranguren et al. (Detention Center of Catia)*. Judgment of July 5, 2006. Series C No. 150, para. 85; I/A Court H.R., *Case of Raxcacó Reyes V. Guatemala*. Judgment of September 15, 2005. Series C No. 133, para. 96.

[82] See, *e.g.*, IACHR, Press Release 104/10 – Office of the Rapporteur Attests to Structural Deficiencies in Prison System of El Salvador. Washington, D.C., October 20, 2010.

[83] IACHR, *Annual Report 2006*, Chapter IV, Haiti, OEA/Ser.L/V/II.127. Doc. 4 ver. 1, adopted on March 3, 2007, para. 129; IACHR, *Annual Report 2005*, Chapter IV, Haiti, OEA/Ser.L/V/II.124. Doc. 7, adopted on February 27, 2006, para. 245.

[84] IACHR, Report No. 49/01, Cases 11,826, 11,843, 11,846, 11,847, Merits, Leroy Lamey, Kevin Mykoo, Milton Montique, Dalton Daley, Jamaica, April 4, 2001, para. 203.

[85] IACHR, Report No. 50/01, Case 12,069, Merits, Damion Thomas, Jamaica, April 4, 2001, para. 37.

63.   In this respect, one of the points of the questionnaire sent to the States for this report referred to the percentage of the national budget earmarked to the prison systems. The States that answered this question provided the following information:

Argentina	The budget allocated to the Federal Prison Service in the fiscal year 2010 represents 0.56% of the total of the General Budget for the National Public Administration.
Bahamas	In the 2008/09 period, 1.25% of the national budget (22,881,955 dollars) was earmarked to the prison service.
Bolivia	The budget allocated, according to what was stated by the General Bureau of Prisons at the national level, comes to 33,368,146 *bolivianos*.
Chile	The percentage of the national budget earmarked to the prison system is 0.792% (source: DIPRES), with the following breakdown: Law on Public Sector Budget for 2010: 25,046,832,028,000 pesos; Budget of the Gendarmerie of Chile for 2010: 198,472,578,000 pesos; and percentage of the public sector budget for 2010 allocated to the Gendarmerie of Chile for 2010 is: 0.792%.
Colombia	In 2010 the percentage of the national budget allocated to the National Prison Institute (INPEC) was 0.68%, which is equivalent to: 1,009,364,822,282 pesos.
Costa Rica	In 2010 the budget allocated to the prison administration was 50,298,953,000 *colones*, which represents 1.1% of the total national budget.
Ecuador	The percentage of the national budget earmarked to the prison system is 0.33%.
El Salvador	The national budget earmarked for the Prison System comes to a total of 28,670,365 dollars, equivalent to 0.7% of the national budget for fiscal year 2010.
Guatemala	Of the general state budget for fiscal year 2010, which comes to 49,723,107,632 quetzals, 249 million quetzals, equivalent to 0.50% of expenditures, is allocated to the General Directorate of the Prison System.
Guyana	The budget earmarked to the Guyana Prison Service for 2010 was 982 million Guyana dollars.
Mexico	A total of 0.23% of the national budget was earmarked to the federal Prison System, including support for the states under the category *Socorro de Ley*.
Nicaragua	The percentage of the national budget earmarked to the National Prison System is 0.45%.
Panama	The percentage of the general budget of the state earmarked to the Prison System is more or less (sic) 0.35%. The budget of the Prison System is 21,111,671.00 dollars.
Peru	The national budget earmarked to the Prison System is 378,994,950 soles, which represents 0.38% of the total budget of the Republic.
Trinidad and Tobago	The percentage of the national budget earmarked to the prison system for fiscal year 2009 is 0.88%.
Uruguay	The total expenditure on the Prison System (Execution 2009 of the National Directorate of Prisons, *CNR* and *Patronato*) is 1,496,918,000 pesos, which represented 0.21% of Uruguay's GDP in 2009.

Venezuela	The State's total allocation to the Prison System in fiscal year 2010 was 395,607,899 *bolívares fuertes*, which represents 0.25% of the national budget.

64.   The need to adopt comprehensive prison policies that propose the adoption of different measures by different institutions is even more evident in those States in which serious structural deficiencies have been observed in the prison systems. In some cases, the nature of the situation not only requires the design of long-term policies or plans, but demands that specific measures be taken in the short term to address grave and urgent situations.[86]

65.   In summary, the IACHR considers that in light of Articles 1(1) and 2 of the American Convention, the States of the region should adopt public policies that include both measures to be adopted immediately and long-term plans, programs, and projects; as well as adapting the legislation and the system of criminal procedure to be compatible with the personal liberty and judicial guarantees established in international human rights treaties, which should be considered as a priority of the State independent of whether the particular administration in power has more or less interest in the matter, nor on the ups and downs of public opinion. Rather, a commitment should be forged that binds all the branches of government, legislative, executive, and judicial, as well as civil society, for the purpose of constructing a system based on human dignity that works to improve society and democracy, and the rule of law.

A.   The principle of humane treatment

66.   The recognition of the dignity inherent in every person independent of his or her personal conditions or legal situation is the basis of the development and international protection of human rights. Accordingly, the exercise of public power has certain limits that stem from the fact that human rights are attributes inherent to human dignity. The protection of human rights is based on the affirmation of the existence of certain inviolable attributes of the human person that cannot be legally impaired or diminished by the exercise of public authority.

67.   The right of persons deprived of liberty to humane treatment while under the custody of the State is a universally accepted norm in international law.[87] In the Inter-American human rights system, this principle is enshrined primarily in Article XXV of the American Declaration, which provides: "[e]very individual who has been deprived of his liberty [...] has the right to humane treatment during the time he is in custody." In addition, the humane treatment to be accorded to persons deprived of liberty is an essential element of Article 5(1) and (2) of the American Convention, which protects the right to humane treatment of all persons subject to the jurisdiction of a State party.

---

[86] See in this regard, IACHR, *Democracy and Human Rights in Venezuela*, Ch. VI, para. 905; and IACHR, *Annual Report 2008*, Chapter IV, Venezuela, OEA/Ser.L/II.134, Doc. 5 Rev.1, adopted on February 25, 2009, para. 430.

[87] IACHR, *Report on Terrorism and Human Rights*, OEA/Ser.L/V/II.116. Doc. 5 rev. 1 corr., adopted on October 22, 2002, (hereinafter *"Report on Terrorism and Human Rights"*), para. 147.

68.   In addition, as already mentioned, the *Principles and Best Practices on the Protection of Persons Deprived of Liberty in the Americas* are grounded in the fundamental idea that:

> All persons subject to the jurisdiction of any member State of the Organization of American States shall be treated humanely, with unconditional respect for their inherent dignity, fundamental rights and guarantees, and strictly in accordance with international human rights instruments.
>
> In particular, and taking into account the special position of the States as guarantors regarding persons deprived of liberty, their life and personal integrity shall be respected and ensured, and they shall be afforded minimum conditions compatible with their dignity. (Principle I)

69.   In the Universal human rights system, the International Covenant on Civil and Political Rights expressly enshrined the principle of humane treatment as the core of its Article 10, which establishes the fundamental norms applicable to persons deprived of liberty. Article 10(1) provides: "[a]ll persons deprived of their liberty shall be treated with humanity and with respect for the inherent dignity of the human person."[88]

70.   Criminal sanctions are an expression of the punitive power of the State and entail the limitation, deprivation, or alteration of the rights of persons as a consequence of illicit conduct.[89] The rigor of the criminal justice response to certain punishable conduct is determined by the seriousness of the sanction that the criminal law prescribes for that conduct. This is already determined ahead of time by the law. Therefore, the State as guarantor of the rights of every person under its custody has the duty to ensure that the manner and method of the deprivation of liberty does not exceed the level of suffering inherent to being locked up.[90]

---

[88] This principle is developed more extensively by other international instruments adopted within the framework of the United Nations, such as the Standard Minimum Rules for the Treatment of Prisoners, Rule 57; the Body of Principles for the Protection of All Persons under Any Form of Detention or Imprisonment, Principle 1; and the UN Basic Principles for the Treatment of Prisoners, Principles 1 and 5. See also, United Nations, Human Rights Committee, General Comment No. 21: Humane treatment of persons deprived of liberty, adopted at the 44th session (1992), paras. 2-4. In Compilation of General Comments and General Recommendations adopted by human rights treaty bodies, Volume I, HRI/GEN/1/Rev.9 (Vol. I) adopted on May 27, 2008, p. 242.

[89] I/A Court H.R., *Case of García Asto and Ramírez Rojas V. Peru*. Judgment of November 25, 2005. Series C No. 137, para. 223; I/A Court H.R., *Case of Lori Berenson Mejía V. Peru*. Judgment of November 25, 2004. Series C No. 119, para. 101.

[90] I/A Court H.R., *Case of Vélez Loor V. Panama*. Preliminary Objections, Merits, Reparations and Costs. Judgment of November 23, 2010. Series C No. 218, para. 198; I/A Court H.R., *Case of Yvon Neptune V. Haiti*. Merits, Reparations and Costs. Judgment of May 6, 2008. Series C No. 180; para. 130; I/A Court H.R., *Case of Boyce et al. V. Barbados*. Preliminary Objection, Merits, Reparations and Costs. Judgment of November 20, 2007. Series C No. 169; para. 88.

71.   Accordingly, the Commission has stated that:

It is fundamental that the deprivation of liberty have well-defined objectives, which cannot be exceeded by the activity of the prison authorities, not even under the cover of the disciplinary power that vests in them, and, therefore, the prisoner may not be marginalized, but instead reinserted in society. In other words, the prison practices must be in accord with a basic principle: no suffering should be added to the deprivation of liberty than what it already represents: The prisoner should be accorded humane treatment, with full respect for the dignity of his or her person, while at the same time seeking to facilitate reinsertion of the prisoner in society.[91]

B.   The State's duty to exercise effective control over prisons, and to prevent acts of violence

72.   As already mentioned, the State, when depriving a person of liberty, assumes a specific and material commitment to respect and ensure his or her rights[92], particularly the rights to life and humane treatment. These rights, in addition to being non-derogable, are fundamental and basic for the exercise of all other rights, and constitute indispensable minimums for the exercise of any activity.[93]

73.   The duty of the State to protect the life and ensure humane treatment for any person deprived of liberty includes the positive obligation to take all preventive measures to protect the prisoners from the attacks or attempted attacks by the State's own agents or third persons, including other prisoners.[94] In effect, as the prison is a place where the State exercises total control over the prisoners' lives, it is obligated to protect them from acts of violence, whatever the source.[95]

74.   In addition, the Inter-American Court has established that the States' obligations *erga omnes* to respect and ensure the norms of protection, and to ensure the effectiveness of the rights, have effects beyond the relationship between its agents and the persons subject to its jurisdiction. These effects are manifested in the positive obligation of the State to adopt the necessary measures to ensure, in certain circumstances, the effective protection of human rights in relations among individuals. Hence, omissions in its

---

[91] IACHR, *Annual Report 2002*, Chapter IV, Cuba, OEA/Ser.L/V/II.117, Doc 1 Rev. 1, adopted on March 7, 2003, para. 73. IACHR, *Annual Report 2001*, Chapter IV(c), Cuba, OEA/Ser.L/V/II.114, Doc. 5 Rev., adopted on April 16, 2002, para. 76.

[92] IACHR, *Special Report on the Human Rights Situation at the Challapalca prison*, para. 113; IACHR, Report No. 41/99, Merits, Minors in Detention, Honduras, March 10 1999, para. 135.

[93] IACHR, *Democracy and Human Rights in Venezuela*, Ch. VI, para. 667.

[94] IACHR, Report No. 41/99, Merits, Minors in Detention, Honduras, March 10, 1999, paras. 136 and 140.

[95] IACHR, Report No. 67/06, Case 12,476, Merits, Oscar Elías Biscet *et al.*, Cuba, October 21, 2006, para. 149.

duty to prevent human rights violations committed by third persons may give rise to the international responsibility of the State.[96]

75.   With respect to this duty of the State to effectively protect persons deprived of liberty, even vis-à-vis third persons, the IACHR has also indicated that:

[I]n addition to an adequate regulatory framework for prisons, there is an urgent need to implement specific actions and policies with an immediate impact on the situation of risk faced by detainees. The State's obligation toward prison inmates is not limited to merely enacting provisions to protect them, nor is it enough for state agents to refrain from actions that could injure the lives and persons of detainees; instead, international human rights law requires States to adopt all measures available to them to guarantee the lives and personal integrity of people held in their custody.[97]

76.   In this sense, for the State to be able to effectively ensure prisoners' rights it must exercise effective control over the prisons. In other words, the State should take charge of the fundamental aspects of prison administration, for example maintaining security inside and outside the prison; providing the basic goods and services necessary for the prisoners' lives; and preventing crime from being committed in or from prisons. In this respect, the Inter-American Court has recognized the existence of the authority and even the obligation of the State to guarantee security and maintain public order, especially within the prisons, using methods in line with the applicable norms for the protection of human rights.[98]

---

[96] I/A Court H.R., *Case of Ximenes Lopes V. Brazil.* Judgment of July 4, 2006. Series C No. 149, paras. 85 and 86. This case is cited as representative due to the facts that gave rise to it; nonetheless, this doctrine on the situation in which the international responsibility of the state is triggered by the actions of third persons has been gradually developed by the Court from its first merits decision. See, I/A Court H.R., *Case of Velásquez Rodríguez V. Honduras.* Judgment of July 29, 1988. Series C No. 4, para. 172. In addition, this doctrine has been reiterated systematically by the Inter-American Court in the context of the provisional measures granted with respect to prisons. See, for example: I/A Court H.R., Provisional Measures in the matter of Centro Penitenciario de Aragua "Cárcel de Tocorón," Venezuela, Order of the President of the Inter-American Court of Human Rights, November 1, 2010, Considering paragraph 13; I/A Court H.R., Provisional Measures in the matter of the Capital El Rodeo I & El Rodeo II Judicial Confinement Center, Order of the Inter-American Court of Human Rights, February 8, 2008, Considering paragraph 11; I/A Court H.R., Provisional Measures in the matter of Penitentiary Center of the Central Occidental Region (Uribana Prison), Order of the Inter-American Court, February 2, 2007, Considering paragraph 5; I/A Court H.R., Provisional Measures in the matter of Yare I and Yare II Capital Region Penitentiary Center (Yare Prison), Order of the Inter-American Court of Human Rights, March 30, 2006, Considering paragraph 14; I/A Court H.R., Provisional Measures in the matter of the Monagas Judicial Confinement Center ("La Pica"), Order of the President of the Inter-American Court of Human Rights, January 13, 2006, Considering paragraph 14; I/A Court H.R., Provisional Measures in the matter of the Mendoza Prisons, Order of the Inter-American Court, November 22, 2004, Considering paragraph 12. In granting these provisional measures, the Court took into consideration the alarming levels of violence among inmates in those prisons.

[97] IACHR, *Democracy and Human Rights in Venezuela*, Ch. VI, para. 826.

[98] I/A Court H.R., *Case of the Miguel Castro Castro Prison V. Peru.* Judgment of November 25, 2006. Series C No. 160, para. 240; I/A Court H.R., *Case of Montero Aranguren et al. (Detention Center of Catia) V. Venezuela.* Judgment of July 5, 2006. Series C No. 150, para. 70; I/A Court H.R., Provisional Measures in the matter of Yare I and Yare II Capital Region Penitentiary Center (Yare Prison), Order of the Inter-American Court of Human Rights, March 30, 2006, Considering paragraph 15.

77.   Accordingly, the fact that the State exercises effective control of the prisons implies that it must be capable of maintaining internal order and security within prisons, not limiting itself to the external perimeters of the prisons. It should be capable of ensuring at all times the security of the prisoners, their family members, visitors, and those who work in the prisons. It is not admissible under any circumstance for the prison authorities to limit themselves to external or perimeter surveillance, leaving the inside of the facilities in the prisoners' hands. When this happens, the State puts the prisoners at permanent risk, exposing them to violence in the prison and to the abuses of other more powerful prisoners or the criminal groups that run such prisons.

78.   Similarly, the fact that the State exercises effective control over centers of detention also implies that it should adopt the measures necessary to prevent the prisoners from committing, directing, or ordering such criminal acts within or from the prisons.

1.   Consequences of the lack of effective control of prisons

79.   In reality, when the State does not exercise effective control of the prisons at the three fundamental levels mentioned, serious situations arise that put the life and integrity of prisoners and even third persons at risk, such as: systems of "self-government" or "shared government," which is also the result of the corruption endemic in many systems; the high indices of prison violence; and the organization and direction of criminal acts from prisons.

80.   The IACHR, in the exercise of its monitoring function, has observed such situations with concern in several countries of the region. Thus, for example, the IACHR was able to determine in its 2006 visit to Bolivia, that:

> [I]n practice, internal security in the prisons is generally in the hands of the inmates themselves. In the San Pedro prison, for example, members of the National Police seldom venture within the walls, confining themselves for the most part to external security and inspections of visitors. Within the prison, the men deprived of liberty, their wives or partners and their children are left to their own fate. The prison authorities recognized, and the delegation of the Commission confirmed, that prisoners sell or rent individual cells. This means that an inmate does not have the right to a cell, and that he has to pay to have a place to sleep; or else he will sleep in a corridor or out in the courtyard, exposed to the elements of the weather. In the Chonchocorro prison, the Commission was informed that the sports gymnasium belonged to an inmate, who charged a membership fee of 20 *bolivianos* a month for its use.[99]

---

[99] IACHR, *Access to Justice and Social Inclusion: The Road Towards Strengthening Democracy in Bolivia*, Ch. III, paras. 201-202.

81.   In addition, during its on-site visit to Guatemala in 1998, the IACHR found that at the Pavón and Pavoncito prisons,

> The guards do not enter the areas where the inmates live. The disciplinary power within the facilities is exercised by the detainees and prisoners themselves through so-called "Committees of Order and Discipline." Such Committees are headed by an inmate reportedly chosen "unanimously" by the rest of the inmates and who enforces authority mainly through violence and threats.

> [...]

> In Pavón, the head of the Committee of Order and Discipline himself showed the Commission around the facility at the request of the authorities. When visiting Pavoncito, the Commission found itself constantly escorted by the 140 members of the Committee, armed with long sticks, as part of an intimidating display of authority. When the Commission inquired regarding the purpose of the weapons, one of the leaders of the Committee explained "it is for respect."

> The Commission is very concerned by information received which indicates that these committees are used in many cases to abuse and persecute the most vulnerable inmates, and by the open abdication of official custodial authority in certain facilities and its impact on the fair treatment of inmates and the protection of their right to life, physical integrity and non-discrimination.[100]

Subsequently, in the context of a thematic hearing held in 2006, during the 124th period of sessions, the IACHR was informed that in most Guatemalan prisons disciplinary functions were still exercised by groups of prisoners known as "committees of order and discipline," (*Comités de Orden y Disciplina*) and that the "sanctions" that they applied went from indefinite isolation to beatings resulting in death. In addition, the organizations that presented in the public hearing indicated the discontent with the committees of order and discipline as a cause of riots.[101]

82.   In addition to these situations observed in Bolivia and Guatemala, the IACHR observed similar situations in country reports on Colombia (1999) and Mexico (1998). In the Colombia report, the IACHR referred to the delegation of control over certain areas of some prisons to "'internal chiefs', complaints were received which indicated that mini-fiefdoms had been created which possessed *de facto* authority and which charged

---

[100] IACHR, *Fifth Report on the Situation of Human Rights in Guatemala*, Ch. VIII, paras. 25-27.

[101] IACHR, Public hearing: *Situation of the Penitentiary System in* Guatemala, 124º Ordinary Period of Sessions, requested by Instituto de Estudios Comparados en Ciencias Penales de Guatemala (ICCPG), March 6, 2006.

fees for access to services, protection, etc..."[102] In its Report on the Situation of Human Rights in Mexico, the IACHR noted:

> Corruption, inadequate resources and lack of planning have led to frequent situations in which groups of prisoners unlawfully take over management and command functions in what is known as self-government by prisoners. Such situations are inconsistent with the principle of due authority and with the conditions of equality among prisoners that should exist, giving rise to numerous abuses.
>
> These power groups are made up of persons (inmates) who have the economic means or the support of certain officials and who recruit other prisoners. Since the latter are unable to find well-paid work within the prison institution, they prefer to work for another prisoner, even though the activity might be illegal (*e.g.* selling drugs, prostitution, etc.)[103]

83.   The mechanisms of protection under the United Nations have also encountered such situations in countries of the region. Thus, for example, the Subcommittee for the Prevention of Torture, after a 2008 mission to Mexico, referred at length to the regimes of "self-government" or "shared government" in several prisons in Mexico, and so reported in a manner consistent with was what found by the IACHR one decade earlier. The Subcommittee for the Prevention of Torture was able to verify, during its visits to prisons, that these practices were called "internal customs" or "leadership," and represent a serious risk factor for many persons deprived of liberty who may be subjected, by the "leaders" of each dormitory or wing, to punishment, disciplinary sanctions, and other humiliating acts. In addition, they indicate that in many of these prisons all types of commercial transactions take place, including payment for certain preferential spaces or dormitories and a whole system of privileges that not all persons deprived of liberty can benefit from.[104]

84.   The following passage from the above-mentioned report of the Subcommittee for the Prevention of Torture refers to what was observed at the prison known as Centro Penitenciario Santa María Ixcotel in Oaxaca, and is particularly illustrative of the nature of the problems raised here:

> Living conditions for prisoners in the facility varied considerably, depending on whether they could afford to pay the fees exacted [...] In the "privileged" area, conditions were extraordinarily comfortable.

---

[102] IACHR, *Third Report on the Human Rights Situation in Colombia*, OEA/Ser.L/V/II.102. Doc. 9 rev. 1, adopted on February 26, 1999. (hereinafter "*Third Report on the Human Rights Situation in Colombia*"), Ch. XIV, para. 7.

[103] IACHR, *Report on the Situation of Human Rights in Mexico*, OEA/Ser.L/V/II.100. Doc. 7 rev. 1, adopted on September 24, 1998. (hereinafter "*Report on the Human Rights Situation in Mexico*"),Ch. III, paras. 262-263.

[104] United Nations, Subcommittee for the Prevention of Torture, *Report on the visit of the SPT to Mexico,* CAT/OP/MEX/R.1, adopted on May 27, 2009, para. 167.

> Prisoners' families visited daily and the prisoners cooked together, worked and even ran businesses within the institution that enabled them to earn a living [...] They explained that the bosses of each cell block are elected democratically by the prisoners themselves. They emphasized that everyone tries to maintain stability within the prison and that the prisoners respect one another and follow the inside rules [...]

> The delegation visited cell block No. 19 in the same prison and was deeply concerned by the poor living conditions of the inmates being held there [...] The cell blocks had no ventilation and all the areas where inmates were held were overcrowded. The delegation observed that, in case of fire, it would be difficult to evacuate these places [...] These people were living in conditions of extreme overcrowding. They had no contact with the "privileged" area [...] The members of the delegation were told confidentially that the prison authorities were aware that this situation of self-rule was occurring inside the prison and that many of the internal rules had been agreed between the inmate bosses and the prison authorities – to the benefit of both sides. The delegation also found that the prison staff was insufficient to be able to stop any conflict that might arise between inmates.

85.   The IACHR observes that Honduras is another State in which the existence of such patterns of self-rule and lack of effective control by the authorities was found. In this respect, the Subcommittee for the Prevention of Torture, in its 2010 report on Honduras, referred in detail to the main challenges facing the prison administration in Honduras:

> The Subcommittee noted that the shortage of staff assigned to the prisons [Marco Aurelio Soto Penitentiary in Tegucigalpa the Penitentiary of San Pedro Sula] had given rise to a regime of self-governance, under the control of "coordinators" and "subcoordinators" who are prisoners who act as spokespersons in dealings between the authorities and the rest of the prison population [...] From talking with inmates, the Subcommittee learned that the coordinators and subcoordinators are in charge of keeping order and assigning spaces in each wing. This was accepted by the prison staff with whom the Subcommittee spoke, who also revealed that they never enter some wings, such as those where the members of *maras* are held.

> The Subcommittee observed that, in the facilities visited, corruption was institutionalized by way of a sophisticated system that included procedures, steps and time frames [...] Through talks with a large number of prisoners, the Subcommittee learned that they must pay a considerable sum of lempiras in order to enjoy benefits of any kind, including a cell or a place to sleep.

[...]

The system of corruption and privileges described above has spread to all aspects of daily prison life, and covers the obtaining of beds, mattresses, food, air conditioning units, televisions and radios. According to repeated and concurring statements by prisoners, weekly fees ranging from 15 to 20 lempiras are to be paid to the coordinators for cleaning and maintaining order in the wing.

The self-governance regime also applies to food; the prison staff admitted that all food portions are handed over directly to the coordinators, who take responsibility for distributing them. According to certain accounts, some of the food is distributed and some is sold to the prisoners.

A number of inmates stated that they had been beaten as punishment by other inmates or by prison staff, on orders from the coordinators, and that sometimes the coordinator himself administered the "punishment".[105]

86. The *Centro de Prevención, Tratamiento y Rehabilitación de las Víctimas de la Tortura* (CPTRTR), in its response to the questionnaire circulated for the production of this report, indicated that among the main problems facing the Honduran prison system is "the institution of "coordinators' (*coordinadores*) of the modules or households, in all the prisons, who physically punish the other persons deprived of liberty," and "the illegal charges for being able to remain in a given module or household, by the coordinators of the modules, of up to 250 dollars."[106]

87. The IACHR and United Nations mechanisms have also identified serious structural problems, including situations of self-government and benefits systems in Paraguay.

88. In this respect, the United Nations Rapporteur on Torture found that in general both in the oldest prisons and in those recently constructed there is an inadequate supply of food, clothes, and medical care, which pushes the prisoners to seek other forms of securing a dignified existence. Thus the detainees who lack external support and financial resources are forced to offer their work to detainees in better economic conditions and are completely at their mercy, resulting in extreme situations of inequality

---

[105] United Nations, Subcommittee for the Prevention of Torture, *Report on the visit to Honduras of the SPT*, CAT/OP/HND/1, adopted on February 10, 2010, paras. 205-207, 229 and 236. In addition, the Working Group on Arbitrary Detention noted in the report on its visit to Honduras in 2006 that the authorities do not effectively administer the prisons. And it concluded that the budget limitations the prison system faces "cannot justify the abdication from the public responsibility to provide the detainees with these services, which they currently can obtain only through constant unlawful payments and a bustling network of businesses run by the inmates."[105] United Nations, Working Group on Arbitrary Detentions, *Report on mission to Honduras*, A/HRC/4/40/Add.4, adopted on December 1, 2006, para. 77.

[106] Response sent by the CPTRT to the questionnaire for this report, received via email dated on May 24, 2010.

between those who have the resources to secure comfortable conditions and those who must resign to living in inhumane conditions.[107]

89.   Along the same lines, the Subcommittee for the Prevention of Torture, in the report on its mission to Paraguay, describes how at the National Penitentiary of Tacumbú there is a system in which certain inmates, called "foremen" (*capataces*), along with the prison staff, charge a fee for entering and staying in the various wings of that prison, establishing a system of prices in keeping with the conditions of the respective wing. There are also weekly fees for maintaining order and for cleaning, which, if not paid to the "foreman," lead to one being expelled from the wing.[108]

90.   As made clear in the above examples, the lack of effective control by the authorities of what goes on in the prisons may lead to truly serious and complex situations in which it is impossible for the penalty entailing deprivation of liberty to serve its purposes. The prisons then become, as the IACHR has already said, "schools for crime and anti-social behavior leading to recidivism in place of rehabilitation,"[109] and places in which the human rights of the prisoners and their families – especially those in vulnerable conditions – are systematically violated.

91.   The IACHR recognizes the need for the prisoners to have the possibility and the spaces for organizing on their own, sports, religious, cultural, and musical activities, and even to coordinate certain aspects of their living arrangements,[110] which is favorable for attaining the objectives of the penalty, and clearly for maintaining harmony and the sound operation of the prisons. Nonetheless, the Commission emphasizes the fundamental principle that the State, as guarantor of the rights of persons deprived of liberty, should not encourage or allow certain prisoners to have power over fundamental aspects of the lives of other prisoners.

92.   For a person deprived of liberty to have to pay or be subjected to other abuses to obtain the basic elements necessary to live in dignified conditions is contrary to international human rights law and inadmissible from any point of view.

93.   In addition, the fact that the State allows or tolerates systems of privileges in which a certain class of prisoners with greater purchasing power can monopolize the best spaces and resources of prisons to the detriment of other prisoners – which represent the majority– who are not in the same conditions, is also inadmissible. When this happens, the most vulnerable persons are relegated to overcrowded,

---

[107] United Nations, Special Rapporteur on Torture and other Cruel, Inhuman or Degrading Treatment or Punishment, Report on the mission to Paraguay, A/HRC/7/3/Add.3, adopted on October 1, 2007. Ch. IV: *Conditions of detention*, paras. 67-68.

[108] United Nations, Subcommittee for the Prevention of Torture, *Report on the visit to Paraguay of the SPT,* CAT/OP/HND/1, adopted on June 7, 2010, paras. 158 and 161.

[109] IACHR, *Fifth Report on the Situation of Human Rights in Guatemala,* Ch. VIII, para. 69.

[110] See in this regard, the United Nations Standard Minimum Rules for the Treatment of Prisoners (Rule 28.2).

unsanitary, and unsafe places. And clearly, the result is that the patterns of inequality and marginalization in society are reproduced inside the prisons. In addition, the message is sent to the prison population and society in general, that the administration of justice – and clearly the State's response to crime – does not operate equally for all persons. This perception has a serious detrimental impact on the expectations of rehabilitation and social reinsertion of persons subject to penalties entailing deprivation of liberty. In this respect, the Working Group on Arbitrary Detention has considered:

> When police officers, prison administration staff, judicial civil servants, judges, public prosecutors and lawyers approach individuals deprived of their liberty varyingly, depending on whether or not bribes or other irregular payments or favors have been received, then the whole system of guarantees becomes devoid of any content, empty and meaningless; it renders defenseless all those who cannot or refuse to pay the amounts that are asked from them and in turn further reduces the credibility of the entire system of administration of justice.[111]

94.   The exercise of effective control of prisons requires that the State adopt the necessary measures for preventing the prisoners, or criminal bands that operate inside the prisons, from organizing, directing, or committing criminal acts in or from the prisons.

95.   The IACHR addressed this issue in its Press Release No. 98/10 concerning the existence of a child pornography ring in the National Penitentiary of Tacumbú. According to the information analyzed by the IACHR – and which was widely disseminated in Paraguay and internationally – a group of prisoners from that prison were contacting minors via the Internet and using threats they were able to get them to visit the prison where they forced them to engage in sexual acts that were filmed and photographed – all inside the prison.[112]

96.   Similarly, the administration of illegal operations by the prisoners themselves from the prisons, as a result of the lack of capacity and resources to maintain security, was one of the issues of concern to the IACHR in monitoring the human rights situation in Bolivia.[113]

97.   In addition, the Rapporteur on the Rights of Persons Deprived of Liberty verified in its visit to El Salvador in October 2010 that one of the main challenges the State faces is precisely preventing criminal activities directed and organized from the prisons, mainly by gang members. The leaders of these groups order and direct, from the prisons, the commission of crimes such as homicide and extortion, using increasingly sophisticated

---

[111] United Nations, Working Group on Arbitrary Detentions, report submitted to the Human Rights Council, A/HRC/10/21, adopted on February 16, 2009. Ch. III: *Thematic considerations,* para. 60.

[112] IACHR, Press Release 98/10 - IACHR Expresses Deep Concern over Situation in Paraguayan Jail. Washington, D.C., September 24, 2010.

[113] IACHR, Follow-up Report - *Access to Justice and Social Inclusion: The Road Towards Strengthening Democracy in Bolivia,* OEA/Ser/L/V/II.135. Doc. 40, adopted on August 7, 2009, Ch. V, para. 117.

methods and even using their own family members as a vehicle for transmitting or carrying out such orders.

2.   Prison violence, causes and preventive measures

98.   The high indices of prison violence represent one of the main problems facing prisons in the region. This reality, as mentioned earlier has been repeatedly observed with concern by the General Assembly of the OAS.[114]

99.   In this respect, one of the points of the questionnaire sent to the member States on occasion of this report referred to the indices of prison violence, including the number of deaths, during the last five years. The official information provided by the States that sent their responses is as follows:

Argentina	From 2006 to 2009, there were 201 deaths in units of the Federal Penitentiary Service, 26 of which are said to have resulted from acts of violence.
Bahamas	In 2008 and 2009, there were 140 acts of violence among inmates (76 described as "assault" and 64 as "personal violence") and 7 acts of violence by inmates directed against security agents (4 described as "assault" and 3 as "personal violence"). It is noted that on January 17, 2006, there was an escape attempt in which one guard and one inmate lost their lives, and two other security agents were wounded.
Bolivia	From 2005 to May 2010 a total of 85 persons died in prisons (no further details provided).
Chile	From 2005 to 2009 there were in all 873 assaults among inmates; 461 brawls; 94 fires/attempts; 285 disorders; 236 personal assaults; and 29 sexual assaults on inmates. In addition, in that same period 203 inmates died in brawls/assaults, and 5 in events related to escapes.
Colombia	The figures provided by the State with respect to acts of violence that occurred in the 2005-2009 period are as follows: 2005: 30 violent deaths /752 injuries (population 69,365 inmates) 2006: 13 violent deaths /962 injuries (population 62,906 inmates) 2007: 14 violent deaths /811 injuries (population 61,543 inmates) 2008: 29 violent deaths /930 injuries (population 67,812 inmates) 2009: 27 violent deaths /969 injuries (population 74,277 inmates) Total: 113 violent deaths in that 5-year period.
Costa Rica	From 2005 to 2009 the following critical incidents occurred at the Centers for Institutional Attention of the Penitentiary System: 555 assaults; 71 brawls; 1 riot; 25 homicides; 2 rapes; 4 cases of material damage; 8 cases of assaults of staff; 2 cases of assault against a visitor in conjugal visit; and one rape of a visitor on conjugal visit.

---

[114] OAS, General Assembly Resolution, AG/RES. 2510 (XXXIX-O/09), adopted on June 4, 2009; OAS, General Assembly Resolution, AG/RES. 2403 (XXXVIII-O/08), adopted on June 13, 2008; OAS, General Assembly Resolution, AG/RES. 2283 (XXXVII-O/07), adopted on June 5, 2007; and OAS, General Assembly Resolution, AG/RES. 2233 (XXXVI-O/06), adopted on June 6, 2006.

Ecuador	From 2005 to June 2010 there were 172 deaths due to prison violence.
El Salvador	From 2006 to May 6, 2010, the following acts of violence occurred: 19 riots, 49 brawls, 8 revolts, and 72 homicides.
Guatemala	The Guatemalan State, in its response, provided the following information on specific events: 12/23/02, Pavoncito Penal Center, riot in which 17 prisoners died, and more than 30 were wounded; 05/19/06, Mazatenango Penal Center, brawl between gang members and "*paisas*" in which six "*paisas*" died; 09/25/06, takeover of Pavón by the authorities of the Penitentiary System; 02/26/07/Boquerón Penal Center, assassination of four police officers accused in the homicide of members of the Central American Parliament; 03/07/07, Pavoncito Penal Center, brawl between gang members of the "Mara 18" and the "Mara Salvatrucha"; 03/26/07, Escuintla High Security Prison, brawl in which three prisoners died and seven were wounded; 03/27/07, Pavoncito Penal Center, a riot motivated by the "*paisas*" in protest over the transfer of gang members from the "Mara Salvatrucha" from the Escuintla High Security Prison; 11/21/08, Boquerón Penal Center, a riot motivated by discontent of the gang members from the "Mara Salvatrucha"; 011/22/08, Pavoncito Penal Center, brawl in which seven inmates were burned and decapitated, and two were wounded; 10/12/09, Progreso Penal Center, riot (no additional information was presented); 04/23/10, acts of violence in several penal centers as reprisal for mistreatment of inmates at the Fraijanes II Penal Center, including riots with hostage-taking at the Fraijanes II Penal Center and in the Preventive facility of Zone 18, in the wake of these events, on 04/24/10, there were also attacks on the guard towers of the Pavón Prison and the C.O.F.
Mexico	The Mexican State reported: "In regard to the Federal Centers for Social Readaptation, to date there have been 313 brawls and two homicides (October and December 2004)."
Nicaragua	The Nicaraguan State reported: "The indices of prison violence are 7.2% annually, which is equivalent to 0.977% of incidents per prison, the most significant being assaults among inmates without serious consequences. As for inmates who have died in the last 5 years in the National Penitentiary System ... 4 have been due to homicide."
Panama	From 2009 to October 2010, there were 168 acts of violence in the prisons, in which 13 persons lost their lives, mostly due to attacks with knives and firearms, and one after a shotgun blast by the police.
Paraguay	From 2004 to 2009, 177 prisoners died and 140 were injured (the causes are not stated).
Peru	The Peruvian State reported: "There have been 42 confrontations among inmates in various prisons of the country, 35 of which were due to brawls known as *gresca* (confrontations among two or more inmates over personal matters) and seven due to brawls known as *reyerta* (confrontations among rival groups of inmates seeking to control some sectors of the prison). On December 31, 2009, there was a riot in which hostages were taken and an escape attempt by prisoners at the E.P. Chachapoyas, as a result of which two inmates died from gunshot wounds while attempting to flee the prison."
Trinidad and Tobago	The State of Trinidad and Tobago indicated that during the last five years 2 persons have died in prison due to acts of violence.

Uruguay	From 2005 to 2009 there were a total of 452 assaults among prisoners (2005:141/2006:66/2007:64/2008:75/2009:16); and 57 homicides (2005:6/2006:20/2007:11/2008:10/2009:10).
Venezuela	The figures provided by the State with respect to acts of violence (riots, brawls, and fights) in 2005-2009 are as follows: 2005: 1,102 violent acts (population of 18,218 inmates); 2006: 1,322 violent acts (population of 18,700 inmates); 2007: 1,561 violent acts (population of 21,201 inmates); 2008: 1,250 violent acts (population of 24,279 inmates); and 2009: 988 violent acts (population of 32,624 inmates). In terms of the total number of persons wounded and killed, the State presents the following figures: 2005: 721 wounded and 381 killed; 2006: 934 wounded and 388 killed; 2007: 1,103 wounded and 458 killed; 2008: 876 wounded and 374 killed; and 2009: 724 wounded and 264 killed Totals: 4,358 wounded ad 1,865 killed.

100.	Indeed, prison violence is one of the most serious problems faced by the region's prison systems, to a greater or lesser extent depending on the specific context. Prison violence, as a violation of the rights to life and humane treatment, is one and the same in reality, though its manifestations may vary depending on the specific circumstances. It also includes assaults by State agents against persons under their custody, such as the acts of violence among inmates or those committed by inmates against State agents or third persons.

101.	The organs of the Inter-American human rights system for the protection of human rights, through the exercise of their various powers and jurisdictions, have ruled on various situations of prison violence in the region.

102.	The vast majority of the provisional measures granted by the Inter-American Court with respect to persons deprived of liberty have been based mainly on grave acts of prison violence and lack of effective control by the authorities over the prisons.

103.	For example, in the provisional measures on *The Mendoza Prisons*, granted by the Court on November 22, 2004, two fundamental factors were taken into consideration: the high levels of prison violence in the seven months prior to the granting of measures, which had resulted in the deaths or injuries to several persons deprived of liberty, as well as some prison guards, in fires, fights among inmates, and circumstances that were not clarified; and the deplorable conditions of detention in those prisons, characterized by overcrowding, the lack of basic services, and the unhygienic and insalubrious considerations of the facilities.[115] The grave living conditions of persons

---

[115] I/A Court H.R., Provisional Measures in the matter of the Mendoza Prisons, Order of the Inter-American Court of Human Rights, November 22, 2004, Having seen paragraph 2 and Considering paragraphs 7 and 11.

deprived of liberty, in addition to constituting a violation of the right to humane treatment, was also a factor favoring the climate of violence and the tensions among the prisoners.

104.   One of the most serious situations observed at the Provincial Penitentiary of Mendoza, especially during the first years in which the provisional measures were in force, was precisely that the prison staff was by far outnumbered by the prisoners. Accordingly, the guards were not in the wings, and merely observed the prisoners' activities from outside.[116] In this respect, the Court ordered in due course, in addition to the other measures necessary for preserving the life and personal integrity of the prisoners, the following measures: (a) increases in the prison personnel assigned to ensure security in the establishments; (b) the elimination of weapons in the establishments; and (c) that the patterns of surveillance should be varied so as to ensure adequate control and the effective presence of prison personnel in the wings.[117]

105.   In addition, the Inter-American Court, from January 2006 to November 2010, granted five provisional measures with respect to prisons in Venezuela. In all these cases the facts that led to the adoption of the measures referred to extremely serious situations of violence in which it was reported that a large number of persons were killed and wounded, as can be observed:

(a)   In the matter of *Monagas Judicial Confinement Center ("La Pica")*, the Court was informed that during 2005, 43 persons had died and at least 25 had been seriously injured; that during 2004, 30 prisoners had died in violent incidents; and that the 501 prisoners at that establishment were guarded by 16 guards half of whom worked in each of two 24-hour shifts.[118]

(b)   In the matter of *Yare I and Yare II Capital Region Penitentiary Center (Yare Prison)*, it was considered that from January 2005 to March 2006 there had been 59 violent deaths as a result of gunshot wounds, stab wounds, hangings, and decapitations, and at least 67 serious injuries. In addition, the authorities had seized several weapons and grenades. The 679 inmates housed in the Yare I and Yare II prisons, combined, were under the surveillance of a total of 23 guards who worked 24-hour shifts.[119]

---

[116] This situation was verified by the IACHR during a visit to the prisons of Mendoza from December 13 to 17, 2004, see, I/A Court H.R., Provisional Measures case of the Mendoza Prisons, Order of the Inter-American Court of Human Rights, June 18, 2005, Having seen paragraph 24(b). See also, I/A Court H.R., Provisional Measures in the matter of the Mendoza Prisons, Order of the Inter-American Court of Human Rights, March 30, 2006. Having seen paragraph 51(a).

[117] I/A Court H.R., Provisional Measures in the matter of the Mendoza Prisons, Order of the Inter-American Court of Human Rights, March 30, 2006. Considering paragraph 12.

[118] I/A Court H.R., Provisional Measures in the matter of Monagas Judicial Confinement Center ("La Pica"), Order of the President of the Inter-American Court of Human Rights, January 13, 2006. Having seen paragraphs 2(c) and (d).

[119] I/A Court H.R., Provisional Measures in the matter of the Yare I and Yare II Capital Region Penitentiary Center (Yare Prison), Order of the Inter-American Court of Human Rights, March 30, 2006. Having seen paragraphs 2(c), (d) and (f).

(c)   In the matter of the *Penitentiary Center of the Central Occidental Region (Uribana Prison)*, the Court was informed that from January 2006 to January 2007 there had been a total of 80 violent deaths and 213 persons wounded, most by knives or firearms. Internal security at the prison was entrusted to eight staff for a population of 1,448 prisoners.[120]

(d)   In the matter of the *Capital El Rodeo I & El Rodeo II Judicial Confinement Center*, the Court was told that from 2006 to February 1, 2008, there were 139 deaths and 299 persons wounded in various violent incidents. In addition, it was said that only 20 guards on each shift to watch over 2,143 prisoners.[121]

(e)   In the matter of *Centro Penitenciario de Aragua "Cárcel de Tocorón,"* the Court was informed that from 2008 to the first quarter of 2010 there were 84 deaths as the result of acts of violence among inmates. In addition, from September 27 to 29, 2010, there was a riot that left 16 inmates dead and 36 to 46 wounded. Firearms were shot and eight grenades were detonated in this riot. The State mobilized 1,800 members of the National Guard to control the prison situation. Subsequently, on October 10, another inmate died from a stab wound.[122]

106.   In all these matters, the general context and the causes that gave rise to the acts of violence are fundamentally the same: a general situation of inhumane conditions of detention characterized mainly by considerable overcrowding; lack of basic services; failure to separate inmates by categories; lack of effective control over the internal security situation of these prisons – the prison guards only enter the prisons with the National Guard, which is specifically entrusted with perimeter security; reports of mistreatment and excessive use of force by the National Guard forces; *de facto* control of these establishments by the heads of criminal bands, called *"pranes"*; and the possession of all kinds of weapons by the inmates, including high-caliber firearms and explosives.

107.   The fundamental factor behind the escalation in violence in these prisons is the inability of the State to recover internal control, and the failure to adopt effective measures to correct the shortcomings that make it possible for the prison population to rearm, especially the lack of effective controls by the respective officials.

108.   In these matters, the Inter-American Court required that the State immediately adopt the necessary measures, fundamentally preventive ones, to efficiently

---

[120] I/A Court H.R., Provisional Measures in the matter of the Penitentiary Center of the Central Occidental Region (Uribana Prison), Order of the Inter-American Court of Human Rights, February 2, 2007. Having seen 2(a), (b) and (c).

[121] I/A Court H.R., Provisional Measures in the matter of the Capital El Rodeo I & El Rodeo II Judicial Confinement Center, Order of the Inter-American Court of Human Rights, February 8, 2008. Having seen paragraphs 2(b), (c) and (g), and 9. Indeed, in this case the IACHR reported that the administrative area, the hallways, and even the roof in the prison area were controlled by the prisoners; and that bands known as "Barrio Chino" and "La Corte Negra" are the interlocutors who negotiate with the Ministry of Interior.

[122] I/A Court H.R., Provisional Measures in the matter of Centro Penitenciario de Aragua "Cárcel de Tocorón", Venezuela, Order of the President of the Inter-American Court of Human Rights, November 1, 2010, Having seen paragraphs 2(b) and (d).

and once and for all prevent the violence in these prisons. In some cases, such as *Yare Prison*[123], and in the *Uribana Prison*[124], the Court ordered that specific measures be adopted to seize the arms in the hands of the inmates; separate the inmates awaiting trial from the convicts; separate the men from the women; reduce overcrowding and improve the conditions of detention; periodically supervise the conditions of detention and the conditions of the detainees; and provide trained staff in sufficient numbers to ensure the adequate and effective control, custody, and surveillance of the prison. In addition, the Court emphasized the duty of the State to design and implement prison policies to prevent critical situations.[125]

109.   The IACHR has closely monitored the prison situation in Venezuela. In this context, in its special report *Democracy and Human Rights in Venezuela,* after analyzing various indicators of prison violence in Venezuela, it concluded: "In comparative terms, Venezuelan prisons are the most violent in the region."[126] In effect, even considering the official data provided by the State, one observes that the figures on acts of violence and deaths of persons deprived of liberty are alarming. As observed *supra* in the State's response to the questionnaire circulated for this report, the figures on prisoners killed and wounded in the 2005-2009 period were as follows: 2005: 721 injured and 381 killed; 2006: 934 injured and 388 killed; 2007: 1,103 injured and 458 killed; 2008: 876 injured and 374 killed; and 2009: 724 injured and 264 killed.

110.   In addition, according to the information provided by the NGO *Observatorio Venezolano de Prisiones*, in a hearing held during the 140th period of sessions, in the first nine months of 2010, 352 prisoners were killed and 736 wounded in Venezuela in acts of violence.[127]

---

[123] I/A Court H.R., Provisional Measures in the matter of Yare I and Yare II Capital Region Penitentiary Center (Yare Prison), Order of the Inter-American Court of Human Rights of March 30, 2006, Operative paragraph 2.

[124] I/A Court H.R., Provisional Measures in the matter of Penitentiary Center of the Central Occidental Region (Uribana Prison), Order of the Inter-American Court of Human Rights, February 2, 2007, Operative paragraph 2.

[125] I/A Court H.R., Provisional Measures in the matter of the Monagas Judicial Confinement Center ("La Pica"), Order of the President of the Inter-American Court of Human Rights, January 13, 2006, Considering paragraph 15; I/A Court H.R., Provisional Measures in the matter of Yare I and Yare II Capital Region Penitentiary Center (Yare Prison), Order of the Inter-American Court of Human Rights, March 30, 2006, Considering paragraph 18.

[126] IACHR, *Democracy and Human Rights in Venezuela*, para. 881.

[127] IACHR, Public hearing: *Democratic Institutions and Human Rights Defenders in Venezuela (private hearing)*, 140º Ordinary Period of Sessions, requested by the Center for Justice and International Law (CEJIL), Acción Solidaria (ACSOL), COFAVIC, CEJIL, Acción Solidaria, Carlos Ayala Corao, Caritas Los Teques, Vicaría de Derechos Humanos de Caracas, PROVEA, and Observatorio Venezolano de Prisiones (OVP), October 29, 2010.

111.   In this context, and after receiving information from various sources,[128] the IACHR spoke out on the practice of "Coliseo" at the Uribana Prison in its press releases 110/10 and 14/11. In those press releases, the IACHR deplored these acts of violence consisting of violent confrontations planned by inmates to "settle accounts"; they are organized and directed by the chiefs of the criminal organizations that control that prison ("*pranes*"). According to the codes established by the inmates themselves, in these struggles the use of knives or blades is allowed, as well as injuring the opponent on certain parts of the body. As of the date of the press release (November 2010) this aberrant practice had already left a total of four deaths and more than 100 wounded. These confrontations take place in the presence of the State agents entrusted with the security of the prison, and are a matter of public knowledge.[129]

112.   The IACHR considers the existence of such practices unacceptable, and they constitute a clear breach of the State's duty to create the conditions necessary for preventing brawls among inmates.[130] In addition, they constitute a breach of the fundamental duty of the State to maintain order and security in the prisons.

113.   From 2004 to the date of this report, the IACHR has consistently reported grave acts of violence in the following countries of the region:[131] *Brazil* (in relation to the Urso Branco Prison, the Raimundo Vidal Pessoa Provisional Detention Center, and the events in May 2006 in the city of Sao Paulo in which there were more than 70 riots in different prisons, and many other acts of violence);[132] *El Salvador* (La Esperanza "La Mariona", Sonsonate, and Cojutepeque prisons);[133] *Dominican Republic* (Higüey Prison);[134] *Guatemala* (31st Police Station of the National Civilian Police of Escuintla, Pavón and Pavoncito Prisons, Canadá Farm, and the Mazatenango Preventive Center);[135] *Honduras* (National Penitentiary of Támara and San Pedro Sula Prison);[136] *Venezuela* (the following

---

[128] This matter was initially brought before the IACHR in the Public hearing on *Citizen Security, Prisons, Diversity, and Sexual Equality in Venezuela*, 140º Ordinary Period of Sessions, Participants: Foro por los Derechos Humanos y la Democracia (Justicia y Proceso Venezuela), Control Ciudadano, DIVERLEX and Una Ventana a la Libertad, October 29, 2010. Information on this matter was also received from other organizations such as Observatorio Venezolano de Prisiones; moreover, this practice of the "Coliseo" has been widely covered by the local press in the state of Lara.

[129] IACHR, Press Release Washington, D.C., November 9, 2010; and IACHR, Press Release 14/11 – IACHR reiterates need to prevent acts of violence in Venezuelan prison. Washington, D.C., February 22, 2011.

[130] See, I/A Court H.R., *Case "Juvenile Reeducation Institute" V. Paraguay*. Judgment of September 2, 2004. Series C No. 112, para. 184. In this case the Court concluded that in the context of brawls among inmates, even though state agents are not the ones who directly produce the injuries or death of the prisoners, the international responsibility of the state is triggered when it clearly breaches its duty to prevent such incidents.

[131] The press releases of the IACHR organized by year are available at the section for the Press Office of the IACHR, available at: http://www.oas.org/en/iachr/media_center/press_releases.asp.

[132] IACHR Press Releases 13/04 and 114/10.

[133] IACHR Press Releases 16/04 and 52/10.

[134] IACHR Press Release 6/05.

[135] IACHR Press Releases 32/05 and 53/08.

[136] IACHR Press Releases 2/06 and 20/08.

prisons: Uribana, Guanare, Yare, Vista Hermosa, Tocorón, Internado Judicial de Reeducación, and Trabajo Artesanal La Planta, Centro Penitenciario de Occidente en Táchira);[137] *Argentina* (Santiago del Estero Prison);[138] and *Mexico* (Social Readaptation Center No. 1 of Durango).[139]

114.   In these press releases, the IACHR has consistently reiterated that the States have the nonwaivable duty to guarantee the rights to life and humane treatment of persons deprived of liberty, in light of which they must adopt specific measures to prevent, investigate, and punish acts of violence in the prisons.

115.   The IACHR, in the exercise of its different monitoring powers, has observed that the main causes of prison violence in the region are: the lack of effective control of order and internal security of prisons; the lack of sufficient and trained security personnel; corruption; the excessive use of force and humiliating treatment of prisoners by the security agents; the entry and circulation of alcohol, drugs, and money in the prisons; the possession of weapons by inmates; the activity of criminal groups that operate in the prisons, and the constant disputes among these groups for control of them; overcrowding and deficient conditions of detention; the lack of separation of inmates by categories; the lack of protection of vulnerable groups; the absence of productive activities for the prisoners;[140] discriminatory and abusive treatment of prisoners' family members; and the shortcomings in the administration of justice, such as judicial delay.[141]

116.   There is not, nor can there be, any reason for the State to abdicate its peremptory duty to protect the life of and ensure humane treatment for persons who are subject to its immediate, complete, and constant control, and who lack any effective capacity for self-determination and defense on their own. The most effective means of ensuring the rights of persons deprived of liberty is to adopt preventive measures. The

---

[137] IACHR Press Releases 1/07, 10/10, 27/10, 50/10, 110/10 and 7/11.

[138] IACHR Press Releases 55/07.

[139] IACHR Press Release 9/10.

[140] The representatives of the IACHR who visited the prisons of Mendoza, December 13 to 17, 2004, verified that one of the frequent causes of violence among prisoners was precisely the lack of activities in which to engage themselves during the recreation hours. See, I/A Court H.R., Provisional Measures in the matter of Mendoza Prisons, Order of the Inter-American Court of Human Rights, June 18, 2005, Having seen paragraph 24(b).

[141] This situation is evident to the point that in practice many of the riots, hunger strikes, etc. that occur in the prisons – whether organized by the prisoners or by their relatives – are motivated precisely by situations such as judicial delay or shortcomings in the legal advocacy provided by public defenders. See, for example, IACHR, Annual Report 2008, Chapter IV, Venezuela, OEA/Ser.L/II.134, Doc. 5 Rev.1, adopted on February 25, 2009, para. 428. In addition, in the context of the precautionary measures granted by the IACHR with respect to the Unidade de Internamento Socioeducativo in Brazil, it was observed that one of the causes of the constant riots and disorders at that establishment were the shortcomings of the public defender services offered to the prisoners. Precautionary Measures MC-224-09, *Adolescentes privados de libertad en la Unidad de Internación Socioeducativa (UNIS)*, Brazil. Another example may be seen in the provisional measures for the Uribana prison, in which the petitioners alleged that some of the hunger strikes and other protest actions at that prison are expressions of discontent over procedural delays. See I/A Court H.R., Provisional Measures in the matter of Penitentiary Center of the Central Occidental Region (Uribana Prison), Order of the Inter-American Court, February 2, 2007, Having seen paragraph 2(d).

States should prioritize preventive actions aimed precisely at controlling and reducing the factors of violence in prisons, above and beyond repressive actions. Drawing up and effectively implementing preventive strategies for avoiding the escalation of violence in prisons is essential for ensuring prisoners' lives and personal security. Similarly, it is essential to ensure that persons deprived of liberty have the conditions required for living in dignity.

117.   In this regard, the *Principles and Best Practices on the Protection of Persons Deprived of Liberty* establish: "In accordance with international human rights law, appropriate and effective measures shall be adopted to prevent violence amongst persons deprived of liberty, or between persons deprived of liberty and the personnel"; and suggests the following measures, among others, to achieve those ends:

(a)   Separate the different categories of persons deprived of liberty in conformity with the criteria set down in the present document;

(b)   Provide periodic and appropriate instruction and training for the personnel;

(c)   Increase the number of personnel in charge of internal security and surveillance, and set up continuous internal surveillance patterns;

(d)   Effectively prevent the presence of weapons, drugs, alcohol, and other substances and objects forbidden by law, by means of regular searches and inspections, and by using technological and other appropriate methods, including searches to personnel;

(e)   Set up early warning mechanisms to prevent crises or emergencies;

(f)   Promote mediation and the peaceful resolution of internal conflicts;

(g)   Prevent and combat all types of abuse of authority and corruption; and

(h)   Eradicate impunity by investigating and punishing all acts of violence and corruption in accordance with the law.[142]

This list of best practices is not definitive; it is based on the experience of the Inter-American human rights system and on consideration of the main international obligations of States. Accordingly, as can be seen throughout this report, another series of measures need to be adopted, in keeping with the specific context of each State, to effectively respect and ensure the fundamental rights of persons deprived of liberty.

---

[142] IACHR, *Principles and Best Practices on the Protection of Persons Deprived of Liberty in the Americas*, Principle XXIII (1).

C. Judicial oversight of detention as a guarantee of the rights to life and humane treatment

118. In the context of the Inter-American human rights system this fundamental right is established in Article XXV of the American Declaration and in Articles 7.5 and 7.6 of the American Convention, as follows:

American Declaration

Article XXV: "Every individual who has been deprived of his liberty has the right to have the legality of his detention ascertained without delay [...]".

American Convention

Article 7. (5) Any person detained shall be brought promptly before a judge or other officer authorized by law to exercise judicial power [...] (6) Anyone who is deprived of his liberty shall be entitled to recourse to a competent court, in order that the court may decide without delay on the lawfulness of his arrest or detention and order his release if the arrest or detention is unlawful. In States Parties whose laws provide that anyone who believes himself to be threatened with deprivation of his liberty is entitled to recourse to a competent court in order that it may decide on the lawfulness of such threat, this remedy may not be restricted or abolished. The interested party or another person in his behalf is entitled to seek these remedies.

Likewise, the Inter-American Convention on Forced Disappearance of Persons[143] establishes that "[e]very person deprived of liberty shall be held in an officially recognized place of detention and be brought before a competent judicial authority without delay, in accordance with applicable domestic law" (Article XI).

In addition, the Principles and Best Practices establish:

Principle III. (1) Every person shall have the right to personal liberty and to be protected against any illegal or arbitrary deprivation of liberty. The law shall prohibit, in all circumstances, incommunicado detention of persons and secret deprivation of liberty since they constitute cruel and inhuman treatment. Persons shall only be deprived of liberty in officially recognized places of deprivation of liberty.

Principle V. Every person deprived of liberty shall, at all times and in all circumstances, have the right to the protection of and regular access to competent, independent, and impartial judges and tribunals, previously established by law.

---

[143] Which to date has been ratified by the following fourteen countries: Argentina, Bolivia, Chile, Colombia, Costa Rica, Ecuador, Guatemala, Honduras, Mexico, Panama, Paraguay, Peru, Uruguay and Venezuela.

[...]

All persons deprived of liberty shall have the right, exercised by themselves or by others, to present a simple, prompt, and effective recourse before the competent, independent, and impartial authorities, against acts or omissions that violate or threaten to violate their human rights. [144]

119.   Under the rules established by the American Convention, effective judicial oversight of the detention or arrest of a person imposes two fundamental – independent and mutually complementary – obligations on the part of the State: the obligation to bring any detained person promptly before a judge or other officer authorized by law to exercise judicial power (Article 7.5), and the obligation to allow anyone who is deprived of his liberty immediate recourse to a competent court, in order that the court may decide without delay on the lawfulness of his arrest or detention; that is to say, habeas corpus or personal appearance of the detainee (Article 7.6). Habeas corpus ensures that the detainee is not exclusively at the mercy of the detaining authority, and this protection must always be accessible. [145] The Commission has established that the writ of habeas corpus:

> Is the traditional remedy which protects by way of recourse one's physical or corporal liberty or freedom of movement by means of a summary judicial proceeding that takes the form of a trial. As a rule, the writ of habeas corpus protects persons who are already being deprived of their freedom under unlawful or arbitrary circumstances, precisely in order to put an end to the circumstances that extend the deprivation of their freedom. Whether or not this remedy is effective in affording protection depends in large part on whether the petition seeking this remedy is acted on swiftly, thus making it a suitable and effective means of reaching a decision on a matter in as little time as possible. [146]

120.   Fulfillment of these obligations by the State is essential for effective protection of such fundamental unrepeatable rights as the right to life and the right to humane treatment. [147] That is why the Commission has argued that "[t]he single most

---

[144] Similar provisions could be found in other human rights instruments, like the International Covenant on Civil and Political Rights (Article 9), the European Convention on Human Rights (Article 5), and the Body of Principles for the Protection of All Persons under Any Form of Detention or Imprisonment (Principles 4, 11, 15, 16, 32 y 37); and with regard to the juvenile justice, in the Convention on the Rights of the Child (Article 37), the United Nations Standard Minimum Rules for the Administration of Juvenile Justice (The Beijing Rules) (Rule 10) and the United Nations Rules for the Protection of Juveniles Deprived of their Liberty (Rule 22).

[145] IACHR, *Fifth Report on the Situation of Human Rights in Guatemala*, Ch. VII, para. 24.

[146] IACHR, Report No. 41/99, Merits, Minors in Detention, Honduras, March 10 1999, para. 61.

[147] This protection is particularly relevant in the case of children and adolescents, who by their own condition of vulnerability require strengthened safeguards. This topic is extensively developed by the Commission in: IACHR, *Juvenile Justice and Human Rights in the Americas*, OEA/Ser.L/V/II. Doc. 78, adopted on July 13, 2011, (hereinafter "*Juvenile Justice and Human Rights in the Americas*"), paras. 225-226.

important protection of the rights of a detainee is prompt appearance before a judicial authority responsible for overseeing the detention,"[148] and that the right to request a decision on the lawfulness of the detention is the fundamental guarantee of the constitutional and human rights of a detainee deprived of his liberty by agents of the State. This right may not be suspended under any circumstances, and its importance cannot be overestimated.[149]

121.   The essential content of Article 7 of the American Convention is protection of the liberty of the individual against interference by the State.[150] To that end, it enshrines guarantees that represent limits to the exercise of authority by State agents.[151] The act of detaining or arresting someone is a manifestation of the exercise of the effective power of the State over a person, which is why both international law and the constitutional and legal systems of democratic States establish a series of guarantees designed to ensure that actions carried out by the authorities abide by certain limits proper to the rule of law and necessary to guarantee the fundamental rights of all citizens.

122.   The IACHR has stressed that any deprivation of liberty must be strictly limited to cases or circumstances explicitly contemplated in law and must abide strictly by the procedures established for that purpose. Otherwise, the detainee is, *de facto*, exposed to arbitrariness and abuse by the authority executing the arrest. Therefore, in order to ensure effective judicial oversight of the detention, the competent court must be quickly appraised of the persons who are held in confinement.[152] To avoid risks of this nature, the Commission has suggested that a delay of more than two or three days in bringing a detainee before a judicial authority will generally not be considered reasonable.[153] Similarly, the European Court of Human Rights has considered that a lapse of four days between arrest and appearance before a judge or other judicial officer exceeds the promptness required under Article 5(3) of the European Convention.[154]

---

[148] IACHR, *Fifth Report on the Situation of Human Rights in Guatemala*, Ch. VII, para. 21. See also, United Nations, Special Rapporteur on Torture and other Cruel, Inhuman or Degrading Treatment or Punishment, Third Report to the [former] Commission on Human Rights, E/CN.4/2004/56, adopted on December 23, 2003, para. 39.

[149] IACHR, Report No. 1/97, Case 10,258, Merits, Manuel García Franco, Ecuador, February 18, 1998, para. 57.

[150] I/A Court H. R., *Case of Bulacio V. Argentina*. Judgment of September 18, 2003. Series C No. 100, para. 129; I/A Court H. R., *Case of Juan Humberto Sánchez V. Honduras*. Judgment of June 7, 2003. Series C No. 99, para. 84.

[151] I/A Court H.R., *Case of Servellón-García et al. V. Honduras*. Merits, Reparations and Costs. Judgment of September 21, 2006. Series C No. 152, para. 88.

[152] IACHR, *Report on the Situation of Human Rights in the Dominican Republic*, OEA/Ser.L/V/II.104. Doc. 49 rev. 1, October 7, 1999. (hereinafter *"Report on the Situation of Human Rights in the Dominican Republic"*), Ch. VI, para 219; IACHR, Report No. 2/97, Cases 11.205, 11.236, 11.238, 11239, 11.242, 11.243, 11.244, 11.247, 11.248, 11.249, 11.251, 11.254, 11.255, 11.257, 11.258, 11.261, 11.263, 11.305, 11.320, 11.326, 11.330, 11.499, and 11.504; Jorge Luis Bronstein *et al.*, Merits, Merits, Argentina, March 11, 1997, para. 11.

[153] IACHR, *Report on Terrorism and Human Rights*, para. 122.

[154] European Court of Human Rights, *Case of Brogan and others v. The United Kingdom*, (Application no. 11209/84; 11234/84; 11266/84; 11386/85), Judgment of November 29, 1988, Grand Chamber, para. 62.

123.   When a detention is not ordered or promptly supervised by a competent judicial authority, when a detainee is not fully informed of the reason for the detention, or when he or she has no access to legal counsel, and when the detainee's relatives have been unable to locate him or her promptly, the legal rights of a detainee as well as his or her personal integrity are clearly jeopardized.[155] The relationship between illegal or arbitrary detention and the violation of an individual's other fundamental rights is not a function of circumstance. Rather, in some cases it may be the logical consequence of a relationship of dependency between the security forces, and administrative and judicial authorities.[156]

124.   The Inter-American Court has similarly and consistently maintained, since the *Loayza Tamayo* and Street Children *(Villagrán Morales et al) cases,* that "a person who is unlawfully detained is in an exacerbated situation of vulnerability creating a real risk that his other rights, such as the right to humane treatment and to be treated with dignity, will be violated".[157] Indeed, there are numerous instances in the Inter-American human rights system in which completely unlawful detentions were the first step leading to extrajudicial executions, forced disappearances, and the carrying out of individual acts or systematic practice of torture.

125.   The IACHR has ascertained that prolonged periods of detention before charges are brought and before trial, and lack of access to justice, pose a really serious problem in several countries of the region. Thus, to cite one example, in its 2005 Country Report on Haiti, the IACHR confirmed that detainees spent several months, and even years, in detention cells before seeing a judge. Frequently, pretrial detention periods exceeded the prison sentences they would have received, if convicted.[158] During a visit to the National Penitentiary in April 2005, the IACHR discovered that only nine of the 1,052 inmates held there had been convicted of any crime. And, according to information provided by the Ministry of Justice, only four of the 117 women held in the Petionville women's prison had been sentenced.[159]

---

[155] See, IACHR, *Haiti: Failed Justice or the Rule of Law? Challenges ahead for Haiti and the international community,* OEA/Ser/L/V/II.123 doc. 6 rev 1, adopted on October 26, 2005, (hereinafter *"Haiti: Failed Justice or the Rule of Law? Challenges ahead for Haiti and the international community"*), Ch. III, para. 113; and IACHR, *Fifth Report on the Situation of Human Rights in Guatemala,* Ch. VII, para. 37; IACHR, *Third Report on the Situation of Human Rights in Paraguay,* OEA/Ser.L/V/II.110 Doc.52, adopted on March 2001, (hereinafter *"Third Report on the Situation of Human Rights in Paraguay"*), Ch. IV, para. 30; IACHR, *Report on the Situation of Human Rights in the Dominican Republic,* Ch. VI, para.219..

[156] See, *e.g.,* IACHR, *Report on the Situation of Human Rights in Mexico,* Ch. III, para. 219.

[157] I/A Court H.R., *Case of The "Street Children" V. Guatemala (Villagrán Morales et al.).* Judgment of November 19, 1999. Series C No. 63, para. 166; /A Court H.R., *Case of Loayza Tamayo V. Peru.* Judgment of September 17, 1997. Series C No. 33, para. 57.

[158] A clear example of this situation is observed in the case *Yvone Neptune,* in which the victim did not appear before a judge until eleven months after his arrest. I/A Court H.R., *Case of Yvon Neptune V. Haiti.* Merits, Reparations and Costs. Judgment of May 6, 2008. Series C No. 180, paras. 102-103.

[159] IACHR, *Haiti: Failed Justice or the Rule of Law? Challenges ahead for Haiti and the nternational community,* Ch. III, para. 165.

126.   Following a closer review of this situation, the IACHR concluded that the principal factors that have contributed to making prolonged pre-trial detention a systemic and widespread problem in Haiti included: (a) en masse arrests of people who are then kept in police detention cells pending possible investigations; (b) structural shortcomings in the administration of justice system that have led to alarming backlogs on the judges' dockets and failure to meet legal deadlines for judicial proceedings; (c) the lack of free legal representation for indigent defendants, who, as a result, are often unable to submit writs of habeas corpus; and (d) the lack of operational capacity of police departments, especially in the Central Department of the Judicial Investigation Police and among preliminary investigation officers.[160]

127.   In its report on its 2007 visit to Haiti, the IACHR followed up on the question of judicial oversight of detention and included a number of additional factors in its analysis, such as reports on mistreatment and torture by police at police detention centers and the appalling conditions in those detention facilities, which are not designed to hold inmates for prolonged periods of time; which by itself constitutes another form of cruel, inhuman, and degrading treatment. Furthermore, the IACHR analyzed the tension between pressure on the police force to produce concrete results in fighting crime and the lack of resources available for complying with its mandate.[161] That, too, is another factor heightening the risk of detainees being mistreated and subjected to arbitrary misuse of authority.

128.   Another State in which the IACHR has encountered a chronic problem of ineffective oversight of the lawfulness of detentions is Guatemala; particularly with regard to arrests without a judicial warrant and failure to place detainees promptly under judicial supervision. For that reason, in its Fifth Special Report on the Human Rights Situation in Guatemala (2001), the IACHR underscored the fact that, in practice, according to the information analyzed, over half the people being held in pre-trial detention centers had been taken there by police officers, without having been first taken before a judge. The IACHR was especially alarmed by reports that, in many cases, judges simply approve pre-trial detention on the basis of police reports, without further investigation or inquiry.[162] Subsequently, during a thematic hearing in 2006, the IACHR received information indicating that the patterns of police abuse and arbitrariness and lack of effective judicial oversight of detentions continued in Guatemala.[163]

---

[160] IACHR, *Haiti: Failed Justice or the Rule of Law? Challenges ahead for Haiti and the international community*, Ch. III, paras 166-172.

[161] IACHR, *Observations of the Inter-American Commission on Human Rights upon conclusions of its April 2007 visit to Haiti*, OEA/Ser.L/V/II.131. Doc. 36, adopted on March 2, 2008, paras 19-35.

[162] IACHR, *Fifth Report on the Situation of Human Rights in Guatemala*, Ch. VII, paras. 4, 16, 21-24.

[163] IACHR, Public hearing: *Situation of the Penitentiary System in* Guatemala, 124º Ordinary Period of Sessions, requested by Instituto de Estudios Comparados en Ciencias Penales de Guatemala (ICCPG), March 6, 2006.

129.   In addition, in its General Comments on Guatemala, issued in 2006, the United Nations Committee against Torture voiced its concern regarding reports of women being subjected to acts of sexual violence in police stations. It therefore stressed that the State party should "take steps to ensure that all arrested women are brought immediately before a judge and then transferred to a detention center for women, if so ordered by the judge."[164] This comment by the Committee against Torture shows how important effective judicial oversight of detentions is as a mechanism for preventing torture and cruel, inhuman, and degrading treatment.

130.   Worth noting, too, is the fact that, in its 2003 report on Argentina, the United Nations Working Group on Arbitrary Detention pointed out that a major cause for concern was the lack of effective remedies against detention. Most of the detainees interviewed by the Working Group said they had been placed in pre-trial detention without a proper hearing before a judge. They said they had simply been taken before a "sumariante" (preliminary proceedings examining officer) or court clerk, who had ordered pre-trial detention by signing on behalf of the judge. According to the Working Group's report, detention orders are communicated to prisoners through the prison authorities, without the accused being taken before a judge to be notified properly in person.[165]

131.   For its part, in its 2010 Concluding Observations Report on Argentina, the United Nations Human Rights Committee reiterated its concern regarding the detention by police of persons, including minors, "whom they have not apprehended in the act of committing an offense, and to do so without a warrant or subsequent judicial review, for the sole stated purpose of verifying their identity." On that subject, during his visit to Buenos Aires province in 2010, the Rapporteur on the Rights of Persons Deprived of Liberty met with several ombudspersons (Defensores Públicos) who stated that the detention of children, for up to 12 hours without any judicial oversight, for the purpose of verifying their identity, was a widespread practice in that part of the country.

132.   The IACHR emphasizes that the requirement that detention not be left to the sole discretion of the state agents responsible for carrying it out is so fundamental that it cannot be overlooked in any context.[166]

---

[164] United Nations, Committee against Torture, Consideration of Reports Submitted by State Parties under Article 19 of the Convention, Conclusions and recommendations on Guatemala, CAT/C/GTM/CO/4, adopted on July 25, 2006, para. 17.

[165] United Nations, Working Group on Arbitrary Detention, Report on Mission to Argentina, E/CN.4/2004/3/Add.3, adopted on December 23, 2003, para. 37. On this visit, the Work Group was in the Federal capital and the provinces of Buenos Aires, Mendoza and Salta, and held individual interviews, in private and without witnesses with 205 detainees. With regard to the systematic application of preventive detention as a policy of public security in the province of Buenos Aires, see, Center for Legal and Social Studies (CELS), Derechos Humanos en Argentina Informe 2010, 2010, Ch. IV.

[166] In this regard the Commission has said that "[w]here the procedures provided by law are not followed – where arrest and detention are effectuated absent a judicial order, where detainees are not properly registered, where they are held in facilities not authorized for detention or are transferred to detention facilities absent judicial authorization – prompt judicial supervision is not possible, and the detainee is defenseless against the potential abuse of his or her rights." IACHR, Fifth Report on the Situation of Human Rights in Guatemala, Ch. VII, para. 23.

133.   Likewise, the Inter-American Court has established that:

[T]he judge is responsible for guaranteeing the rights of the detained person, authorizing the adoption of precautionary or coercive measures when strictly necessary and, in general, ensuring that the accused is treated in a manner in keeping with the presumption of innocence, as a guarantee that tends to avoid arbitrariness or illegality of the detentions, as well as guaranteeing the right to life and humane treatment. [167]

[...]

[I]n order to satisfy the requirement of Article 7(5) of "being brought" without delay before a judge or other officer authorized by law to carry out the judicial functions, the competent authority must hear the detained person personally and evaluate all the explanations that the latter provides, in order to decide whether to proceed to release him or to maintain the deprivation of liberty.[168] Otherwise, it would be tantamount to stripping the judicial review established in Article 7(5) of the Convention of its effectiveness. [169]

The immediate judicial revision of the arrest has particular relevance when it is applied to captures infraganti and it is a State duty in order to guarantee the detainee's rights. [170]

134.   Therefore it is essential that a detainee really be brought before a judge or other official authorized by law to perform judicial functions. In other words, that official must be competent, independent, and impartial, legally empowered to exercise effective judicial protection of fundamental rights that may have been violated. That requirement is not met when a detainee is brought before an official or court clerk who is not vested with such legal powers or when he or she is brought before administrative authorities

---

[167] I/A Court H.R., *Case of Vélez Loor V. Panama*. Preliminary Objections, Merits, Reparations, and Costs. Judgment of November 23, 2010 Series C No. 218, para. 105; I/A Court H.R., *Case of Yvon Neptune V. Haiti*. Merits, Reparations and Costs. Judgment of May 6, 2008. Series C No. 180, para.. 107; I/A Court H.R., *Case of Chaparro-Álvarez and Lapo-Íñiguez V. Ecuador*. Preliminary Objections, Merits, Reparations and Costs. Judgment of November 21, 2007. Series C No. 170, para. 81; I/A Court H. R., *Case of García Asto and Ramírez Rojas V. Peru*. Judgment of November 25, 2005. Series C No. 137, para. 109.

[168] I/A Court H.R., *Case of Vélez Loor V. Panama*. Preliminary Objections, Merits, Reparations, and Costs. Judgment of November 23, 2010 Series C No. 218, para. 109; I/A Court H.R., *Case of Bayarri V. Argentina*. Preliminary Objection, Merits, Reparations and Costs. Judgment of October 30, 2008. Series C No. 187, párr. 65; I/A Court H.R., *Case of Chaparro-Álvarez and Lapo-Íñiguez V. Ecuador*. Preliminary Objections, Merits, Reparations and Costs. Judgment of November 21, 2007. Series C No. 170, para. 85.

[169] I/A Court H.R., *Case of Bayarri V. Argentina*. Preliminary Objection, Merits, Reparations and Costs. Judgment of October 30, 2008. Series C No. 187, párr. 65.

[170] I/A Court H. R., *Case of López Álvarez V. Honduras*. Judgment of February 1, 2006. Series C No. 141, para. 88.

pertaining, for example, to the Executive Branch.[171] Nor is that requirement of the Convention met, when the presentation of a detainee before a judicial authority is a mere formality.[172]

135.   At the same time, the Inter-American Court has established that habeas corpus, as a guarantee against arbitrary and unlawful detention, is reinforced by the State's role as guarantor of the rights of persons deprived of liberty. By virtue of that function, the State has the responsibility to guarantee the rights of individuals under its custody as well as that of supplying information and evidence pertaining to what has happened to the detainee.[173] The Court has further established that "habeas corpus performs a vital role in ensuring that a person's life and physical integrity are respected, in preventing his disappearance or the keeping of his whereabouts secret and in protecting him against torture or other cruel, inhumane, or degrading punishment or treatment."[174] From what has been said before, it follows that writs of habeas corpus and of *amparo* are among those judicial remedies that are essential for the protection of various rights whose derogation is prohibited by the American Convention and that serve, moreover, to preserve legality in a democratic society.[175]

136.   Regarding the scope of the judicial review, the IACHR has established that:

> The review of the legality of a detention implies confirming, not only formally but also substantively, that the detention conforms to the requirements of the judicial system and that it does not violate any of the detained person's rights. That such confirmation is carried out by a judge, invests the proceeding with certain guarantees that are not duly protected if the decision is in the hands of an administrative authority.[176]

Accordingly, the Inter-American Court has laid down the basic principle that "The analysis by the competent authority of a judicial recourse that debates the legality of the imprisonment can not be reduced to a mere formality, instead it must examine the reasons

---

[171] As in the previously cited case of Mr. Tranquilino Vélez Loor, who after his arrest for violating the immigration laws of the Republic of Panama was "transferred" or placed at the disposal of the Immigration and Naturalization Office of the province of Darien by the National Police.

[172] See also, European Court of Human Rights, *Case of Baranowski v. Poland*, (Application no. 28358/95), Judgment of March 28, 2000, First Section, para. 57.

[173] I/A Court H. R., *Case of Tibi V. Ecuador*. Judgment of September 7, 2004. Series C No. 114, para. 129.

[174] I/A Court H.R., *Habeas Corpus in Emergency Situations* (Arts. 27(2), 25(1) and 7(6) American Convention on Human Rights). Advisory Opinion OC-8/87 of January 30, 1987. Series A No. 8, para. 35.

[175] I/A Court H.R., *Judicial Guarantees in States of Emergency* (Arts. 27(2), 25 and 8 American Convention on Human Rights). Advisory Opinion OC-9/87 of October 6, 1987. Series A No. 9, para. 33; I/A Court H.R., *Habeas Corpus in Emergency Situations* (Arts. 27(2), 25(1) and 7(6) American Convention on Human Rights). Advisory Opinion OC-8/87 of January 30, 1987. Series A No. 8, para. 42.

[176] IACHR, Report No. 66/01, Case 11.992, Merits, Dayra María Levoyer Jiménez, Ecuador, June 14, 2001, para. 79.

invoked by the claimant and make express statements regarding the same, according to the parameters established by the American Convention."[177]

137.   Article 7(6) provides for a habeas corpus remedy being sought "by the interested party or another person in his behalf," which implies that the State must ensure the conditions needed for access to that remedy. For that, it is essential that a detainee be informed in a language he/she understands of the reasons for his/her detention, of the time and place of his detention, and of the identity of the authority carrying the detention out. In addition, he/she must be allowed to communicate with another person, so that the latter can query the lawfulness of the detention.[178] In this regard, the Inter-American Court has established that:

> [W]hen the detainee is deprived of his liberty and before making his first statement before the authorities, the detainee must be informed of his right to establish contact with another person, for example, a next of kin, an attorney, or a consular official, as appropriate, to inform this person that he has been taken into custody by the State. Notification to a next of kin or to a close relation is especially significant, for this person to know the whereabouts and the circumstances of the accused and to provide him with the appropriate assistance and protection. In case of notification to an attorney, it is especially important for the detainee to be able to meet privately with him, which is inherent to his right to benefit from a true defense.[179]

138.   The United Nations Standard Minimum Rules for the Treatment of Prisoners establish, with regard to the right of any detainee to establish contact with another person, that an untried prisoner:

> [S]hall be allowed to inform immediately his family of his detention and shall be given all reasonable facilities for communicating with his family and friends, and for receiving visits from them, subject only to restrictions and supervision as are necessary in the interests of the administration of justice and of the security and good order of the institution" (Rule 92).[180]

---

[177] I/A Court H. R., *Case of López Álvarez V. Honduras*. Judgment of February 1, 2006. Series C No. 141, para. 96.

[178] See also, United Nations, Special Rapporteur on Torture and other Cruel, Inhuman or Degrading Treatment or Punishment, Third Report to the [former] Commission on Human Rights, E/CN.4/2004/56, adopted on December 23, 2003, paras. 30-32.

[179] I/A Court H. R., *Case of Tibi V. Ecuador*. Judgment of September 7, 2004. Series C No. 114. para. 112; I/A Court H. R., *Case of Bulacio V. Argentina*. Judgment of September 18, 2003. Series C No. 100, paras. 129-130.

[180] On this matter, the Body of Principles for the Protection of All Persons under Any Form of Detention or Imprisonment lays down that: "Promptly after arrest and after each transfer from one place of detention or imprisonment to another, a detained or imprisoned person shall be entitled to notify or to require the competent authority to notify members of his family or other appropriate persons of his choice of his arrest, detention or imprisonment or of the transfer and of the place where he is kept in custody." (Principle 16.1). Likewise, the International Convention for the Protection of All Persons from Enforced Disappearance establishes that: "[...] each State Party shall guarantee to any person with a legitimate interest in this information, such as relatives of

Continues...

139.   Thus, in the *Bulacio* case, the Inter-American Court ruled that the right to establish contact with another person was especially important in the case of the detention of children. "In this scenario, the authority carrying out the detention and in charge of the detention place for the minor must immediately notify the next of kin or, otherwise, their representatives for the minor to receive timely assistance from the person notified."[181]

140.   This right of any child deprived of liberty is established in Article 37(d) of the Convention on the Rights of the Child and is developed in greater detail in the United Nations Standard Minimum Rules for the Administration of Juvenile Justice (Beijing Rules), which provide that "[u]pon the apprehension of a juvenile, her or his parents or guardian shall be immediately notified of such apprehension, and, where such immediate notification is not possible, the parents or guardian shall be notified within the shortest possible time thereafter" (Rule 10.1). Similar provisions are found in the Body of Principles for the Protection of All Persons under Any Form of Detention or Imprisonment (Principle 16.3)) and the United Nations Rules for the Protection of Juveniles Deprived of Their Liberty (Rule 22).

141.   Thus, for both juveniles and adults, practices such as the prolonged incommunicado or secret detention of persons constitute in themselves violation of the right to judicial oversight of the detention or apprehension of a person, and of other fundamental rights.

142.   In the specific case of solitary confinement for criminal investigation purposes, the Inter-American Court established, in the *Suárez Rosero* case, as a fundamental principle that:

> Incommunicado detention is an exceptional measure the purpose of which is to prevent any interference with the investigation of the facts. Such isolation must be limited to the period of time expressly established by law. Even in that case, the State is obliged to ensure that the detainee enjoys the minimum and non-derogable guarantees established in the Convention and, specifically, the right to question the lawfulness of the detention and the guarantee of access to effective defense during his incarceration.[182]

...continuation

the person deprived of liberty, their representatives or their counsel, access to at least the following information: (a) The authority that ordered the deprivation of liberty; (b) The date, time and place where the person was deprived of liberty and admitted to the place of deprivation of liberty; (c) The authority responsible for supervising the deprivation of liberty; (d) The whereabouts of the person deprived of liberty, including, in the event of a transfer to another place of deprivation of liberty, the destination and the authority responsible for the transfer; (e) The date, time and place of release; (f) Elements relating to the state of health of the person deprived of liberty; (g) In the event of death during the deprivation of liberty, the circumstances and cause of death and the destination of the remains." (Article 18.1).

[181] I/A Court H. R., *Case of Bulacio V. Argentina*. Judgment of September 18, 2003. Series C No. 100, para. 130.

[182] I/A Court H.R., *Case of Suárez Rosero V. Ecuador*. Judgment of November 12, 1997. Series C No. 35, para. 51.

[...]

[A] detained person must be guaranteed the right of habeas corpus at all times, even when he is being held in exceptional circumstances of incommunicado detention established by law. [183]

143.   Incommunicado detention is indeed an exceptional measure, which must meet the criteria of legality, necessity, and proportionality, and pursue a legitimate purpose in a democratic society. When such a measure exceeds those parameters and becomes a real obstacle to judicial oversight of detention, it violates the rights established in Articles 7.5, 7.6, and 25 of the American Convention.[184]

144.   Secret or clandestine detention of a person constitutes an even graver violation of the aforementioned rights.[185] According to international law, by definition, "secret detention" occurs when:

State authorities acting in their official capacity, or persons acting under the orders thereof, with the authorization, consent, support or acquiescence of the State, or in any other situation where the action or omission of the detaining person is attributable to the State,1 deprive persons of their liberty; where the person is not permitted any contact with the outside world ("incommunicado detention"); and when the detaining or otherwise competent authority denies, refuses to confirm or deny or actively conceals the fact that the person is deprived of his/her liberty hidden from the outside world, including, for example family, independent lawyers or non-governmental organizations, or refuses to provide or actively conceals information about the fate or whereabouts of the detainee.

[...]

Secret detention does not require deprivation of liberty in a secret place of detention [...] [It] may take place not only in a place that is not an officially recognized place of detention, or in an officially recognized place of detention, but in a hidden section or wing that is itself not officially recognized, but also in an officially recognized site. Whether detention is secret or not is determined by its incommunicado character and by the

---

[183] I/A Court H.R., *Case of Suárez Rosero V. Ecuador*. Judgment of November 12, 1997. Series C No. 35, para. 59.

[184] IACHR, Report No. 66/01, Case 11.992, Merits, Dayra María Levoyer Jiménez, Ecuador, June 14, 2001; IACHR, Report No. 1/97, Case 10,258, Merits, Manuel García Franco, Ecuador, February 18, 1998.

[185] United Nations, Special Rapporteur on Torture and other Cruel, Inhuman or Degrading Treatment or Punishment, Third Report to the [former] Commission on Human Rights, E/CN.4/2004/56, adopted on December 23, 2003, para. 38; United Nations, Working Group on Arbitrary Detention, Report to the [former] UN Commission on Human Rights, E/CN.4/2006/7, adopted on December 12, 2005, Ch. III:(A) Secret Prisons, paras. 58-59.

fact that State authorities, do not disclose the place of detention or information about the fate of the detainee.

[...] It can be a prison, police station, governmental building, military base or camp, but also, for example, a private residence, hotel, car, ship or plane.[186]

145.   Secret detention is in itself the denial of all the guarantees established in Article 7 of the American Convention, given that the person involved is materially prevented from triggering any procedure contemplated in law for verifying the legality of his or her detention.[187] Generally speaking, the victim can ascertain very little regarding his whereabouts, or his kidnappers, and is not in a position to identify anyone. Not only is it impossible for the victim to exercise his/her legal rights while being detained; it will also be extremely difficult to challenge the authorities afterwards, even if the victim is released alive.[188] Given that this practice is designed precisely to leave no trace of the victim's whereabouts, and given the intense maltreatment and even acts of torture to which victims are subjected, they find it very difficult to meet the conditions of a party to a suit required to obtain justice.[189]

D.   Intake, registration, and initial medical examination

146.   Keeping records of persons held in prisons, initial medical exams, and appropriate checks and protocols upon admission are not just sound penitentiary practices but also effective ways to protect the fundamental rights of detainees. For that reason, international human rights law regards them as essential measures to be implemented by States will all due diligence and seriousness. Tailored to the particular circumstances of each case, these procedures must be observed in all centers in which the State holds people in custody, in the broad sense of deprivation of liberty used in this report.

---

[186] United Nations, Joint Study on Global Practices in Relation to Secret Detention in the Context of Countering Terrorism of the Special Rapporteur on the Promotion and Protection of Human Rights and Fundamental Freedoms While Countering Terrorism; the Special Rapporteur on Torture and Other Cruel, Inhuman or Degrading Treatment or Punishment; the Working Group on Arbitrary Detention; and the Working Group on Enforced or Involuntary Disappearances, A/HRC/13/42, adopted on February 19, 2010 and re-issued for technical reasons on May 20, 2010, paras. 8-10.

[187] IACHR, Report No. 1/97, Case 10,258, Merits, Manuel García Franco, Ecuador, February 18, 1998, para. 58.

[188] IACHR, Report No. 31/96, Case 10.526, Merits, Diana Ortiz, Guatemala, October 16, 1996, para. 113.

[189] In the past the Commission has widely referred to the issue of secret detentions in the context of several military dictatorships that existed in the region. In this regard, see for example: IACHR, *Report on the Situation of Human Rights in Chile*, OEA/Ser.L/V/II.66. Doc. 17, adopted on September 9, 1985, Ch. V; IACHR, *Report on the Situation of Human Rights in Panama*, OEA/Ser.L/V/II.44. Doc. 38, rev. 1, adopted on June 22, 1978, Ch. III, section 4; IACHR, *Report on the Situation of Human Rights in El Salvador*, OEA/Ser.L/V/II.46 doc. 23 rev. 1, adopted on November 17, 1978, Ch. IV; IACHR, *Report on the Status of Human Rights in Chile*, OEA/Ser.L/V/II.34 doc 21 corr. 1, adopted on October 25, 1974, Ch. VI.

Admission

147.   Referring to the admission of persons to prisons, the Principles and Best Practices establish:

> Principle IX (1): The authorities responsible for places of deprivation of liberty shall refuse the admission of any person, unless this is authorized by a commitment order or an order of deprivation of liberty issued by a judicial, administrative, medical or other competent authority, in accordance with the requirements set out by law.

> Upon admission, the persons deprived of their liberty shall be informed clearly and in a language they understand, either in writing, verbally, or by other means, of their rights, duties, and prohibitions in their place of deprivation of liberty.[190]

148.   Proper oversight of the admission of people to detention centers, which entails appropriate verification of the existence of an order of deprivation of liberty issued by a competent authority, is an added element reinforcing the legality of the deprivation of liberty itself. Detention center or prison personnel must make sure that each admission is duly authorized, as manifested by a valid commitment order.[191] Responsibility for complying with this requirement lies with both the central administration and the director and staff of each detention center.[192] Notwithstanding that requirement, in each such case, the person admitted must be brought immediately before a competent judicial authority.

149.   It is also essential that the authorities ensure that each detainee or prison inmate has been correctly identified and is in fact the person referred to in the arrest warrant or sentence. In April and May 2010, for instance, the IACHR learned that in Colombia at least 4,907 prison inmates, or 6.17% of the prison population, had not been fully identified.[193] They allegedly include inmates referred to in proceedings under several names or "alias" who carry no identity documents or whose I.D.s in fact pertain to other people (including deceased persons or women).[194] That being so – in Colombia and in other

---

[190] In the same vein, see, the Standard Minimum Rules for the Treatment of Prisoners (Rules 7.2 and 35); the Body of Principles for the Protection of All Persons under Any Form of Detention or Imprisonment (Principles 13 and 14); and the United Nations Rules for the Protection of Juveniles Deprived of their Liberty (Rules 20 and 24).

[191] In the region, this guarantee is stated, for example, in the Constitutions of Bolivia Article 23 (VI) and Chile Article 19.7.

[192] See in this regard, Penal Reform International (PRI), *Manual de Buena Práctica Penitenciaria: Implementación de las Reglas Mínimas de Naciones Unidas para el Tratamiento de los Reclusos*, 2002, p. 26.

[193] According to an official statement release by the head of the Department of Correctional Services (*Instituto Nacional Penitenciario* - INPEC), release on April 19, 2010.

[194] See in this regard, *El INPEC Desconoce la Identidad de 28 mil Presos Bajo su Custodia*, an article issued by Diario El Tiempo on April 18, 2010. See also, *El INPEC Pidió brazaletes para Reos Muertos, Libres o Ilocalizables,* and article issued by Diario El Tiempo on May 26, 2010.

countries in the region – it is incumbent on all the authorities involved with the custody of a person to check and effectively ascertain that person's identity.

150.   At the same time, persons admitted to a detention center, of any kind, must be informed immediately and in a language they understand of their rights, the way to exercise them, and the rules in force in the detention center. If people are ignorant of their rights, their ability to exercise them is seriously diminished. Providing persons deprived of their liberty with information on their rights constitutes a fundamental element in the prevention of torture and ill-treatment.[195] In particular, they must be informed of their right to contact another person and inform that person that they have been detained in that center. It is recommended that this information be posted prominently in a language that detainees can understand. Thus, in the case of detention centers in areas in which other languages are spoken, in addition to the official language of the State, this information should also be posted in those other languages.

Registration

151.   In the Inter-American human rights system, the Inter-American Convention on Forced Disappearance of Persons establishes that "[t]he States Parties shall establish and maintain official up-to-date registries of their detainees and, in accordance with their domestic law, shall make them available to relatives, judges, attorneys, any other person having a legitimate interest, and other authorities." (Article XI)

152.   Likewise, the Principles and Best Practices establish:

Principle IX (2): The personal data of persons admitted to places of deprivation of liberty shall be recorded into an official registry, which shall be made available to the person deprived of liberty, his or her representative, and the competent authorities. The registry shall include, as a minimum the following information:

a.   Personal information including, at least, the following: name, age, sex, nationality, address and name of parents, family members, legal representatives or defense counsel if applicable, or other relevant data of the persons deprived of liberty;

b.   Information concerning the personal integrity and the state of health of the persons deprived of liberty;

c.   Reason or grounds for the deprivation of liberty;

d.   The authority that ordered or authorized the deprivation of liberty;

---

[195] United Nations, CAT/OP/HND/1, *Report on the visit of the Subcommittee on Prevention of Torture and Other Cruel, Inhuman or Degrading Treatment or Punishment to Honduras*, February 10, 2010, para. 148; United Nations, CAT/OP/PRY/1, *Report on the visit of the Subcommittee on Prevention of Torture and Other Cruel, Inhuman or Degrading Treatment or Punishment to Paraguay*, June 7, 2010, para. 75. See also, United Nations, Committee against Torture, General Comment No. 2: Application of the Article 2 by the States parties, adopted at the 39º session (2007), para. 13. In Compilation of General Comments and General Recommendations adopted by human rights treaty bodies, Volume I, HRI/GEN/1/Rev.9 (Vol. I) adopted on May 27, 2008, p. 127.

e.   The authority that conducted the person deprived of liberty to the institution;

f.   The authority legally responsible for supervising the deprivation of liberty;

g.   Time and date of admission and release;

h.   Time and date of transfers to another place and the destination;

i.   Identity of the authority who ordered the transfer and of the one who is responsible for it;

j.   Inventory of personal effects; and

k.   Signature of the persons deprived of liberty, or where this is impossible, an explanation about the reasons thereof.[196]

153.   Regarding the crucial importance of keeping records of arrests, the IACHR stated in its Fifth Special Report on Human Rights in Guatemala (2001) that:

> One of the most essential components of a properly functioning criminal justice system is an effective system for registering arrests and detentions. This obviously provides a crucial protection for the rights of the detainee, as well as facilitating a myriad of other functions, including, inter alia, the tracking of accurate statistics for use in policy development and implementation. [...] Such a registry must contain information identifying the detainee, the reasons for the detention and legal authority therefore, the precise time of admission and release, and information as to the order of commitment. A centralized, accurate and promptly accessible registry is a fundamental minimum safeguard.[197]

154.   In fact, the IACHR discovered that there is no effective central registry system for keeping track of detainees in Guatemala.[198] Thus, in connection with the *"White Van" (Paniagua Morales et al)* case, the Inter-American Court ruled that the Guatemalan State had to adopt legislative, administrative, and any other necessary measures to guarantee the accuracy and disclosure of the registry of detainees, in the understanding that it would include the identity of each detainee, the grounds for detention, the

---

[196] In the Universal System of Human Rights there are correlative provisions in the International Convention for the Protection of All Persons from Enforced Disappearance (Article 17.3); the Standard Minimum Rules for the Treatment (Rule 7.1); the Body of Principles for the Protection of All Persons Under Any Form of Detention or Imprisonment (Principle 12); and particularly, with regard to childs and adolescents, the United Nations Rules for the Protection of Juveniles Deprived of their Liberty (Rule 21). Moreover, the *Handbook on Prisoner File Management* (2008), published by the United Nations Office for Drug and Crime (UNODC) has a practical guide for maintaining efficient systems for the registry of prisoners. That document is available at: http://www.unodc.org/documents/justice-and-prison-reform/Prison_management_handbook.pdf.

[197] IACHR, *Fifth Report on the Situation of Human Rights in Guatemala*, Ch. VII, para. 18. Furthermore, this States' duty to keep registries of the detentions is also consecrated in the Constitutions of Bolivia (Article 23), Chile (Article 19.7), and Mexico (Article 16).

[198] IACHR, *Fifth Report on the Situation of Human Rights in Guatemala*, Ch. VII, paras. 18-19.

competent authority, time of admission and release, and information regarding the arrest warrant.[199]

155.   In addition, in its *Report on Terrorism and Human Rights,* the Inter-American Commission on Human Rights emphasized that:

> An effective system for registering arrests and detentions and making that information available to family members, counsel and other persons with legitimate interests in the information has also been widely recognized as one of the most essential components of a properly functioning justice system, as it provides crucial protection for the rights of the detainee and reliable information for the accountability of the system.[200]

156.   The Working Group on Arbitrary Detention considers that keeping proper records is a fundamental safeguard against disappearances, misuse of authority for corrupt purposes, and detentions far exceeding the authorized term, which are equivalent to arbitrary arrests with no legal basis.[201] In the same vein, the Subcommittee against Torture argues that "keeping proper records of the deprivation of liberty is one of the fundamental safeguards against torture and ill-treatment and a prerequisite for the effective exercise of due process rights."[202]

157.   Whether electronic or manual, a reliable registration and file management system enables the authorities to know who is being held and for how long. That information is essential for classifying inmates and, ultimately, for complying with the principle of individualized treatment. The compilation, systematization, and classification of data on prisoners and penitentiaries and the development of information management systems are key elements for devising penitentiary policies and the actual management of

---

[199] I/A Court H.R., *Case of The "Panel Blanca" V. Guatemala (Paniagua Morales et al.). Reparations* (Art. 63(1) American Convention on Human Rights). Judgment of May 25, 2001. Series C No. 76, paras. 195, 203 and 209 (Operative paragraph 4). See also, /A Court H.R., *Case of Bámaca-Velásquez V. Guatemala.* Monitoring Compliance with Judgment. Order of the Inter-American Court of Human Rights of November 27, 2003 Operative paragraph 3. To date, the Commission has no information indicating that this record of arrests has been implemented by the State.

[200] IACHR, *Report on Terrorism and Human Rights,* para. 122.

[201] United Nations, Working Group on Arbitrary Detention, Report submitted to the Human Rights Council, A/HRC/7/4, adopted on January 10, 2008, Ch. II(D): Detention registries and power to release prisoners, para. 69.

[202] United Nations, CAT/OP/HND/1, *Report on the visit of the Subcommittee on Prevention of Torture and Other Cruel, Inhuman or Degrading Treatment or Punishment to Honduras,* February 10, 2010, para. 144; United Nations, CAT/OP/PRY/1, *Report on the visit of the Subcommittee on Prevention of Torture and Other Cruel, Inhuman or Degrading Treatment or Punishment to Paraguay,* June 7, 2010, para. 73. See also, United Nations, Committee against Torture, General Comment No. 2: Application of the Article 2 by the States parties, adopted at the 39º session (2007), para. 13. In Compilation of General Comments and General Recommendations adopted by human rights treaty bodies, Volume I, HRI/GEN/1/Rev.9 (Vol. I) adopted on May 27, 2008, p. 127.

detention centers. In that sense, accurate knowledge of the prison inmate population is vital, for instance, for controlling levels of overcrowding.[203]

158.   Proper management of inmate records and files requires that data be handled systematically and efficiently in each prison and that they be made available to centralized information systems which can be consulted by the prison administration authorities looking for reliable data and statistics or trying to locate individual inmates. Moreover, the State has a duty to act with due diligence in transferring and filing documents sent by the courts to the detention centers. This is especially important in the case of judgments, release orders, judicial summonses, and other key documents relating to prisoners.

159.   In addition to the essential information listed in Principle IX (2) of the Principles and Best Practices, the IACHR considers it a good practice when the authorities in charge of penitentiaries also keep records of visits by family members, attorneys, and monitoring organizations, and even of complaints lodged by the inmates themselves concerning the correctional authorities. Furthermore, in prisons, it is important to have precise information on file regarding the location of each inmate, by section, block, and cell.

160.   To ensure proper maintenance of the roster and filing and handling of the information on detainees and detention centers, all the authorities involved need to be adequately trained and provided with the tools and technology required to perform those functions. In addition, suitable oversight and monitoring mechanisms need to be developed to ensure compliance with these admission and registration procedures.

161.   Recognizing the importance attached in international human rights law to the existence and proper administration of detainee records, the recent International Convention for the Protection of All Persons from Enforced Disappearance contains a provision whereby the States Parties commit to prevent and impose sanctions for failure to record the deprivation of liberty of any person or the recording of any information which the official responsible for the official registry knew or should have known to be inaccurate (Article 22). This was the first international treaty to contain a safeguard of this kind.

Initial medical exam

162.   The Principles and Best Practices establish

Principle IX (3): All persons deprived of liberty shall be entitled to an impartial and confidential medical or psychological examination, carried out by idoneous medical personnel immediately following their admission to the place of imprisonment or commitment, in order to verify their state of physical or mental health and the existence of any mental or physical injury or damage; to ensure the diagnosis and

---

[203] I/A Court H. R., *Case of Montero Aranguren et al. (Detention Center of Catia) V. Venezuela.* Judgment of July 5, 2006. Series C No. 150, para. 89.

treatment of any relevant health problem; or to investigate complaints of possible ill-treatment or torture.[204]

163.   Initial medical examination of a person deprived of liberty constitutes an important safeguard for determining whether the detainee has been subjected to torture or ill-treatment during arrest or detention and, in the case of persons admitted to penitentiaries, for detecting whether they have suffered ill-treatment of that kind during their prior stay in temporary deprivation of liberty centers.[205] The initial medical examination of people who are deprived of their liberty is a way to prevent torture; it represents the ideal way of evaluating their state of health, the type of medical care they may need, and even an opportunity to convey information regarding sexually transmitted diseases.[206]

164.   As with the procedures for the admission and registration of persons deprived of their liberty, the practice of initial medical inspection is not limited to penitentiaries; it also includes other places of deprivation of liberty, such as police posts and stations and provisional detention centers. Said inspection should be compulsory and repeated regularly, and required upon transfer to another place of detention.[207]

165.   According to the Subcommittee on Prevention of Torture, the initial medical examination should take place as soon as possible after a person deprived of his or her liberty enters a place of detention and it should be conducted under conditions of privacy and confidentiality by an independent physician, without the presence of police or prison officers. In exceptional cases, if the doctor considers that a detained person poses a danger, the presence of a police officer nearby may be necessary. These examinations should not be superficial observations conducted as a mere formality. They must diligently ascertain the condition of the person examined, allowing that person to freely communicate to the physician anything he or she considers relevant. It is also important

---

[204] Similar standards are set forth by: the Standard Minimum Rules for the Treatment of Prisoners (Rule 24); the Body of Principles for the Protection of All Persons Under Any Form of Detention or Imprisonment (Principle 24), and the United Nations Rules for the Protection of Juveniles Deprived of their Liberty (Rule 50).

[205] According to the Special Rapporteur on Torture of the UN, one of the basic safeguards against ill-treatment is an independent medical examination performed without any delay after the admission of a person in the place of detention. This medical examination should be mandatory and must be repeated regularly, and should be mandatory when a person is transferred to another place of detention. United Nations, Special Rapporteur on Torture and other Cruel, Inhuman or Degrading Treatment or Punishment, Third Report to the [former] Commission on Human Rights, E/CN.4/2004/56, adopted on December 23, 2003, para. 36.

[206] United Nations, CAT/OP/MEX/1, *Report on the visit of the Subcommittee on Prevention of Torture and Other Cruel, Inhuman or Degrading Treatment or Punishment to Mexico*, May 27, 2009, paras. 130-131 and 172.

[207] United Nations, Special Rapporteur on Torture and other Cruel, Inhuman or Degrading Treatment or Punishment, Third Report to the [former] Commission on Human Rights, E/CN.4/2004/56, adopted on December 23, 2003, para. 36

that records be kept of these medical examinations and that they include any traumatic injuries detected.[208]

166.   This medical inspection must not be regarded as a mere formality or conducted superficially. On the contrary, a proper clinical examination of the detainee must be carried out, during which the detainee can inform the health professional of everything he or she considers relevant. Among other reasons, this examination is important because there are forms of torture that leave, no or very few, visible signs, such as blows to the soles of the feet, asphyxiation, and position tortures, like suspension.[209] In addition, the examination must be good enough to detect the psychological sequels of torture or propensity to commit suicide, so as to be able to prescribe the correct treatment and refer the patient to a specialist.

167.   According to the SPT, these examinations must adequately describe:

1) the treatment received, (2) the source of any injuries, or (3) the type, location and characteristics of all injuries, details that could serve not only to determine the consistency of reports or complaints of torture, thereby constituting a useful tool for the prevention of torture, but also to preclude false complaints against the police alleging behavior of this kind.[210]

168.   This initial medical examination is also crucial for detecting contagious diseases (for instance, skin or sexually transmitted), which are easily propagated in closed, overcrowded and insalubrious environments, such as prisons, and pose a serious threat to the health not only of the prison population but also of prison personnel. If persons are discovered to have the aforementioned kind of diseases, the proper procedure is to adequately treat them for the disease and take appropriate preventive measures before placing these persons in contact with the rest of the population in the prison. Thus, the initial medical examination is a key mechanism for preventing epidemics in prisons and for detecting traces of torture.

169.   According to the World Health Organization, observance of Rule 24 of the Standard Minimum Rules for the Treatment of Prisoners implies that the initial medical examination of a prisoner must essentially determine whether he represents a danger to himself or others. To that end, the main issues to be explored are: (a) Do they have a serious illness, or are they withdrawing from a dependence or medication? (b) Are they at risk of self-harm or suicide? (c) Do they have a disease that is easily transmitted that puts

---

[208] United Nations, CAT/OP/MEX/1, *Report on the visit of the Subcommittee on Prevention of Torture and Other Cruel, Inhuman or Degrading Treatment or Punishment to Mexico*, May 27, 2009, paras. 132-33, 135 and 172-173.

[209] See, *Manual on the Effective Investigation and Documentation of Torture and Other Cruel, Inhuman or Degrading Treatment or Punishment (Istanbul Protocol)*, Office of the United Nations High Commissioner for Human Rights, paras. 203-214.

[210] United Nations, CAT/OP/HND/1, *Report on the visit of the Subcommittee on Prevention of Torture and Other Cruel, Inhuman or Degrading Treatment or Punishment to Honduras*, February 10, 2010, para. 153.

others at risk? (d) Is their mental state causing them to be a threat or are they likely to be violent?[211]

170.   Furthermore, it is important to stress that the health professionals carrying out these examinations must be allowed to perform their functions independently and impartially. In order for a medical inspection of a detained person to constitute a genuine safeguard for fundamental rights, it is essential that health personnel be free from any interference, pressure, intimidation or orders from police or prison officers and even from personnel involved in the judicial proceedings or the attorney general's office. For that independence to be real, it is vital that health professionals not be subordinate in rank to those authorities and that they enjoy institutional autonomy.

E.   Prison personnel: suitability, training, and working conditions[212]

171.   Principle XX of the Principles and Best Practices is based on the view that "[t]he personnel responsible for the direction, custody, care, transfer, discipline and surveillance of persons deprived of liberty shall at all times and under any circumstances respect the human rights of persons deprived of liberty and of their families."

172.   At the same time, effective implementation of any correctional policy definitely depends on the officials directly in charge of administering detention facilities (be they from penitentiary, administrative, or police establishments); on the multidisciplinary teams performing treatment functions; and on the judicial authorities.

173.   After considering the importance of the personnel, one of the most recurrent problems identified by the Inter-American Commission on Human Rights over the years has been precisely the existence of a number of shortcomings of the personnel running the centers of deprivation of liberty.

Suitability

174.   With regard to the suitability and the minimum qualifications that should be met by personnel in detention centers, Principle XX of the Principles and Best Practices establishes that

> The personnel shall be carefully selected, taking into account their ethical and moral integrity, sensitivity to cultural diversity and to gender issues, professional capacity, personal suitability for the work, and sense of responsibility.

> The personnel shall comprise suitable employees and officers, of both sexes, preferably with civil service and civilian status [...].

---

[211] World Health Organization (WHO), *Health in Prisons: a WHO guide to the essentials in prison health*, 2007, pp. 24-25.

[212] In the Americas, the texts of the Constitutions of Ecuador (Article 202), Guatemala (Article 19.b) and Venezuela (Article 272) make specific reference to the quality of prison staff.

Sufficient and qualified personnel shall be available to ensure security, surveillance, and custody, as well as to attend to medical, psychological, educational, labor, and other needs.[213]

175.   The suitability of penitentiary personnel comprises the skills, competence and abilities of the individuals concerned; thus:

Every penitentiary system must be based on shared values that constitute an ethical and moral framework for public activity. Values such as respect for the dignity of the person, including gender equity, respect for the diversity of cultures, religions, and political and social opinion, solidarity, respect for the law, honesty, and transparency. Without a strong ethical context, that situation in which one group of people is granted considerable authority over another can easily turn into an abuse of power.[214]

176.   One of the most serious problems observed by the IACHR with regard to the suitability of penitentiary personnel is that custody is exercised by members of the police or armed forces trained under anti-democratic regimes or by instructors or higher-ranking officers educated under such regimes. This state of affairs, typical of young democracies, is detrimental because certain practices that impede the respect for fundamental rights tend to persist in these security forces, abetting the maintenance of an institutional culture of violence.

177.   On that subject, the IACHR considered, in its Third Report on the Human Rights Situation in Paraguay (2001), that one of the reasons why the practice of torture in both prisons and police stations was such a recurrent problem was precisely that individuals trained in the Stroessner school had stayed on as members of the police and armed forces. The IACHR commented:

[A] thoroughgoing reform is needed of the police and military in Paraguay that includes as part of police and military training instruction in the principles related to democracy and the observance of human rights. At the same time, a profound change is needed in these institutions, which to date maintain an intricate structure based on chains of command that often makes it difficult to determine individual liability when abuses are committed by their members.[215]

178.   The Commission emphasizes that a key element in the suitability of penitentiary personnel is precisely the ethical and moral integrity of the individuals

---

[213] In the same vein, the Standard Minimum Rules for the Treatment of Prisoners (Rules 46.1, 46.3, 48 and 51) and the United Nations Rules for the Protection of Juveniles Deprived of their Liberty (Rule 82).

[214] United Nations Latin American Institute for the Prevention of Crime and the Treatment of Offenders (ILANUD), *Crime, Criminal Justice and Prison in Latin America and the Caribbean*, 2009, p. 272.

[215] IACHR, *Third Report on the Situation of Human Rights in Paraguay,* Ch. IV, para. 36.

comprising it. For that reason, it is essential to eradicate all those practices that help to maintain or foster a culture of violence among the staff responsible for the custody of persons deprived of their liberty.

179.   The IACHR observes with concern in some countries in the region certain practices that continue in which law enforcement officers themselves are subjected to various forms of violence as part of their training or as initiation or admission rites upon entering certain forces. Thus, during a working visit to Buenos Aires province in June 2010, the Rapporteur on the Rights of Persons Deprived of Liberty of their Liberty was informed that a member of the Buenos Aires Penitentiary Service had been subjected to various forms of physical ill-treatment as a ritual to "welcome" him to that department's Special Intervention Group (GIE). The assault on that official was recorded on the cell phone of one of the agents present at the time and then leaked to the media which disseminated the recording extensively.[216]

180.   Another similar instance was registered by the Subcommittee on Prevention of Torture during its visit to Mexico, when it found out that policemen in the Municipality of León, Guanajuato are subjected to inhumane and degrading conditions as part of their "training."[217]

181.   The IACHR considers that when State agents responsible for the custody of persons deprived of their liberty are themselves subjected to torture or cruel, inhumane and degrading treatment by their own colleagues, the system itself is being turned on its head and distorted. This distortion means that there is no guarantee that those officers will not subject those in their custody to similar or even worse violence, as indeed happens.

182.   Another grave and deep-seated problem in the prisons of the region is corruption. Corruption is not an abstract or diffuse concept but a concrete, current reality belying the ethical integrity, and hence suitability, of the officials responsible for running detention centers. As this Report has already pointed out, prisons have traditionally been isolated spheres that have largely managed to shield themselves from public scrutiny and from States' monitoring and auditing activities. This lack of institutional controls and transparency, in conjunction with the dearth of funds to cover their operating expenses and the shortage of trained, motivated and well paid staff, has led to a situation in which, in most countries in the region, prisons have become breeding grounds for corruption.

---

[216] IACHR, Press Release 64/10 - IACHR Rapporteurship Confirms Grave Detention Conditions in Buenos Aires Province. Washington, D.C., June 21, 2010. See among others, the following press articles: *Denuncian por malos tratos en el Servicio Penitenciario bonaerense,* issued by Diario Página/12 on September 3, 2009, available at: http://www.pagina12.com.ar/imprimir/diario/ultimas/20-131109-2009-09-03.html; *El video con la cruel y violenta "bienvenida" a un agente penitenciario,* issued by 26noticias, available at: http://www.26noticias.com.ar/el-video-con-la-cruel-y-violenta-bienvenida-a-un-agente-penitenciario-95727.html. In this address there is an excerpt of that video. Furthermore, as shown in the video and according to the reports given to the delegation by the CELS, Mr. Maidana would have been handcuffed, hung from the bars of a window, hooded, beaten in different parts of the body, dry shave their genitals and subjected to mock incineration, among other things.

[217] United Nations, CAT/OP/MEX/1, *Report on the visit of the Subcommittee on Prevention of Torture and Other Cruel, Inhuman or Degrading Treatment or Punishment to Mexico,* May 27, 2009, paras. 93-94.

183. Corruption in prisons comes in many guises, depending on the specific context, and may involve authorities at different levels. It may have to do, for instance, with transfers to particular prisons or to more comfortable sections of the same prison; with the sale of certificates of good behavior, psychologists' reports, or certification of participation in labor or study activities; with the sale of places to take part in such activities; with the marketing of food earmarked for inmates; with the sale of permits for conjugal visits; and with the collection of small quotas from prisoners for such common services as phone calls or access to health care among the many manifestations of corruption.

184. These patterns of corruption and illegality are much more blatant and systematic in prisons under "self-government" or "shared government" regimes (described in Chapter II.B of this Report), in which inmates have to pay for access to almost everything, including the right not to be assaulted. In such a setting, it is particularly worrisome to find the authorities themselves participating –by deed or omission– in criminal acts committed by the inmates themselves acting from inside prisons, as in the case of real or virtual extortions and kidnappings, in addition to the trafficking of arms, drugs, and other illicit items inside the detention centers and prisons.

185. In some prisons there is even a deep-seated, routine and daily "culture of corruption," which is regarded by both inmates and officers as "normal." This institutionalized corruption may be manifested in such basic ways as leasing cells according to size and comfort criteria, or charging inmates for access to public phones and patios or for more comfortable arrangements and privacy for family visits. There are even charges for access to clinics and pharmacies; for conducting administrative or legal formalities; and for protection from assault.

186. Corruption exacerbates real inequalities among inmates, adding to the vulnerability of the weakest and triggering imbalances in the distribution of the scant resources available in prisons.

187. Therefore, the IACHR sees a close tie between fighting corruption and advancing respect and guarantees for human rights. The United Nations Convention against Corruption –which entered into force on December 14, 2005 and which has been ratified by 27 OAS member States[218]– declares in its preamble, inter alia, that "the seriousness of problems and threats posed by corruption to the stability and security of societies, undermining the institutions and values of democracy, ethical values and justice and jeopardizing sustainable development and the rule of law."[219]

188. Corruption in the region's prisons has been amply documented, by both the Inter-American Commission on Human Rights and United Nations bodies with a

---

[218] These are: Antigua and Barbuda, Argentina, Bahamas, Bolivia, Brazil, Canada, Chile, Colombia, Costa Rica, Dominica, Dominican Republic, Ecuador, El Salvador, Guatemala, Guyana, Haiti, Honduras, Jamaica, Mexico, Nicaragua, Panama, Paraguay, Peru, Trinidad and Tobago, the United States of America, Uruguay and Venezuela.

[219] United Nations Convention against Corruption, adopted by the General Assembly by its resolution 58/04 of October 31, 2003, and entered into force on December 14, 2005.

mandate to conduct monitoring visits to penitentiaries. Thus, the IACHR has voiced its concern at situations such as the following, described in the Bolivia Country Report for 2007:

> Within the prison, the men deprived of liberty, their wives or partners and their children are left to their own fate. The prison authorities recognized, and the delegation of the Commission confirmed, that prisoners sell or rent individual cells. This means that an inmate does not have the right to a cell, and that he has to pay to have a place to sleep; or else he will sleep in a corridor or out in the courtyard, exposed to the elements of the weather. In the Chonchocorro prison, the Commission was informed that the sports gymnasium belonged to an inmate, who charged a membership fee of B. 20 a month for its use.[220]

In the Report on its mission to Mexico, the Subcommittee on Prevention of Torture wrote:

> Members of the delegation observed during their visits to prisons that [...
>] in many of these facilities, all manner of commercial transactions take place, including payment for certain spaces or sleeping areas, and a whole system of privileges to which not all persons deprived of their liberty are entitled. Some of the people interviewed explained to the delegation how payments are required in order to maintain certain rights in the prison.[221]

For his part, the United Nations Special Rapporteur on Torture had the following to say regarding a similar situation in Paraguay:

> Corruption is endemic. [...] It is a common practice that prisoners have to pay bribes in order to secure the supply of necessary articles to which they are entitled and which the State is obligated to provide. Some inmates enjoy spacious and clean cells equipped with a TV set, radio and books, while others are locked up in filthy and overcrowded ones. The lack of transparency in the allocation of quarters adds to the suspicion that better-off inmates bribe prison authorities to receive better treatment. Furthermore, the payment of a bribe of 1,000 guaraní for the most everyday and normally available goods and activities, i.e. sitting under a tree, appears to be so widespread that it virtually constitutes an independent, grey economy within the prison walls, run by gangs of inmates and facilitated by the active or passive participation of some of the prison authorities. This leads to further marginalization of the poor. The Special Rapporteur also received allegations of sexual harassment by

---

[220] IACHR, *Access to Justice and Social Inclusion: The Road Towards Strengthening Democracy in Bolivia*, Ch. III, para. 201.

[221] United Nations, CAT/OP/MEX/1, *Report on the visit of the Subcommittee on Prevention of Torture and Other Cruel, Inhuman or Degrading Treatment or Punishment to Mexico*, May 27, 2009, para. 167.

prison guards who demand sexual services from female prisoners in exchange for food, hygiene products or other goods.[222]

In its 2006 Report on its mission to Honduras, the Working Group on Arbitrary Detention also discovered "that in the detention centers detainees have to make payments to the prison police in order to exercise their most basic rights [...] for instance in order to see the judge, to be handed the judgment in their case, to file an appeal."[223]

189.   These instances, and others cited in this report, not only reveal a generalized and institutionally embedded pattern of corruption throughout the region that completely contravenes the function of a penitentiary. They also testify to a lack of effective State control over prisons that, as we saw above, poses a real threat to the fundamental rights of detainees.

190.   There are also instances in which acts of corruption prevent the implementation of measures adopted by States themselves to address specific situations. For example, in his visit to El Salvador, the Rapporteur on the Rights of Persons Deprived of Liberty was told of cases in which the authorities had ascertained that prison personnel had deactivated mechanisms for preventing phone calls that had been installed to prevent gang members from organizing and directing criminal acts from inside prisons.[224] The same thing happens with security arrangements to prevent the smuggling of arms or drugs into detention centers, when, in fact, it is the security officers themselves who tolerate or participate in the smuggling.[225]

191.   Corruption in penitentiaries always thwarts fulfillment of the essential purposes of prison sentences, especially when it impairs those mechanisms designed to promote rehabilitation and the reintegration into society of persons deprived of their liberty.

---

[222] United Nations, Special Rapporteur on Torture and other Cruel, Inhuman or Degrading Treatment or Punishment, Report on the mission to Paraguay, A/HRC/7/3/Add.3, adopted on October 1, 2007. Ch. IV: *Conditions of detention*, para. 68.

[223] United Nations, Working Group on Arbitrary Detentions, *Report on mission to Honduras*, A/HRC/4/40/Add.4, adopted on December 1, 2006, para. 85.

[224] See in this regard, *Nunca imaginé a profesores o personal de clínica involucrado: Director de Centros Penales*, an article issued by El Faro, available at: http://elfaro.net/es/201005/noticias/1747.

[225] In this respect, during the proceedings of the four accumulated provisional measures regarding Venezuelan prisons, the petitioners argued that, "the main cause of the extreme violence existing in the Venezuelan prisons, is the entry of firearms [...] [coming from what they called] prison mafia, composed of officers of the National Guard as well as of the Ministry of the Interior and Justice, who have the capacity to trade and traffic [...] weapons [with] the inmates that are inside the prisons". I/A Court H.R., Provisional Measures in the matters of the Monagas Judicial Confinement Center ("La Pica"), Yare I and Yare II Capital Region Penitentiary Center (Yare Prison); the Penitentiary Center of the Central Occidental Region (Uribana Prison); and the *Capital El Rodeo I & El Rodeo II Judicial Confinement Center*, Venezuela, Order of the Inter-American Court of November 24, 2009, Whereas 12 (c).

192.   In this regard, in a hearing held in March 2008, the IACHR was informed that in Panama's main prisons inmates had to pay to get permission to work or study.[226] Likewise, when the Rapporteur on the Rights of Persons Deprived of Liberty visited Buenos Aires province, the IACHR urged the provincial government to "establish objective criteria to ensure a transparent, fair way of allowing participation in such programs," referring to access to workshops, education, and other resocialization programs."[227] In this context, another factor conducive to lack of transparency and to irregularities in determining who has access to these programs is precisely the shortage of programs compared to the large number of inmates.

193.   At the same time, States need to guarantee that penitentiaries are ran and guarded by qualified, civilian staff, with civil servant status. That is to say, those functions must be entrusted to an independent security body independent of the military and police forces, and educated and trained in penitentiary issues. Those professionals must have been trained in programs, schools, or penitentiary academies established specifically for that purpose and pertaining to the institutional structure of the authority responsible for administering the penitentiary system.

194.   In this respect, one of the questions in the questionaire, written with the motive of writing this report was to inquire about the entity in charge of maintining security in the penetentiary centers and, in situations where it was more than one body, indicate the funtions of each and how they interacted. The States responded with the following information:

Argentina	In the federal prisons, the *Servicio Penitenciario Federal* is in charge of maintaining the security; in the province of Buenos Aires, the security of prisons is in charge of the *Servicio Penitenciario Bonaerense.*
Bahamas	*Her Majesty's Prison Officers*
Bolivia	In conformity with Law No. 2298, the National Police is in charge of both, internal and external security of prisons at the national and local level.
Brazil	Public civil servants (penitentiary agents), selected by an open competition. In some cases, members of the Military Police can act as external guards for penitentiary centers and in critical conditions, such as a rebellion can enter to support the containment of the crisis and can help transfer inmates. In the commissaries or delegations of police, and in centers of deprivation of liberty, the security can also be run by civil police.

---

[226] IACHR, Public hearing: *Human Rights Violations in Prisons in Panama*, 131º Ordinary Period of Sessions, requested by: State of Panama, Comisión de Justicia y Paz de la Conferencia Episcopal de Panmá, Centro de Iniciativas Democráticas (CIDEM), Harvard University. March 7, 2008. In this regard, see the report: *Del Portón para Acá se Acaban los Derechos Humanos: Injusticia y desigualdad en las cárceles panameñas,* presented in the said hearing available at: http://www2.ohchr.org/english/bodies/hrc/docs/ngos/HarvardClinicPanamaprisons.pdf. In the same sense, the Justice and Peace Commission in its response to this report, indicated that one of the major challenges facing the penitentiary management in Panama is precisely the failure to investigate corruption in prisons. Response received by e-mail on May 20, 2010.

[227] IACHR, Press Release 64/10 - IACHR Rapporteurship Confirms Grave Detention Conditions in Buenos Aires Province. Washington, D.C., June 21, 2010.

Chile	In accordance with D.L. 2.859, of 1979, *Gendarmería de Chile* is in charge of the security in the penitentiaries of the Nation. Additionally, in conformity with Law No. 20.084, Gendarmeria de Chile is also in charge of the external security of the prisons centers for juveniles; however, they are only authorized to enter in case of revolt or other situations or grave risk.
Colombia	In accordance with the Law 65 of 1993 the internal vigilance of detainment centers will be the charge of the Custodial Body and the National Penitentiary Watch Guard; the external relies on the Public Force and the security bodies. When the Public Force isn't available for these ends, the external vigilance will be taken over by the Custodial Body and the National Penitentiary Watch. The Public Force requires prior authorization from the Ministry of Justice or the General Director of INPEC, or in urgent situations, the permission of the director of the establishment where the acts are occurring, they can enter to prevent or stop extreme altercations affecting public order.
Costa Rica	In conformity with what is established by Law No. 7410 and the Regimen of the Penitentiary Police Executive Decree No. 26061, the security and the custody of the persons deprived of liberty is in the charge of the Penitentiary Police.
Ecuador	The internal security of prisons is in the hands of the Penitentiary Security Corp. and the external security relies on the National Police.
El Salvador	"According to the information given by the General Inspector Unit that, by law, is in charge of guaranteeing the security of the Penitentiary Centers, for the effective completion of judicial orders of the restriction of individual liberty of inmates with respect to their fundamental rights and the function of said centers".
Guatemala	"The internal security of the prison centers is the responsibility of the prison guard. The security structure is in three circles for the guard of the prisons: ▪ First Circle, Penitentiary Guard (entry boxes and towers). ▪ Second Circle, National Civil Police (perimeter patrol). ▪ Third Circle, detachment of the Guatemalan Army (support in emergency situations. They have no contact with the prison population, but for cases of extreme necessity)".
Guyana	The security in all of the prisons in the country is directed and maintained by the Directors of the prison centers and by the Prison Officials. In cases of emergencies like riots, revolts, fires and violent outbreaks, the Guyana Police, the Fire Service and the Defense Force can intervene.
Nicaragua	"The security of the Penitentiary Centers is in the charge of the Special Penal Security which is part of the structure of the National Penitentiary System, created specifically for these means, to attend the internal and external security of the Penal Centers, and to supervise the transfer of inmates to hospitals and the criminal courts".
Panama	In accordance with Law 55 of 2003, the external security of prisons is the charge of the National Police, and the internal security is run by a Penitentiary Security Corp. In the Penitentiary Centers where there are no penitentiary agents, both functions are performed by the National Police.
Peru	The State of Peru declared that "currently there exists a deficit in security personnel, the penitentiary school has not produced any new personnel, the penitentiary population continues to grow, creating overpopulation." Moreover, the State has signaled that "INPE has found itself in charge of the internal and external security in 27 penitentiary centers. Under Law 29358

	there is room for INPE to assume the integral security of the penitentiary centers, the Penitentiary Security Directorate contributed to the creation of a Transfer Plan, but the date has not yet been set."
Suriname	Only the Prison Officials are in charge of the security in the prisons.
Trinidad y Tobago	The Prison Service is the body in charge of maintaining the security in the prisons, however, in some cases of major problems with order, such as revolts, a joint force, which includes the army, may enter.
Uruguay	In Uruguay, the 8 penitentiaries located within the metropolitan area, plus the San Jose regional prison, depend on the National Directorate of Prisons and Rehabilitation Centers. The remaining 20 jails of the country depend on the local Police. By Decree 378/1997 the Ministry of National Defense was put in charge of the external security of the Santiago Vazquez Prison Complex, the Libertad Penitentiary Center, and the Regional Prison of Canelones. By subsequent decrees, military presence has been allowed in the perimeter of these complexes and by a recent agreement of the Ministry of National Defense this plan has been extended to the Regional Prison of Maldonado
Venezuela	According to the information given by the State normally in the prison centers of Venezuela, the external security is in the charge of a detachment of the National Guard (the army) and the internal security, by civil servants.

195.   In this regard, the IACHR has addressed the situation in countries like Bolivia[228], Paraguay[229], Honduras[230], Haiti[231] and Uruguay[232] that do no have specialized correctional agencies, these functions are exercised by the police forces. Likewise, in the case of *Montero-Aranguren et al (Detention Center of Catia) v. Venezuela*, the Inter-American Court ordered the Venezuelan State, as a measure of satisfaction and guarantee that the violations established would not be repeated, to implement an eminently civilian penitentiary surveillance service.[233]

196.   Indeed, it is essential that the States establish autonomous penitentiary administration systems, managed by professional penitentiary personnel and administrators independent of the police. However, the mere existence of those institutions does not suffice. Existing penitentiary personnel must be sufficient to cover the

---

[228] IACHR, Follow-up Report - *Access to Justice and Social Inclusion: The Road Towards Strengthening Democracy in Bolivia*, OEA/Ser/L/V/II.135. Doc. 40, adopted on August 7, 2009, Ch. V, paras. 116 and 119.

[229] United Nations, Special Rapporteur on Torture and other Cruel, Inhuman or Degrading Treatment or Punishment, Report on the mission to Paraguay, A/HRC/7/3/Add.3, adopted on October 1, 2007. Ch. IV: *Conditions of detention*, para. 70

[230] United Nations, Working Group on Arbitrary Detentions, *Report on mission to Honduras*, A/HRC/4/40/Add.4, adopted on December 1, 2006, paras. 76 and 101.

[231] IACHR, *Haiti: Failed Justice or the Rule of Law? Challenges ahead for Haiti and the international community*, Ch. III, para. 206.

[232] IACHR, Press Release 76/11 - IACHR Recommends Adoption of a Comprehensive Public Policy on Prisons in Uruguay. Washington, D.C., July 25, 2011, Annex, para. 51.

[233] I/A Court H. R., *Case of Montero Aranguren et al. (Detention Center of Catia) V. Venezuela.* Judgment of July 5, 2006. Series C No. 150, para. 144.

labor demand of the different penitentiaries.[234] A shortage of penitentiary personnel creates, inter alia, internal security problems in the prisons.

Training

197.   For the Inter-American human rights system, the Principles and Best Practices establish:

Principle XX: [...] The personnel of places of deprivation of liberty shall receive initial instruction and periodic specialized training, with an emphasis on the social nature of their work. Such instruction and training shall include, at least, education on human rights; on the rights, duties, and prohibitions in the exercise of their functions; and on national and international principles and rules regarding the use of force, firearms, and physical restraint. For these purposes, the member States of the Organization of American States shall promote the creation and operation of specialized education and training programs with the participation and cooperation of social institutions and private enterprises.[235]

198.   The IACHR reiterates the principle that the effective observance of human rights requires a system in which all law enforcement officers are trained in the principles of a participatory and well-informed democracy.[236] Accordingly, enforcement personnel, medical personnel, police officers and any other persons involved in the custody or treatment of any individual subjected to any form of arrest, detention or imprisonment must receive appropriate instruction and training.[237] In particular, personnel assigned to work with specific groups of persons deprived of their liberty, such as foreign nationals, women, children, older persons and the mentally ill, among others, must receive training specifically tailored to their specialized tasks.

199.   Training for personnel working in facilities for persons deprived of their liberty is not just an essential precondition for appropriate penitentiary management; it is also a key mechanism to ensure respect for and to guarantee the fundamental rights of persons deprived of liberty. The training of all staff must include study of international and regional instruments for the protection of human rights.

---

[234] For example, in the public hearing on the *Situation of the Penitentiary System in Guatemala* (March 6, 2006), the participants mentioned that of the 41 prisons in the country, 17 are run by the correctional administration, and 24 by the National Civil Police.

[235] In the same vein, the Standard Minimum Rules for the Treatment of Prisoners (Rules 47 and 52.1), and specifically with regard to children and adolescents, the Beijing Rules (Rule 12) and the United Nations Rules for the Protection of Juveniles Deprived of their Liberty (Rule 85).

[236] IACHR, *Third Report on the Situation of Human Rights in Paraguay*, Ch. IV, para. 36.

[237] United Nations, Human Rights Committee, General Comment No. 20: Prohibition of torture, or other cruel, inhuman or degrading treatment or punishment (Article 7), adopted at the 44th session (1992), para. 10. In Compilation of General Comments and General Recommendations adopted by human rights treaty bodies, Volume I, HRI/GEN/1/Rev.9 (Vol. I) adopted on May 27, 2008, p. 240.

200.   Thus, the Inter-American Convention to Prevent and Punish Torture establishes that the States Parties "shall take measures so that, in the training of police officers and other public officials responsible for the custody of persons temporarily or definitively deprived of their freedom, special emphasis shall be put on the prohibition of the use of torture in interrogation, detention, or arrest." (Article 7)[238]

201.   In the case of *Antonio Ferreira Braga,* the IACHR established a violation of Article 7 of the Inter-American Convention to Prevent and Punish Torture when it reached the conclusion that the State agents who tortured the victim did not have the proper training required by that Convention.[239]

202.   Generally speaking, torture, cruel, inhuman and degrading treatment can take place when a person is deprived of his or her liberty and in the custody of the State, which is why it is necessary to prevent such acts, to ensure that public officials who have contact with potential victims of torture at all stages in the custody chain have proper training in and awareness of human rights, due process and legal safeguards.[240] It is also important to clearly point out the legal consequences of acts of torture so that law enforcement officers are fully aware of them.

203.   Furthermore, the Inter-American Convention on Forced Disappearance of Persons establishes the obligation for States Parties to "ensure that the training of public law-enforcement personnel or officials includes the necessary education on the offense of forced disappearance of persons." (Article VII). This provision applies also to the training of police and penitentiary personnel, especially because one of the risks incurred by an illegally detained person is precisely that he or she may become a victim of forced disappearance. Even without that hypothesis, it is necessary that penitentiary personnel be trained to prevent possible forced disappearances. Hence the need to keep adequate records in detention centers and to exercise effective control of order and internal security.

204.   For its part, the Convention of Belém Do Pará also provides – as a measure for preventing, punishing and eradicating violence against women – for the gradual adoption by States Parties of specific measures, including programs to foster education and training for justice administration, police, and other personnel charged with enforcing the law (Article 8.c). This includes personnel responsible for the detention centers holding women and girls.

205.   Another vital aspect is the training, independence, and suitability of management-level staff. The directors of penitentiaries must be suitably qualified for the

---

[238] In the same vein, the United Nations Convention against Torture and Other Cruel, Inhuman or Degrading Treatment or Punishment (Article 10) and the United Nations Declaration on the Protection of All Persons from Being Subjected to Torture and Other Cruel, Inhuman or Degrading Treatment or Punishment (Article 5).

[239] IACHR, Report No. 35/08, Case 12.019, Merits, Antonio Ferreira Braga, Brazil, July 18. 2008, paras.121-122.

[240] United Nations, CAT/OP/MEX/1, *Report on the visit of the Subcommittee on Prevention of Torture and Other Cruel, Inhuman or Degrading Treatment or Punishment to Mexico,* May 27, 2009, paras. 93-95.

job, in terms of their character, administrative ability, suitable training, and experience in the field.[241] The IACHR stresses that the appointment of directors of penitentiaries and of management-level staff in prison systems must be conducted using transparent and equitable processes, in which the candidates' suitability is evaluated on the basis of objective selection criteria. Furthermore, once these authorities have been appointed, they need to enjoy the functional independence required for the performance of their duties, subject only to pertinent legal and regulatory requirements.

206.   Training the staff responsible for running detention centers of all kinds must definitely be construed as an investment, not as a cost, and it should therefore be planned and crafted to match the needs of the institution concerned. Training is not just transformation or knowledge; it is also about developing skills and an aptitude for change.[242] Moreover, the State must take all necessary steps to ensure that all the detention centers in its territory –and not just those located in urban centers– are endowed with professional and well-trained staff.

207.   In addition to ensuring the proper training of the correctional staff, the public administration should also endorse the belief, in the minds of its members and in the community as a whole, that the work at the correctional institutions is an important service to the community.[243] Generally speaking, penitentiaries are hostile, difficult, poorly funded environments, in which the work of prison officers can be, not just routine, but also highly stressful and exhausting. Such is why everything possible must be done to keep penitentiary staff motivated and conscious of the importance of the work they do.

Working conditions

208.   Regarding working conditions, the Principles and Best Practices establish the following:

Principle XX.

The personnel shall comprise suitable employees and officers, of both sexes, preferably with civil service and civilian status […].

The personnel of places of deprivation of liberty shall be provided with the necessary resources and equipment so as to allow them to perform their duties in suitable conditions, including fair and equitable remuneration, decent living conditions, and appropriate basic services.[244]

---

[241] See, the Standard Minimum Rules for the Treatment of Prisoners (Rules 50-51).

[242] United Nations Latin American Institute for the Prevention of Crime and the Treatment of Offenders (ILANUD), *Crime, Criminal Justice and Prison in Latin America and the Caribbean*, 2009, p. 275.

[243] See, the Standard Minimum Rules for the Treatment of Prisoners (Rule 46.2).

[244] In the same vein, the Standard Minimum Rules for the Treatment of Prisoners (Rule 46.3).

209.   Essentially, penitentiaries must be guarded and run by professional prison staff, who should be civilian, enjoy civil service status, have legal and regulatory ties to the administration that establish their rights and duties, and be subject to a labor regime established by law. In other words, a penitentiary service career needs to be implemented.[245]

210.   Penitentiary career staff must enjoy labor stability, promotions, and progressive improvements in their working conditions based on years of service and other merit-based criteria contemplated by law. Conditions must be such as to ensure that a career in the prison service is regarded as a viable option for obtaining a decent, well-paid job. Job stability must depend solely on performance and compliance with the law.

211.   The law must establish the internal disciplinary procedures needed to ensure due administrative process, specifying the conducts for which prison officials will be sanctioned; establishing the authorities competent to render these decisions, the procedures for the internal investigations and the disciplinary sanctions that may be imposed, along with the remedies available to the official involved to challenge the rulings. All of which must, naturally, be without prejudice to any criminal liability the official may have incurred, which will be dealt with in the regular court system. In the Commission's view, a properly functioning prison discipline system (with internal investigation bodies responsible for trying and, where applicable, punishing conduct previously classified as a breach or violation of the rules) is an essential feature of a modern, professional, and democratic security force.

212.   Penitentiary career civil servants should receive a fair salary that is sufficient to ensure them and their families a decent standard of living and that takes into account the dangers, responsibilities, and stress proper to their functions, as well as the technical skills required by the profession.[246] Moreover, as has often been ascertained, paying low or ridiculously low salaries to officers (of any kind, including police officers) responsible for the detention or custody of persons may make them prone to corruption or to seek "bonuses."[247]

---

[245] In general, the working conditions of these corrections officers, including their remuneration, should be commensurate with the nature of the functions they perform. It is important that there is no perception that prison officials are "second class" or "category below" the security agencies of the State, such as the police or army. This is relevant because in practice it is common for prison officers to interact with these security sectors, in such situations it is important that the latter conduct themselves with respect and professionalism in their dealings with the prison officials.

[246] In a similar sense, see also, IACHR, Report on Citizen Security and Human Rights, OEA/Ser.L/V/II. Doc.57, adopted on December 31, 2009, para. 92.

[247] See *e.g.*, United Nations, CAT/OP/MEX/1, *Report on the visit of the Subcommittee on Prevention of Torture and Other Cruel, Inhuman or Degrading Treatment or Punishment to Mexico*, May 27, 2009, para. 102; United Nations, Working Group on Arbitrary Detentions, *Report on mission to Honduras*, A/HRC/4/40/Add.4, adopted on December 1, 2006, para. 77. In this regard, is particularly illustrative the following statement of the UN Rapporteur on Torture on the situation on Paraguay:

The low wages of prison wardens, which were in some cases below the minimum wage and in other instances more than three months overdue, the pivotal role of the personnel in the distribution of resources, combined with the inmates' dependency, constitute a situation highly susceptible to the abuse of power. It is a common practice that prisoners have to pay

Continues…

213.   With regard to other working conditions for penitentiary personnel, the IACHR considers that they must have (1) safety and hygiene on the job;[248] (2) respect for working hours and the required psychological and physical support; (3) time off for relaxation and vacation that is proportionate to the toll that the constant stress of the job exacts; (4) a duty to obey the orders of superiors when those orders are lawful, and if not, the right to challenge the orders without having to face criminal or disciplinary sanctions for refusal to follow an unlawful order or one that violates human rights; (5) constant training that enables the officer to perform his or her functions, and a police career service that will provide academic-professional underpinning for a cultural transformation.[249]

214.   In practice, structural defects in prisons affect both the inmates and their guards, who in some cases work under really bad deplorable conditions that they can impair their work, security, and even physical and mental health. Regarding this matter, in the report on his mission to Uruguay, the Rapporteur on the Rights of Persons Deprived of Liberty took into consideration a study done by that country's Ministry of the Interior, which established, inter alia, that poor working conditions over a long period of time led to "discouragement, frustration, despair, resignation, work done on automatic pilot, reluctance to present proposals or initiatives for change, and a reduction in creativity. In short, a physical-emotional deterioration with sustained progression of psychosomatic and psychopathological diseases..."[250] The IACHR therefore recommends paying the necessary heed to the physical and mental health of personnel working in detention centers.[251]

Personnel exercising direct custody of persons deprived of their liberty

215.   As mentioned above, the staff in charge of the administration and internal security of detention centers must comprise appropriately qualified civilian employees and officials: that is to say, professional penitentiary personnel specifically trained for the job. Here, the Principles and Best Practices establish that as a general rule,

---

...continuation

bribes in order to secure the supply of necessary articles to which they are entitled and which the State is obligated to provide. United Nations, Special Rapporteur on Torture and other Cruel, Inhuman or Degrading Treatment or Punishment, Report on the mission to Paraguay, A/HRC/7/3/Add.3, adopted on October 1, 2007. Ch. IV: *Conditions of detention*, para. 68.

[248] See also, Penal Reform International (PRI), *Manual de Buena Práctica Penitenciaria: Implementación de las Reglas Mínimas de Naciones Unidas para el Tratamiento de los Reclusos*, 2002, p. 151.

[249] In a similar sense, see also, IACHR, *Report on Citizen Security and Human Rights*, para. 92.

[250] IACHR, Press Release 76/11 - IACHR Recommends Adoption of a Comprehensive Public Policy on Prisons in Uruguay. Washington, D.C., July 25, 2011, Annex, para. 50. With regard to this matter, in Chile, a study by the National Association of Correctional Officers (ANFUP, according to its Spanish acronym) showed that between 2009 and July 2010 there were twenty-four suicide attempts by officials, and four officials managed to kill themselves. Those who survived had to undergo expensive psychiatric treatments. This study also revealed that during this period there were 1,500 absences for health reasons, of which 14% were of psychiatric medical appointments and diagnoses of depression. Universidad Diego Portales, Centro de Derechos Humanos de la Facultad de Derecho, *Informe Anual sobre Derechos Humanos en Chile 2010*, pp. 130-131.

[251] For example, the World Health Organization has a number of recommendations and guidelines that States may follow. *See*, WHO, *Health in Prisons: a WHO guide to the essentials in prison health*, 2007, pp. 171-179.

members of the Police or Armed forces shall be prohibited from exercising direct custody of persons deprived of liberty, unless it is a police or military institution" (Principio XX).[252]

216.   Accordingly, with respect to the employment of police officers in penitentiary functions, the Commission has consistently held that:

> International standards on detention contemplate that, as a general rule, the authority responsible for the investigation of a crime and arrest should not be the authority responsible for administering detention centers. This is a safeguard against abuse, and an essential basis for prompt judicial supervision of detention centers.[253]

Furthermore, United Nations protection mechanisms have also pointed to the State's duty to employ well-trained and well-equipped prison guards and professional penitentiary administrators who are independent of the police.[254]

217.   At the same time, the deployment of members of the armed forces to control security in prisons must be exceptional, commensurate with the gravity of the situation prompting it, and restricted to exceptional cases explicitly contemplated by law and geared to achieving legitimate goals in a democratic society. In such cases, the actions of the armed forces must be subject to the scrutiny and control of the civilian authority, in particular as regards the establishment of the corresponding legal liabilities.[255]

218.   During his visit to El Salvador, for instance, the Rapporteur on the Rights of Persons Deprived of Liberty learned that members of the armed forces were being used to control the security perimeter of certain prisons and to detect the admission of illicit items. He was also informed by various sources that soldiers allegedly engaged in certain abuses and arbitrary acts against inmates and the family members and other visitors. The Rapporteurship was able to ascertain that neither the prison authorities nor any other civilian authorities monitored or supervised in any way the searches of persons carried out by the army. Additionally, no procedures have been established for complaining or appealing to prison directors in cases in which inmates' relatives consider that they were the victims of the powers that the army exercises without restrictions of any kind.[256]

---

[252] In the same vein the European Penitentiary Rules laid down that, "[p]risons shall be the responsibility of public authorities separate from military, police or criminal investigation services" (Rule 71).

[253] IACHR, *Access to Justice and Social Inclusion: The Road Towards Strengthening Democracy in Bolivia*, Cha. III, para 199; IACHR, *Fifth Report on the Situation of Human Rights in Guatemala*, Ch. VIII, para. 14.

[254] See in this regard, United Nations, Special Rapporteur on Torture and other Cruel, Inhuman or Degrading Treatment or Punishment, Report of the Mission to Uruguay, A/HRC/13/39/Add.2, adopted on December 21, 2009. Ch. IV: *Administration of criminal justice: underlying causes for collapsing administration of justice and penitentiary systems*, paras. 43 and 105; United Nations, Working Group on Arbitrary Detentions, *Report on mission to Honduras*, A/HRC/4/40/Add.4, adopted on December 1, 2006, paras. 76 and 101.

[255] IACHR, *Democracy and Human Rights in Venezuela*, Ch. VI, para. 683; IACHR, *Report on Citizen Security and Human Rights*, para. 104.

[256] IACHR, Press Release 104/10 - IACHR Office of the Rapporteur Attests to Structural Deficiencies in Prison System of El Salvador. Washington, D.C., October 20, 2010.

219.   The IACHR underscores the fundamental importance of the States taking steps in the short, medium, and long term, to establish a penitentiary career service, and training and hiring sufficient prison officers to cover the personnel needs of the penitentiaries. In this way, they will gradually replace the police or military personnel currently performing those functions and limit their intervention to exceptional cases and circumstances.

F.   Use of force by security personnel in prisons

220.   In the Inter-American human rights system, it has been established as a guiding principle of State activity that "regardless of the seriousness of certain actions and the culpability of the perpetrators of certain crimes, the power of the State is not unlimited, nor may the State resort to any means to attain its ends. The State is subject to law and morality."[257] This criterion applies fully to the actions, policies, and means used by States to maintain control and internal security in detention centers.

221.   Accordingly, the Inter-American Commission on Human Rights has established that the use of force "is a last resort that, qualitatively and quantitatively limited, is intended to prevent a more serious occurrence than that caused by the State's reaction."[258] And that:

> The legitimate use of public force entails, among other factors, that it is both necessary and proportional to the situation; that is to say that it must be exercised with moderation and in proportion to the legitimate objective being pursued while simultaneously trying to reduce to a minimum personal injury and the loss of human life. The degree of force exercised by state agents, to be considered within international parameters, must not exceed what is "absolutely necessary." The State must not use force disproportionately and immoderately against individuals who, because they are under its control, do not represent a threat; in such cases, the use of force is disproportional.[259]

222.   Thus, regarding the use of force by State agents, the IACHR's Principles and Best Practices establish as follows:

Principle XXIII (2).

> The personnel of places of deprivation of liberty shall not use force and other coercive means, save exceptionally and proportionally, in serious, urgent and necessary cases as a last resort after having previously

---

[257] I/A Court H.R., *Case of Velásquez Rodríguez V. Honduras.* Judgment of July 29, 1988. Series C No. 4, para. 154.

[258] IACHR, *Report on the Situation of Human Rights Defenders in the Americas*, OEA/Ser.L/V/II.124. Doc. 5 rev. 1, adopted on March 7, 2006, (hereinafter "*Report on the Situation of Human Rights Defenders in the Americas*"), para. 64.

[259] IACHR, *Report on the Situation of Human Rights Defenders in the Americas*, para. 65.

exhausted all other options, and for the time and to the extent strictly necessary in order to ensure security, internal order, the protection of the fundamental rights of persons deprived of liberty, the personnel, or the visitors.

The personnel shall be forbidden to use firearms or other lethal weapons inside places of deprivation of liberty, except when strictly unavoidable in order to protect the lives of persons.

In all circumstances, the use of force and of firearms, or any other means used to counteract violence or emergencies, shall be subject to the supervision of the competent authority.[260]

223.   For detention centers for children and adolescents, there are certain separate standards according to which the use of force or of coercive methods is only permitted by order of the director of the center, aimed specifically at preventing a minor harming others or himself or wreaking major material damage. In addition, as a general rule, personnel should be prohibited from carrying and using firearms.[261]

224.   Both the Inter-American Court and the Commission have referred to these standards in a number of cases and scenarios in which the State's security forces have made excessive use of force in places of deprivation of liberty.

225.   Thus, in the *Neira Alegría* and *Durand y Ugarte* cases, the Inter-American Court referred to the excessive use of force in suppressing a riot that began on June 18, 1986 in the Blue Block of the San Juan Bautista (formerly El Frontón) prison in Peru, in which prisoners tried and convicted of terrorism were being held. Through two supreme decrees issued by the President of the Republic, the prison was placed under the absolute material control of the Peruvian armed forces. In an operation that began at 3 a.m. on June 19, they used artillery to demolish the Blue Block, killing at least 111 inmates.[262]

226.   In these cases, the Court considered that the characteristics of the riot, the dangerousness of the rioting prisoners, and the fact that they were armed, did not constitute sufficient grounds to warrant the degree of force used and concluded that the disproportionate use of lethal force violated Article 4.1 of the American Convention.[263]

---

[260] There are similar provisions in the Standard Minimum Rules for the Treatment of Prisoners (Rules 33-54); the Code of Conduct for Law Enforcement Officials (Article 3); and specially in the Basic Principles on the Use of Force and Firearms by Law Enforcement Officials.

[261] United Nations Rules for the Protection of Juveniles Deprived of their Liberty (Rules 63-65).

[262] I/A Court H.R., *Case of Durand and Ugarte V. Peru.* Judgment of August 16, 2000. Series C No. 68, paras. 59 and 68; I/A Court H.R., *Case of Neira Alegría et al. V. Peru.* Judgment of January 19, 1995. Series C No. 20, para. 69.

[263] I/A Court H.R., *Case of Durand and Ugarte V. Peru.* Judgment of August 16, 2000. Series C No. 68, paras. 70-72; I/A Court H.R., *Case of Neira Alegría et al. V. Peru.* Judgment of January 19, 1995. Series C No. 20, paras. 74-76.

78

227.   In the *Miguel Castro Castro Prison* case, the Inter-American Court found the Peruvian State internationally liable for Transfer Operation 1 ("Operativo Mudanza 1"), which began in that prison on May 6, 1992 and lasted several days. At the start of the operation, members of the security forces penetrated Block 1A, demolishing part of a wall with explosives. Simultaneously, police officers opened holes in the roof and fired shots from there. During the first day of the operation and the following three days, military weaponry was used, such as grenades, rockets, bombs, artillery helicopters, mortars, and tanks, as well as shells containing tear, emetic, and paralyzing gases. Taking part in these actions were members of the police, the army, and other special forces, who even took up sharpshooter positions on the roof of the prison and fired at prisoners from there. On the last day of the "operation," State agents fired on the inmates coming out of Block 4B, after having asked not to be shot at and some inmates under the control of the authorities were taken aside and executed. After the actions had concluded, the authorities took hours and even days to provide medical care to survivors, as a result some of them died and others suffered permanent physical injuries. Even some of the wounded who were later taken to hospitals did not receive the medical care they needed.[264]

228.   In this case, the Inter-American Court concluded that there was no riot or other situation warranting legitimate use of force by State agents. On the contrary, it was a direct and deliberate attack on the lives and personal integrity of the male and female prisoners held in Blocks 1A and 4B, in the course of which 41 prisoners died and 190 were wounded.[265]

229.   Essentially, the Court reiterated the standards set in Principles 4 and 9 of the United Nations *Basic Principles of the Use of Force and Firearms by Law Enforcement Officials*, according to which "the State police forces may only recur to the use of lethal weapons when it is 'strictly inevitable to protect a life' and when less extreme measures turn out to be ineffective."[266] Furthermore, it emphasized the State's duty to ensure that all the deceased inmates were properly identified and their remains delivered to family members. The unwarranted delay in handing over the already decomposing bodies caused additional suffering to family members of the victims that could have been avoided.[267]

230.   Likewise, in the *Montero Aranguren et al (Detention Center of Catia) v. Venezuela* case, the complaint alleged that between November 27 and 29, 1992 there was a massive intervention by members of the National Guard and Metropolitan Police in the Flores de Catia Judicial Detention and Confinement Center, in which these security forces fired indiscriminately on the inmates, using firearms and tear gas, killing approximately 63

[264] I/A Court H.R., *Case of Miguel Castro-Castro Prison V. Peru*. Merits, Reparations and Costs. Judgment of November 25, 2006. Series C No. 160, paras. 211, 216, 222-223.

[265] I/A Court H.R., *Case of Miguel Castro-Castro Prison V. Peru*. Merits, Reparations and Costs. Judgment of November 25, 2006. Series C No. 160, paras. 215 y 217.

[266] I/A Court H.R., *Case of Miguel Castro-Castro Prison V. Peru*. Merits, Reparations and Costs. Judgment of November 25, 2006. Series C No. 160, para. 239.

[267] I/A Court H.R., *Case of Miguel Castro-Castro Prison V. Peru*. Merits, Reparations and Costs. Judgment of November 25, 2006. Series C No. 160, paras. 251 y 339.

prisoners, and wounding 52. Another 28 were described as disappeared. Moreover, the State did not ensure the timely medical care needed to treat those inmates wounded in this security operation.

231.   The *Montero Aranguren et al (Detention Center of Catia) v. Venezuela* case is vital in the development of Inter-American Court jurisprudence on the use of force by members of security forces. In its analysis, the Court took into consideration its own precedents, as well as the Universal human rights system and European human rights system standards and established the following:[268]

(a)   States must adopt all necessary measures to create a legal framework that deters any possible threat to the right to life; to establish an effective legal system to investigate, punish, and redress deprivation of life by State officials or private individuals. Especially, States must see that their security forces, which are entitled to use legitimate force, respect the right of life of the people under their jurisdiction.

(b)   The use of force by governmental security forces must be grounded on the existence of exceptional circumstances and should be planned and proportionally limited by the government authorities. In this aspect, [...] force or coercive means can only be used once all other methods of control have been exhausted and failed. The use of firearms and lethal force against people by law enforcement officers -which must be generally forbidden- is only justified in even more extraordinary cases. The exceptional circumstances under which firearms and lethal force may be used shall be determined by the law and restrictively construed, so that they are used to the minimum extent possible in all cases, but never exceeding that use "absolutely necessary" in relation to the force or threat to be repealed.

(c)   Domestic law must establish standards clear enough to regulate the use of lethal force and firearms by members of the State security forces.[269]

(d)   States must educate and train the members of their armed forces and security agencies pursuant to the principles and provisions on protection

---

[268] I/A Court H. R., *Case of Montero Aranguren et al. (Detention Center of Catia) V. Venezuela.* Judgment of July 5, 2006. Series C No. 150, paras. 61-84.

[269] At this point the Inter-American Court held, following the Principles on the Use of Force and Firearms by Law Enforcement Officials Enforcing the Law, this regulation should include guidelines that: a) specify the circumstances in which such officers would be authorized to carry firearms and prescribe the types of firearms and ammunition permitted; b) ensure that firearms are used only in appropriate circumstances and in a manner that diminishes the risk of unnecessary harm; c) prohibit the use of firearms and ammunition that cause unwarranted injury or present an unwarranted risk; d) regulate the control, storage and distribution of firearms, including procedures to ensure that officials responsible for enforcing the law are accountable for the weapons firearms or ammunition issued to them; e) provide the corresponding warnings, if appropriate, when a firearm is to be used, f) establish a reporting system where law enforcement officials resort to the use of firearms in the performance of their duties.

of human rights and the limits to which the use of weapons by law enforcement officials is subject to, even under a state of emergency.

(e) Adequate control and verification of the legality of use of force. Upon learning that members of the security forces have used firearms causing lethal consequences, the State must immediately initiate a rigorous, impartial and effective investigation *ex officio*. This requires not only hierarchical or institutional independence, but actual independence.

232. For its part, in its Report on the Merits No. 34/00 in the *Carandirú* case, the IACHR analyzed the proportionality of the actions carried out by the State security forces, taking as its fundamental premise the principle that a riot "must be suppressed through such strategies and actions as are needed to bring it under control with minimal harm to the life and physical integrity of the inmates and minimal risk to law enforcement officials."[270] In this case, the IACHR also took into consideration the fact that the State failed to take appropriate measures to prevent outbreaks of violence, and that the security forces involved in the actions did not attempt to exhaust other less violent options for dealing with the situation brought about by the inmates.

233. The Commission reiterates that it is essential that States first take steps to prevent violence in prisons, so as to reduce to a minimum the need to resort to the use of force. Accordingly, as already mentioned, measures adopted should include the following: separate the different categories of persons deprived of liberty; increase the number of, and train, personnel; effectively prevent the presence of weapons, drugs, and money; dismantle criminal gangs; maintain appropriate detention conditions; introduce productive activities for prisoners; establish and enforce internal prison rules; and develop other nonviolent means of resolving conflicts. All these measures help to preserve internal order in places of deprivation of liberty.[271]

234. Indeed, when the State fails to adopt appropriate preventive measures and does not exercise effective control over internal security in prisons, it opens the door to, for instance, the rearming of the prison population and situations in which it then sees itself forced to use security forces whose nature and functions bear no relation to the maintenance of internal security in prisons. For example, in the decision of the provisional measures adopted on the matter of the *Aragua Penitentiary* (*Tocoron Prison*) regarding Venezuela, the Court noted that, following a three days riot in that prison, on September, 2010, in which 16 inmates died, more than 36 people were wounded, 8 grenades were detonated and shots were fired, the State mobilized, among other forces, 1,800 members of the National Guard, an army tank, and 6 armored cars.[272]

---

[270] IACHR, Report No. 34/00, Case 11.291, Merits, Carandiru, Brazil, April 13, 2000, para. 62.

[271] IACHR, Principles and Best Practices on the Protection of Persons Deprived of Liberty in the Americas, (Principle XXIII.1).

[272] I/A Court H.R., Provisional Measures in the matter of Centro Penitenciario de Aragua "Cárcel de Tocorón," Venezuela, Order of the Inter-American Court of Human Rights, November 24, 2010, Having seen: 2.d and 9.e.

235.   Furthermore, in connection with the provisional measures of the Socio-Educational Internment Facility (*UNIS*) case, the Commission advised the Court that one of the reasons why there were constant complaints of assaults by the security forces on the children and adolescents deprived of liberty in that center was precisely the lack of internal controls and failure to adopt measures to prevent the frequent occurrence of disorderly conduct, escapes, and riots. In other words, there was a causal link between the – often disproportional – use of force by the State and its own inability to maintain internal order and prevent outbreaks of violence and disturbances.[273]

236.   At the same time, in a thematic hearing in 2006 on the situation of persons deprived of their liberty in Honduras, the IACHR received information that in recent years several people had died in prisons during attempts to flee, given that the usual procedure among police guarding the prisons was to open fire.[274] In that regard, in its recent report on Honduras, the Subcommittee on Prevention of Torture referred to the existence of the so-called "dead zone" at the Marco Aurelio Soto prison in Tegucigalpa, which consists of a part of the perimeter area in which guards are under order to shoot at any inmate found there.[275]

237.   Regarding such situations, the IACHR considers that law enforcement officers in penitentiaries may only use lethal force when strictly necessary to protect a life. In cases of flight or escape of persons deprived of their liberty, the State must employ all non-lethal means at its disposal to recapture the offenders and may only use lethal force in cases of imminent danger in which prisoners attempting to escape react against prison guards or third parties with violent means that threaten their lives.[276] Therefore, there is no ethical or legal justification for a so-called "escape law" legitimizing or empowering prison guards to automatically fire on prisoners attempting to escape.[277]

---

[273] I/A Court H.R., Provisional Measures in the matter of the Unidad de Internación Socioeducativa, Brasil, Order of the Inter-American Court of Human Rights, February 25, 2011, Having seen: 14 (c) and 15 (f).

[274] IACHR, Public hearing: *Situation of the Persons Deprived of Liberty in Honduras*, 124° Ordinary Period of Sessions, requested by: State of Honduras, Center for Justice and International Law (CEJIL), Comité para la Defensa de los Derechos Humanos en Honduras (CODEH), Comité de Familiares de Detenidos y Desaparecidos de Honduras (COFADEH) and Centro para la Prevención, Tratamiento y Rehabilitación de las Víctimas de Tortura (CPTRT). March 7, 2006. In this regard, see the report: *Situación del Sistema Penitenciario en Honduras*, drafted by CPTRT and COFADEH, p. 14, presented in the said hearing available at: http://www.cptrt.org/pdf/informesistemapenitenciarioCIDH.pdf.

[275] United Nations, CAT/OP/HND/1, *Report on the visit of the Subcommittee on Prevention of Torture and Other Cruel, Inhuman or Degrading Treatment or Punishment to Honduras*, February 10, 2010, paras. 198-200.

[276] See in this regard, Basic Principles on the Use of Force and Firearms by Law Enforcement Officials (Principles 4, 9 and 16).

[277] For example, during the work visit of the Rapporteur of Persons Deprived of Liberty, as well as in its follow-up, the Ecumenical Human Rights Commission (CEDHU, according to its Spanish acronym) provided information that reported that the country still practices the "Escape Law" (*ley de fuga*). In this regard, it is noted as an example the case of an inmate of 25 years of age who received three shots while trying to escape from the Babahoyo prison along with two other inmates who were recaptured in September 2010; it also mentions the case of another inmate that died after an escape attempt recorded in August 2011 at the Social Rehabilitation Center of Santo Domingo.

238.   Furthermore, the IACHR observes that States have a duty to equip law enforcement officials in prisons with various types of weapons and ammunition that would allow for a differentiated use of force and firearms. This includes the provision of non-lethal weapons. Moreover, these officials and agents should be equipped with the self-defense equipment they need,[278] and, in short, with the tools and training needed to comply with the objectives of appropriate use of non-lethal force.

239.   At the same time, during his visit to Buenos Aires province, the Rapporteur on the Rights of Persons Deprived of Liberty received information regarding the disproportionate use of rubber bullets against detainees. According to the Committee against Torture of the Provincial Truth Commission, rubber bullets were used by the Buenos Aires Penitentiary Services on at least 1,487 occasions in 2008.[279] According to the Committee against Torture:

> Generally speaking, the rules in force and the teachings in prison training manuals are not respected during the suppression of riots. Rubber bullets should not be fired from a range of less than ten meters because they can cause highly serious injuries or even death. Moreover, they should be aimed to hit below the waistline. In most cases, however, the shots are at close range and aimed at the face or chest. In other instances, aim is taken at the lower part of the body, but with the detainees on the floor. Numerous cases have been registered of people losing an eye or suffering other irreparable harm. It is also common to find detainees with rubber pellets lodged in their bodies for long periods of time.[280]

Similarly, the IACHR has received information regarding the disproportionate use and misuse of tear gas and irritant sprays in Panamanian prisons *La Joya* and *La Joyita*, the nation's largest.[281]

240.   On this issue, the IACHR stresses that even non-lethal or incapacitating weapons such as rubber bullets or tasers must be used in accordance with the principles of

---

[278] See in this regard, see Basic Principles on the Use of Force and Firearms by Law Enforcement Officials (Principle 2).

[279] See, IACHR, Press Release 64/10 - IACHR Rapporteurship Confirms Grave Detention Conditions in Buenos Aires Province. Washington, D.C., June 21, 2010. This practice has also been reported by the Comité Contra la Tortura de la Comisión Provincial por la Memoria, Annual Report 2009: *El Sistema de la Crueldad IV* [The System of Cruelty IV], pp. 18-71.

[280] Comité Contra la Tortura de la Comisión Provincial por la Memoria, Annual Report 2010: *El Sistema de la Crueldad V* [The System of Cruelty IV], pp. 54-55.

[281] IACHR, Public hearing: *Human Rights Violations in Prisons in Panama*, 131º Ordinary Period of Sessions, requested by: State of Panama, Comisión de Justicia y Paz de la Conferencia Episcopal de Panmá, Centro de Iniciativas Democráticas (CIDEM), Harvard University. March 7, 2008. In this regard, see the report: *Del Portón para Acá se Acaban los Derechos Humanos: Injusticia y desigualdad en las cárceles panameñas,* pp. 98-102 presented   in   the   said   hearing   available   at: http://www2.ohchr.org/english/bodies/hrc/docs/ngos/HarvardClinicPanamaprisons.pdf.

necessity and proportionality, after first attempting to use other dissuasive methods.[282] Repression cannot be the only tool used by the authorities to preserve order. Moreover, "[i]n all circumstances, the use of force and of firearms, or any other means used to counteract violence or emergencies, shall be subject to the supervision of the competent authority."[283] And, in the event that people are killed or injured in the course of such actions, the State is obliged, under Articles 8 and 25 of the American Convention, to carry out, *ex officio*, serious, exhaustive, impartial, and prompt investigations to uncover the causes, identify those responsible, and impose the corresponding legal punishments.[284]

G.   Right of persons deprived of their liberty to lodge judicial remedies and complaints to the Administration

241.   Deprivation of freedom frequently affects, as a necessary result, the enjoyment of other human rights in addition to the right to personal liberty. Although such restrictions must be subject to strict limitations, the rights to privacy and family intimacy may, for instance, be restricted. However, other rights –such as the right to life, to humane treatment, and to due process– cannot be restricted on account of internment, and any restriction of those rights is prohibited by international human rights law.[285] Therefore, persons deprived of liberty maintain and have the right to exercise their fundamental rights recognized under domestic and international law, regardless of their legal situation or the stage of the proceedings against them, and in particular, they maintain the right to humane treatment and due respect for their dignity as human beings.[286]

242.   Accordingly, the IACHR reiterates that the State acts as a guarantor vis-à-vis of the persons in its custody and therefore has a special duty to guarantee their fundamental rights and to ensure that the conditions of their detention are consistent with the dignity inherent to all human beings. The guaranteeing of those conditions by the State means that it must establish the judicial remedies to ensure that the jurisdictional organs effectively protect such rights. Furthermore, alongside judicial remedies, the State must create other mechanisms and channels of communication to enable inmates to inform the prison administration of their petitions, claims, and complaints regarding matters relating to the conditions under which they are detained and life in prison, which by their very nature are not competence of the judiciary.

---

[282] See in this regard, Basic Principles on the Use of Force and Firearms by Law Enforcement Officials (Principles 3 and 4).

[283] IACHR, *Principles and Best Practices on the Protection of Persons Deprived of Liberty in the Americas,* Principle XXIII (2). See also, the Standard Minimum Rules for the Treatment of Prisoners (Rule 54.1); and the Basic Principles on the Use of Force and Firearms by Law Enforcement Officials (Principles 6-7 and 22).

[284] IACHR, *Principles and Best Practices on the Protection of Persons Deprived of Liberty in the Americas,* (Principle XXIII.3).

[285] IACHR, *Democracy and Human Rights in Venezuela,* Ch. VI, para. 851.

[286] IACHR, *Access to Justice and Social Inclusion: The Road Towards Strengthening Democracy in Bolivia,* Ch. III, para. 176.

243.   In order for the right to submit appeals, denunciations, and complaints not to be illusory, it is essential that the State adopt the necessary measures to guarantee effectively that both inmates and third parties acting on their behalf will not be subjected to reprisals or acts of retaliation for exercising those rights.[287] This is especially important in a detention or prison context in which the inmate is ultimately under the custody and control of the very authorities against which his appeals, complaints, or petitions may be lodged. Such inmates are therefore susceptible to reprisals and acts of retaliation. Persons deprived of their liberty must not be punished for filing appeals, petitions, or complaints.

Judicial remedies

244.   International law establishes two basic remedies that must be available for the protection of the fundamental rights of persons deprived of liberty: on the one hand, the habeas corpus, established in Article 7.6 of the American Convention,[288] which constitutes the fundamental guarantee safeguarding everyone's right not to be subjected to unlawful or arbitrary detention, and which must also provide an opportunity for the judicial authority to ascertain the physical integrity of the detainee; and, on the other, a prompt, suitable and effective legal remedy that guarantees those rights that may be violated by the very conditions of detention or imprisonment. The existence of the later remedy is grounded in Article 25.1 of the American Convention, which establishes:[289]

> Everyone has the right to simple and prompt recourse, or any other effective recourse, to a competent court or tribunal for protection against acts that violate his fundamental rights recognized by the constitution or laws of the state concerned or by this Convention, even though such violation may have been committed by persons acting in the course of their official duties.

245.   In this connection, in its Principles and Best Practices, the IACHR set standards regarding the nature and scope of such a recourse:

> Principle V. [...] All persons deprived of liberty shall have the right, exercised by themselves or by others, to present a simple, prompt, and effective recourse before the competent, independent, and impartial authorities, against acts or omissions that violate or threaten to violate their human rights. In particular, persons deprived of liberty shall have

---

[287] On this matter see, the Body of Principles for the Protection of All Persons under Any Form of Detention or Imprisonment (Principle 33.4).

[288] In the same vein, the International Covenant on Civil and Political Rights (Article 9.4); and the European Convention on Human Rights (Article 5.4).

[289] In the same sense, the Article 2.3 of the International Covenant on Civil and Political Rights lays down that each State Party undertakes (a) to ensure that any person whose rights or freedoms as herein recognized are violated shall have an effective remedy, notwithstanding that the violation has been committed by persons acting in an official capacity. Likewise, Article 13 of the European Convention on Human Rights says that, everyone whose rights and freedoms as set forth in this Convention are violated shall have an effective remedy before a national authority notwithstanding that the violation has been committed by persons acting in an official capacity.

the right to lodge complaints or claims about acts of torture, prison violence, corporal punishment, cruel, inhuman, or degrading treatment or punishment, as well as concerning prison or internment conditions, the lack of appropriate medical or psychological care, and of adequate food.[290]

246.   The Commission observes that, generally speaking, the OAS member States establish remedies of this kind, although they may have different names for it. In some, this function is performed by *amparo* or protection writs; in others, by habeas corpus itself, in one guise or other. The important thing, regardless of what the remedy is called, is that it be effective, that is to say, capable of producing the result for which it was designed,[291] have a useful effect, and not be illusory. For a remedy to be effective, it must be truly suitable for establishing whether a violation of human rights has been committed and for providing the means for remedying the violation.[292]

247.   This implies, pursuant to Article 25.2 of the American Convention, that the competent authority shall rule on the claim to the remedy by pronouncing on the merits of that claim and shall guarantee the enforcement of any decision granting that remedy.

248.   It is important that the State guarantee that persons deprived of their liberty, or third parties acting on their behalf, have access to the competent courts for protecting their rights. These tribunals are should decide those matters on the merits within a reasonable period of time and in accordance with the general standards of due process. And that the judicial decisions resulting from these proceedings are effectively executed by the competent authorities. This last requirement is essential if judicial protection is to be capable of bringing about real changes in the concrete conditions experienced by persons deprived of their liberty.

249.   Both the American Convention (Article 25.2.c.), and the International Covenant on Civil and Political Rights (Article 2.3.c.) expressly establish the duty of the competent authorities to comply with any decision in which a recourse for protecting human rights was granted.[293] Therefore, it is not enough for there to be a judgment recognizing the existence of certain rights and ordering the adoption of particular measures or structural reforms; it is also necessary that those decisions be complied with and produce the effects granted by law.

---

[290] In the same vein, the Body of Principles for the Protection of All Persons under Any Form of Detention or Imprisonment (Principle 33).

[291] I/A Court H.R., *Case of Velásquez Rodríguez V. Honduras*. Judgment of July 29, 1988. Series C No. 4, para. 66.

[292] I/A Court H.R., *Judicial Guarantees in States of Emergency* (Arts. 27(2), 25 and 8 American Convention on Human Rights). Advisory Opinion OC-9/87 of October 6, 1987. Series A No. 9, para. 24.

[293] See in this regard, I/A Court H. R., *Case of "Juvenile Reeducation Institute" V. Paraguay*. Judgment of September 2, 2004. Series C No. 112, paras. 245-251; and IACHR, Report No. 35/96, Case 10.832, Merits, Luis Lizardo Cabrera, Dominican Republic, April 7, 1998, paras. 107-108.

250.   The Commission notes that the judicial decisions handed down in these remedies often refer to improvement of such aspects as the physical or security conditions in prisons; the provision of basic services, such as food, potable water, medical care, hygiene facilities, or other kinds of measures that require funding. In such cases, it is vital that the corresponding authorities, executive or legislative, take steps within a reasonable period of time to set aside the funds required and to give effect to judicially protected rights and freedoms, thereby complying with the general obligation of States, contemplated in Article 2 of the American Convention, to adopt the necessary measures under domestic law.

Petitions and complaints

251.   It is a fundamental right of any person deprived of his or her liberty to file respectful petitions and complaints and to receive a timely answer from the prison authorities. Consideration of this right is particularly important if one takes into account the wide range of matters relating to prison conditions, the services provided by penitentiary institutions, the relations between inmates and personnel or among the inmates themselves.

252.   On this, the Principles and Best Practices establish:

Principle VII. Persons deprived of liberty shall have the right of individual and collective petition and the right to a response before judicial, administrative, or other authorities. This right may be exercised by third parties or organizations, in accordance with the law.

This right comprises, amongst others, the right to lodge petitions, claims, or complaints before the competent authorities, and to receive a prompt response within a reasonable time. It also comprises the right to opportunely request and receive information concerning their procedural status and the remaining time of deprivation of liberty, if applicable.

Persons deprived of liberty shall also have the right to lodge communications, petitions or complaints with the national human rights institutions; with the Inter-American Commission on Human Rights; and with the other competent international bodies, in conformity with the requirements established by domestic law and international law.[294]

253.   The effective exercise of this right essentially implies that the State must adopt the institutional and legal measures needed to establish ways of communication between persons deprived of their liberty or, where applicable, third parties, and the prison administration; and, that the latter have the necessary means and resources to

---

[294] In a similar sense, the Standard Minimum Rules for the Treatment of Prisoners (Rules 35 and 36) and the Body of Principles for the Protection of All Persons under Any Form of Detention or Imprisonment (Principle 33).

undertake actions in response to those complaints in accordance with applicable legal provisions.

254. This rights entails, for instance, informing persons deprived of their liberty of the possibility of exercising this right; ensuring that they really are able to file their complaints and petitions without intervention or "filtering" by prison officials or other inmates; providing appropriate systems for handling, examining, and distributing this information; ensuring that prison officers are properly trained to receive and process complaints and petitions; providing persons deprived of their liberty to access, if they so request, to legal aid and information regarding the exercise of this right; and taking steps to prevent any complaint being filed by the legal representative or a third party on behalf of an inmate, if the inmate opposes that filing. In addition, prison and administrative authorities involved in these processes must be properly trained to notify the competent judicial and investigative authorities of cases in which they detect information regarding possible crimes that must be prosecuted *ex officio*.

255. The reception and examination of complaints and petitions is an effective mechanism for addressing specific needs of persons deprived of their liberty and for detecting structural deficiencies or abuses committed by prison officials. It can also serve to identify patterns of negligence or flaws in the services provided by public defenders, physicians, or the members of technical boards. Such shortcomings are not always revealed by the regular external mechanisms for monitoring prisons, but can be detected by analyzing consistent and coinciding information received via complaints made to the administration.

256. In practice, a lack of channels through which inmates can address the administration could trigger a collective sense of frustration and impotence that might then manifest itself in disturbances or other forms of protest.

257. There is a particularly important mention, in the second paragraph of Principle VII of the Principles and Best Practices, of the right of persons deprived of liberty "to opportunely request and receive information concerning their procedural status and the remaining time of deprivation of liberty." In practice, this information is essential as it allows a detainee to begin a number of procedures related to execution of his or her sentence. This is the case, for instance, of requests for probation and for permission to work or study. For persons deprived of their liberty in a State other than their own, such information is essential for requesting a transfer to their country of origin. Responsibility for issuing and delivering these documents that are vital for detainees lies jointly with the competent judicial authority and the prison administration. Under no circumstances should an inmate have to pay for them.

258. The third paragraph of Principle VII is grounded in Article 44 of the American Convention and Article 23 of the Rules of Procedure of the IACHR. It is a fact that many of the petitions received and processed by international protection mechanisms, such as the IACHR, are lodged by persons held in places of deprivation of liberty. That being so, State authorities should not prohibit or obstruct the exchange of correspondence between inmates and international organizations, nor should they prohibit inmates from

possessing or receiving jurisprudence, reports, or other documents and materials produced by the Commission, the Inter-American Court or other international human rights protection agencies.

H.   Recommendation

259.   With regard to effective control of places of deprivation of liberty and to preventing acts of violence, the Commission makes the following recommendations:

1.   Eradicate corruption by adopting preventive measures, judicial actions, and public programs for evaluating and guaranteeing governance in prisons, while eliminating self-government mechanisms in prisons in which the authorities do not exercise effective control.

2.   Ensure that the prison authorities control the allocation of cells and beds and that each inmate has a decent place in which to sleep, sufficient food, recreation, access to a lavatory and other facilities for the satisfaction of basic needs without having to pay for them.

3.   Accord equal and fair treatment for all persons deprived of their liberty, in such a way that the deprivation of liberty is the same for all detainees, without differences in treatment or discrimination with respect to individuals for economic or any other reasons.

4.   Evaluate and regulate trade in places of deprivation of liberty and exercise effective control over the admission of merchandise and the circulation of money derived from these activities.

5.   Adopt the following measures to prevent violence:

   a.   Train prison personnel in ways to prevent violence among inmates;

   b.   Keep different categories of inmate separate, based on age, sex, type of crime, procedural situation, level of aggressiveness, or need for protection. For the effective implementation of this measure, it is necessary to address major structural deficiencies in the jails;

   c.   Increase the number of guards and other internal surveillance personnel and establish continuous surveillance systems within establishments;

   d.   Effectively prevent the admission of weapons, drugs, alcohol, and other substances or objects forbidden by law, through periodic searches and inspections and the use of technological

devices or other appropriate methods, including the searching of personnel;

e. Establish early warning systems to preempt crises or emergencies;

f. Promote mediation and peaceful resolution of internal conflicts;

g. Avoid and combat any kind of misuse of authority and acts of corruption;

h. Get rid of impunity, by investigating and punishing each and every act of violence or corruption, in accordance with the law;

i. Maintain proper prison conditions, so that overcrowding and lack of access to basic services do not trigger friction and fights among inmates;

j. Implement cultural, sports, and recreational activities to keep inmates occupied. This specific recommendation is made in accordance with the Conclusion of this report.

3. Boost measures to prevent inmates from possessing weapons and to prevent the admission of drugs into places of deprivation of liberty, by detecting how they get in and punishing both the inmates and the officials involved in smuggling them in.

4. Run campaigns to dissuade inmates from using illicit substances and introduce individual detoxification programs and treatment for addictions.

5. Ensure that there are sufficient prison officers to guarantee security in prisons.

260. With respect to judicial oversight of detention, the Commission makes the following recommendations:

1. Make sure that all detainees are immediately informed of their rights, especially their right to communicate with an attorney or a third party and including their right to lodge complaints in the event of ill-treatment.

2. Ensure that any detention or arrest is subject to prompt judicial supervision; in particular, ensure that persons deprived of their liberty are brought before the competent judicial authorities within the time established by law and the Constitution.

3.   Guarantee the effectiveness and undetachable nature of the action of habeas corpus and adopt any measures needed to ensure that it constitutes in practice an effective safeguard of liberty, life, and physical and mental integrity, in order to prevent torture or other cruel, inhuman or degrading punishment or treatment. Judges must take full advantage of the possibilities provided for by law in respect of this procedure. In particular, they should endeavor to interview detainees and ascertain their physical condition.

4.   Punish authorities who deny detaining persons in their custody who have been deprived of their liberty or who knowingly give false information regarding their whereabouts.

5.   Eliminate the practice of mass arrests without a prior court order and without people being caught *in flagrante delicto*.

6.   Endow public defenders' offices with sufficient funding and personnel, in such a way as to enhance their operating capacity and ability to provide legal assistance to anyone deprived of liberty as soon as he or she is detained and before the detainee makes a statement; to act effectively to verify the legality of the detention; and to act according to law when they observe harm done to a detainee's physical or mental integrity.

261.   With regard to the admission, registration and initial medical examination of persons deprived of their liberty, the IACHR makes the following recommendations:

Admission and registration

1.   Inform anyone admitted to a place of deprivation of liberty of his or her duties, rights, and how to exercise them. In particular, persons deprived of liberty must be informed of their right to contact another person.

2.   Ensure that records are kept of all admissions of persons into places of deprivation of liberty and train the personnel working in such places in the appropriate and consistent handling of those records. Mechanisms should be established to verify and supervise management of said records.

3.   Keep complete and transparent records in all detention centers, indicating the legal grounds for detention. In particular, police stations must have a single registry containing all relevant information on each person held on police premises, certification of the duration of each phase of each detention, and certification by a competent authority of any transfer of the detainee.

4.   Implement and guarantee the operating capacity of a centralized registry containing, inter alia, the total number of detainees, the reason for their

detention and where it took place, when it began, and the judicial authority that ordered it. Family members of detainees, their attorneys, judges and other pertinent authorities, as well as other parties with a legitimate interest, must have prompt access to this registry.

5.   Ensure that police officers and other authorities empowered to make arrests and detentions receive training in how to inform detainees of their rights and the way to exercise them.

6.   Adopt the measures needed to ensure that in all places of deprivation of liberty there are posters, leaflets, and other materials containing clear and simple information on the rights of persons deprived of their liberty.

Initial medical examination

7.   Ensure that anyone admitted to a penitentiary is examined by a health professional qualified to ascertain whether that person: (a) is ill, injured, at risk of harming himself or herself, or in need of special medical care, so as to make sure that he or she receives the necessary supervision and treatment; and (b) is suffering from one or more infectious diseases, so as to ensure isolation from the rest of the prison population and access to medical care.

8.   Said examination must be conducted in accordance with a questionnaire that should include, in addition to the general state of health, a record of any recent violence involving the detainee. All parts of the body must be examined. If the patient states that he or she was subjected to violence, the physician shall assess the compatibility of those claims and the findings of his examination. If the physician has grounds for presuming the existence of torture and ill-treatment, he must notify the competent authorities.

9.   Ensure that a sufficient number of physicians are available to examine all detainees, not just those admitted to prisons. Physicians must be independent in the performance of their duties and receive training in the examination and documentation of cases of torture and ill-treatment, in accordance with the Istanbul Protocol.

10.   Keep a record of the submission of every detainee to a medical examination, the identity of the physician, and the findings of that examination. The Istanbul Protocol should be applied as a way of improving the drafting of medical and psychological reports and as a deterrent to torture.

11.   Promote specialized courses on current detention-related topics, such as infectious diseases, epidemiology, hygiene, forensic medicine, including the description of injuries, and medical ethics for doctors working in

prisons. Physicians should be obliged to take part in specialized courses that include a module on human rights policy in general and, in particular, on the obligations of health personnel in detention facilities.

262.   With regard to the personnel working in places of deprivation of liberty, the IACHR makes the following recommendations:

1.   Organize specialized educational and training programs for all personnel responsible for administration, supervision, operation, and security in prisons and other detention centers. They should include instruction regarding international human rights standards relating to maintenance of security, proportional use of force, and the humane treatment of persons deprived of their liberty.

2.   Pay special attention to the process of selecting or promoting possible members of the security forces responsible for persons deprived of their liberty. Review and structure educational and training programs for members of such security units in order to forge an institutional culture of knowledge of and respect for human rights provisions.

3.   Take the necessary steps to establish penitentiary schools for training a civilian body to work in prisons and to establish a prison service career as a way of guaranteeing the stability and professional advancement of prison personnel.

4.   Furnish the means and resources needed for officials in charge of detainees to perform their functions. Pay them in accordance with the nature of those functions and with what is enough for them and their families to meet their needs in a decent manner, without having to resort to irregular practices. Likewise, ensure a decent salary and working conditions for the doctors, psychologists, social workers, and other professionals working in places of deprivation of liberty.

5.   Inform all personnel responsible for persons deprived of their liberty, clearly, categorically, and on a regular basis, of the absolute and imperative ban on any kind of torture or ill-treatment; and include that prohibition in any rules and general instructions published in connection with the duties and functions of police personnel.

6.   Train and properly instruct the authorities in charge of detention centers regarding the execution of rulings and decisions handed down by the corresponding judicial authorities, especially decisions taken by courts in *amparo* and habeas corpus proceedings.

7.   Adopt such training and supervisory measures as are needed to ensure that the authorities empowered to carry out arrests or detentions abide by the corresponding procedures laid down in the law. It is particularly

necessary to ensure that arrests are only made by virtue of a court order or in legitimate *in flagrante delicto* cases. The Commission especially underscores the need to establish or, where applicable, strengthen internal systems for monitoring and supervising the authorities empowered to make arrests or carry out detentions.

8. Thoroughly investigate complaints of corruption and influence-peddling inside prisons, punish those responsible, and take steps to avoid a recurrence of the same.

263. With regard to guards in direct contact with persons deprived of their liberty, the IACHR makes the following recommendations:

1. Adopt all necessary measures to ensure that personnel responsible for direct custody of persons deprived of their liberty are civilian. Make provisions for replacing the police or military personnel performing those direct custody functions in places of deprivation of liberty.

2. Pay particular heed to specialized programs for recruiting and training personnel assigned to work in direct contact with inmates.

3. Establish independent and effective monitoring and control mechanisms of the activity of the prison authorities, which serve to prevent patterns of violence and abuse against prisoners.

4. Ensure that police personnel responsible for making arrests or detentions, or who have persons deprived of liberty in their custody, identify themselves at all times and that due records are kept of their actions. This identification criterion shall also apply to those members of special units that enter the cells to make requisitions.

5. In cases in which the army is involved in establishing security in detention centers, ensure that their deployment abides by the principles of legality, exceptionality, proportionality, and civilian authority oversight.

264. With regard to the use of force by the authorities in charge of places of deprivation of liberty, the IACHR makes the following recommendations:

1. Take all necessary steps to ensure that personnel working in prisons only use force and coercive methods exceptionally and proportionately, in serious, urgent and necessary cases, as a last resort having previously exhausted all available options, and for the duration and to the extent essential for guaranteeing security, internal order, and the protection of the fundamental rights of the population deprived of liberty, penitentiary personnel, and visitors.

2. Effectively prevent, investigate, and punish all cases in which the authorities responsible for the custody of persons deprived of their liberty are accused of resorting to disproportionate use of force. Furthermore, adopt such measures as are required to ensure that police or prison officers indicted of crimes involving the unlawful or disproportionate use of force are assigned to tasks other than direct custody of persons deprived of their liberty until the criminal proceedings have concluded.

3. Keep records of incidents in which authorities responsible for the custody of persons deprived of their liberty have had to resort to the use of force (whether lethal or not). Those records must contain information on the identity of the prison officer, the circumstances under which use was made of force, the outcome, the names of the persons who were wounded or who died, and the corresponding medical reports.

4. Equip officers responsible for internal security in prisons with non-lethal arms and control devices and other equipment needed for their self-defense.

5. Establish clear rules and protocols to regulate the circumstances and conditions for legitimate use of force, expressly listing the factors that must be in place and the manner in force shall be used.

6. Develop policies, strategies, and special training for prison and police personnel for the negotiation and peaceful settlement of disputes and for restoring order, using techniques for putting down riots with minimal risks to the lives and bodily integrity of both the inmates and the police.

265.   Regarding the right of persons deprived of their liberty to lodge appeals, complaints, and petitions, the IACHR makes the following recommendations:

1. Have suitable and effective, individual and collective judicial remedies available for judicial control of overcrowding and violence in detention facilities, facilitating access to such remedies by detainees, their family members, their private or court-appointed attorneys, nongovernmental organizations, and other State institutions competent in this sphere.

2. Adopt the measures needed to embark on a review of habeas corpus and *amparo* laws and the practical problems posed by those legal instruments, so as to ensure that their use effectively meets the needs of persons deprived of their liberty.

3. Endow the judiciary with the resources it needs to ensure adequate judicial protection of the rights of persons deprived of their liberty. Provide proper training for officials in charge of detention centers

regarding compliance with court decisions, and take all necessary steps to effectively execute decisions issued by jurisdictional organs.

4. Guarantee that conditions of detention are effectively monitored by judges responsible for ensuring execution of sentences in the case of convicted inmates and by the respective trial judges in the case of persons in pre-trial detention. In this sense, it is important that judges of criminal sentencing execution, whose legal mandate includes visits to prisons, practice such functions effectively, and in the course of such visits, effectively and directly verify the reality of persons deprived of liberty.

5. Ensure that the personnel assigned to places of deprivation of liberty systematically provide information regarding the right to lodge a petition or appeal regarding treatment received while in custody. All petitions and appeals must be promptly examined and answered without undue delay and care must be taken to ensure that there is no retaliation against detainees for having lodged them.

6. Activate effective, confidential, and independent complaint mechanisms in all places of deprivation of liberty. Keep records of complaints with information on the identity of the complainant, the nature of the complaint, how it was dealt with, and the outcome.

7. Adopt all necessary measures to ensure that persons deprived of their liberty or third parties acting on their behalf with their consent will not be subjected to reprisals or acts of violence for having exercised their right to file appeals, complaints, or petitions.

III.   THE RIGHT TO LIFE

A.   Basic standards

266.   The most fundamental human right provided for in the instruments of the Inter-American and other human rights systems is the right to life. Without its full respect, no other human right or fundamental freedom may be effectively guaranteed or enjoyed.[295] The exercise of this right is essential for the exercise of all other human rights. If it is not respected, all rights lack meaning,[296] because the bearer of those rights ceases to exist.[297]

267.   Continuous violations of the right to life of persons deprived of liberty are currently one of the main problems in prisons in the region. Every year hundreds of inmates in the Americas die of different causes, particularly as a result of prison violence. This chapter examines the factors that give rise to these alarming levels of violence among inmates, as well as other reasons why a significant number of people annually lose their lives in detention centers in the region.

268.   In the Inter-American human rights system the right to life is enshrined in Article I of the American Declaration of the Rights and Duties of Man and in Article 4 of the American Convention, in the following terms:

American Declaration

Article I. Every human being has the right to life, liberty and the security of his person;

American Convention

Article 4. (1) Every person has the right to have his life respected. This right shall be protected by law and, in general, from the moment of conception. No one shall be arbitrarily deprived of his life. [...]

269.   Similar protections are found in other international human rights instruments, including Article 3 of the Universal Declaration of Human Rights;[298] Article 6 of the International Covenant on Civil and Political Rights;[299] Article 2 of the European

---

[295] IACHR, *Report on Terrorism and Human Rights*, para. 81.

[296] I/A Court H.R., *Case of The "Street Children" Case (Villagrán Morales et al.) V. Guatemala.* Judgment of November 19, 1999. Series C No. 63, para. 144.

[297] I/A Court H.R., *Case of the "Juvenile Reeducation Institute" V. Paraguay.* Judgment of September 2, 2004. Series C No. 112, para. 156.

[298] Universal Declaration of Human Rights: Article 3. Everyone has the right to life, liberty and security of person.

[299] International Covenant on Civil and Political Rights: Article 6(1). Every human being has the inherent right to life. This right shall be protected by law. No one shall be arbitrarily deprived of his life.

Convention on Human Rights,[300] and Article 4 of the African Charter on Human and Peoples' Rights.[301]

270.   With respect to persons deprived of liberty, the State is in a special position of guarantor, under which its duty to ensure this right is all the greater. Indeed, as guarantor of the right to life of detainees, the State has the duty to prevent those situations that might lead, by action or omission, to the suppression of this right. In this regard, if a person was detained in good health conditions and subsequently died, the State has the obligation to provide a satisfactory and convincing explanation of what happened and to disprove accusations regarding its responsibility, through valid evidence,[302] bearing in mind that the responsibility of the State must be presumed regarding what happens to those who are under its custody.[303] Accordingly, the obligation on the authorities to account for the treatment of an individual in custody is particularly stringent where that individual dies.[304]

271.   Furthermore, as an effective guarantee of the right to life of persons deprived of liberty, the IACHR reiterates that in cases of deaths occurring in State custody - including death from natural causes or suicide- the State has the duty to initiate *ex officio* and without delay a serious, impartial, and effective investigation, which must be conducted within a reasonable time and not as a mere formality.[305] This duty of the State arises from the general obligations to observe and ensure rights set forth in Article 1(1) of the American Convention, as well as from the substantive duties established at Articles 4(1), 8, and 25 of that treaty.

B.   Deaths resulting from prison violence

272.   As mentioned, most of the deaths of persons deprived of liberty that occur in the region's prisons are the result of prison violence. In light of this reality, the OAS member States, in the framework of the General Assembly, have observed with concern "the critical situation of violence and overcrowding in places of deprivation of freedom in the Americas" and have stressed "the need to take concrete measures to prevent this

---

[300] Convention for the Protection of Human Rights and Fundamental Freedoms: Article 2(1). Everyone's right to life shall be protected by law. No one shall be deprived of his life intentionally save in the execution of a sentence of a court following his conviction of a crime for which this penalty is provided by law

[301] African Charter on Human and Peoples' Rights: Article 4. Human beings are inviolable. Every human being shall be entitled to respect for his life and the integrity of his person. No one may be arbitrarily deprived of his life.

[302] I/A Court H.R., *Case of Juan Humberto Sánchez V. Honduras*. Judgment of June 7, 2003. Series C No. 99, para. 111.

[303] I/A Court H.R., Provisional Measures, Matter of Urso Branco Prison regarding Brazil, Order of the Inter-American Court of Human Rights of June 18, 2002, Whereas, para. 8. ECtHR, *Case of Salman v. Turkey*, Judgment of 27 June 2000 (Grand Chamber), para. 100.

[304] ECtHR, *Case of Salman v. Turkey*, Judgment of 27 June 2000 (Grand Chamber), para. 99.

[305] IACHR, *Democracy and Human Rights in Venezuela*, paras. 907, 909-912; IACHR, Report No. 34/00, Case 11.291, Merits, Carandiru, Brazil, April 13, 2000, paras. 99-101; I/A Court H.R., *Case of Ximenes Lopes V. Brazil*. Judgment of July 4, 2006. Series C No. 149, para. 148.

situation and to ensure the exercise of the human rights of persons deprived of freedom."[306]

273.   In this sense, one of the questions in the questionnaire published for the purposes of this report concerned levels of prison violence; those States that responded to this question provided the following information:

Country	Period	Number of violent deaths
Argentina (Federal Penitentiary Service)	2006-2010	26
Chile	2005-2009	203
Colombia	2005-2009	113
Costa Rica	2005-2009	25
Ecuador	2005 and June 2010	172
El Salvador	2006 and May 6, 2010	72
Guyana	2006-2010	10
Nicaragua	2006-2010	4
Trinidad and Tobago	2006-2010	2
Uruguay	2005-2009	57
Venezuela	2005-2009	1,865

274.   These official figures clearly show that at present the State with the highest recorded number of violent deaths as a result of prison violence is Venezuela.[307] According to information supplied by the Venezuelan State, the total figure of 1,865 persons killed in prisons includes data for the last five years: in 2005, 381 inmates died violently; in 2006, 388; in 2007, 458; in 2008, 374; and in 2009, 264.[308] In this context, based on the figures of inmates killed and injured, the IACHR has found that in comparative terms, Venezuelan prisons are the most violent in the region.[309]

275.   At a thematic hearing on the situation of persons deprived of liberty in Venezuela, held at the 141st regular session of the IACHR, the *Observatorio Venezolano de*

---

[306] OAS General Assembly resolutions AG/RES. 2510 (XXXIX-O/09), adopted on June 4, 2009; AG/RES. 2403 (XXXVIII-O/08), adopted on June 13, 2008; AG/RES. 2283 (XXXVII-O/07), adopted on June 5, 2007; and AG/RES. 2233 (XXXVI-O/06), adopted on June 6, 2006.

[307] The IACHR has monitored the prison situation in Venezuela via different mechanisms, using the same to voice its concern and made recommendations to the State. In this context, the IACHR adopted on 2009 a report entitled *Democracy and Human Rights in Venezuela,* Chapter VI of which contains an extensive analysis of the situation of prison violence; it held five public hearings between November 2009 and March 2011 (at its 137º, 138º, 140º and 141º regular sessions), which dealt with the situation of the rights of persons deprived of liberty; it requested and has been monitoring seven provisional measures granted by the Inter-American Court between January 2006 and November 2010; it has issued at least seven press releases between 2007 and the first quarter of 2011, in which it reiterates the State's duty to adopt concrete measures to protect the lives and right to humane treatment of individuals in its custody; and it has been consistently making clear its position in this connection in Chapter IV of all its annual reports adopted since 2005.

[308] Response received by note No. 000291 from the Ministry of Foreign Affairs.

[309] IACHR, *Democracy and Human Rights in Venezuela*, para. 881.

Prisiones [Venezuelan Prisons Observatory] (OVP) presented the following figures on the recorded number of inmates killed and injured in the last 12 years:[310]

Year	Number of deaths	Number of injured
1999	390	1,695
2000	338	1,255
2001	300	1,285
2002	244	1,249
2003	250	903
2004	402	1,428
2005	408	727
2006	412	982
2007	498	1,023
2008	422	854
2009	366	635
2010	476	967
Total	**4,506**	**12,518**

276.   The OVP suggested that the extreme violence in the prisons also affects the families of inmates,[311] and provided information according to which, in 2010, four relatives (all women) of inmates were killed with firearms in incidents that occurred at the following prisons: Carabobo Judicial Confinement Center ("Tocuyito"), Los Teques Judicial Confinement Center, and the Venezuela General Penitentiary (PGV).

277.   A significant number of provisional measures concerning persons deprived of liberty which the IACHR has requested and pursued before the Inter-American Court –and which the latter has granted– have been based on the existence of serious and urgent situations arising from patterns of prison violence with alarmingly high numbers of persons killed and injured. During these incidents, States were unable or unprepared to ensure internal security or adopt the necessary preventive measures to avert or minimize the effects of violence.

---

[310] IACHR, Public hearing: *Situation of Persons Deprived of Liberty in Venezuela,* 141º Ordinary Period of Sessions, Participants: State of Venezuela, Center for Justice and International Law (CEJIL), Observatorio Venezolano de Prisiones (OVP), Comisión de Derechos Humanos de la Federación de Abogados de Venezuela, March 29, 2011. The OVP also stated in this hearing that in 2010 there had been prison riots in which several people had been killed and injured at the following detention facilities: Aragua Penitentiary Center ("Tocorón"); Capital Region Penitentiary Center ("Yare"); Centro Occidental Penitentiary Center ("Uribana"); El Paraíso Reeducation and Craftwork Center ("La Planta"); Occidente Penitentiary Center ("Santa Ana"); the Venezuela General Penitentiary (PGV); Maracaibo National Prison ("Sabaneta"); Los Teques Judicial Confinement Center; and San Antonio Judicial Confinement Center ("Margarita"). The first three prisons mentioned above are currently under provisional measures ordered by the Inter-American Court.

[311] See in this regard, I/A Court H.R., Matter of the Penitentiary Center of the Central Occidental Region (Uribana Prison) regarding Venezuela, Order of the Inter-American Court of Human Rights of February 2, 2007, Having seen, para. 2(g).

278.   Thus, for example: (a) in the matter of *Centro Penitenciario de Aragua "Cárcel de Tocorón,"* the Court was told that between 2008 and the first quarter of 2010, 84 inmates were killed in acts of prison violence; and that between September 27 and 29, 2010, there was a riot in which 16 inmates died, firearms were discharged, and eight grenades were detonated;[312] (b) in the matter of *Capital El Rodeo I & El Rodeo II Judicial Confinement Center* it was established that between 2006 and February 1, 2008, there were 139 deaths in various incidents of violence;[313] (c) in the matter of the *Penitentiary Center of the Central Occidental Region (Uribana Prison),* the Court was informed that between January 2006 and January 2007 there were 80 violent deaths in total, most of them caused by stabbing weapons and firearms;[314] (d) in the matter of the *Mendoza Prisons,* it was brought to the attention of the Inter-American Court that between March and October 2004, 11 inmates and 1 prison official lost their lives in violent circumstances, mostly as a result of fights involving sharp instruments used as weapons;[315] (e) and in the matter of *Urso Branco Prison,* the Court found that between January and June 2002 at least 56 inmates were brutally murdered in acts of prison violence in that corrections facility. According to the information presented to the Court, most of these deaths occurred amid inaction on the part of the authorities and their negligence in taking steps to control situations of violence.[316]

279.   By the same token, in several of its decisions granting precautionary measures, the IACHR has requested States to take steps to protect the lives of persons deprived of liberty who were considered to be at risk based on clear evidence and strong reasons to believe that their lives and physical integrity might be in danger of attack.

280.   In its press releases, the IACHR has repeatedly stated its position[317] with respect to serious acts of prison violence that have taken place in the region in recent years in Brazil,[318] El Salvador,[319] Guatemala,[320] Honduras,[321] Mexico,[322] and Venezuela.[323] The

---

[312] I/A Court H.R., Provisional Measures, Matter of *Centro Penitenciario de Aragua "Cárcel de Tocorón"* regarding Venezuela, Order of the President of the Inter-American Court of Human Rights of November 1, 2010, Having seen, para. 2.

[313] I/A Court H.R., Provisional Measures, *Matter of Capital El Rodeo I & El Rodeo II Judicial Confinement Center* regarding Venezuela, Order of the Inter-American Court of Human Rights of February 8, 2008, Having seen, paras. 2 and 9.

[314] I/A Court H.R., Provisional Measures, *Matter of the Penitentiary Center of the Central Occidental Region (Uribana Prison)* regarding Venezuela, Order of the Inter-American Court of Human Rights of February 2, 2007, Having seen, para. 2.

[315] I/A Court H.R., Provisional Measures, *Matter of the Mendoza Prisons regarding Argentina,* Order of the Inter-American Court of Human Rights of November 22, 2004, Having seen, paras. 2 and 11.

[316] I/A Court H.R., Provisional Measures, Matter of Urso Branco Prison regarding Brazil, Order of the Inter-American Court of Human Rights of June 18, 2002, Having seen, paras. 1-2.

[317] The Inter-American Commission's press releases, organized by year, are available from the IACHR Press and Outreach Office, and can be accessed at: http://www.oas.org/en/iachr/media_center/press_releases.asp.

[318] With respect to *Brazil,* the acts of violence that occurred in the state of São Paulo between May 12 and 15, 2006, in which, apart from a serious public security situation involving confrontations in the streets of that state, there were more than 70 riots at different detention centers throughout São Paulo. During these events, at least 128 people were killed, including members of the security forces, civilians, and inmates. The riot on

Continues...

facts on which the IACHR has expressed its opinion are examples of the reality of prison violence that exists in the region. In these press releases, the IACHR has consistently reiterated that the State is in a position of guarantor with respect to persons deprived of liberty and, as such, it has the absolute obligation to guarantee the rights to life and to humane treatment of those in its custody. This means that the State not only must ensure that its agents exercise appropriate control over security and order in prisons; it must also adopt such measures as might be necessary to protect individuals in custody from possible attacks by third parties, including other inmates.[324] As a function of this fundamental obligation, States have the duty to take concrete steps to prevent acts of violence from occurring in prisons.

281.   Therefore, based on what it has observed in the exercise of its various functions, the IACHR has determined that, fundamentally, prison violence is caused by the following factors: (a) corruption and a lack of preventive measures on the part of the authorities; (b) the existence of prisons with systems of self-government in which the prisoners effectively control what happens inside the walls, where some prisoners have

---

...continuation

November 10, 2010, at Raimundo Vidal de Pessoa Remand Center, in Manaus, in which three people were killed; and the riot on November 9 at Pedrinhas Prison Complex, in San Luis, Marañón State, which went on for more than 27 hours and in which at least 18 people died. See in this regard, IACHR press releases 18/06 and 114/10.

[319] As regards to *El Salvador*, the riot that erupted on August 18, 2004, at La Esperanza Prison (La Mariona) between ordinary prisoners and members of gangs (or *maras*), in which 30 people were killed and 23 were injured. And the fighting on April 26, 2010, at Sonsonate and Cojutepeque Prisons, in which 2 inmates died and more than 25 were injured. See in this regard, IACHR press releases 16/04 and 52/10.

[320] In the case of *Guatemala*, the fighting between members of gangs which occurred almost simultaneously on August 15, 2005, at four detention centers (PNC Precinct 31 in Escuintla, Pavón Prison, Canadá Farm, and Mazatenango Remand Center) in which 30 were people killed and 80 wounded. And the violence that broke out on November 22, 2008, at Pavoncito Jail, in which 7 inmates lost their lives and several others were injured. See in this regard, IACHR press releases 32/05 and 53/08.

[321] As for *Honduras*, the fighting among inmates that occurred on January 5, 2006, at Támara National Penitentiary, in which 13 prisoners died as a result of being attacked with firearms, machetes, and other cutting and stabbing weapons[321]. And the riots that occurred on April 26 at San Pedro Sula Prison and on May 3, 2008, at Támara National Penitentiary, in which 9 and 18 inmates, respectively, were killed[321]. See in this regard, IACHR press releases 2/06 and 20/08.

[322] With respect to *Mexico*, the events that occurred on January 20, 2010 at Social Rehabilitation Center (CERESO) No. 1 in the city of Durango. That day three riots broke out simultaneously between rival factions in three different parts of the facility, leaving 23 dead. Another incident occurred on July 25, 2011, at the Adult Social Rehabilitation Center (CERESO) in Ciudad Juárez, Chihuahua state, in which 17 inmates died and another 20 were injured. See in this regard, IACHR press releases 9/10 and 79/11.

[323] As for *Venezuela*, the violence that occurred on January 2 at Uribana Prison, and on January 3, 2007, at Guanare Prison, in which 16 and 6 inmates were killed, respectively; on January 27, 2010, at La Planta Judicial Confinement Center for Reeducation and Craftwork ("El Paraíso"), in which 8 inmates died and 17 were injured; on March 9, 2010, at Yare Prison, in which 6 inmates lost their lives and 15 were injured; on April 12 and May 4, at Occidente Penitentiary Center, where 7 and 8 inmates, respectively, died; from January 30 to February 2 at Tocorón Prison, and on February 1, 2011, at Vista Hermosa Prison, in which 2 and 5 inmates, respectively, were killed; and on June 12, 2011, at El Rodeo I Prison in which 19 inmates died and at least 25 were seriously injured. See in this regard, IACHR press releases 1/07, 10/10, 27/10, 50/10, 7/11, and 57/11.

[324] IACHR, Report 41/99, Case 11.491, Merits, Minors in Detention, Honduras, March 10, 1999, para. 136.

power over the lives of others; (c) the existence of systems in which the State delegates authority for maintaining discipline and order to certain groups of inmates; (d) power struggles between inmates or criminal groups for the control of prisons or of space, drugs, and other criminal activities; (e) the possession of all kinds of weapons by inmates; (f) drug and alcohol use among inmates; and (g) overcrowding, precarious conditions of confinement, and lack of essential basic services for prisoners, which worsens tensions among inmates and prompts the strongest to fight for the space and resources available.

282.   Therefore, the Commission considers it crucial that States adopt all the necessary measures to reduce levels of violence in prisons to a minimum by countering the above-mentioned causal factors. This entails designing and instituting prison policies aimed at preventing crisis situations, such as outbreaks of prison violence. These policies should include plans of action for seizing weapons—in particular lethal ones—in the possession of prisoners and preventing the population from rearming. Furthermore, States should introduce—in keeping with mechanisms characteristic of a State governed by the rule of law—strategies for dismantling criminal structures that have taken root in prisons and that control various criminal activities, such as trafficking in drugs and alcohol or extortion of other inmates, which usually occur with the complicity of prison authorities and other security forces.

283.   These violence prevention policies should be made part of the overall framework of comprehensive prison policies that also address other structural problems in prisons. In this regard, the housing of inmates in adequate conditions of confinement, as well as their segregation according to basic criteria, such as sex, age, procedural status, and type of offense, are in themselves ways to prevent prison violence. In addition, prison guards should be provided with the necessary training and equipment to allow them to intervene effectively in the event of riots or fighting among inmates so that timely action on their part can, if possible, forestall any loss of human life.

284.   Another basic prevention measure is the investigation, prosecution, and punishment of those responsible for deaths that occur in incidents of prison violence. The IACHR reiterates that allowing acts of this nature to go unpunished sends the prison population the message that such deeds can be perpetrated without further legal consequence, thus creating a climate of impunity. The only possible response on the part of the State to inmates who are responsible for attacks on the lives of other inmates is criminal prosecution and imposition of appropriate disciplinary and prevention measures. Therefore, the authorities in charge of such investigations must be independent of the body or force whose acts are under investigation.

C.   Deaths resulting from the lack of prevention and timely actions of the authorities

285.   The IACHR notes that a significant number of deaths of persons deprived of liberty in the region's prisons come about as a result of a lack of prevention and timely care on the part of the authorities. This includes, for example, deaths as a result of fires or cases of persons suffering from serious diseases or whose condition warranted urgent care, and who died because they failed to receive assistance. In situations of this type the State

may bear international responsibility for its failure to take preventive steps or for manifest negligence in situations that could have been avoided or mitigated, had the appropriate authorities adopted adequate prevention measures and/or responded effectively to the threats or risks that arose.

Fires

286.   The risk of fire at centers of deprivation of liberty is inherently high. This is particularly so in the case of facilities that are overpopulated, dilapidated, and/or were not originally built as centers of confinement. For greater comfort or privacy, prisoners very often install curtains, hammocks, annexes, and improvised electrical connections that are not properly supervised or controlled by the authorities. Coupled with this is the fact that centers of deprivation of liberty contain a large amount of flammable materials and other items belonging to inmates, such as cigarette lighters, matches, cigarettes, mattresses, and paper, which can catch fire at any time.

287.   Thus, for instance, in the case of *Rafael Arturo Pacheco Teruel et al.*[325] the IACHR pronounced a decision on the fire of May 17, 2004, in communal cell 19 at San Pedro Sula Prison, in which 170 inmates died and another 26 were seriously injured. The fire was caused by a short circuit as a result of the large number of electrical appliances connected by the inmates in an improvised manner, and it spread rapidly thanks to the conditions of the place and the presence of flammable objects, such as curtains, mattresses, sheets, and inmates' clothing. In that proceeding, it was established that communal cell 19 was a space approximately 200 m², built of cinderblocks and a corrugated zinc roof, in which 183 inmates linked to the *Mara Salvatrucha* gang were living when the fire broke out. The cell only had one door and a narrow ventilation slit in the roof; there were no openings for natural light or running water. The interior was crammed with bunk beds and inmates' possessions; the only free space was a narrow corridor between the beds. In such a small and overcrowded space inmates had connected 62 fans, 2 refrigerators, 10 television sets, 3 air-conditioners, 3 mini split compressors, 3 electric irons, 5 loudspeakers, 1 sound system, 1 VHS video recorder, 1 microwave oven, 1 blender, and 1 electric heater.

288.   In its analysis on the merits in that case, the IACHR determined that the authorities were aware in advance of the shortcomings of the electrical system at San Pedro Sula Prison, and in particular in cell 19; that there was no control over the ingress and connection of electrical appliances; and that there was no supervision or monitoring whatsoever of the conditions of the electrical system in communal cell 19. Furthermore, there were no fire extinguishers or any measures in place to deal with an emergency of this type. In fact, the prison director himself stated afterwards that the only protocol to follow in the event of a fire was to shoot into the air to raise the alarm and secure the area until the firefighters arrived. It was also determined that one of the reasons why the inmates had connected so many fans and air conditioners was precisely that cell 19 lacked proper ventilation and the conditions in it created an extremely hot and suffocating atmosphere.

---

[325] IACHR, Report No. 118/10, Case 12.680, Merits, Rafael Arturo Pacheco Teruel *et al.*, Honduras, October 22, 2010, paras. 2, 15, 31, 33, 34, 35, 36, 43, 72, 73, 74, 76, and 77.

289.   For its part, in the case of the *Juvenile Reeducation Institute,* which also exemplifies the situation described above, the Inter-American Court found, *inter alia*, that the Paraguayan State bore international responsibility for three fires that broke out between 2000 and 2011 at "Panchito López" Juvenile Reeducation Institute, in which a total of nine youths died and at least 41 were injured. In its analysis, the Court found that the State had failed to adopt sufficient preventive measures to respond to the possibility of a fire, despite warnings from different organizations and international agencies. The facility was not originally built as a confinement facility, was not equipped with either fire alarms or fire extinguishers, and the security staff were not trained to deal with emergencies of that type.[326]

290.   In carrying out its monitoring functions, the Inter-American Commission on Human Rights, in its press releases,[327] has often reiterated its position with respect to especially serious fires that have occurred in recent years at prisons in different countries in the region, such as the Dominican Republic,[328] Argentina,[329] Uruguay,[330] El Salvador,[331] Chile,[332] and Panama.[333]

291.   Furthermore, in the context of a recent thematic hearing, the IACHR received information that on May 22 2009, seven girls died in a fire at Armadale Juvenile Center in Jamaica. According to the organizations that requested the hearing, this detention center does not have fire evacuation routes or extinguishers, despite three previous fires at the facility.[334]

---

[326] I/A Court H.R., *Case of the "Juvenile Reeducation Institute" V. Paraguay.* Judgment of September 2, 2004. Series C No. 112, paras. 134.29-134.43 and 177-179.

[327] The Inter-American Commission's press releases, organized by year, are available at: http://www.oas.org/en/iachr/media_center/press_releases.asp.

[328] In the case of the *Dominican Republic,* the Commission refers to the fire at Higüey Prison on March 7, 2005, in which 134 people died. See in this regard IACHR press release 8/05.

[329] In the case of *Argentina*, the IACHR refers to the fires that broke out at Unit 28 of the Buenos Aires Prison Service ("La Magdalena") , October 16, 2005, in which 32 prisoners were killed; and at Santiago del Estero Men's Prison on November 4, 2007, in which 34 inmates died. See in this regard IACHR press releases 33/05 and 55/07.

[330] With respect to *Uruguay*, the Commission refers to the fire that broke out at Rocha Regional Prison on July 8, 2010, in which 12 inmates died. See in this regard IACHR press release 68/10.

[331] As regards *El Salvador*, the IACHR refers to the blaze at the Alternative Center for Juvenile Offenders in Ilobasco, on November 10, 2010, in which at least 16 inmates lost their lives. See in this regard IACHR press release 112/10.

[332] With respect to *Chile*, the IACHR refers to the fire at San Miguel Prison on December 8, 2010, in which at least 83 prisoners died. See in this regard IACHR press release 120/10.

[333] In the case of *Panama*, the IACHR recalls the fire that broke out at the Juvenile Detention Center in Tocumen on January 9, 2011, in which five youths were killed. See in this regard IACHR press release 2/11.

[334] IACHR, Public hearing, *Situation of Children in Juvenile Detention Centers in Jamaica*, 137º Ordinary Period of Sessions, requested by: State of Jamaica, Jamaicans for Justice, November 3, 2009. See also, *The Gleaner*, May 24, 2009, *Fire claims 5, 10 in hospital as FIRE destroys sections of Armadale Juvenile Center*, available at: http://jamaica-gleaner.com/gleaner/20090524/lead/lead1.html.

292.   The IACHR considers that regardless of whether the initial cause of these fires was an outbreak of violence (*e.g.* a riot or an escape attempt) or whether they started spontaneously for other reasons, the majority occurred in overpopulated prisons in a state of physical disrepair where there were no mechanisms or protocols for dealing with these situations, and/or in circumstances where the authorities acted with manifest negligence in controlling the emergency. In most cases the authorities were already aware of the conditions and the level of risk that existed.

293.   In light of the foregoing considerations, the IACHR reiterates that the act of imprisonment carries with it a specific and material commitment to protect the prisoner's human dignity so long as that individual is in the custody of the State, which includes protecting him from possible circumstances that could imperil his life, health and personal integrity, among other rights. The State, being responsible for prisons, has a specific obligation to maintain and preserve its electrical installations in such a way that they pose no threat to anyone (either inmates or administrative, judicial, or security personnel, visitors and other persons who frequent the prisons). The State must also ensure that prisons have early warning systems to detect threats and proper equipment to react to emergencies of this kind. Furthermore, prison personnel must be trained in evacuation procedures, first aid and how to respond to events of this type.[335]

294.   In the case of minors deprived of liberty, the applicable international standards expressly provide that:

> [...] The design and structure of juvenile detention facilities should be such as to minimize the risk of fire and to ensure safe evacuation from the premises. There should be an effective alarm system in case of fire, as well as formal and drilled procedures to ensure the safety of the juveniles. Detention facilities should not be located in areas where there are known health or other hazards or risks.[336]

295.   The IACHR also underscores that States have the obligation to conduct meaningful, diligent, and impartial investigations into fires that occur at centers of deprivation of liberty, in order to impose appropriate criminal and administrative penalties on any authorities that bore some measure responsibility for the events and, furthermore, to provide effective reparation to victims.

Lack of urgent medical care

296.   Another of the reasons why a significant number of persons deprived of liberty die in prisons in the region is lack of urgent medical care. Thus, for instance:

---

[335] IACHR, Report No. 118/10, Case 12.680, Merits, Rafael Arturo Pacheco Teruel *et al.*, Honduras, October 22, 2010, para. 63.

[336] United Nations Rules for the Protection of Juveniles Deprived of their Liberty (Rule 32).

297.   In the case of *Pedro Miguel Vera Vera*, In which the Court recently adopted a decision, the IACHR found that the victim, who has sustained a gunshot wound in the course of his arrest, died 10 days later while in the custody of the authorities because he failed to undergo surgery in time.[337]

298.   Similarly, in the case of *Juan Hernández Lima*, the IACHR found that the victim, who was arrested for an administrative offense ("drunk and disorderly behavior") and ordered to spend 30 days in prison or pay a fine, died from an attack of cholera six days after his arrest. His mother learned of his detention from neighbors four days after his death. In this case, the State failed to administer sufficient rehydration remedy, transfer Mr. Hernández Lima to a hospital facility, and notify a third party of his arrest.[338]

299.   In the context of its monitoring functions, the IACHR noted that in March 2000 at *Combinado del Este* prison in Havana, six prisoners with tuberculosis, HIV, and other diseases reportedly died, apparently due to the negligence of the medical and para-medical personnel of the prison hospital.[339] Furthermore, in the exercise of its protection functions, the IACHR has granted precautionary measures in serious and urgent cases where individuals were at risk of irreparable harm due to lack of medical care.[340]

300.   In light of these standards, the IACHR underscores that judicial authorities (be they trial judges or sentence enforcement judges) on whose decisions rests the fate of persons deprived of liberty, play a fundamental role in protecting the right to life of individuals who are seriously ill. Therefore, judicial officials must act with diligence, independence, and humanity in cases where it is duly attested that there is an imminent risk to life of the individual owing to their deteriorated health or a fatal illness.

---

[337] The IACHR took into consideration the fact that the victim received no medical treatment from April 13 to 16, 1993, while he was being held in police cells where the standards of hygiene, sanitation, and medical care were deplorable. Furthermore, despite the fact that on April 16 the Judge of the 11th Criminal Court of Pichincha ordered the director of Santo Domingo Hospital to readmit Mr. Vera Vera for surgery, he was not admitted unti April 17, at 13:00 hrs, and no surgery was performed on him until April 22, when he was treated at Eugenio Espejo Hospital in Quito. Therefore, in the 10 days that Mr. Vera Vera was in the custody of the state, various authorities, including correctional staff and medical personnel at state hospitals, committed a series of omissions that resulted in his death on April 23, 1993. IACHR, Application to the I/A Court H.R., Pedro Miguel Vera Vera *et al.*, Case 11.535, Ecuador, February 24, 2010, paras. 1, 21, 32, 45, 46, 47 and 56.

[338] IACHR, Report No. 28/96, Case 11.297, Merits, Juan Hernández Lima, October 16, 1996, paras. 1-5, 17, 56 and 60.

[339] IACHR, *Annual Report 2001*, Chapter IV, Cuba, OEA/Ser./L/V/II.114. doc. 5 rev., April 16, 2002, para. 81(a). Taken from the report of the United Nations Special Rapporteur on Torture, Sir Nigel Rodley, submitted pursuant to Commission on Human Rights resolution 2000/43, E/CN.4/2001/66, January 25, 2001, p. 78, para. 358.

[340] Thus, for example, precautionary measures were granted in favor of *Francisco Pastor Chaviano* (MC-19-07), in Cuba, who had been held in a punishment cell, mistreated by prison guards, and not provided medical treatment, despite suffering from serious illnesses. Mr. Pastor Chaviano was later released by the Cuban authorities on August 20, 2007. The IACHR also granted precautionary measures in favor of *Luis Sánchez Aldana* (MC-1018-04), a Colombian citizen detained in Suriname, who reportedly suffered from complete occlusion of the aorta and gangrene in the lower limbs, without receiving adequate medical care. The IACHR decided to lift these precautionary measures in June 2005 after it was provided with clear evidence that the State was administering the medical care that the beneficiary needed, and therefore the original circumstances that supported their granting no longer existed.

D.   Deaths directly perpetrated by agents of the State

301.   In addition to deaths arising from prison violence and gross negligence on the part of the State, another of the observed forms of serious violation of the right to life of persons deprived of their liberty, although statistically inferior to the above, is through acts directly imputable to the State, including, for example, extrajudicial execution; acts of torture or cruel, inhuman and degrading treatment resulting in the death of the victim; and forced disappearance of persons deprived of liberty.

Extrajudicial executions[341]

302.   In this connection, the Commission received information that at 2:00 a.m. on September 25, 2006, a joint operation code-named *"Restauración 2006"* was carried out at Pavón Prison in Guatemala, in which the police, army, prisons service, and officials from the Office of the Attorney General took part. The stated objective of the operation was to regain control of the prison, which for more than a decade had been in the hands of a criminal organization of inmates known as the Committee for Order and Discipline (COD). During the operation agents of the State allegedly executed seven inmates, some of whom were recognized as COD ringleaders, in circumstances where they were reportedly offering no resistance.[342]

303.   The IACHR has also received information that on April 5, 2003, at El Porvenir Penal Farm in Honduras, there was a riot between members of the *Mara 18* gang and prison trustees known as *rondines* (common prisoners illegally delegated disciplinary authority, which they impose even by use of force), which reportedly included the

---

[341] For decades, both the Inter-American Court and the IACHR have been pronouncing decisions in cases of extrajudicial execution of persons deprived of liberty in the region, such as: (1) The suppression of a riot in San Juan Bautista Prison (formerly "El Frontón") on June 19, 1986, in which the Peruvian Armed Forces used artillery, killing at least 111 inmates. I/A Court H.R., *Case of Durand and Ugarte Case V. Peru.* Judgment of August 16, 2000. Series C No. 68, paras. 59 and 68; I/A Court H.R., *Case of Neira Alegría et al. V. Peru.* Judgment of January 19, 1995. Series C No. 20, para. 69. (2) "Operation *Mudanza 1*" launched on May 6, 1992, in which different units of the Peruvian state security forces executed an attack using military weapons (including grenades, rockets, bombs, helicopter gunships, mortars, and tanks) against male and female inmates of cellblocks 1A and 4B of Miguel Castro Castro Prison, in which 41 prisoners died. I/A Court H.R., *Case of the Miguel Castro-Castro Prison V. Peru.* Judgment of November 25, 2006. Series C No. 160. paras. 211, 216, 222, and 223. (3) The storming by the National Guard and Metropolitan Police of Venezuela of Los Flores de Catia Detention Center, in which they shot indiscriminately at inmates using firearms and teargas, killing approximately 63 people. I/A Court H.R., *Case of Montero Aranguren et al. (Detention Center of Catia) V. Venezuela.* Judgment of July 5, 2006. Series C No. 150, paras. 60.16, 60.25, and 60.27. (4) The massacre at Carandirú Detention Center on October 2, 1992, in which the Military Police fired indiscriminately at inmates, most of whom had surrendered and were unarmed, causing 111 deaths. IACHR, Report No. 34/00, Case 11.291, Merits, Carandiru, Brazil, April 13, 2000, paras. 1, 10-14, 67 and 69.

[342] As a result of the events of September 25, 2006, the IACHR wrote two letters to the State requesting confidential information: one on September 27, 2006, and the other on November 27, 2007. On October 19, 2006, in the context of the 126th regular session of the IACHR, there was a meeting with a delegation of the State of Guatemala at which the Commission received detailed information. Subsequently, on November 22, 2010, a meeting was held with representatives of the CICIG and the Institute for Comparative Studies in Criminal Sciences of Guatemala [*Instituto de Estudios Comparados en Ciencias Penales de Guatemala*] (ICCPG). See also, *Informe Anual Circunstanciado 2006* [Detailed Annual Report 2006] (p. 738) and *Informe Final del Caso de Pavón* [Final Report on the Pavón Case], both issued by the Ombudsman of Guatemala and available HERE in "Documents."

involvement of different army and police units, who, together with the *rondines*, allegedly perpetrated a massacre of *Mara 18* gang members. The final outcome of the incident is said to have been 69 killed and 39 injured. According to available information, when the security forces entered the prison the death toll is thought to have been no more than 10 (including gang members and *rondines*); however, all the fatalities that occurred thereafter corresponded to *Mara 18* members. The IACHR was informed that after the army units arrived, the *rondines* set fire to cellblocks 2 and 6 where most of the gang members were housed, resulting in the deaths of 25 of the latter; other gang members who were injured and had surrendered were allegedly executed by the *rondines* and security forces.[343]

304.   Furthermore, in the case of *Orlando Olivares et al.*, which the Commission recently declared admissible, it was alleged that on November 10, 2003, members of the Venezuelan National Guard extra judicially executed seven inmates, who had surrendered and were unarmed in the context of an operation to control a supposed riot at Bolívar State Judicial Confinement Center (also known as Vista Hermosa Prison). According to the petitioners, after the situation had been brought under control, the security forces reportedly forced the inmates outside and placed them on the sports field where they physically assaulted them, beating them with baseball bats, pipes, rifles, and metal bars. After that, they apparently took presumed cellblock leaders and executed them, the latter being the seven alleged victims in the case.[344]

Other forms of mistreatment resulting in death

305.   As this report shows in the next chapter, which concerns the right to humane treatment, in performing its various functions the IACHR has found that the use of torture and cruel, inhuman, and degrading treatment on individuals in State custody remains one of the principal human rights problems in the region. In this context, the Inter-American human rights system has examined cases in which the nature and intensity of the assault have caused the traumatic death of the victim.

306.   Thus, for example, in the *Bulacio* case, the Inter-American Court found that the victim, a 17-year-old youth, who was detained on April 19, 1991, as part of a mass arrest (or *razzia*), died seven days later as a result of "cranial traumatism" caused by a savage beating to which he was subjected by police officers.[345]

---

[343] IACHR, Public hearing: *Situation of the Persons Deprived of Liberty in Honduras*, 124° Ordinary Period of Sessions, Participants: State of Honduras, Center for Justice and International Law (CEJIL), Comité para la Defensa de los Derechos Humanos en Honduras (CODEH), Comité de Familiares de Detenidos y Desaparecidos de Honduras (COFADEH) and Centro para la Prevención, Tratamiento y Rehabilitación de las Víctimas de Tortura (CPTRT). March 7, 2006. In this regard, see the report: *Situación del Sistema Penitenciario en Honduras*, drafted by CPTRT   and   COFADEH,   presented   in   the   said   hearing   available   at: http://www.cptrt.org/pdf/informesistemapenitenciarioCIDH.pdf.

[344] IACHR, Report No. 14/11, P-1347-07, Admissibility, Orlando Olivares *et al.* (Deaths in the Vista Hermosa Prison), Venezuela, March 23, 2011, paras. 1, 8, and 9.

[345] I/A Court H.R., *Case of Bulacio V. Argentina*. Judgment of September 18, 2003. Series C No. 100, para. 3.

307.   In the course of its working visit to the province of Buenos Aires in June 2010, the Rapporteurship of PDL received information according to which, on February 23, 2008, Mr. Gastón Duffau, after being arrested, was beaten in a patrol car and at Ramos Mejía police station, and later taken dead to a hospital. The second autopsy carried out on him determined as many as 100 lesions consistent with kicking, baton blows, punching, and knee blows. The autopsy concluded that all of these lesions had occurred immediately before death. In this regard, according to the Committee against Torture of the *Comisión Provincial por la Memoria* [Provincial Truth Commission]:

> There are no exact figures on the number of people who were victims of torture, executions, or killings by the police. [...] [A]s the people concerned tend to belong to the most excluded sectors, most such incidents are not reported, nor do they come to the attention of the media. Unless relatives, organizations, and persons close to the victims persevere in these cases, they usually remain in impunity or are justified as "confrontations." There is a structural pattern, an attitude of institutional concealment, regardless of the import of the offense committed.[346]

Forced disappearances

308.   The Commission notes that in the present times, even though less than in the past, there are still instances of persons who have gone missing while in the custody of the State. These incidents even happen with individuals formally deprived of liberty in a jail or in another official detention facility.

309.   Thus, for example, the IACHR requested the Inter-American Court to order provisional measures to protect the lives and wellbeing of Francisco Dionel Guerrero Larez and Eduardo José Natera Balboa, on November 13 and 28, 2009, respectively. Mr. Guerrero Larez was serving a sentence at the Venezuela General Penitentiary (PGV) and his family said that they had had no news of his whereabouts since November 7. Similarly, Mr. Natera Balboa, who was imprisoned in the Eastern Region Penitentiary Center known as "El Dorado", was last seen on November 8, 2009, when he was allegedly violently put into a black vehicle by members of the National Guard. In both cases, relatives of the disappeared men made different efforts before administrative, judicial, and investigative authorities but failed to obtain any concrete results. The Inter-American Court continues to maintain in effect both provisional measures, in which it orders the Venezuelan State to adopt "immediately, the measures necessary to determine the situation and whereabouts" of the beneficiaries.[347]

---

[346] Comité Contra la Tortura de la Comisión Provincial por la Memoria, Annual Report 2009: *El Sistema de la Crueldad IV* [The System of Cruelty IV], pp. 432-434.

[347] I/A Court H.R., Provisional Measures, Matter of Guerrero-Larez, Venezuela, Order of the Inter-American Court of Human Rights of November 17, 2009, Having Seen 1 and 2; Whereas 9, 11, and 12; and Resolves 1; I/A Court H.R., Provisional Measures, Matter of Natera-Balboa, Venezuela, Order of the President of the Inter-American Court of Human Rights of December 1, 2009, Having Seen 1 and 2; Whereas 9 and 11, and Resolves 1.

310.   Furthermore, in the framework of the working visit made by the Office of the Rapporteur on the Rights of Persons Deprived of Liberty to the province of Buenos Aires in June 2010 and at its follow-up hearing in March 2011, the IACHR was informed of the alleged disappearance of Luciano Arruga. According to the information received, Luciano Arruga–aged 17 at the time of the events–is said to have disappeared in January 2009 after being unlawfully detained at Lomas de Mirador police station. Previously, on September 21, 2008, Luciano Arruga was reportedly detained for 12 hours without any record having being made of that fact. The suspicions about the possible involvement of the police in Luciano Arruga's disappearance stem from the repeated threats that he received from the police station personnel as well as witness testimony given during the proceeding at the domestic level to the effect that he was at Lomas del Mirador police station.[348]

311.   Likewise, the *Centro de Prevención, Tratamiento y Rehabilitación de las Víctimas de la Tortura y sus Familiares* [Center for Prevention, Treatment, and Rehabilitation of Torture Victims and their Families] (CPTRT) recorded at least six possible cases of disappearance of inmates in prisons in Honduras between 2004 and 2006.[349] According to the CPTRT most of the victims in these cases were members of gangs (or *maras*) and their disappearances were the work of other inmates.[350]

312.   In light of the above considerations, the IACHR underscores that international human rights law requires States to adopt certain specific measures to prevent forced disappearance of persons deprived of their liberty. Examples of these measures are: keeping up-to-date official records on persons deprived of their liberty, which shall be made available to third parties;[351] holding of individuals in officially

---

[348] Comité Contra la Tortura de la Comisión Provincial por la Memoria, Annual Report 2009: *El Sistema de la Crueldad IV* [The System of Cruelty IV], pp. 440-441; IACHR, Public hearing: *Human Rights Situation of Persons Deprived of Liberty in the Province of Buenos Aires*, 141º Ordinary Period of Sessions, Participants: State of Argentina, the Center for Legal and Social Studies (CELS), *Comisión por la Memoria de la Provincia de Buenos Aires* [Truth Commission for the Province of Buenos Aires], March 28, 2011; Comité Contra la Tortura de la Comisión Provincial por la Memoria, Annual Report 2010: *El Sistema de la Crueldad V* [The System of Cruelty IV], pp. 30, 309-312.

[349] They are: (a) Sandy Otoniel Gómez González and Oscar Danilo Vásquez Corea, who both allegedly disappeared from Támara National Penitentiary in February 2006; (b) José Rafael Reyes Gálvez, also an inmate at Támara National Penitentiary, who was last seen in July 2005; and (c) José Arnaldo Mata Aguilar, Orlín Geovany Funez, and Glen Rockford, who variously disappeared in 2003 and 2004 while confined at San Pedro Sula Prison. Their remains were found buried in the ground under the Cell 19 after the process of restoration that followed the fire in May 2004.

[350] IACHR, Public hearing: *Situation of the Persons Deprived of Liberty in Honduras*, 124° Ordinary Period of Sessions, Participants: State of Honduras, Center for Justice and International Law (CEJIL), Comité para la Defensa de los Derechos Humanos en Honduras (CODEH), Comité de Familiares de Detenidos y Desaparecidos de Honduras (COFADEH) and Centro para la Prevención, Tratamiento y Rehabilitación de las Víctimas de Tortura (CPTRT). March 7, 2006. In this regard, see the report: *Situación del Sistema Penitenciario en Honduras*, drafted by CPTRT and COFADEH, presented in the said hearing.

[351] See, Inter-American Convention on Forced Disappearance of Persons, Article XI; International Convention for the Protection of all Persons from Forced Disappearance, Article 17(3); and the United Nations Declaration on the Protection of all Persons from Enforced Disappearance, Article 10(2) and (3).

recognized places of detention;[352] and exercising effective judicial control over detentions.[353] Furthermore, States have the duty to open *motu propio* a serious, impartial, diligent investigation, within a reasonable time, of the disappearance of anyone under their custody.[354]

E.   Suicides

313.   Suicide is an ever-present reality in correctional facilities. In this regard, the mere act of confining someone in a closed environment from which they are unable to leave at their own will, with all of the consequences that entails, can have a strong impact on their mental and emotional balance. In addition, there are the inherent imbalances and risk factors found in certain inmates. The World Health Organization regards persons deprived of liberty as a group at a high risk for suicide; that is, they are a population of special concern as their recorded suicide rate is higher than average.[355]

314.   There are many factors, both individual and environmental, which may influence the decision of a person deprived of liberty to take their life: the stress caused by the impact of incarceration; the tension of prison life; violence among inmates; possible abuse by the authorities; drug or alcohol addiction; repeated physical or sexual assault by other prisoners with inaction on the part of the authorities; disruption of social relations, or a family conflict or break up; feelings of isolation, despair, and abandonment; impotence and distrust of the judicial system due to reiterated and unjustified procedural delays, leading to a profound feeling of defenselessness in the inmate; the prospect of a long sentence; the lack of privacy; awareness of the crime committed; and the potential impact on a person of public exposure as a criminal. Furthermore, particularly trying or degrading conditions of detention, such as intolerable overcrowding or solitary confinement with significantly long periods of confinement, are also stressors that may lead to suicide.

---

[352] See, Inter-American Convention on Forced Disappearance of Persons, Article XI; International Convention for the Protection of all Persons from Forced Disappearance, Article 17(1) and (2); and the United Nations Declaration on the Protection of all Persons from Enforced Disappearance, Article 10(1).

[353] See American Convention, Article 7 (5) and (6); International Covenant on Civil and Political Rights, Article 9 (3) and (4); American Declaration of the Rights and Duties of Man, Article XXV; and European Convention on Human Rights, Article 5 (3) and (4).

[354] See, American Convention (Articles 8 and 25); International Convention for the Protection of all Persons from Forced Disappearance (Articles 3 and 6), United Nations Declaration on the Protection of all Persons from Enforced Disappearance (Article 3), and the Body of Principles for the Protection of All Persons under Any Form of Detention or Imprisonment (Principle 34).

[355] World Health Organization (WHO), *Preventing Suicide in Jails and Prisons*, (update 2007), p. 2, available at: http://www.who.int/mental_health/prevention/suicide/resource_jails_prisons.pdf. See also, Ruíz, José Ignacio; Gómez, Ingrid; Landazabal, Mary Luz; Morales, Sully; Sánchez, Vanessa; and Páez, Darío, *Riesgo de Suicidio en Prisión y Factores Asociados: Un Estudio Exploratorio en Cinco Centros Penales de Bogotá* [Suicide Risk in Prison and Associated Factors: An Exploratory Study in Five Penal Centers in Bogotá], in *Revista Colombiana de Psicología*, 2002, No. 11, 99-104. And, McArthur, Morag; Camilleri, Peter, & Webb, Honey, *Strategies for Managing Suicide & Self-harm in Prisons*, in Trends and Issues in Crime and Criminal Justice series, Australian Institute of Criminology, 1999, No. 125, available at: http://www.aic.gov.au/documents/2/9/4/%7B2945C409-3CE4-49C8-9F58-D8183A77CBD7%7Dti125.pdf.

315.   In this regard, a number of States that presented responses to the questionnaire published for the purposes of this report provided the following information:

(a)   In *Argentina*, 24 suicides were recorded in prisons of the Federal Penitentiary Service between 2006 and 2009; in prisons of the province of Buenos Aires Penitentiary Service there were 83 suicides between 2004 and 2009.

(b)   In *Chile*, 87 people reportedly died by suicide in the country's prisons from 2005 to 2009.

(c)   In *Costa Rica*, from 2005 to 2009, there were 18 recorded suicides and 56 acts described as suicide attempts.

(d)   The Government of *Nicaragua* reported that in the five years prior to September 2010 there were seven deaths by suicide in the prisons of the National Penitentiary System.

316.   In exercising its contentious function, the IACHR has pronounced its opinion on the content and scope of the responsibility of State in cases of suicide by persons deprived of liberty. Thus, in the case of *César Alberto Mendoza et al. (Incarceration and perpetual confinement of adolescents)*, one of the victims, Ricardo David Videla Fernández, committed suicide by hanging himself with his belt from one of the bars over the window of his cell located in unit 11 "A" of the Young Adult Security Center at Mendoza Prison. In this case, the IACHR determined that the State committed a sequence of omissions that resulted not only in the deterioration of the victim's well-being, but also in the loss of his life, which could have been avoided.[356]

317.   In its analysis, the Commission took into consideration that: (a) The victim was in a punishment cell under an isolation regime whereby he was locked up for 21 hours a day; (b) the victim applied for a writ of habeas corpus in which he claimed that he was constantly threatened by prison staff as well as a victim of psychological harassment on their part; (c) on several occasions the victim announced to correctional staff that he intended to take his life; (d) days before his death a delegation from the Prison Policy Monitoring Committee noted his marked psychological deterioration, which was brought to the attention of the appropriate authorities; and (e) two days before the victim committed suicide, the administrative chief of the Health Division urgently requested the prison director to eliminate the 21-hours-a-day lockdown system in use in Unit 11.

318.   The Commission found that, aside from the omissions in the days and weeks leading up to Ricardo Videla's death, the prison authorities failed to keep him under close watch, to make emergency calls to medical or psychological staff who might have intervened in the situation, or to arrange adequate custodial measures. In other words, the authorities in whose custody he found himself failed to make all necessary efforts to

---

[356] IACHR, Report No. 172/10, Case 12.651, Merits, César Alberto Mendoza *et al.*, Argentina, November 2, 2010, paras. 2, 95, 97, 102, 103, 104, 109, 262, 264, 265, 266, 267, 268 and 271.

safeguard his life. Furthermore, in the moment that the victim proceeded to take his life, the authorities failed to act with due diligence to prevent the suicide from being consummated. Basically, the concurrence of the circumstances described, as well as the absence of any other satisfactory explanation from the State, allowed the IACHR to conclude that they had a direct bearing on the victim's death. This case is currently before the Inter-American Court.

319.   Accordingly, the IACHR finds that the incarceration of an individual in isolation conditions that do not meet the applicable international standards constitutes a risk factor for suicide.[357] Therefore, the physical and mental health of the inmate should be kept under close medical supervision throughout the time that this measure is enforced.[358] The isolation or solitary confinement of a person deprived of liberty shall only be permitted as a measure that is strictly limited in time, as a last resort, and in accordance with a series of safeguards and guarantees set down in the applicable international instruments.

320.   Isolation or solitary confinement shall be strictly prohibited in the case of children and adolescents deprived of their liberty.[359] The mere application of measures of this type to anyone under the age of18 in itself constitutes a form of cruel, inhuman, or degrading treatment. The segregation and isolation of children or adolescents constitutes an additional risk factor for acts of suicide.[360]

321.   The Commission is of the opinion that the State, as guarantor of the rights of persons deprived of liberty, should address suicide prevention as a matter of priority, which entails reducing potential risk factors to a minimum. In this regard, the applicable international instruments establish, for example, the duty to perform a medical examination of all individuals upon admission to a detention facility,[361] which should include observation to determine if the inmate poses a danger to themselves,[362] as well as the duty of the State to provide mental health services whenever the personal situation of the inmate warrants,[363] obligation which arises from Article 5 of the American Convention (see Chapter IV of this report).

---

[357] See also, Shalev, Sharon, *A Sourcebook on Solitary Confinement*, Mannheim Centre for Criminology, 2008, p. 17, available at: http://solitaryconfinement.org/uploads/sourcebook_web.pdf.

[358] See, Standard Minimum Rules for the Treatment of Prisoners (Rule 32.3).

[359] See, United Nations Rules for the Protection of Juveniles Deprived of their Liberty, No. 67; Principles and Best Practices on the Protection of Persons Deprived of Liberty in the Americas (Principle XXII.3); and the Istanbul Statement on the Use and Effects of Solitary Confinement, adopted on 9 December 2007, available at: http://solitaryconfinement.org/uploads/Istanbul_expert_statement_on_sc.pdf.

[360] WHO, *Health in Prisons: A WHO guide to the essentials in prison health*, 2007, p. 8.

[361] Standard Minimum Rules for the Treatment of Prisoners (Rule 24), Body of Principles for the Protection of All Persons under Any Form of Detention or Imprisonment (Principle 24), Principles and Best Practices on the Protection of Persons Deprived of Liberty in the Americas (Principle IX.3) and United Nations Rules for the Protection of Juveniles Deprived of their Liberty (Rule 50).

[362] WHO, *Health in Prisons: A WHO guide to the essentials in prison health*, 2007, pp. 24 and 25.

[363] See, Standard Minimum Rules for the Treatment of Prisoners (Rule 22.1 and 25.1); Principles and Best Practices on the Protection of Persons Deprived of Liberty in the Americas (Principle X); and United Nations Rules for the Protection of Juveniles Deprived of their Liberty (Rules 49 and 51). Currently, the European Prison

Continues...

322. According to the current guidelines of the World Health Organization, suicide prevention programs of detention facilities should include the following components:[364]

(a) Proper training for prison staff (health and correctional) in detection and treatment of potential suicide cases;

(b) Medical assessment of inmates upon admission in order to screen them for possible suicidal risks;

(c) Establishment of clearly articulated policies and procedures for continued supervision and treatment of inmates who are considered a suicide risk;

(d) Adequate monitoring during the night shift and at shift changes of inmates kept in isolation as a disciplinary measure;

(e) Promotion of interaction by inmates among themselves, with their relatives, and the outside world;

(f) Maintaining a safe physical environment that reduces the possibility of using mechanisms to commit suicide, in which, for instance, hanging points and access to lethal materials are eliminated or minimized; and in which efficient surveillance mechanisms are adopted (although in practice, these should never be used as a substitute for direct observation by staff);

(g) Adequate mental health treatment of inmates who present a clear suicide risk, which should include evaluation and care by qualified staff and psychopharmacological treatment; and

(h) Establishment of procedures and protocols in the event of a suicide attempt; or so-called manipulative attempts, which may consist of self-harming behavior; and if a suicide actually occurs.

323. Ultimately, authorities with persons deprived of liberty in their custody should make every effort necessary to safeguard the lives and well-being of those persons and prevent suicides from occurring in prisons.[365] Furthermore, the IACHR considers that as part of a comprehensive corrections policy, States should identify detention facilities with an unusually high suicide rate and adopt such measures as may be necessary to correct that situation, which must include a thorough investigation of all its causes.

...continuation

Rules are the only international instrument that expressly mentions that the prison medical service at detention facilities should pay special attention to suicide prevention (Rule 47.2).

[364] World Health Organization (WHO), *Preventing Suicide in Jails and Prisons*, (update 2007), pp. 9-21.

[365] IACHR, Report No. 172/10, Case 12.651, Merits, César Alberto Mendoza *et al.*, Argentina, November 2, 2010, para. 276.

324.   Prisons are a closed environment in which persons deprived of their liberty are under the absolute control of the State, and very often at the mercy of other inmates. Therefore, it is possible that the death of an inmate, which might appear at first sight to be a suicide, could have been caused intentionally by someone else. Accordingly, the State must ensure that such acts are effectively investigated and that a ruling of suicide is not used as a quick way to conceal deaths that were caused by something else. The authorities responsible for the investigation of the death of a person in the custody of the State must be independent from those implicated in the events; this means hierarchical or institutional independence and also practical independence.[366]

325.   The Inter-American Commission on Human Rights reiterates that the State has the duty to investigate *sua sponte* the death of any person that occurs in a center of deprivation of liberty.[367] Therefore, the fact that evidence might initially suggests the possibility of a suicide does not exempt the competent authorities from undertaking a serious and impartial investigation in which all logical lines of inquiry are pursued in order to establish if the inmate really did take his own life and,[368] even assuming he did, whether the authorities were in any way responsible for a failure to prevent it.[369] When the State does not discharge fully this duty to investigate, it violates the right of the victim's relatives to an effective remedy to clarify the facts and determine the appropriate responsibilities (Articles 8 and 25 of the American Convention).[370]

---

[366] IACHR, Report No. 54/07, Petition 4614-02, Admissibility, Wilmer Antonio Gonzalez Rojas, Nicaragua, July 24, 2007, para. 49; European Court of Human Rights, *Case of Sergey Shevchenko v. Ukraine*, (Application no. 32478/02), Judgment of April 4, 2006, Second Section, para. 64.

[367] In this regard, in cases of suicide while in custody, the European Court has held that the obligation to effectively investigate "is not confined to cases where it has been established that the killing was caused by an agent of the State. Nor is it decisive whether members of the deceased's family or others have lodged a formal complaint about the killing with the competent investigation authority. The mere fact that the authorities were informed of the killing by an individual gives rise *ipso facto* to an obligation [...] to carry out an effective investigation into the circumstances surrounding the death." IACHR, Report No. 54/07, Petition 4614-02, Admissibility, Wilmer Antonio González Rojas, Nicaragua, July 24, 2007, para. 51; ECtHR, *Uçar v. Turkey*. Judgment of 11 April 2006 (Second Section of the Court), para. 90.

[368] In this regard, the Court has held that "[i]t is vital that the complexity of the matter, the context and the circumstances in which it occurred and the patterns that explain its commission must be taken into account when carrying out a due diligence in the investigative procedures." I/A Court H.R. *Case of Escué Zapata V. Colombia*. Merits, Reparations and Costs. Judgment of July 4, 2007. Series C No. 165. para. 106.

[369] See in this regard, IACHR, Report No. 54/07, Petition 4614-02, Admissibility, Wilmer Antonio Gonzalez Rojas, Nicaragua, July 24, 2007, para. 51; European Court of Human Rights, *Case of Trubnikov v. Rusia*, (Application no. 49790/99), Judgment of July 5, 2005, Second Section, para. 89.

[370] IACHR, Report No. 172/10, Case 12.651, Merits, César Alberto Mendoza *et al.*, Argentina, November 2, 2010, paras. 277-282.

F.   **Recommendations**

326.   With regard to the respect and assurance of the right to life of persons deprived of liberty, the IACHR reiterates the recommendations formulated in Chapter II of this report in relation to:

1.   The maintenance of an effective control of the detention centers and the prevention of violence.

2.   Judicial review of the deprivation of liberty.

3.   Admission, registration and initial medical examination of persons deprived of liberty.

4.   The use of force by the authorities in charge of detention centers. And

5.   The right to medical care for detainees.

327.   The IACHR also makes the following recommendations:

6.   Adopt prevention policies for crisis situations, such as fires and other emergencies. The keystones of these policies should be training for prison staff and introduction of protocols and plans of action for crisis situations.

7.   Ensure that the physical infrastructure of detention facilities is kept in conditions that minimize the potential risk of fires and other accidents that might endanger the lives of inmates. In particular, eliminate overcrowding to ensure that detention facilities do not house more persons than they can safely accommodate.

8.   Ensure regular maintenance and supervision of electrical installations in correctional centers. Enforce the necessary controls on admission and connection of electrical appliances in the different cells or cell blocks.

9.   Subject to their characteristics, equip detention facilities with the necessary appliances and mechanisms to prevent and tackle fires and other emergencies. In particular, these include adequate evacuation routes, alarms, and extinguishers.

10.   Take the necessary steps to educate and raise awareness in the prison population about the need to prevent fires and about behavior that can cause them. Enforce adequate supervision of internal divisions made by inmates with blankets, drapes, and other improvised materials, which may increase the risk of fire. In countries with cold climates, States should ensure optimal conditions of detention and not force inmates to rely on individual heaters or stoves.

11. Adopt suicide prevention programs in keeping with the current guidelines of the World Health Organization, giving particular attention to measures relating to training of correctional staff, care of juveniles deprived of liberty, and the use of disciplinary measures, such as isolation cells, in accordance with the considerations contained in this chapter.

12. Initiate *sua sponte* serious, impartial, and diligent investigations into fires and other emergencies that occur in detention facilities in which the lives and well-being of persons have been impaired or put at risk.

13. Initiate *sua sponte* serious, impartial, and diligent investigations into all deaths that occur in prisons, irrespective of their cause. Such investigations must be designed to establish the criminal responsibility of those who perpetrated the act, and, as appropriate, the degree of responsibility by omission of the authorities and officials associated with the events.

14. This duty to investigate and impose penalties also extends to any cases that may be classified as suicides, deaths from natural causes, accidental deaths, or deaths resulting from conflicts among inmates.

15. Introduce audit mechanisms and external monitoring of management and processing of criminal and administrative proceedings instituted in connection with acts of prison violence, in order to detect and combat structural impunity.

16. Ensure that police officers and correctional staff charged with homicide are reassigned to positions in which they do not have persons deprived of liberty under their immediate supervision for as long as the relevant proceedings to determine their responsibility last.

17. Ensure that the competent authorities for investigating deaths of persons deprived of liberty follow the procedures and guidelines set down in the United Nations Principles on the Effective Prevention and Investigation of Extra-legal, Arbitrary and Summary Executions.

18. Adopt the necessary measures to ensure that all proceedings relating to the death of a person deprived of liberty are dealt with and decided in the regular criminal jurisdiction.

IV.   RIGHT TO HUMANE TREATMENT

A.   Basic standards

328.   The right to life and to humane treatment are fundamental for the exercise of all other rights, and they are essential minimums for the exercise of any activity.[371] As emphasized above, the State is in a special position as guarantor regarding persons under its custody and, in this capacity, it has the special duty to respect and ensure the human rights of inmates, particularly, their right to life and humane treatment. In this regard, the IACHR emphasized in its Report on Citizen Security and Human Rights that:

> The activity of the security forces lawfully directed toward the protection of the population is fundamental in achieving the common good in a democratic society. At the same time the abuse of police authority in the urban setting constitutes a high risk factor for the enforcement of individual liberty and security. Human rights as limits on the arbitrary exercise of authority constitute an essential safeguard for the security of the public in preventing the State's lawful measures, enacted in order to protect general security, from being used to suppress rights.[372]

329.   This analysis of inmates' right to humane treatment goes hand in hand with other chapters of this report, in which other aspects are also examined regarding effective enjoyment of this right, such as the chapter on the duty of the State to provide medical care to persons deprived of liberty.

330.   In the Inter-American human rights system, the right to humane treatment is prescribed primarily in Article I, XXV and XXVI of the American Declaration and Article 5 of the American Convention, which provide:

American Declaration

Article I. Every human being has the right to life, liberty and the security of his person.

Article XXV. [...] Every individual who has been deprived of his liberty [...] has the right to humane treatment during the time he is in custody.

Article XXVI. Every person accused of an offense has the right [...] not to receive cruel, infamous or unusual punishment.

---

[371] IACHR, *Democracy and Human Rights in Venezuela*, Ch. VI, para. 667.

[372] IACHR, *Report on Citizen Security and Human Rights*, para. 24.

American Convention

Article 5
(1) Every person has the right to have his physical, mental, and moral integrity respected. (2) No one shall be subjected to torture or to cruel, inhuman, or degrading punishment or treatment. All persons deprived of their liberty shall be treated with respect for the inherent dignity of the human person. (3) Punishment shall not be extended to any person other than the criminal. (4) Accused persons shall, save in exceptional circumstances, be segregated from convicted persons, and shall be subject to separate treatment appropriate to their status as non-convicted persons. (5) Minors while subject to criminal proceedings shall be separated from adults and brought before specialized tribunals, as speedily as possible, so that they may be treated in accordance with their status as minors. (6) Punishments consisting of deprivation of liberty shall have as an essential aim the reform and social readaptation of the prisoners.

331.   The American Convention attaches a high degree of importance to the right to humane treatment: not only does it establish its non-derogable nature in time of war, public danger or other emergency that threatens the independence or security of the State (Article 27), but it also does not set forth any specific exceptions to when it applies.[373] In short, the right to humane treatment cannot be suspended under any circumstance. Securing respect for the basic human integrity of all individuals in the Americas, regardless of their personal circumstances, is a central purpose of the Convention in general, and of its Article 5 in particular.[374]

332.   Moreover, while the American Declaration does not contain a general provision on the right to humane treatment, the Commission has interpreted Article I of the American Declaration as containing a prohibition similar to that under the American Convention. In fact it has specified that an essential aspect of the right to personal security is the absolute prohibition of torture, a peremptory norm of international law creating obligations *erga omnes*. It has also qualified the prohibition of torture as a norm of *jus cogens*.[375]

---

[373] In the same vein, the United Nations Human Rights Committee has referred regarding the legal regime established by Articles 4 and 7 of the International Covenant on Civil and Political Rights. See, United Nations, Human Rights Committee, General Comment No. 20: Prohibition of torture, or other cruel, inhuman or degrading treatment or punishment (Article 7), adopted at the 44th session (1992), para. 3. In Compilation of General Comments and General Recommendations adopted by human rights treaty bodies, Volume I, HRI/GEN/1/Rev.9 (Vol. I) adopted on May 27, 2008, p. 239.

[374] IACHR, Report No. 50/01, Case 12,069, Merits, Damion Thomas, Jamaica, April 4, 2001, para. 36.

[375] IACHR, *Report on Terrorism and Human Rights*, para. 155; IACHR, Report on the Situation of Human Rights of Asylum Seekers within the Canadian Refugee Determination System, OEA/Ser.L/V/II.106. Doc. 40 rev., adopted on February 28, 2000, paras. 118 and 154.

333.   Additionally, the Principles and Best Practices on the Protection of Persons Deprived of Liberty in the Americas establish that such persons shall be protected "from any kind of threats and acts of torture, execution, forced disappearance, cruel, inhuman, or degrading treatment or punishment, sexual violence, corporal punishment, collective punishment, forced intervention or coercive treatment, from any method intended to obliterate their personality or to diminish their physical or mental capacities." (Principle I) The non-derogable nature of this provision and the duty of the State to treat all persons deprived of liberty in keeping with the principle of humane treatment are also set forth therein.[376]

334.   These provisions reflect human rights similar to those ensured under other international instruments, such as the Universal Declaration of Human Rights (Articles 3 and 5); the International Covenant on Civil and Political Rights (Articles 7 and 10); the European Convention on Human Rights (Article 3); UN Convention on the Rights of the Child (Article 37); the African Charter on Human and Peoples' Rights (Article 4 and 5); the Body of Principles for the Protection of all Persons under Any Form of Detention or Imprisonment (Principle 6); and the UN Declaration on the Protection of All Persons from Being Subjected to Torture and Other Cruel, Inhuman and Degrading Treatment or Punishment (Article 2 and 3).

335.   Both the Court[377] and the Commission[378] have consistently held that an international body of law, which falls today within the scope of *ius cogens,* has been put in place which absolutely forbids all forms of torture. Specifically with regard to persons in the custody of the State, the Inter-American Convention to Prevent and Punish Torture establishes that "neither the dangerous character of the detainee or prisoner, nor the lack of security of the prison establishment or penitentiary shall justify torture." (Article 5).

336.   The Commission finds that this peremptory prohibition of all forms of torture is complementary to the duty of the State to treat every person deprived of liberty humanely and with respect for his or her dignity. In fact, persons deprived of liberty not only may not be subjected to torture and cruel, inhuman and degrading treatment, but

---

[376] The IACHR, in various circumstances, has granted precautionary measures to protect detainees that claimed that they were being subjected to torture or cruel, inhuman and degrading treatment. For example, on March 12, 2002, the IACHR granted precautionary measures (MC-259-02) in favor of the approximately 254 detainees brought to Guantanamo Naval Base as of January 11, 2002. Subsequently, on March 21, 2006 and August 20, 2008, the IACHR granted precautionary measures to protect, respectively, Mr. Omar Khadr and Mr. Djamel Ameziane, also held at the naval base at Guantanamo Bay.

[377] The Inter-American Court established this assessment of the international prohibition of torture from the case Cantoral Benavides, and began referring to it as part of the domain of i*us cogens,* in its decision of the case Maritza Urrutia.. Véase, I/A Court H.R., *Case of Cantoral Benavides V. Peru.* Judgment of August 18, 2000. Series C No. 69, paras. 102 y 103; I/A Court H. R., *Case of Maritza Urrutia V. Guatemala.* Judgment of November 27, 2003. Series C No. 103, para. 92. See also, I/A Court H.R., *Case of Bueno-Alves V. Argentina.* Merits, Reparations and Costs. Judgment of May 11, 2007. Series C No. 164, para. 77; in which the Court makes a comprehensive analysis of the many international instruments that contain such a prohibition, even in the field of international humanitarian law.

[378] See for example, IACHR, *Democracy and Human Rights in Venezuela,* Ch. VI, para. 707; IACHR, Fifth *Fifth Report on the Situation of Human Rights in Guatemala,* Ch.. VI, para. 8.

neither may they be subjected to hardship or restrictions, except for those that are unavoidably incidental to the deprivation of liberty.[379]

337. On this score, the IACHR noted in its Report on the Human Rights Situation in Bolivia (2007):

> Persons held in prisons inherently cope with necessary limitations due to their deprivation of liberty. Nevertheless, they maintain the right to exercise their fundamental rights as recognized in national and international law, regardless of their legal situation or the stage of the proceedings against them, and in particular they maintain the right to humane treatment and due respect for their dignity as human beings.[380]

Similarly, in the context of follow up on the situation of persons deprived of liberty in Cuba, the IACHR emphasized:

> It is essential that deprivation of freedom must have well-established objectives. Prison authorities cannot overstep those objectives, not even in the disciplinary action that they are authorized to take. Prisoners must not be marginalized or discriminated against; the goal is to get them back into society. In other words, prison practices must observe one basic principle: imprisonment must not be compounded by any more suffering . than what it already represents. The prisoner must be treated humanely, in a manner commensurate with the dignity of his person, while the system endeavors to reincorporate him into society."[381]

338. The bodies of the Inter-American human rights system have established that the content and scope of the term "torture," as set forth in Article 5.2 of the American Convention, must be interpreted in accordance with the definition provided in Article 2 of the Inter-American Convention to Prevent and Punish Torture,[382] which defines torture as:

> [...] any act intentionally performed whereby physical or mental pain or suffering is inflicted on a person for purposes of criminal investigation, as a means of intimidation, as personal punishment, as a preventive measure, as a penalty, or for any other purpose. Torture shall also be understood to be

---

[379] In this regard, the Standard Minimum Rules for the Treatment of Prisoners lays down that "[i]mprisonment and other measures which result in cutting off an offender from the outside world are afflictive by the very fact of taking from the person the right of self-determination by depriving him of his liberty. Therefore the prison system shall not, except as incidental to justifiable segregation or the maintenance of discipline, aggravate the suffering inherent in such a situation." (Rule 57)

[380] IACHR, *Access to Justice and Social Inclusion: The Road Towards Strengthening Democracy in Bolivia*, Ch. III, para. 15.

[381] IACHR, *Annual Report 2002*, Chapter IV, Cuba, OEA/Ser.L/II.117. Doc. 1 rev. 1, adopted on March 7, 2003, para. 73; IACHR, *Annual Report 2001*, Chapter IV, Cuba, OEA/Ser.L/V/II.114. doc. 5 rev. 1, adopted on April 16, 2002, para. 76.

[382] I/A Court H. R., *Case of Tibi V. Ecuador*. Judgment of September 7, 2004. Series C No. 114, para. 145.

the use of methods upon a person intended to obliterate the personality of the victim or to diminish his physical or mental capacities, even if they do not cause physical pain or mental anguish.

339.   In interpreting this standard, the legal precedents of the Inter-American human rights system have held that in order for conduct to be considered torture, the following elements must be present: i) an intentional act; ii) which causes severe physical or mental suffering; and iii) is committed with a given purpose or aim.[383] The Inter-American Court has established that "threatening an individual with a real risk of physical injury causes, in certain circumstances, such moral anguish as may be considered psychological torture,"[384] or at least inhuman treatment.[385]

340.   Also, as interpreted by the UN Rapporteur on Torture, acts that do not fall exactly under the definition of torture, particularly acts that lack the elements of intentionality or that have not been committed for a specific purpose (deliberately), may constitute cruel, inhuman or degrading treatment or punishment. For example, acts meant to humiliate the victim constitute degrading treatment or punishment, even though they have not inflicted serious pain.[386]

341.   Following the European Court's jurisprudence, the Inter-American Court has noted that in examining the seriousness of acts that may constitute cruel, inhuman or degrading treatment or punishment, it is relative and dependent upon all of the circumstances of the case, such as the duration of the treatment, the physical and mental effects thereof and, in some instances, the victim's gender, age and state of health, among other things.[387] Similarly, following along the lines of the former European Commission, the IACHR has found that treatment must have a minimum level of severity in order to be considered "inhuman or degrading;" and that the determination of that minimum level is related to and follows from the particular circumstances of each case.[388]

---

[383] I/A Court H.R., *Case of Bueno-Alves V. Argentina*. Merits, Reparations and Costs. Judgment of May 11, 2007. Series C No. 164, para. 79.

[384] I/A Court H.R., *Case of Cantoral Benavides V. Peru*. Judgment of August 18, 2000. Series C No. 69, para. 102.

[385] I/A Court H.R., *Case of The "Street Children" V. Guatemala (Villagrán Morales et al.)*. Judgment of November 19, 1999. Series C No. 63, para. 165.

[386] United Nations, Special Rapporteur on Torture and Other Cruel, Inhuman or Degrading Treatment or Punishment, Report submitted to the (former) Commission on Human Rights, E/CN.4/2006/6, adopted on December 23, 2005, para. 35.

[387] I/A Court H. R., *Case of Gómez Paquiyauri Brothers V. Peru*. Judgment of July 8, 2004. Series C No. 110, para. 113. In the same vein, the Court held in the case of *Loayza Tamayo* that "[t]he violation of the right to physical and psychological integrity of persons is a category of violation that has several gradations and embraces treatment ranging from torture to other types of humiliation or cruel, inhuman or degrading treatment with varying degrees of physical and psychological effects caused by endogenous and exogenous factors which must be proven in each specific situation." I/A Court H.R., *Case of Loayza Tamayo V. Peru*. Judgment of September 17, 1997. Series C No. 33, para. 57.

[388] For example, with respect to Nicaragua in the early '80s, the IACHR considered as forms of harassment and unnecessary humiliation to some prisoners, forcing them to sing the Sandinista anthem or attend

Continues...

342.   In its Report on Terrorism and Human Rights, the IACHR provides a list of examples of the forms of torture that it has observed in cases examined by it, both in the Inter-American human rights system, as well as by other international protection mechanisms. These examples include:[389] prolonged incommunicado detention; keeping detainees hooded and naked in cells and interrogating them under the drug pentothal; applying electric shocks to a person; holding a person's head in water until just before the point of drowning; standing or walking on top of individuals; beating; burning a person's skin with lighted cigarettes; rape; deprivation of food and water; threats of torture or death; threats of assaults on family members; exposure to the torture of other victims; simulated executions; extraction of nails or teeth; suspending the person by the feet; suffocation; exposure to excessive light or noise; sleep deprivation; total isolation and sensory deprivation; forcing detainees to remain standing for prolonged periods of time.

343.   The Commission finds that even though every person in any circumstance is entitled to the right to humane treatment, the absolute prohibition of torture and cruel, inhuman and degrading treatment is especially relevant in order to protect individuals in the custody of or under the power of authorities of the State. This means that this prohibition must always be based on the element of defenselessness of the victim.[390] Hence—as has been emphasized above in this report—the State has the special duty to guarantee the lives and individual integrity of the persons in its custody, which entails taking concrete measures to effectively ensure full enjoyment of this right. On the subject, the IACHR has established that:

> The State's responsibility as far as the integrity of people in its custody is considered, is not restricted to the negative obligation to refrain from torturing or mistreating those people. Since prison is a place where the State has total control over the life of inmates, its obligations towards them, among others, include the security and control measures necessary to preserve the life and physical integrity of people deprived of their freedom.[391]

Consequently, the State must take all necessary measures to protect inmates from any assaults that may come from third parties, even from other inmates. This involves preventing patterns of prison violence and inmate-to-inmate assaults and, particularly,

---

...continuation

mandatory political gatherings. IACHR, Report on the Situation of Human Rights in the Republic of Nicaragua, OEA/Ser.L/V/II.53 doc. 25, adopted on June 30, 1981, Cap. V, section D, para. 3.

[389] IACHR, *Report on Terrorism and Human Rights*, paras. 161-163.

[390] See also, United Nations, Special Rapporteur on Torture and Other Cruel, Inhuman or Degrading Treatment or Punishment, Report submitted to the (former) Commission on Human Rights, E/CN.4/2006/6, adopted on December 23, 2005, para. 40.

[391] IACHR, *Annual Report 2009*, Chapter IV, Cuba, OEA/Ser.L/V/II. Doc. 51, rev. 1, adopted on December 30, 2009, para. 274. IACHR, *Annual Report 2008*, Chapter IV, Cuba, OEA/SerL/V/II.134, Doc. 5, rev. 1, adopted on February 25, 2009, para. 193. IACHR, *Annual Report 2007*, Chapter IV, Cuba, OEA/Ser.L/V/II.130, Doc. 22, rev.1, adopted on December 29, 2007, para. 108.

providing adequate and constant oversight at prison facilities and maintaining internal security and order.

344.   Effectively guaranteeing the right to humane treatment of persons deprived of liberty also entails the duty of the State to investigate, punish, and redress any violation of this right committed against persons in its custody. The basis of this international obligation is found in Article 1.1, 8 and 25 of the American Convention, and in Article 1, 6 and 8 of the Inter-American Convention to Prevent and Punish Torture. As for the content and scope of these provisions, the Inter-American Court has established that "the State has the duty to immediately and *ex officio* to begin an effective investigation to identify, try and punish those responsible, when there is a complaint or there are grounds to believe that an act of torture has been committed in violation of Article 5 of the American Convention."[392]

345.   The Court has further established that effective investigation and documentation of cases of torture and cruel, inhuman and degrading treatment must be governed by the principles of independence, impartiality, competence, diligence, and promptness.[393] This investigation should be undertaken utilizing all the legal means available and should be oriented toward the determination of the truth,[394] and be conducted within a reasonable time, which should be ensured by the intervening judiciary bodies.[395] Additionally, it is the duty of judicial authorities to ensure the rights of the detainee, which involves obtaining and securing any evidence that may prove the alleged acts of torture.

346.   Likewise, the State should ensure the independence of the medical and health care personnel in charge of examining and providing assistance to persons deprived of liberty so they are able to freely perform the required medical evaluations, and adhere to established standards in the practice of their profession.[396]

347.   In cases involving persons deprived of liberty, the IACHR has set a higher standard regarding the State's duty to investigate, in considering that, in such instances,

---

[392] I/A Court H. R., *Case of Tibi V. Ecuador*. Judgment of September 7, 2004. Series C No. 114, para. 159. The Inter American Court has taken a bit of a formal position in relation to the concept of "claim" as a precondition of the State's obligation to investigate promptly and impartially the possible cases of torture, leading to consider in the case *Vélez Loor* that it is enough that the victim or a third party make it known to the authorities. I/A Court H.R., *Case of Vélez Loor V. Panama*. Preliminary Objections, Merits, Reparations, and Costs. Judgment of November 23, 2010 Series C No. 21, para. 240.

[393] I/A Court H.R., *Case of Bueno-Alves V. Argentina*. Merits, Reparations and Costs. Judgment of May 11, 2007. Series C No. 164, para. 108.

[394] I/A Court H.R., *Case of García-Prieto et al. V. El Salvador*. Preliminary Objections, Merits, Reparations, and Costs. Judgment of November 20, 2007. Series C No. 168, para. 101.

[395] I/A Court H. R., *Case of Bulacio V. Argentina*. Judgment of September 18, 2003. Series C No. 100, para. 114.

[396] I/A Court H.R., *Case of Cabrera-García and Montiel-Flores V. Mexico*. Preliminary Objection, Merits, Reparations, and Costs. Judgment of November 26, 2010. Series C No. 220, para. 135. In this regard, the Court followed the paragraphs 56, 60, 65, 66 and 76 of the Istanbul Protocol.

the victims are in a enclosed space and controlled exclusively by agents of the State and it is the State which has control over all the probative means to clarify the facts. Consequently, any allegation regarding difficulty or impossibility of establishing the identity of those responsible should be strictly and rigorously scrutinized.[397]

348.   Specifically, the IACHR has found that the State cannot justify breaching its duty to open an investigation in response to complaints of torture based on the fact that the victims did not individually identify the perpetrators of the act, particularly, in cases where the victims remain under the custody of the very same agents of the State. In this type of situation, the State should take the necessary measures so the victims may provide their statements in secure conditions. The authorities in charge of the investigation should explore all means available to them in order to establish the facts, including assessing whether the victims may be unwilling to provide the requested information out of fear. In short, the State should provide the necessary means to eliminate any source of risk to victims as a consequence of their complaints and to overcome obstacles to continuing the investigation.[398]

349.   In its role as guarantor, the State has the responsibility both of ensuring the rights of the individual under its custody, and of providing information and evidence pertaining to what happened to these individuals.[399] In these circumstances, the burden of proof is on the State.[400] Concretely, the State must provide a satisfactory explanation of what happened to the person who presented normal physical conditions and, while under the custody of authorities, his or her conditions became abnormal.[401] In the absence of such an explanation, State responsibility for what has happened to these people under its custody should be presumed.[402] Consequently, the State is considered presumptively as responsible for the injuries exhibited by a person who has been under custody of State agents.[403]

350.   There is no conflict between the State's obligation to investigate and punish those responsible for human rights violations and the right to a fair trial of the

---

[397] IACHR, Report No. 55/97, Case 11.137, Merits, Juan Carlos Abella, Argentina, November 18, 1997, para. 394.

[398] IACHR, Report No. 172/10, Case 12.651, Merits, César Alberto Mendoza et al., Argentina, November 2, 2010, para. 311.

[399] I/A Court H. R., *Case of Juan Humberto Sánchez V. Honduras*. Judgment of June 7, 2003. Series C No. 99, para. 111.

[400] I/A Court H.R., *Case of Neira Alegría et al. V. Peru*. Judgment of January 19, 1995. Series C No. 20, para. 65; IACHR, Report No. 1/97, Case 10,258, Merits, Manuel García Franco, Ecuador, February 18, 1998, paras. 63 and 68.

[401] I/A Court H. R., *Case of Bulacio V. Argentina*. Judgment of September 18, 2003. Series C No. 100, para. 127.

[402] I/A Court H.R., Provisional Measures, Matter of Urso Branco Prison regarding Brazil, Order of the Inter-American Court of Human Rights of June 18, 2002, Whereas, para. 8.

[403] I/A Court H.R., *Case of Cabrera-García and Montiel-Flores V. Mexico*. Preliminary Objection, Merits, Reparations, and Costs. Judgment of November 26, 2010. Series C No. 220, para. 134.

accused. In reality, the two rights are harmoniously interlinked to legitimize the judicial system of a human rights-abiding State.[404] In this regard, beyond the specific mandate of provisions pertaining to the right to humane treatment and the State's duty to prevent, punish and investigate torture, international human rights law establishes the general and higher imperative under which States should adopt concrete measures to combat and eradicate all forms of torture and cruel, inhuman and degrading treatment. These acts are unacceptable in any democratic society and their commission cannot be justified under any circumstance.

B.   The use of torture for purposes of criminal investigation[405]

351.   As has been examined in this report, in many cases and circumstances persons deprived of liberty can suffer violations of individual integrity, both at the hands of the authorities themselves and of other inmates or detainees. Nonetheless, the IACHR has noted over the years up to the present time that most acts of torture and cruel, inhuman and degrading treatment perpetrated against persons in the custody of the State take place during the arrest and first hours or days of detention. The great majority of the cases involve acts of torture for purposes of criminal investigation. This pattern has been widely documented, by both the Commission and the Court, as well as by the different protection mechanisms of the United Nations.

352.   For example, in the context of the Fifth IACHR Report on the Human Rights Situation in Guatemala, the Commission received reports of the consistent practice by police agents of threatening and intimidating suspects from the time of arrest through interrogation. The IACHR noted that there was a systematic pattern in confirmed cases, which often involved placing oilcloth hoods over detainees' heads, beatings, threats and other assaults on detainees.[406] Subsequently, at a thematic hearing held in March 2006, the petitioners provided information to the effect that the practice of subjecting detainees to acts of torture for purposes of criminal investigation, particularly in cases of homicide, aggravated robbery and drug trafficking, persisted in Guatemala.[407]

353.   During a country visit to the Dominican Republic, the IACHR was informed about the police practice of subjecting detainees to severe beatings; particularly, people charged with minor offenses, who are captured in sting operations or raids.[408]

---

[404] IACHR, Report No. 55/97, Case 11.137, Merits, Juan Carlos Abella, Argentina, November 18, 1997, para. 397.

[405] Both the Inter-American Convention to Prevent and Punish Torture (Article 2) and the UN Convention against Torture and Other Cruel, Inhuman or Degrading Treatment or Punishment (Article 1), foresee respectively the "criminal investigation", and "obtaining from him or a third person information or a confession" as the main purposes of the acts of torture over a person."

[406] IACHR, *Fifth Report on the Situation of Human Rights in Guatemala*, Ch. VI, paras. 15-19.

[407] IACHR, Public hearing: *Situation of the Penitentiary System in* Guatemala, 124º Ordinary Period of Sessions, Participants: Instituto de Estudios Comparados en Ciencias Penales de Guatemala (ICCPG), March 6, 2006.

[408] IACHR, *Report on the Situation of Human Rights in the Dominican Republic*, Ch. V, para. 175.

354.   In the Third IACHR Report on the Human Rights Situation in Paraguay, the Commission noted that despite the fact that the State had enacted a variety of laws prohibiting torture, it continues to be a recurring problem, both at prison facilities and at police stations, with police officers being the main culprits of cases of torture, which are mostly committed at police stations.[409]

355.   Additionally, during its recent mission to Paraguay, the SPT confirmed that the widespread practice by the police of subjecting detainees to torture and mistreatment in order to extract confessions or other information pertaining to the alleged commission of crimes still persists. These acts, for the most part, take place during arrest, transfer to the police station, or at the police station itself, and are allegedly committed by uniformed or plainclothes police officers. The SPT reported that methods such as the 'dry submarine' (suffocating by means of a polyethylene bag), forcing detainees to be naked, blows to the trachea, smacking ears and the back of the neck, beating the soles of feet (*falanga* or *pata pata*) and squeezing testicles tightly, are still being used.[410]

356.   The IACHR noted in its Report on the Situation of Human Rights in Mexico that most cases of torture and cruel, inhuman and degrading treatment take place in the context of the administration of justice, mainly during the stage of the preliminary investigation of crimes as a method to obtain confessions from alleged defendants or to intimidate them, with the culprits of these acts usually being both state and federal judicial police, the Office of the Public Prosecutor, and members of the armed forces.[411] This general pattern in Mexico has also been observed in a significant number of hearings,[412]

---

[409] IACHR, *Third Report on the Situation of Human Rights in Paraguay*, Ch. IV, paras 35 and 37.

[410] United Nations, CAT/OP/PRY/1, *Report on the visit of the Subcommittee on Prevention of Torture and Other Cruel, Inhuman or Degrading Treatment or Punishment to Paraguay*, June 7, 2010, paras. 78-81 and 134-143. In the same way, the Special Rapporteur on Torture UN reached the conclusion after his mission to Paraguay that torture is still practiced widely in the first days of custody to obtain confessions. United Nations, Special Rapporteur on Torture and other Cruel, Inhuman or Degrading Treatment or Punishment, Report on the mission to Paraguay, A/HRC/7/3/Add.3, adopted on October 1, 2007. Ch. III: Situation of the torture and ill-treatment, para. 44.

[411] IACHR, *Report on the Situation of Human Rights in Mexico*, Ch. IV, paras. 305-306.

[412] As part of monitoring the human rights situation in Mexico, the IACHR has undertaken several thematic hearings in which it has continued to receive information concerning the practice of torture for the purposes of criminal investigation in that State, in this regard, see for example: IACHR, Public hearing: *Situation of Persons in Preventive Detention in México* (*situación de arraigo*), 141º Ordinary Period of Sessions, Participants: State of Mexico, Center for Justice and International Law (CEJIL), Comisión Méxicana de Defensa y Promoción de los Derechos Humanos (CMDPDH), Federación Internacional de Derechos Humanos (FIDH), Comisión Ciudadana de Derechos Humanos del Noroeste, A.C. (CCDH), Comisión de Solidaridad y Defensa de los Derechos Humanos, A.C. (COSYDDHAC), Litigio Estratégico de Derechos Humanos, Instituto Mexicano de Derechos Humanos y Democracia (IMDHD), Colectivo de Organizaciones Michoacanas de Derechos Humanos (COMDH), March 29, 2011; IACHR, Public hearing: *Torture in Mexico*, 127º Ordinary Period of Sessions, Participants: State of Mexico, Comisión Mexicana de Defensa y Promoción de los Derechos Humanos (CMDPDH), Colectivo contra la Tortura y la Impunidad, Universidad Iberoamericana, March 6, 2007; and IACHR, Public hearing: *Information Related to Alleged Acts of Torture in Mexico*, 116º Ordinary Period of Sessions, Participants: State of Mexico, Comisión Mexicana de Defensa y Promoción de los Derechos Humanos (CMDPDH), Grupo de Mujeres de San Cristobal de las Casas (COLEM), Acción de los Cristianos para la Abolición de la Tortura (ACAT), Red de Defensores Comunitarios de Chiapas, October 18, 2002.

petitions and cases examined by the Inter-American human rights system and has been the subject of consistent pronouncements of UN human rights protection mechanisms.[413]

357.   Likewise, after the IACHR the SPT reported that at all of the detention centers it visited during its mission to Mexico, it received testimony from people who claimed to have been subjected to some type of physical and/or psychological mistreatment after being arrested. Most of these acts of police brutality allegedly had taken place in areas of open country, isolated sites, during transfer in police vehicles (in which the detainees' were usually blindfolded) and at the police station itself. According to information obtained by the SPT, the worse acts of police brutality had been committed against persons being detained in non-judicially supervised holds (*arraigo*), particularly women who were being held under this special form of detention.[414]

358.   Ecuador is another State mentioned by the bodies of the Inter-American human rights system on several occasions regarding the practice of acts of torture for purposes of criminal investigation. In its Report on the Human Rights Situation in Ecuador, the IACHR highlighted that torture and mistreatment were used mainly in the context of criminal investigations in order to obtain confessions, and that complaints of this type of violation had been lodged throughout the country. It is reported that the methods used by the security forces include brute force, beatings, gassing, the 'submarine' (immersion of the victim in water to just prior to the point of drowning), electric shocking on different body parts, including the genitals, and food deprivation.[415]

359.   Then, following its mission to Ecuador, the Working Group on Arbitrary Detentions similarly reported that:

> Ill-treatment by officers of the Judicial Police, including torture, is apparently common during the initial phases of detention. The Committee against Torture noted in its conclusions and recommendations issued on February 8, 2006 (CAT/C/ECU/CO/3) that 70 per cent of detainees in Quito had reported being victims of torture or ill-treatment during their detention (para. 16). The purpose of such treatment is apparently not only to obtain forced confessions or information, but also to castigate and punish. The Working Group saw detainees who showed signs of torture and ill treatment. The Judicial Police apparently acts without any oversight from an outside body and in complete impunity. Some inmates reported being struck and tortured

---

[413] See in this regard, United Nations, Committee against Torture, Report on México produced by the Committee under Article 20 of the Convention, and reply from the government of México, CAT/C/75, adopted on May 25, 2003; United Nations, Special Rapporteur on Torture and Other Cruel, Inhuman or Degrading Treatment or Punishment, Report submitted pursuant to Commission on Human Rights resolution 1997/38, Addendum, Visit by the Special Rapporteur to México, E/CN.4/1998/38/Add.2, adopted on January 14, 1998.

[414] United Nations, CAT/OP/MEX/1, *Report on the visit of the Subcommittee on Prevention of Torture and Other Cruel, Inhuman or Degrading Treatment or Punishment to Mexico*, May 27, 2009, paras. 108, 141, 142 y 266.

[415] IACHR, *Report on the Situation of Human Rights in Ecuador*, Ch. V.

with nightsticks or batons marked with the words "human rights" when they were being interrogated at the Judicial Police cells in Quito."[416]

360.   Moreover, during the working visit to Ecuador of the Rapporteur on the Rights of Persons Deprived of Liberty, some non governmental organizations noted that the practice of torture for purposes of criminal investigation and mistreatment committed by police agents still persists.[417] In this regard, the Federation of Women of Sucumbios claimed that cases of physical and psychological abuse have been reported at the Provisional Detention Center of Lago Agrio (such as the practice of "submarining," electric shocking on genitals and beatings of hooded detainees). Additionally, the Ecumenical Human Rights Commission (CEDHU) stated that it is common to find in the dungeons (underground holding cells) of the Judicial Police and the Anti-drug Unit people who have been victims of torture investigation processes. According to reports, these people often are not provided medical care so that no evidence remains of the torture, and are only transferred to the prisons of the penitentiary system after the physical traces of torture have disappeared.

361.   Furthermore, the IACHR has also noted this type of practice in some countries of the Caribbean. For example, in Merits Report No. 48/01, regarding the Bahamas, it was established that two of the victims were targeted by the police with acts violence to get them to sign confessions about their complicity in the crime of homicide. The police beat the head of one of them against a desk, punched him in the ear, the stomach and tried to strangle him; a plastic bag was put over the head of the other victim, and he was beaten on the wrists with bamboo sticks and his testicles were squeezed tightly.[418]

362.   Similarly, in Merits Report No. 81/07, regarding Guyana, the IACHR attested to the fact that the victims were beaten hard by the police and that the confessions obtained thereby were admitted as evidence in a court proceeding in which they were sentenced to the death penalty.[419]

363.   Another illustrative example of resorting to torture and other cruel, inhuman and degrading treatment as a means of obtaining information from detainees is the practice carried out against the detainees of Guantanamo Naval Base.[420] Many of these

---

[416] United Nations, Working Group on Arbitrary Detention, *Report on Mission to Ecuador*, A/HRC/4/40/Add.2, adopted on October 26, 2006, para. 91.

[417] IACHR, Press Release 56/10 - IACHR Rapporteurship on Persons Deprived of Liberty Concludes Visit to Ecuador. Washington, D.C., May 28, 2010.

[418] IACHR, Report No. 48/01, Cases 12.067, 12.068 and 12.086, Merits, Michael Edwards, Omar Hall, Brian Schroeter and Jerónimo Bowleg, Bahamas, April 4, 2001, paras. 91 and 190.

[419] IACHR, Report No. 81/07, Case 12.504, Merits, Daniel and Kornel Vaux, October 15, 2007, paras. 48-52.

[420] In this regard, the IACHR granted precautionary measures on May 21, 2006, to protect the life and physical integrity of Omar Khdar (MC-8-06). In a public hearing held regarding this precautionary measure, the petitioners alleged inter alia that Mr. Khdar was interrogated by military personnel; denied medical treatment; handcuffed and shackled for prolonged periods of time; threatened with mad dogs; threatened with rape; and his

Continues...

practices were expressly authorized by the Secretary of Defense, such as: using strenuous positions, isolation, sensory deprivation, forced shaving and nudity, deprivation of basic hygienic accessories and exploitation of detainees' fears (such as fear of dogs) to make it stressful for them.[421] The aforementioned practices were in addition to other ones such as beating, deprivation of food and water, sexual humiliation, exposure to strident music, threats of firing squad, electric shocking, dousing with chemicals, and disproportionate use of force in searches and for minor disciplinary offenses, among others.[422]

364.   After examining the enormous amount of information that was generated regarding patterns of torture for purposes of criminal investigation in the region, the IACHR finds that the main causes for the persistence of this practice include:

(a)   **The existence of inherited institutional practices and a culture of violence firmly rooted in the security forces of the State.** The institutionalized acceptance that abuse of detainees amounts to a valid procedure calls for a solid torture prevention framework.[423] This framework must be taken seriously, and not merely as a mechanical and superficial exercise to fulfill a requirement. Effective respect for human rights requires a system in which all members are trained on the principles relating to democracy and human rights.[424] This message of respect during training must be backed by the determination and commitment to investigate complaints of torture and abuse, and to prosecute and punish those responsible. This type of act requires official condemnation by the authorities, who must send a consistent message that such behavior shall be repudiated by all means of administrative, disciplinary and criminal proceeding.[425] Moreover, constant use of violence by prison staff is tantamount to institutional validation or approval of such use, and this has a direct bearing on the high incidence of inmate-to-inmate violence.

...continuation

head covered with a plastic bag. IACHR, Hearing on the Precautionary Measure 8/06 – *Omar Ahmed Khdar*, 124º Ordinary Period of Sessions, Participants: the United States of America, International Human Rights Law Clinic of the American University-Washington College of Law, March 13, 2006.

[421] United Nations, Joint Report of the Working Group on Arbitrary Detention; the Special Rapporteur on the Independence of Judges and Lawyers; the Special Rapporteur on Torture and other Cruel, Inhuman or Degrading Treatment or Punishment; the Special Rapporteur on Freedom of Religion or Belief; and the Special Rapporteur on the Right of Everyone to the Enjoyment of the Highest Attainable Standard of Physical and Mental Health, E/CN.4/2006/120, adopted on February 27, 2006, paras. 49-50.

[422] See also, Physicians for Human Rights (PHR), *Broken Laws, Broken Lives: medical evidence of torture by US personnel and its impact*, 2008, available at: https://s3.amazonaws.com/PHR_Reports/BrokenLaws_14.pdf.

[423] See also, United Nations, CAT/OP/HND/1, *Report on the visit of the Subcommittee on Prevention of Torture and Other Cruel, Inhuman or Degrading Treatment or Punishment to Honduras*, February 10, 2010, paras. 81-83.

[424] IACHR, *Third Report on the Situation of Human Rights in Paraguay*, Ch. IV, para. 36.

[425] IACHR, *Fifth Report on the Situation of Human Rights in Guatemala*, Ch. VI, para. 20; United Nations, CAT/OP/MEX/1, *Report on the visit of the Subcommittee on Prevention of Torture and Other Cruel, Inhuman or Degrading Treatment or Punishment to Mexico*, May 27, 2009, para. 62.

(b)   **Impunity, which has consistently been defined by the bodies of the Inter-American human rights system as: an overall failure to investigate, pursue, arrest, try and convict those responsible of human rights violations.** It is a widely known and proven fact that impunity fosters chronic repetition of human rights violations and total defenselessness of victims and their family members. In this regard, the IACHR stresses that the fact that the laws of the State severely punish acts of torture, does not constitute *per se* sufficient guarantee to fulfill its international obligation to take effective measures to punish said acts, if indeed the agencies of the aforementioned State in charge of enforcing said law only do so partially or seldom.[426] Acts of torture must be subject to effective investigation, which lead to prosecution and punishment of the culprits.

(c)   **The lack of funding, adequate equipment and the necessary technical training of the security forces to perform their jobs.** It is a fact that in many countries of the region the police and security forces lack adequate means to perform their duties effectively, and to yield the results that are demanded of them by civilian authorities. This leads, in many instances, to police agents, who lack the means and training to gather evidence, resorting to torture and cruel, inhuman and degrading treatment against the detainees as a quick way to obtain confessions and information that can presumably lead to solving crimes.[427] In this way, an institutional mechanism is created wherein the most important thing is to show results and offer up the culprits to society, in order to give the impression that citizen security objectives are being met. In the final analysis, even though the IACHR appreciates the imperative of an efficient police force, the standards of the Inter-American human rights system dictate that this purpose cannot and should not be achieved at the expense of the rights of the accused in custody.[428]

(d)   **Repressive responses of the State —"iron fist" or "zero tolerance" policies—to the widespread perception of public insecurity, which lead to constant demand by the people for even more forceful and, often more repressive, measures against crime.** This climate of fear, in which the media and political discourse convey the idea that human rights are a way of protecting criminals, can bring as a consequence a certain social acceptance of torture and cruel, inhuman and degrading treatment.[429]

---

[426] IACHR, *Report on the Situation of Human Rights in Mexico*, Ch. IV, para. 327.

[427] On this matter, see *e.g.*, United Nations, Special Rapporteur on Torture and other Cruel, Inhuman or Degrading Treatment or Punishment, Report on the mission to Paraguay, A/HRC/7/3/Add.3, adopted on October 1, 2007. Ch. III: Situation of torture and ill-treatment, para. 61; and, United Nations, Special Rapporteur on Torture and Other Cruel, Inhuman or Degrading Treatment or Punishment, Report submitted pursuant to Commission on Human Rights resolution 1995/37 (B), Addendum, Visit by the Special Rapporteur to Venezuela, E/CN.4/1997/7/Add.3, adopted on December 13, 1996, para. 77.

[428] IACHR, Report No. 81/07, Case 12.504, Merits, Daniel and Kornel Vaux, October 15, 2007, para. 64.

[429] United Nations, Special Rapporteur on Torture and Other Cruel, Inhuman or Degrading Treatment or Punishment, Report submitted pursuant to Commission on Human Rights resolution 2000/43, Addendum, Visit by the Special Rapporteur to Brazil, E/CN.4/2001/66/Add.2, adopted on March 30, 2001, paras. 10 y 14; United Nations, Special Rapporteur on Torture and Other Cruel, Inhuman or Degrading Treatment or Punishment, Report submitted pursuant to Commission on Human Rights resolution 1997/38, Addendum, Visit by the Special Rapporteur to México, E/CN.4/1998/38/Add.2, adopted on January 14, 1998, para. 77; United Nations, Special Rapporteur on Torture and Other Cruel, Inhuman or Degrading Treatment or Punishment, Report submitted pursuant to Commission on Human Rights resolution 1995/37 (B), Addendum, Visit by the Special Rapporteur to Venezuela, E/CN.4/1997/7/Add.3, adopted on December 13, 1996, para. 83; United Nations, Working Group on

Continues...

Experience has shown over the past years in the region that resorting to torture, to arbitrary detentions, and to repressive legislation and practices, has not been effective in responding to the justified demand for citizen security.[430]

(e)   **Granting probative value to confessions and information obtained by means of torture or cruel, inhuman and degrading treatment.** Based on its experience in performing its duties of dispute adjudication and protection and the information obtained in the variety of monitoring activities conducted by it, the IACHR can attest that in granting probative effect to extrajudicial statements, or those provided during the investigative stage of a proceeding, an incentive is offered to practice torture, inasmuch as police prefer to spare their efforts to investigate, and obtain a confession of the crime from the defendant himself.[431] Consequently, States should make sure that only confessions given or confirmed before the judicial authority are admitted as evidence against a defendant.[432]

365.   International human rights law encompasses a whole framework of legal protection against torture for purposes of criminal investigation, the main prevention measure of which is the prohibition of the validity of all evidence obtained by this means.[433] Accordingly, the American Convention provides that any person accused of a crime has the right to not be compelled to be a witness against him or herself or to plead guilty (Article 8.2.g); and that a confession of guilt by the accused shall be valid only if it is made without coercion of any kind (Article 8.3), the latter provision not only being restricted to acts of "torture or cruel, inhuman or degrading treatment or punishment," but

---

...continuation

Arbitrary Detention, *Report on Mission to Ecuador,* A/HRC/4/40/Add.2, adopted on October 26, 2006, para. 101(h).

[430] United Nations, Working Group on Arbitrary Detentions, *Report on mission to Honduras,* A/HRC/4/40/Add.4, adopted on December 1, 2006, para. 105; United Nations, Working Group on Arbitrary Detention, *Report on Mission to Argentina,* E/CN.4/2004/3/Add.3, adopted on December 23, 2003, para. 62.

[431] IACHR, *Report on the Situation of Human Rights in Mexico,* Ch. IV, para. 311. See also, United Nations, CAT/OP/MEX/1, *Report on the visit of the Subcommittee on Prevention of Torture and Other Cruel, Inhuman or Degrading Treatment or Punishment to Mexico,* May 27, 2009, para. 144; and United Nations, CAT/OP/PRY/1, *Report on the visit of the Subcommittee on Prevention of Torture and Other Cruel, Inhuman or Degrading Treatment or Punishment to Paraguay,* June 7, 2010, para. 79.

[432] United Nations, Human Rights Committee, *Consideration of reports submitted by States Parties under Article 40 of the Covenant, Concluding observations: Mexico,* CCPR/C/MEX/CO/5, adopted on May 17, 2010, para. 14.

[433] This legal Framework is composed by the Inter-American Convention to Prevent and Punish Torture, that lays down in its Article 10, that "[n]o statement that is verified as having been obtained through torture shall be admissible as evidence in a legal proceeding, except in a legal action taken against a person or persons accused of having elicited it through acts of torture, and only as evidence that the accused obtained such statement by such means;" the UN Convention against Torture and Other cruel, Inhuman or Degrading Treatment or Punishment (Article 15); the International Covenant on Civil and Political Rights (Article 14.3); the Principles and Best Practices on the Protection of Persons Deprived of Liberty in the Americas (Principle V); the Body of Principles for the Protection of all Persons under Any Form of Detention or Imprisonment (Principle 21.1); and the UN Declaration on the Protection of All Persons from Being Subject to Torture and Other Cruel, Inhuman or Degrading Treatment or Punishment (Article 12).

referring to any type of coercion.[434] In this regard, the Inter-American Court has established that:

> Upon verifying any type of duress capable of breaking the spontaneous expression of will of a person, this necessarily implies the obligation to exclude the respective evidence from the judicial proceeding. This nullification is a necessary means to discourage the use of any type of duress. [...] Likewise, the absolute character of the exclusionary rule is reflected on the prohibition of granting probative value not only to the evidence obtained directly under duress, but also to evidence gathered or derived from information obtained under duress.[435]

366.   In order for this exclusionary rule to truly function as a judicial protection of the right to due process and as a mechanism of prevention of torture, it is essential that it be implemented in such a way that the burden of proving that the confession or statement were made voluntarily is on the competent authorities, and not the victims.[436] In most cases, the position in which torture victims find themselves makes it materially impossible or extremely difficult to prove the occurrence of this type of act, because of the very conditions of imprisonment and their own defenselessness.[437] Consequently, when a statement or testimony is given and there is any sign or justifiable presumption that it was obtained by means of any kind of duress, either physical or psychological, the competent judicial body should determine whether or not duress was actually used.[438]

367.   The IACHR underscores that as a measure for the prevention of coercive acts during investigations, States should make sure that in training police agents and other officials in charge of the custody of persons deprived of liberty, special emphasis should be placed on the prohibition of the use of torture,[439] cruel, inhuman and degrading treatment, and any form of duress.

---

[434] I/A Court H.R., *Case of Cabrera-García and Montiel-Flores V. Mexico.* Preliminary Objection, Merits, Reparations, and Costs. Judgment of November 26, 2010. Series C No. 220, para. 166.

[435] I/A Court H.R., *Case of Cabrera-García and Montiel-Flores V. Mexico.* Preliminary Objection, Merits, Reparations, and Costs. Judgment of November 26, 2010. Series C No. 220, paras. 166-167. See also, ONU, Human Rights Committee, General Comment No. 21: Humane treatment of persons deprived of liberty (Art. 10), para. 6. In: Compilation of General Comments and General Recommendations adopted by human rights treaty bodies, Volume I, HRI/GEN/1/Rev.9 (Vol. I) adopted May 27, 2008, p. 297.

[436] I/A Court H.R., *Case of Cabrera-García and Montiel-Flores V. Mexico.* Preliminary Objection, Merits, Reparations, and Costs. Judgment of November 26, 2010. Series C No. 220, paras. 136 y 176; United Nations, Human Rights Committee, *Consideration of reports submitted by States Parties under Article 40 of the Covenant, Concluding observations: Mexico,* CCPR/C/MEX/CO/5, adopted on May 17, 2010, para. 14.

[437] United Nations, CAT/OP/MEX/1, *Report on the visit of the Subcommittee on Prevention of Torture and Other Cruel, Inhuman or Degrading Treatment or Punishment to Mexico,* May 27, 2009, para. 39.

[438] IACHR, *Report on the Situation of Human Rights in Mexico,* Ch. IV, para. 39.

[439] The duty of training these security forces in the specific prohibition of the use of torture during interrogation is set out in Article 7 of the Inter-American Convention to Prevent and Punish Torture and Article 10.1 of the United Nations Convention against Torture and Other Cruel, Inhuman or Degrading Treatment. See also, as an example of the establishment of the State's international responsibility for the violation of these rules: IACHR, Report No. 35/08, Case 12.019, Merits, Antonio Ferreira Braga, Brazil, July 18, 2008, paras. 121-122.

368. Likewise, States should adopt protocols and regulations requiring, among other things, that:

(a) registries should be established to record the date, time, place, duration of interrogation, as well as identifying all authorities who took part in them;

(b) the person under interrogation or his attorneys should be provided access to these registries;[440]

(c) persons legally detained do not remain under the supervision of the interrogators or investigators beyond the statutory time limit so the competent judicial authority may determine whether or not preventive detention is warranted;[441]

(d) in the case of interrogations of women detainees, female security staff be present;[442] and

(e) periodic reviews be conducted of the rules, instructions, methods and practices of interrogations, in order to detect and eradicate potential practices which run counter to the right to human treatment and the fair trial rights of detainees.[443]

369. With respect to the use of interrogations as a form of criminal investigation, the IACHR concurs with the view put forth by the UN Rapporteur on Torture that investigation techniques should include, among other things:

[T]he abilities to gather all available evidence in a case before interviewing a suspect; plan an interview based on that evidence so that an effective interview can be conducted; treat an interview as a means of gather more information or evidence rather than as a means of securing a confession; conduct an interview in a manner that respects the suspects' rights; analyze information obtained during the interview, and

---

[440] Body of Principles for the Protection of all Persons under Any Form of Detention or Imprisonment (Principle 23).

[441] United Nations, Special Rapporteur on Torture and other Cruel, Inhuman or Degrading Treatment or Punishment, Third Report to the [former] Commission on Human Rights, E/CN.4/2004/56, adopted on December 23, 2003, para. 34.

[442] United Nations, Special Rapporteur on Torture and Other Cruel, Inhuman or Degrading Treatment or Punishment, Report submitted to the (former) Commission on Human Rights, E/CN.4/1995/34, adopted on January 12, 1995, para. 24. According to the experience of the Special Rapporteur on Torture of the UN, interrogation and custody of females by male personnel constitute conditions that may be conducive to the occurrence of rape and sexual abuse of female inmates, to be threatened with such acts or they feel fear of their occurrence.

[443] See in this regard, Declaration on the Protection of All Persons from Being Subject to Torture and Other Cruel, Inhuman or Degrading Treatment or Punishment (Article 6).

carry out any further investigation into the case suggested by that analysis; and check any admission or confession made by the suspect against available evidence. [...][444]

Prohibition of the use of torture and cruel, inhuman or degrading treatment or punishment applies, above all, to interrogations conducted by public officials, whether working for the police forces, the military or the intelligence services.[445]

370.   Resorting to torture and cruel, inhuman and degrading treatment as a method of investigating crimes, in addition to concretely constituting a violation of individuals' right to humane treatment and to a fair trial, is in the final analysis an assault on the rule of law itself and the very essence of any democratic society in which, by definition, the rights of all persons must be respected.

C.   Disciplinary measures in prisons

1.   Fundamental aspects[446]

371.   The disciplinary rules or system is one of the mechanisms available to the State administration to ensure proper order at penitentiaries and detention centers, and such a system should take into account the imperatives of efficiency, security and discipline, while being respectful of the human dignity of the persons who are deprived of liberty.

372.   Prison authorities should make sure disciplinary procedures are used on an exceptional basis, and only resort to them when other means prove to be inadequate to maintain proper order.[447] Only behavior that constitutes a threat to the order and safety should be defined as offenses warranting disciplinary action. Furthermore, both the offenses warranting disciplinary action, as well as the procedures for application of punishments, must be provided for in the law. Said punishment should always be proportional to the offense for which it was established; otherwise, it would be tantamount to improperly making the nature of the deprivation of liberty harsher.[448]

---

[444] United Nations, Special Rapporteur on Torture and other Cruel, Inhuman or Degrading Treatment or Punishment, Third Report to the [former] Commission on Human Rights, E/CN.4/2004/56, adopted on December 23, 2003, para. 35.

[445] United Nations, Special Rapporteur on Torture and Other Cruel, Inhuman or Degrading Treatment or Punishment, Report submitted to the (former) Commission on Human Rights, E/CN.4/2006/6, adopted on December 23, 2005, para. 41.

[446] The subject of disciplinary sanctions in the case of children and adolescents deprived of liberty is fully developed by the IACHR at: IACHR, *Juvenile Justice and Human Rights in the Americas,* paras. 547-570.

[447] On this matter, the European Prison Rules Establish that, "[w]henever possible, prison authorities shall use mechanisms of restoration and mediation to resolve disputes with and among prisoners (Rule 56.2)." See also, Penal Reform International (PRI), *Manual de Buena Práctica Penitenciaria: Implementación de las Reglas Mínimas de Naciones Unidas para el Tratamiento de los Reclusos,* 2002, p 47.

[448] For example, the Special Rapporteur on Torture UN observed during his visit to Brazil that in many cases the prisoners had been cut off from communication as punishment for minor infractions such as possession of a mobile phone or injuring a guard prison, or because they had been threatened by other inmates. United

Continues...

373.   In essence, the State should make sure that security and discipline are maintained by means of disciplinary procedures, which are clearly set forth in the law and respective regulations; that is, within the framework of the rule of law. Consequently, unofficial or arbitrary punishment cannot be permitted, nor can proper order at penitentiary facilities be kept based on inmates living in permanent fear of prison authorities or fear of other inmates, who have been "deputized" by prison staff to perform duties of security maintenance and disciplining. In addition to being gross violations of the human rights of the persons deprived of liberty, this type of abusive practice contributes to a climate of resentment and hostility, which never fails to degenerate into fights, riots and other acts of violence in prisons.

374.   In the end, disciplinary systems will be effective to the extent that they are suitable for fulfilling their objectives by striking a balance between human dignity and proper order; and by promoting an overall climate of respect in which inmates develop a sense of responsibility toward complying with the rules. The fact that prison authorities have effective disciplinary mechanisms in place is an essential tool to prevent said authorities from resorting to torture and abuses.

375.   Additionally, prison staff should act professionally and discreetly in applying disciplinary procedures. Staff should also have good social and inter-personal skills in order to handle tension between inmates and between inmates and authorities;[449] and perform their duties under a system of monitoring, oversight and accountability, in light of the huge power that they wield over the inmates.

376.   With respect to the disciplinary system, the Principles and Best Practices provide:[450]

> Disciplinary sanctions, and the disciplinary procedures adopted in places of deprivation of liberty shall be subject to judicial review and be previously established by law, and shall not contravene the norms of international human rights law.
>
> The imposition of disciplinary sanctions or measures and the supervision of their execution shall be the responsibility of the competent authorities who shall act in every circumstance in accordance with the principles of due process of law, respecting the human rights and basic guarantees of persons deprived of liberty as enshrined in international human rights law.

...continuation

Nations, Special Rapporteur on Torture and Other Cruel, Inhuman or Degrading Treatment or Punishment, Report submitted pursuant to Commission on Human Rights resolution 2000/43, Addendum, Visit by the Special Rapporteur to Brazil, E/CN.4/2001/66/Add.2, adopted on March 30, 2001, para. 127.

[449] See also, Penal Reform International (PRI), *Manual de Buena Práctica Penitenciaria: Implementación de las Reglas Mínimas de Naciones Unidas para el Tratamiento de los Reclusos*, 2002, pp. 37-38.

[450] IACHR, Principles and Best Practices on the Protection of Persons Deprived of Liberty in the Americas, (Principles XII .1 y XII.2).

377.   IACHR also considers that the law must determine:[451] (a) the acts and omissions of persons deprived of liberty that constitute disciplinary offenses; (b) the procedures to follow in such cases;[452] (c) the specific disciplinary sanctions that may be applied and the duration of the same; (d) the competent authority to impose them; and (e) the proceedings to challenge said sanctions and the competent authority to decide the challenges.

378.   It is essential that, within the framework of due process that must be followed in these types of disciplinary proceedings, the inmate is afforded the opportunity to be heard by the authorities and to introduce any evidence that he/she deems relevant prior to the decision to sanction him/her.[453] During this stage, it is important for authorities to act with diligence in determining whether that person is being subjected to any type of duress or intimidation and, when necessary, protection measures should be granted to him.

379.   Additionally, in keeping with the principle of *non bis in idem*, no person deprived of liberty may receive disciplinary punishment twice for the same act.[454] In cases where the act committed by the inmate constitutes a criminal offense, this does not preclude the appropriate criminal sanctions from being given to him as well.

380.   It is a particularly relevant situation when gaps exist in the regulatory framework with regard to disciplinary proceedings, as this gives rise to actual scenarios in which inmates are exposed to different forms of abuse and arbitrariness by prison staff and other inmates.[455] Additionally, it is absolutely necessary that these rules become more widely known by both the prison staff and the inmates, and that the authorities distribute and make printed copies available.

381.   Additionally, the authorities at centers of deprivation of liberty must keep standardized records of the disciplinary measures they take, which include the identity of the offender, the punishment given, the duration of the sanction and the authority that ordered it.[456] Moreover, the rules, sanctions and proceedings of the disciplinary regime

---

[451] On this matter, the IACHR takes as a reference: the Standard Minimum Rules for the Treatment of Prisoners (Rule 29); the Body of Principles for the Protection of all Persons under Any Form of Detention or Imprisonment (Principle 30.1); and the European Prison Rules (Rule 57.2).

[452] Regarding this procedures it must be taken into account the Principle V of the IACHR, *Principles and Best Practices on the Protection of Persons Deprived of Liberty in the Americas*.

[453] Standard Minimum Rules for the Treatment of Prisoners (Rules 30.2 and 30.3), and the Body of Principles for the Protection of all Persons under Any Form of Detention or Imprisonment (Principle 30.2; see also, European Prison Rules (Rule 59).

[454] Standard Minimum Rules for the Treatment of Prisoners (Regla 30.1); see also, European Prison Rules (Rule 63).

[455] See in this regard, United Nations, CAT/OP/HND/1, *Report on the visit of the Subcommittee on Prevention of Torture and Other Cruel, Inhuman or Degrading Treatment or Punishment to Honduras*, February 10, 2010, paras. 236-241.

[456] United Nations, CAT/OP/HND/1, *Report on the visit of the Subcommittee on Prevention of Torture and Other Cruel, Inhuman or Degrading Treatment or Punishment to Honduras*, February 10, 2010, para. 204; and

Continues...

must be periodically reviewed by higher-level authorities that can objectively assess their suitability, effectiveness, and identify potential patterns of abuse and arbitrariness in the application thereof.

2.   Limits on the exercise of disciplinary measures

382.   As previously mentioned, the exercise of disciplinary systems may not contravene norms of international human rights law. This means essentially that sanctions or punishments that are imposed on inmates must not constitute acts of torture or cruel, inhuman or degrading treatment;[457] nor be imposed in such a way that they amount to a violation of other rights, such as the right to protection of the family.[458]

383.   The IACHR Principles and Best Practices provide that the law shall prohibit: the imposition of collective punishment (Principle XXII.4); the suspension or restriction of food and drinking water (Principle XI); and the application of corporal punishment (Principle I). Additionally, the Minimum Standard Rules for the Treatment of Prisoners establishes the prohibition of corporal punishment, close confinement in an unlit cell and the use of means and instruments of coercion and physical restraint as a form of disciplinary sanction (Rules 31 and 33).[459]

384.   Likewise, in the case of *Caesar*, the Inter-American Court broadly hashed out the prohibition in force under international human rights law with regard to the use of corporal punishment, and established that a State Party to the American Convention, as provided in Article 1(1), 5(1) and 5(2) of said treaty, "has an obligation *erga omnes* to refrain from imposing corporal punishments, as well as to prevent their imposition inasmuch as they constitute, in any circumstance, cruel, inhuman or degrading treatment or punishment."[460]

385.   In fact, both collective punishments and other forms of punishments that run afoul of international human rights law are usually employed as a mechanism of deterrence in situations such as brawls, riots and attempted prison breaks, and can range from depriving a whole section of a jail or particular groups of inmates from regular

---

...continuation

United Nations, CAT/OP/MEX/1, *Report on the visit of the Subcommittee on Prevention of Torture and Other Cruel, Inhuman or Degrading Treatment or Punishment to Mexico*, May 27, 2009, para. 171.

[457] In this sense, both the Inter-American Convention to Prevent and Punish Torture (Article 2), and the UN Convention against Torture and Other Cruel, Inhuman or Degrading Treatment (Article 1.1), contemplate as a manifestation of the intent of torture in the purpose of *punishing* the victim.

[458] On this matter, the European Prison Rules establish that, "Punishment shall not include a total prohibition on family contact" (Rule 60.4).

[459] This standards set forth by the Standard Minimum Rules for the Treatment of Prisoners have been underscored by the Inter-American Court of Human Rights, in I/A Court H.R., Provisional Measures, Matter of Urso Branco Prison regarding Brazil, Order of the Inter-American Court of Human Rights of June 18, 2002, Considering paragraph 10. In the same vein, the European Prison Rules (Rules 60.3 and 60.6).

[460] IA Court of HR, *Case of Caesar vs. Trinidad and Tobago*. Judgment of March 11, 2005. Series C No. 123, para. 57-70.

outdoor recess time in the prison yard and from other activities, to acts of torture or cruel, inhuman and degrading treatment.

386.   For example, in the context of the case of the *Miguel Castro Castro Prison*, it was determined that following the events of the operation known as "Mudanza 1," the inmates who remained at that detention center were targets of several forms of aggression, including the so-called "dark alley" (*callejón oscuro*), a method of collective punishment consisting "of forcing the detainee to walk between a double file of agents who would beat them with blunt instruments such as sticks and metal or rubber batons, and whoever fell down on the ground received more beatings until they reached the other end of the alley."[461]   Additionally, it was established that the inmates were subjected to other forms of collective punishment such as:

> Beatings with metal rods on their soles, commonly identified as *falanga* beatings; application of electric shocks; beating carried out by many agents with sticks and kicking which included blows to the head, the hips and other body parts where victims were injured; and the use of punishment known as the "hole."[462]

387.   Likewise, during its visit to the province of Buenos Aires, the Rapporteur on the Rights of Persons Deprived of Liberty also received information about the alleged use of the torture commonly known as "falanga" or "pata-pata," at the hands of Buenos Aires Penitentiary Service staff.[463]

388.   Additionally, in 2005, the Commission received reports on the systematic practice in Ecuador of subjecting persons deprived of liberty, who are recaptured after escaping or attempting to escape, to solitary confinement and other physical and psychological punishments.[464] This is a widespread practice in several countries of the region, which is used as punishment to set an example, inasmuch as escapes compromise the security system of the jail and the prison staff itself.

389.   During his visit to Chile in 2008, the Rapporteur on the Rights of Persons Deprived of Liberty observed that the following transpired at all of the prison facilities he visited: excessive and gratuitous use of force and punishment, systematic practice of physical abuse by members of the *Gendarmeria* (the correctional security force), and the

---

[461] I/A Court H.R., *Case of Miguel Castro-Castro Prison V. Peru*. Merits, Reparations and Costs. Judgment of November 25, 2006. Series C No. 160, para. 297.

[462] I/A Court H.R., *Case of Miguel Castro-Castro Prison V. Peru*. Merits, Reparations and Costs. Judgment of November 25, 2006. Series C No. 160, para. 320.

[463] IACHR, Press Release 64/10 - IACHR Rapporteurship Confirms Grave Detention Conditions in Buenos Aires Province. Washington, D.C., June 21, 2010. The IACHR has also addressed this particular form of torture in: IACHR, Report No. 172/10, Case 12.651, Merits, César Alberto Mendoza *et al.*, Argentina, November 2, 2010, para. 291.

[464] IACHR, *Annual Report 2005*, Chapter IV, Ecuador, OEA/Ser.L/V/II.124. Doc. 7, adopted on February 27, 2006, para. 185.

use of solitary confinement in subhuman conditions.[465] His observations were consistent with prior reports, during a thematic hearing on acts of torture in Chile, held in 2003, when the petitioners contended that inmates were frequently subjected to beatings, solitary confinement in unlit and unventilated cells, no visitation rights, and being hosed down with cold water particularly in the context of jailbreaks and riots. The petitioners also claimed that inmates often are forced into a state of uncertainty regarding the reasons why and the circumstances in which disciplinary sanctions are applied; and that no oversight mechanism is in place nor is any opportunity for them to file complaints. Consequently, these incidents usually remain in impunity.[466]

390. Moreover, on a visit to Honduras, the SPT learned that as a result of a jailbreak at the San Pedro Sula Prison on July 17, 2009, all of the members of the "Mara 18" gang were punished by taking away their visitation rights, restricting their access to water and electricity, and not allowing them to use air conditioners or the outside yard in their cell block.[467]

391. Another widespread form of punishment violating the right to humane treatment is a practice known as "welcome" calls for new inmates. On this topic, in the context of its Special Report on the Challapalca Jail, the IACHR received complaints regarding the practice of subjecting incoming inmates to beatings with rods and electric prods, after forcing them to strip and bathe in cold water, in order to make them feel their duty of submission to prison discipline.[468] Likewise, in the context of his working visit to El Salvador in 2010, the Rapporteur on the Rights of Persons Deprived of Liberty received reports as well that this type of "welcoming protocol" had allegedly taken place at the maximum-security prison of Zacatecoluca.[469]

392. During a mission to Paraguay, the UN Rapporteur on Torture called "particularly disturbing" the standard practice —even at the women's prison—of locking up inmates in punishment cells as a form of "welcome" upon their arrival in the prison center, without having ever broken any disciplinary rule.[470]

---

[465] IACHR, Press Release 39/08 - Rapporteurship on the Rights of Persons Deprived of Liberty concludes visit to Chile. Santiago, Chile, August 28, 2008.

[466] IACHR, Public hearing: *Information on Alleged Acts of Torture in Chile*, 117º Ordinary Period of Sessions, requested by: Center for Justice and International Law (CEJIL), March 24, 2003.

[467] United Nations, CAT/OP/HND/1, *Report on the visit of the Subcommittee on Prevention of Torture and Other Cruel, Inhuman or Degrading Treatment or Punishment to Honduras*, February 10, 2010, para. 204.

[468] IACHR, *Special Report in the Human Rights Situation at the Challapalca Prison*, para. 80.

[469] *Informe Especial de la Procuraduría para la Defensa de los Derechos Humanos de El Salvador* submitted to the UN Committee against Torture on October 2009, para. 202, available at: http://www2.ohchr.org/english/bodies/cat/docs/ngos/PPDH_ElSalvador_43.doc.

[470] United Nations, Special Rapporteur on Torture and other Cruel, Inhuman or Degrading Treatment or Punishment, Report on the mission to Paraguay, A/HRC/7/3/Add.3, adopted on October 1, 2007. Ch. IV: *Conditions of detention*, para. 74.

393.   Another restriction that international human rights law places on the imposition of disciplinary measures is the prohibition to delegate those functions on the inmates themselves. On this issue, the Principles and Best Practices establish:

> Persons deprived of liberty shall not be responsible for the execution of disciplinary measures, or for custody or surveillance activities, not excluding their right to take part in educational, religious, sporting, and other similar activities, with the participation of the community, non-governmental organizations, and other private institutions.[471]

394.   It is a fact that, at many prisons in the region *de facto* disciplinary powers are wielded by specific inmates known as: chiefs, coordinators, foreman, leaders, capos, *pranes,* cleaning, order and discipline committees, among other names, based on the particular country.

395.   For example, in the context of precautionary measures recently granted on behalf of persons deprived of liberty at the Professor Anibal Bruno Prison, in Pernambuco, Brazil (MC-199-11), one of the elements taken into account by the IACHR in determining the risk and levels of violence present at the facility was precisely the argument that the functions of organization and internal security, including the application of disciplinary punishment, were delegated to specific inmates known "gatekeepers." Based on information submitted by the petitioners, most of the aggression endured by the inmates of that prison had allegedly been carried out or ordered by the *gatekeepers.* Consequently, the IACHR requested the State to take the necessary measures to increase security staff at the Professor Anibal Bruno Prison and put an end to the so-called *gatekeeper* system.

396.   This type of situation takes place especially at prisons where internal oversight is, for the most part, in the hands of the inmates themselves, and also at prisons that are understaffed with few security guards, where authorities decide to "delegate" security functions to the inmates. In any case, even though the practice is quite widespread, it poses a serious and anomalous situation that must be eradicated by the States.

3.   Solitary confinement

397.   *The Istanbul Statement on the Use and Effects of Solitary Confinement,* (hereinafter "the Istanbul Statement) defines this form of imprisonment as:

> [t]he physical isolation of individuals who are confined to their cells for twenty-two to twenty four hours a day. In many jurisdictions prisoners are allowed out of their cells for one hour of solitary exercise. Meaningful contact with other people is typically reduced to a minimum.

---

[471] IACHR, *Principles and Best Practices on the Protection of Persons Deprived of Liberty in the Americas,* (Principle XXII.5). In the same vein, the Standard Minimum Rules for the Treatment of Prisoners (Rule 28) and the European Prison Rules (Rule 62).

> The reduction in stimuli is not only quantitative but also qualitative. The available stimuli and the occasional social contacts are seldom freely chosen, are generally monotonous, and are often not empathetic. [472]

Pursuant to this technical document, generally speaking, solitary confinement is used in four circumstances: (a) as disciplinary punishment; (b) to isolate a defendant during criminal investigations (linked to a general status of being incommunicado);[473] (c) as an administrative measure to control particular groups of inmates;[474] and (d) as a court-imposed sentence. This last category may include cases in which the law prescribes that either all or part of a sentence must be served in solitary confinement.[475] Solitary confinement can also be used in certain circumstances as part of medical or psychiatric treatment.

398.   In practice, isolation or segregation of inmates is usually also used as a measure of protection; for example, in order to protect inmates from assaults by other inmates (for a wide variety of reasons) or from potential retaliation by the guards themselves. In these instances, the State must make sure that this measure is not used as a subtle form of punishment against inmates who have filed complaints against the prison authorities. In any case, a measure of this nature cannot be the only response to a risky situation, which clearly calls for further prevention measures and responses.

---

[472] Istanbul Statement on the Use and Effects of Solitary Confinement, adopted on 9 December 2007. The Rapporteur on Torture of the UN stresses that this document aims to promote the application of established human rights standards to the use of solitary confinement and create new rules based on the latest research. United Nations, Special Rapporteur on Torture and Other Cruel, Inhuman or Degrading Treatment or Punishment, Interim report submitted to the General Assembly in accordance with Assembly resolution 62/148, A/63/175, adopted on July 28, 2008, Ch. IV: *Solitary confinement*, para. 84.

[473] Solitary confinement and "incommunicado detention" are situations of different nature, although in some cases both can be used concurrently on the same person.

[474] For example, in Honduras, the authorities launched the so-called "Project Scorpio" to put in solitary confinement certain inmates considered dangerous, and not necessarily as a disciplinary mechanism. On this matter, see *e.g.*, United Nations, Working Group on Arbitrary Detentions, *Report on mission to Honduras*, A/HRC/4/40/Add.4, adopted on December 1, 2006, para. 65; See also, IACHR, Public hearing: *Situation of the Persons Deprived of Liberty in Honduras*, 124° Ordinary Period of Sessions, requested by: State of Honduras, Center for Justice and International Law (CEJIL), Comité para la Defensa de los Derechos Humanos en Honduras (CODEH), Comité de Familiares de Detenidos y Desaparecidos de Honduras (COFADEH) and Centro para la Prevención, Tratamiento y Rehabilitación de las Víctimas de Tortura (CPTRT). March 7, 2006. In this regard, see the report: *Situación del Sistema Penitenciario en Honduras*, drafted by CPTRT and COFADEH, p. 14, presented in the said hearing available at: http://www.cptrt.org/pdf/informesistemapenitenciarioCIDH.pdf.

[475] This is the case with the execution of the sentence for crimes of terrorism and treason in Peru established by Decree Law No. 25475 which Article 20 (later reprinted by Article 3 of Decree Law No. 25744) which established that the imprisonment set forth in the decree law had to be completed in its entirety, (This rule was in force until the approval of the Supreme Decree No. 005-97-JUS of June 24, 1997). The Inter American Court in its jurisprudence on Peru stated that the criminal enforcement regime constituted cruel, inhuman and degrading treatment in terms of Article 5 of the American Convention. I/A Court H. R., *Case of García Asto and Ramírez Rojas V. Peru*. Judgment of November 25, 2005. Series C No. 137, paras. 229 and 233; I/A Court H. R., *Case of Lori Berenson Mejía V. Peru*. Judgment of November 25, 2004. Series C No. 119, paras. 106-108; I/A Court H.R., *Case of Cantoral Benavides V. Peru*. Judgment of August 18, 2000. Series C No. 69, paras. 58 and 106.

399.   The IACHR has observed in several countries of the region that solitary confinement takes place in conditions, which do not uphold the right to humane treatment of inmates, as in the examples below:

400.   In its Special Report on the Prison of Challapalca, the IACHR highlighted that several inmates claimed that the punishment of solitary confinement for thirty days was given to them arbitrarily by authorities, without any prior proceeding being held to officially advise them of the charges and to provide them an opportunity to defend themselves. It was also claimed that the solitary confinement was applied without any degree of gradualness and for longer periods than those permitted by the rules.[476]

401.   In the follow up to the human rights situation in Cuba, the IACHR has repeatedly mentioned protracted solitary confinement of inmates as a deliberate form of punishment against political dissidents, who are held in extremely cramped cells, in unhygienic conditions, without beds or mattresses or any items to endure the cold or heat; and in a few instances, even with a bricked in door (bricked in cells). In addition to this punishment, other restrictions are placed on things such as food, medical care and visitation, and these inmates are subjected to constant psychological abuse. The inmates may remain in these conditions for periods even longer than one year.[477]

402.   On a recent visit to Suriname, the Rapporteur for Persons Deprived of Liberty was able to observe that at the central penitentiary "Santa Boma" there were three solitary confinement cells commonly known as "black rooms," where inmates, who commit disciplinary offenses, were kept in isolation for days and up to weeks. Inmates had to sleep on the floor of these cells without any bed or mattress and endure oppressive heat without sufficient ventilation, or any natural light.[478]

403.   Additionally, in the context of the visit to the province of Buenos Aires, the Office of the Rapporteur on the Rights of Persons Deprived of Liberty received reports of the use of the isolation ward or *buzones* ('cubby holes') at the Penitentiary Units of the province as one area where the right to humane treatment of inmates is violated repeatedly. The confinement transpires in 2 by 1.5 meter cells for 23 or 24 hours a day behind double doors; usually without any drinking water or personal hygiene items; in filthy and unhygienic cells; in many instances, without any natural or artificial light; without heating or ventilation; with little if any chance to gain access to a shower; without food or the possibility to cook; without any chances for visitation and, much less, access to a

---

[476] IACHR, *Special Report in the Human Rights Situation at the Challapalca Prison*, para. 70.

[477] IACHR, *Annual Report 2010*, Chapter IV, Cuba, OEA/Ser.L/V/II. Doc. 5 corr. 1, adopted on March 7, 2011, para. 363; IACHR, *Annual Report 2006*, Chapter IV, Cuba, OEA/Ser.L/V/II.127. Doc. 4 Rev. 1, adopted on, March 3, 2007, para. 67; IACHR, *Annual Report 2005*, Chapter IV, Cuba, OEA/Ser.L/V/II.124. Doc. 7, adopted on February 27, 2006, para. 80; IACHR, Annual Report 2004, Chapter IV, Cuba, OEA/Ser.L/V/II.122. Doc. 5 Rev 1, adopted on February 23, 2005, paras. 61 and 65; IACHR, *Annual Report 2002*, Chapter IV, Cuba, OEA/Ser.L/II.117. Doc. 1 rev. 1, adopted on March 7, 2003, para. 69; and IACHR, *Annual Report 2001*, Chapter IV, Cuba, OEA(Ser./L/V/II.114. doc. 5 ver., adopted on April 16, 2002, para. 81(b).

[478] IACHR, Press Release, "Office of the Rapporteur on the Rights of Persons Deprived of Liberty Concludes Visit to Suriname," Washington, D.C., June 9, 2011, Annex, para. 14.

telephone; among other conditions which run counter to international standards. Inmates in these wards bear the heaviest burden of violence (beatings and other assaults) perpetrated by prison staff.[479]

404.   Likewise, the SPT established on its visit to the National Penitentiary of Tacumbu, in Paraguay, that solitary confinement cells at the facilities were around 2.5 x 2.5 meters each, had inoperative toilets, were rat-infested and had poor ventilation. Additionally, all of the inmates being held in solitary confinement had claimed that penitentiary staff demanded that they pay a certain amount of money as a condition to be able to leave the cell block.[480] Similarly, the UN Rapporteur on Torture observed that in Paraguay it was common practice to place new inmates in solitary confinement as a form of "welcoming" to the prison facilities immediately upon their arrival.[481]

405.   On his mission to Brazil, the UN Rapporteur on Torture observed that the maximum 30-day time period for solitary confinement is not always respected, and that some inmates claimed to have remained incommunicado or locked alone in cells as punishment for more than two months. In most instances, the detainees who were punished in solitary confinement stated that they had been locked in the cells at the prison warden's or the chief security officer's decision. Many of them did not know how long they would be kept incommunicado or in the punishment cells.[482]

406.   The IACHR also notes that, according to the information presented by different UN mechanisms, the detainees at Guantanamo naval base were subjected to consecutive periods of thirty days of isolation (one period of thirty days being the maximum allowed), after very short respite periods in between each thirty day block of time and, as a result, they would actually be serving up to 18 months continuously in solitary confinement.[483]

---

[479] Comité Contra la Tortura de la Comisión Provincial por la Memoria, Annual Report 2009: *El Sistema de la Crueldad IV* [The System of Cruelty IV], p. 105.

[480] United Nations, CAT/OP/PRY/1, *Report on the visit of the Subcommittee on Prevention of Torture and Other Cruel, Inhuman or Degrading Treatment or Punishment to Paraguay*, June 7, 2010, para. 184.

[481] United Nations, Special Rapporteur on Torture and other Cruel, Inhuman or Degrading Treatment or Punishment, Report on the mission to Paraguay, A/HRC/7/3/Add.3, adopted on October 1, 2007. Ch. IV: *Conditions of detention*, para. 74.

[482] United Nations, Special Rapporteur on Torture and Other Cruel, Inhuman or Degrading Treatment or Punishment, Report submitted pursuant to Commission on Human Rights resolution 2000/43, Addendum, Visit by the Special Rapporteur to Brazil, E/CN.4/2001/66/Add.2, adopted on March 30, 2001, para. 127.

[483] United Nations, Joint Report of the Working Group on Arbitrary Detention; the Special Rapporteur on the Independence of Judges and Lawyers; the Special Rapporteur on Torture and other Cruel, Inhuman or Degrading Treatment or Punishment; the Special Rapporteur on Freedom of Religion or Belief; and the Special Rapporteur on the Right of Everyone to the Enjoyment of the Highest Attainable Standard of Physical and Mental Health, E/CN.4/2006/120, adopted on February 27, 2006, para. 53.

407. With regard to the use of solitary confinement, Principle XXII.3 of the Principles and Best Practices establishes the following fundamental standards:

> Solitary confinement shall only be permitted as a disposition of last resort and for a strictly limited time, when it is evident that it is necessary to ensure legitimate interests relating to the institution's internal security, and to protect fundamental rights, such as the right to life and integrity of persons deprived of liberty or the personnel. In all cases, the disposition of solitary confinement shall be authorized by the competent authority a shall be subject to judicial control, since its prolonged, inappropriate or unnecessary use would amount to acts of torture, or cruel, inhuman, or degrading treatment or punishment.

408. In the case of *Montero Aranguren et al (Reten de* Catia), reiterating applicable international standards, the Inter-American Court stressed that isolation cells:

> [m]ust only be used as disciplinary measures or for the protection of persons during the time necessary and in strict compliance with the criteria of reasonability, necessity and legality. Such places must fulfill the minimum standards for proper accommodation, sufficient space and adequate ventilation, and they can only be used if a physician certifies that the prisoner is fit to sustain it.[484]

409. As for the specific restrictions on the use of this measure, the aforementioned Principle XXII.3 provides that solitary confinement in punishment cells shall be forbidden for pregnant women; and mothers who are living with their children in the place of deprivation of liberty; and children deprived of liberty.

410. Similarly, the UN Rules for the Protection of Juveniles Deprived of their Liberty provide that the placement of persons under the age of 18 in dark cells and punishment of solitary confinement is strictly forbidden (Rule 67). The UN Committee on the Rights of Child has recommended that the use of solitary confinement at centers of deprivation of liberty of children and adolescents be forbidden.[485]

411. In essence, solitary confinement should only be used on an exceptional basis, for the shortest amount of time possible and only as a measure of last resort.[486]

---

[484] I/A Court H. R., *Case of Montero Aranguren et al. (Detention Center of Catia) V. Venezuela.* Judgment of July 5, 2006. Series C No. 150, para. 94.

[485] United Nations Committee on the Rights of the Child, *Consideration of Reports submitted by States Parties under Article 44 of the Convention, Concluding Observations: Singapore,* CRC/C/SGP/CO/2-3, adopted on May 4, 2011, para. 69(b); United Nations Committee on the Rights of the Child, *Considerations of reports submitted by States parties under Article 44 of the Convention: Concluding Observations: Denmark,* CRC/C/DNK/CO/4, adopted on April 7, 2011, para. 66(b).

[486] United Nations, Special Rapporteur on Torture and Other Cruel, Inhuman or Degrading Treatment or Punishment, Interim report submitted to the General Assembly in accordance with Assembly resolution 62/148, A/63/175, adopted on July 28, 2008, Ch. IV: *Solitary confinement,* para. 83. In the same sense, the European Penitentiary Rules (Rule 60.5). The UN Basic Principles for the Treatment of Prisoners go further in establishing

Continues...

Additionally, the instances and circumstances in which this measure can be used must be expressly established by law (as provided in Article 30 of the American Convention), and its use must always be subject to strict judicial oversight. In no instance should the solitary confinement of an individual last longer than thirty days.

412.   The IACHR finds that prison authorities must immediately report the use of this measure to the court under whose orders the inmate is serving. The competent judicial authority must also be empowered to request additional information from prison authorities and to overturn the measure should it believe that there are justifiable reasons to do so. Under no circumstances may the solitary confinement of an individual be left exclusively in the hands of the authorities in charge of the centers of deprivation of liberty without proper judicial oversight.

413.   Hence, it has been widely established in international human rights law that solitary confinement for extended periods of time constitutes at the very least a form of cruel, inhuman and degrading treatment;[487] as does the uncertainty of the duration of the same.[488] In fact, solitary confinement can be utilized as a means of torture,[489] an issue about which the Criminal Tribunal for the Ex Yugoslavia has held, as a general standard, that:

> Solitary confinement is not, in and of itself, a form of torture. However, in view of its strictness, its duration and the object pursued, it could cause great physical or mental suffering [...] To the extent that the confinement of the victim can be shown to pursue one of the prohibited purposes of torture and to have caused the victim severe pain and

---

...continuation
that, "[e]fforts addressed to the abolition of solitary confinement as a punishment, or to the restriction of its use, should be undertaken and encouraged." (Principle 7)

[487] See *e.g.,* United Nations, Human Rights Committee, General Comment No. 20: *Prohibition of tortre and cruel treatment or punishment (Article 7),* adopted at the 44th session (1992), para. 6. In: Compilation of General Comments and General Recommendations adopted by human rights treaty bodies, Volume I, HRI/GEN/1/Rev.9 (Vol. I) adopted May 27, 2008, p. 239; United Nations Human Rights Committee, Communication No. 577/94, Víctor Alfredo Polay Campos, Perú, CCPR/C/61/D/577/1994, decision adopted on January 9, 1996, paras. 8.6, 8.7 and 9; United Nations, Special Rapporteur on Torture and Other Cruel, Inhuman or Degrading Treatment or Punishment, Interim report submitted to the General Assembly in accordance with Assembly resolution 62/148, A/63/175, adopted on July 28, 2008, Ch. IV: *Solitary confinement,* para. 7; I/A Court H.R., *Case of Castillo Petruzzi et al. V. Peru.* Judgment of May 30, 1999. Series C No. 52, para. 194; I/A Court H.R., *Case of Loayza Tamayo V. Peru.* Judgment of September 17, 1997. Series C No. 33, paras 57-58, (resides the decitions cited above in the footnote 471); African Commission on Human Rights, Communication No. 250/2002, Zegveld y Epbrem v. Eritrea, session 34, November 6-20, 2003, para. 55.

[488] United Nations, Joint Report of the Working Group on Arbitrary Detention; the Special Rapporteur on the Independence of Judges and Lawyers; the Special Rapporteur on Torture and other Cruel, Inhuman or Degrading Treatment or Punishment; the Special Rapporteur on Freedom of Religion or Belief; and the Special Rapporteur on the Right of Everyone to the Enjoyment of the Highest Attainable Standard of Physical and Mental Health, E/CN.4/2006/120, adopted on February 27, 2006, para. 87.

[489] *Manual on the Effective Investigation and Documentation of Torture and Other Cruel, Inhuman or Degrading Treatment or Punishment (Istanbul Protocol),* Office of the United Nations High Commissioner for Human Rights, paras. 145(M) and 234.

suffering, the act of putting or keeping someone in solitary confinement may amount to torture.[490]

414.   The Commission stresses that solitary confinement in a cell as a disciplinary measure should not be used in circumstances that amount to a form of cruel, inhuman and degrading treatment. This means *inter alia* that the State must ensure that the conditions of the cells used for solitary confinement meet the minimum standards for the accommodations of the inmates being punished.[491] The essential thing is that conditions of the cells used for solitary confinement must adhere to the same international standards for spaces housing the general population of inmates. Not only is there no valid justification for conditions in these punishment cells to be substandard, but such conditions also are tantamount to the improper harshening of the sentence and jeopardize the very health of the person held in solitary confinement.

415.   According to the Istanbul Declaration, solitary confinement can cause serious psychological and, sometimes, physiological damage in persons, who can present symptoms ranging from insomnia and mental cloudiness to hallucinations and psychosis. These adverse health effects can begin to manifest themselves after only a few days of confinement and progressively grow worse.[492]

416.   In this regard, the European Court has established that protracted sensory isolation coupled with complete social isolation can no doubt ultimately destroy the personality; thus, it constitutes a form of inhuman treatment, which cannot be justified out of concerns for security or anything else.[493]

417.   In light of this consideration, the IACHR underscores that the health of the persons who are held in solitary confinement must be monitored on a regular basis by medical staff,[494] particularly for purposes of suicide prevention (on this topic, also see the Chapter III section E of this report). When health care staff deems the individual unfit for solitary confinement or that the use of this method must be stopped, an expert opinion must be submitted to the competent authorities.

418.   Likewise, health care staff at centers of deprivation of liberty should periodically inspect the cells and the places used for solitary confinement of inmates and

---

[490] International Tribunal for the Former Yugoslavia (ICTY), Prosecutor v. Milorad Krnojelac, Case No. IT-97-25-T, Trial Chamber II, Judgment of March 15, 2002, para. 183.

[491] IACHR, Press Release, "Office of the Rapporteur on the Rights of Persons Deprived of Liberty Concludes Visit to Suriname," Washington, D.C., June 9, 2011, Annex, para. 15.

[492] Most of the effects produced by solitary confinement are psychological in nature and can cause acute alterations, and even chronic in the following areas: anxiety, depression, anger, cognitive, perceptual distortions, paranoia and psychosis. At the physiological level there can be gastro-intestinal, cardiovascular, genito-urinary, migraines, and profound fatigue problems. See, Shalev, Sharon, *A sourcebook on solitary confinement*, Mannheim Centre for Criminology, LSE, 2008, pp. 15-16, available HERE.

[493] European Court of Human Rights, *Case of Ramírez Sánchez v. France*, (Application no. 59450/00), Judgment of July 4, 2006, Grand Chamber, paras. 120-123.

[494] On this matter, see the Standard Minimum Rules for the Treatment of Prisoners (Rule 23.3).

issue recommendations to the appropriate authorities.[495] Health care staff must act independently and autonomously in performing these monitoring duties, so that the inmates do not lose the trust that they have placed in them and the proper doctor-patient relationship remains intact. The IACHR finds that these medical supervisory obligations stem directly from the duty of the State to ensure inmates' right to life and humane treatment.

D.   Searches

419.   As has been mentioned above, State authorities have the inescapable duty to ensure proper internal order and security at centers of deprivation of liberty, as well as to enforce laws and regulations intended to regulate activity at these facilities. Consequently, searches or inspections at facilities where inmates live, work or gather are a necessary mechanism in order to seize illegal possessions such as weapons,[496] drugs, alcohol, cell phones; or in order to prevent attempts at escaping. Nonetheless, these procedures should be performed in keeping with protocols and processes that are clearly established by law and in respecting the fundamental rights of the individuals deprived of liberty. Otherwise, they could become a mechanism that is used to arbitrarily punish and assault inmates.

420.   As for searches or inspections at facilities where inmates live, work or gather,[497] the Principles and Best Practices establish the following fundamental parameters:

> Principle XXI: Whenever bodily searches, inspections of installations and organizational measures of places of deprivation of liberty are permitted by law, they shall comply with criteria of necessity, reasonableness and proportionality. [...] The inspections or searches in units or installations of places of deprivation of liberty shall be carried out by the competent authorities, in accordance with a properly established procedure and with respect for the rights of persons deprived of liberty.

---

[495] This obligation derives from the general duties of the physicians or competent health authorities to inspect, evaluate and advise the administration of prisons on the sanitary and hygiene conditions of the facilities, and constantly monitor the health conditions of persons subject to solitary confinement as a disciplinary sanction. See, the Standard Minimum Rules for the Treatment of Prisoners (Rules 26.1 and 32.3); and the European Prison Rules (Rule 44.b and 44.c).

[496] For example, the Inter-American Court has expressly ordered the confiscation of weapons from inmates as a fundamental measure to protect the life and physical integrity of prisoners in the context of prisons with high levels of violence. See, I/A Court H.R., Provisional Measures, Matter of Urso Branco Prison regarding Brazil, Order of the Inter-American Court of Human Rights of June 18, 2002, Operative paragraph 1.

[497] With respect to the searches and controls, the European Penitentiary Rules laid down *inter alia* that the situations in which such searches are necessary and their nature shall be defined by law; the Staff shall be trained to carry out these searches in such a way as to detect and prevent any attempt to escape or to hide contraband, while at the same time respecting the dignity of those being searched and their personal possessions, and that prisoners shall be present when their personal property is being searched unless investigating techniques or the potential threat to staff prohibit this (Rule 54).

Likewise, the Inter-American Court has established as a general standard, that:

> The State must make sure that searches are properly and periodically conducted, aimed at the prevention of violence and elimination of risk, as a result of adequate and effective control within the wards by prison guards, and that the results of these searches are conveyed to the competent authorities in a proper and timely fashion.[498]

421.   In this regard, on a visit to El Salvador, the Office of the Rapporteur on the Rights of Persons Deprived of Liberty received numerous testimonies of abuse against inmates during searches conducted inside the prisons with the support of the Order Maintenance Unit (UMO). According to the information provided, the authorities in charge of carrying out these searches allegedly engaged in the practice of beating the inmates and destroying their belongings for no justifiable reason.[499]

422.   In the context of the thematic hearing on the situation of persons deprived of liberty in Panama, the participants submitted information on the systematic acts humiliation against inmates during the searches conducted by the police. Based on the information in the submission, authorities allegedly engaged in the practice of bursting into cells, removing the occupants, who were sometimes naked; rummaging through, destroying or stealing their personal possessions; intentionally wetting their mattresses and clothes; and, on some occasions they were even alleged to have cut the ropes of the hammocks that inmates were forced to sleep in due to overcrowding.[500]

423.   In the context of the case of *Rafael Arturo Pacheco Teruel et al*, pertaining to the Prison of San Pedro Sula in Honduras, the petitioners provided consistent testimony of the victims' family members, echoing what the victims had claimed: that whenever police agents would conduct searches or inspections in the cell block where the victims were located (which was used for the imprisonment of alleged members of the *Mara Salvatrucha* gang), the agents would rob them or destroy their personal belongings.[501]

---

[498] I/A Court H.R., Provisional Measures, *Matter of the Mendoza Prisons regarding Argentina*, Order of the Inter-American Court of Human Rights of November 26, 2010, Whereas 52.

[499] IACHR, Press Release 104/10 - IACHR Office of the Rapporteur Attests to Structural Deficiencies in Prison System of El Salvador. Washington, D.C., October 20, 2010, Annex, section 7º. See also, *Informe Especial de la Procuraduría para la Defensa de los Derechos Humanos de El Salvador* submitted to the UN Committee against Torture on October 2009, paras. 209, 212 y 213.

[500] IACHR, Public hearing: *Human Rights Violations in Prisons in Panama*, 131º Ordinary Period of Sessions, requested by: State of Panama, Comisión de Justicia y Paz de la Conferencia Episcopal de Panmá, Centro de Iniciativas Democráticas (CIDEM), Harvard University. March 7, 2008. In this regard, see the report: *Del Portón para Acá se Acaban los Derechos Humanos: Injusticia y desigualdad en las cárceles panameñas,* presented in the said hearing .

[501] IACHR, Report No. 118/10, Case 12.680, Merits, Rafael Arturo Pacheco Teruel *et al.*, Honduras, October 22, 2010, para. 46. In this regard, see also, United Nations, CAT/OP/HND/1, *Report on the visit of the Subcommittee on Prevention of Torture and Other Cruel, Inhuman or Degrading Treatment or Punishment to Honduras*, February 10, 2010, para. 237.

424.   Similarly, based on information submitted by Diego Portales University, during a search conducted on May 10, 2010, at the Villarica Prison, ten inmates were allegedly taken undressed to the yard of the facilities by members of the Gendarmeria (rural police force) who beat them and subjected them to an "exercise session." They were then returned to their cells where they were rinsed off with cold water to make sure that no signs of any injury remained.[502]

425.   The IACHR notes that one of the most common practices in the realm of prisons is how authorities use force without a second thought in performing searches.[503] Nonetheless, as is required anytime that force is used, searches must be performed with the strictest respect for the lives and personal integrity of the persons deprived of liberty.

426.   Moreover, in the case of *Montero Aranguren et al* the Inter-American Court reiterated and fleshed out the fundamental principle that "the use of force by governmental security forces must be grounded on the existence of exceptional circumstances and should be planned and proportionally limited by the government authorities." Therefore, "force or coercive means can only be used once all other methods of control have been exhausted and failed."[504] Moreover, Article 3 of the Code of Conduct for Law Enforcement Officers[505] provides that "[l]aw enforcement officials may use force only when strictly necessary and to the extent required for the performance of their duty."

427.   In the specific context of the use of force in a prison setting, the Standard Minimum Rules for Treatment establish that in using force, prison facilities officials must adhere to the principles of legality, necessity, proportionality and supervision.[506] Likewise, the Principles and Best Practices on the Protection of Persons Deprived of Liberty prescribe more broadly that:

> The personnel of places of deprivation of liberty shall not use force and other coercive means, save exceptionally and proportionately, in serious, urgent and necessary cases as a last resort after having previously exhausted all other options, and for the time and to the extent strictly necessary in order to ensure security, internal order, the protection of the fundamental rights of persons deprived of liberty, the personnel, or the visitors.[507]

---

[502] Universidad Diego Portales, Centro de Derechos Humanos de la Facultad de Derecho, *Informe Anual sobre Derechos Humanos en Chile 2010*, pp. 116-117.

[503] See *e.g.,,* I/A Court H.R., *Case of Miguel Castro-Castro Prison V. Peru*. Merits, Reparations and Costs. Judgment of November 25, 2006. Series C No. 160, para. 326; IACHR, Report No. 67/11, Case 11.157, Merits, Gladys Espinoza Gonzales, Perú, March 31, 2011, paras. 142, 148, 149, 151 and 184.

[504] I/A Court H. R., *Case of Montero Aranguren et al. (Detention Center of Catia) V. Venezuela*. Judgment of July 5, 2006. Series C No. 150, para. 67.

[505] United Nations Code of Conduct for Law Enforcement Officials, adopted by General Assembly resolution 34/169, December 17, 1979.

[507] IACHR, *Principles and Best Practices on the Protection of Persons Deprived of Liberty in the Americas*, (Principle XXIII.2).

428.   The use of force and of coercive methods during searches can only be justified to the extent that the inmates themselves exhibit violent conduct or otherwise attack or attempt to assault authorities. On the other hand, if the inmates are not in a position to use force against the security agents or against third parties, and are reduced to a situation of defenselessness, the proportionality test is no longer applicable,[508] and therefore, any manifestation of violence by the authorities is characterized, as the case may be, as torture or cruel, inhuman and degrading treatment. In the final analysis, the institutionalized practice of displaying deliberate and excessive violence and force when conducting searches is unnecessary and amounts to a violation of inmates' right to humane treatment.

429.   The IACHR views as a best practice that prison authorities allow the presence of representatives of other national human rights institutions during searches, provided that there are no clear security reasons rendering such a presence it ill-advised. An example of such a best practice took place during a visit to Uruguay in July of 2011 of the Rapporteur on the Rights of Persons Deprived of Liberty, who was informed that Parliamentary Commissioner for the Prison System and his team had implemented the practice of being present during searches at prison facilities. The monitoring and independent oversight of these procedures helps to prevent torture, cruel, inhuman and degrading treatment, and other arbitrary acts at prisons.

E.   Conditions of imprisonment

430.   As was discussed in previous sections of this report, all persons deprived of liberty are entitled to be treated humanely, with unlimited respect for the dignity that is inherent to them and for their rights and fundamental guarantees. This means that the State, by way of guarantor of the rights of persons under its custody, not only has the special duty to respect and ensure their lives and personal integrity, but also must ensure that they are afforded minimum conditions compatible with their dignity.[509]   Such conditions must not add further affliction to the nature of the deprivation of liberty, which is already punitive as it is. Treating all persons deprived of their liberty with humanity and with respect for their dignity is a fundamental and universal rule, which must be applied without distinction of any kind, and cannot be dependent on the material resources available in the State.[510]

---

[508] United Nations, Special Rapporteur on Torture and Other Cruel, Inhuman or Degrading Treatment or Punishment, Report submitted to the (former) Commission on Human Rights, E/CN.4/2006/6, adopted on December 23, 2005, para. 38.

[509] IACHR, *Principles and Best Practices on the Protection of Persons Deprived of Liberty in the Americas*, (Principle I).

[510] United Nations, Human Rights Committee, General Comment No. 21: *Humane treatment of persons deprived of liberty*, adopted at the 44th session (1992), para. 4. In: Compilation of General Comments and General Recommendations adopted by human rights treaty bodies, Volume I, HRI/GEN/1/Rev.9 (Vol. I) adopted May 27, 2008, p. 242.

431.   Attention to prison conditions in the hemisphere is not only a concrete legal duty stemming from the American Convention and Declaration, but is a priority set forth at the highest level of political will by the States of the Hemisphere in the Plans of Action of the Summits of the Americas.[511]

432.   The IACHR has noted that the State must ensure the following essential minimum requirements: "access to drinking water, sanitary facilities, personal hygiene, floor space, light and ventilation, sufficient and adequate food; and adequate bedding."[512] Traditionally, the IACHR has considered that Rules 10, 11, 12, 15 and 21 of the Standard Minimum Rules for the Treatment of Prisoners constitute reliable criteria of reference as minimum international norms for humane treatment of inmates regarding accommodations, hygiene and physical exercise.[513] And it has considered that these rules apply regardless of the type of behavior for which the person in question has been imprisoned and the level of development of the State.[514] Currently, the position of the IACHR with regard to these minimum conditions is set forth in the Principles and Best Practices on the Protection of Persons Deprived of Liberty in the Americas.

433.   In examining individual cases, both the IACHR,[515] and the Court[516] have taken into consideration the *cumulative effect or impact* of the conditions of imprisonment

---

[511] See, Plan of Action of the third Summit of the Americas, held in Quebec, Canada, on the 2001, available at: http://www.summit-americas.org/iii_summit/iii_summit_poa_en.pdf; and Plan of Action of the First Summit of the Americas, held in Miami, Florida in the United States of America, on 1994, available at: http://www.summit-americas.org/i_summit/i_summit_poa_en.pdf.

[512] IACHR, Follow-up Report - *Access to Justice and Social Inclusion: The Road Towards Strengthening Democracy in Bolivia*, OEA/Ser/L/V/II.135. Doc. 40, adopted on August 7, 2009, Ch. V, para. 123.

[513] These norms set forth the following standards: "[a]ll accommodation provided for the use of prisoners and in particular all sleeping accommodation shall meet all requirements of health, due regard being paid to climatic conditions and particularly to cubic content of air, minimum floor space, lighting, heating and ventilation;" (Rule 10) "[i]n all places where prisoners are required to live or work, (a) [t]he windows shall be large enough to enable the prisoners to read or work by natural light, and shall be so constructed that they can allow the entrance of fresh air whether or not there is artificial ventilation; (b) [a]rtificial light shall be provided sufficient for the prisoners to read or work without injury to eyesight;" (Rule 11) "[t]he sanitary installations shall be adequate to enable every prisoner to comply with the needs of nature when necessary and in a clean decent manner;" (Rule 12) "[p]risoners shall be required to keep their persons clean, and to this end they shall be provided with water and with such toilet articles as are necessary for health and cleanliness;" (Rule 15) "[e]very prisoner who is not employed in outdoor work shall have at least one hour of suitable exercise in the open air daily if the weather permits; [y]oung prisoners, and others of suitable age and physique, shall receive physical and recreational training during the period of exercise. To this end space, installations and equipment should be provided." (Rules 21.1 and 21.2).

[514] IACHR, Report No. 28/09, Case 12.269, Merits, Dexter Lendore, Trinidad y Tobago, March 20, 2009, paras. 30-31; IACHR, Report No. 78/07, Case 12.265, Merits, Chad Roger Goodman, Bahamas, October 15, 2007, paras. 86-87; IACHR, Report No. 67/06, Case 12.476, Merits, Oscar Elías Biscet *et al.*, Cuba, October 21, 2006, para. 152; IACHR, Report No. 76/02, Case 12.347, Merits, Dave Sewell, Jamaica, December 27, 2002, paras. 114- 115.

[515] IACHR, Report No. 28/09, Case 12.269, Merits, Dexter Lendore, Trinidad y Tobago, March 20, 2009, para. 34; IACHR, Report No. 76/02, Case 12.347, Merits, Dave Sewell, Jamaica, December 27, 2002, para. 116, IACHR, Report No. 56/02, Case 12.158, Merits, Benedict Jacob, Grenada, October 21, 2002, para. 94; IACHR, Report No. 41/04, Case 12.417, Merits, Whitley Myrie, Jamaica, October 12, 2004, para. 46.

[516] See, *e.g.*, I/A Court H.R., *Case of Vélez Loor V. Panama*. Preliminary Objections, Merits, Reparations, and Costs. Judgment of November 23, 2010 Series C No. 218, para. 227; I/A Court H.R., *Case of Boyce et al. V.*
Continues…

to which a person is subjected, in order to determine whether such conditions as a whole have constituted a form of cruel, inhuman and degrading treatment.

434.   Accordingly, the Court has determined a host of circumstances which in combination with one another could reach the threshold of constituting cruel, inhuman or degrading treatment as provided for in Article 5(1) and 5(2) of the Convention, for example:[517] lack of adequate infrastructure; imprisonment in overcrowded conditions; lack of adequate ventilation and natural light; unsanitary cells; no beds (sleeping on the floor or in hammocks); no adequate medical care or drinking water; no segregation by categories (i.e. mixing of children and adults, or accused with convicted persons); no adequate sanitation facilities (having to urinate or defecate in receptacles or plastic bags); lacking conditions of minimum privacy in sleeping quarters; very little and poor quality food; few chances to exercise; no education or sports programs, or few chances to engage in such activities; improper restrictions on visitation; periodical use of forms of collective punishment and other abuses; solitary confinement and incommunicado; and imprisonment in locations that are extremely far away from the family residence and in severe geographic conditions.

435.   As has been discussed earlier in this report, particular situations, such as the lack of medical treatment, or the failure to separate children from adults or men from women, can be considered by themselves violations of the right to humane treatment. Additionally, when the State intentionally subjects a person to particularly injurious conditions of imprisonment for a particular purpose, it could in itself rise to the level of torture.[518] This would be, for example, the consistent practice of the Cuban government

---

...continuation

Barbados. Preliminary Objection, Merits, Reparations and Costs. Judgment of November 20, 2007. Series C No. 169, para. 94.

[517] I/A Court H.R., *Case of Loayza Tamayo V. Peru*. Judgment of September 17, 1997. Series C No. 33, para. 89; I/A Court H.R., *Case of Cantoral Benavides V. Peru*. Judgment of August 18, 2000. Series C No. 69, para. 85; I/A Court H.R., *Case of Hilaire, Constantine and Benjamin et al. V. Trinidad and Tobago*. Judgment of June 21, 2002. Series C No. 94, para. 76.b; I/A Court H. R., *Case of Caesar V. Trinidad and Tobago*. Judgment of March 11, 2005. Series C No. 123, para 99; I/A Court H. R., *Case of Tibi V. Ecuador*. Judgment of September 7, 2004. Series C No. 114, para. 151; I/A Court H.R., *Case of Suárez Rosero V. Ecuador*. Judgment of November 12, 1997. Series C No. 35, para. 91; I/A Court H. R., *Case of "Juvenile Reeducation Institute" V. Paraguay*. Judgment of September 2, 2004. Series C No. 112, paras. 165-171; I/A Court H. R., *Case of Fermín Ramírez V. Guatemala*. Judgment of June 20, 2005. Series C No. 126, paras. 54.55, 54.56 y 54.57; I/A Court H. R., *Case of Raxcacó Reyes V. Guatemala*. Judgment of September 15, 2005. Series C No. 133, paras. 43.23; I/A Court H. R., *Case of García Asto and Ramírez Rojas V. Peru*. Judgment of November 25, 2005. Series C No. 137, paras. 97.55, 97.56 y 97.57; I/A Court H. R., *Case of López Álvarez V. Honduras*. Judgment of February 1, 2006. Series C No. 141, paras. 54.48 y 108; I/A Court H.R., *Case of Miguel Castro-Castro Prison V. Peru*. Merits, Reparations and Costs. Judgment of November 25, 2006. Series C No. 160, paras. 296 y 297; I/A Court H. R., *Case of Montero Aranguren et al. (Detention Center of Catia) V. Venezuela*. Judgment of July 5, 2006. Series C No. 150, paras. 90-99 y 104; I/A Court H.R., *Case of Boyce et al. V. Barbados*. Preliminary Objection, Merits, Reparations and Costs. Judgment of November 20, 2007. Series C No. 169, paras. 94-102.

[518] In this regard, the Istanbul Protocol includes among the different methods of torture a specific category relating to prison conditions under which it can inflict physical and psychological harm to a person by his confinement: small or crowded cells, alone, unsanitary conditions, without sanitation, with irregular administration of food and water or contaminated food and water, exposed to extreme temperatures, denying all privacy and subjecting him to forced nudity (para. 145 -m-)

against political dissidents;[519] or the treatment given by the United States government to the detainees at Guantanamo naval base.[520]

436.   Over the years and in performance of its different functions, the IACHR has widely addressed conditions of imprisonment in the Americas; in the absolute majority of these cases, the fact is, based on our observations, current international standards are not adhered to. Examples of this include the following:[521]

437.   In the follow up to the human rights situation in Haiti, the IACHR has confirmed that prisons in that country are characterized by a widespread lack of adequate and sufficient infrastructure to house the inmate population; by overcrowding conditions without ventilation or natural light or floor space to sleep in; by the lack of medical care, which is why the inmates suffer from overall poor health; and by malnutrition among prisoners. Every prison has some inhabitable or cells, cells with no bedding for inmates to sleep in and, in some instances, there are not even any sleeping quarters for the guards themselves.[522]

438.   Likewise, during a meeting that was held on an *in loco* visit to Bolivia in 2006, the Director General of the Prison System called the country's jails "human trash dumps," because of the poor conditions of infrastructure and neglect they were subjected to over the years. In this regard, the IACHR additionally found that the precarious nature of the infrastructure and inadequate budget was also reflected in unacceptable conditions of health, hygiene and food at Bolivian prisons.[523]

439.   On a country visit to Jamaica in 2008, the IACHR confirmed serious conditions of detention at the Spanish Town and Hunts Bay police stations, noting that detainees were piled up in dark and dirty cells, with no ventilation. Spanish Town Police officers reported that mentally disabled detainees were locked in the cell bathrooms.

[519] See, *e.g.*, IACHR, *Annual Report 2010*, Chapter IV, Cuba, OEA/Ser.L/V/II.Doc.5 corr. 1, adopted on March 7, 2011, paras. 361-365.

[520] United Nations, Joint Report of the Working Group on Arbitrary Detention; the Special Rapporteur on the Independence of Judges and Lawyers; the Special Rapporteur on Torture and other Cruel, Inhuman or Degrading Treatment or Punishment; the Special Rapporteur on Freedom of Religion or Belief; and the Special Rapporteur on the Right of Everyone to the Enjoyment of the Highest Attainable Standard of Physical and Mental Health, E/CN.4/2006/120, adopted on February 27, 2006, paras. 49-50.

[521] A comprehensive reference that covers the entire reality would be very extensive and exceeds the scope of this report, which illustrates this situation with some representative examples, without this meaning a "black list" or "ranking" of countries who have the worst deficiencies in this matter, because, as already mentioned, the lack of adequate conditions of confinement is a general problem that touches the absolute majority of the States of the region.

[522] IACHR, *Observations of the Inter-American Commission on Human Rights upon conclusions of its April 2007 visit to Haiti*, OEA/Ser.L/V/II.131. Doc. 36, adopted on March 2, 2008, paras. 31-33; IACHR, *Haiti: Failed Justice or the Rule of Law? Challenges Ahead for Haiti and the International Community* Ch. III, para. 209.

[523] IACHR, *Access to Justice and Social Inclusion: The Road Towards Strengthening Democracy in Bolivia*, Ch. III, para 206.

Furthermore, the delegation was alarmed in observing that detainees were terribly overcrowded and lived among trash and urine at the Hunts Bay police station.[524]

440.   As for the Challapalca Prison in Peru after assessing overall conditions of imprisonment at that facility, which is located at 4,600 meters above sea level in an inhospitable area, far removed from any population center, and with extreme climatic conditions, the Commission recommended the State to immediately close that prison and transfer all inmates being held there to prisons located closer to their family circles.[525]

441.   Likewise, on a visit to Suriname, the Rapporteur on the Rights of Persons Deprived of Liberty witnessed that conditions of detention at the Geyersvlijt Police Station were palpably worse than those of the prison facilities visited in that State. At this police station, particularly in the men's section, a serious problem of overcrowding was apparent, with all of the consequences that this situation entails: inmate-to-inmate violence, transmission of disease, and lack of bedding (some detainees had to sleep in hammocks in their cells). Additionally, sanitary and hygienic conditions were deplorable; toilets were in poor working order; the trash produced in the cells was deposited in bags that were then stored in the bathroom near the toilets and showers, and was only taken out once a week; and insects, rats and other vermin were present. This was all in a setting of overcrowding, excessive heat and stuffiness, with a lack of ventilation and natural light. Most male and female inmates claimed that they remained totally confined to their cells for almost the whole day in these conditions.[526]

442.   Additionally, during a visit to Uruguay, the Rapporteur on the Rights of Persons Deprived of Liberty was able to attest that infrastructure, sanitary and hygiene conditions at cellblocks 1, 2 and 4 of the Santiago Vasquez Prison Complex (COMCAR) were absolutely unfit for human habitation. These modules were dark, dank, cold, unsanitary, trash-laden spaces with insufficient air ventilation and natural light. The wastewater flooded out of the drains onto the floors and into the cells, which in addition to being unhygienic produced a nauseating stench in the atmosphere. The building infrastructure of these modules was totally corroded and worn down, and holes and openings were visible in the walls and in the hallway floors. In such unsanitary conditions, the Rapporteurship witnessed the presence of persons living with HIV. Accordingly, the IACHR recommended that the State close down those cellblocks and transfer the inmates to another facility with adequate conditions.[527]

---

[524] IACHR, Press Release 59/08 - IACHR Issues Preliminary Observations on Visit to Jamaica. Kingston, Jamaica, December 5, 2008.

[525] IACHR, *Special Report in the Human Rights Situation at the Challapalca Prison*, para. 119; IACHR, *Second Report on the Situation of Human Rights in Peru*, Ch. IX, para 24(12).

[526] IACHR, Press Release 56/11, "Office of the Rapporteur on the Rights of Persons Deprived of Liberty Concludes Visit to Suriname," Washington, D.C., June 9, 2011, Annex,, paras. 19-20.

[527] IACHR, Press Release 76/11 - IACHR Recommends Adoption of a Comprehensive Public Policy on Prisons in Uruguay. Washington, D.C., July 25, 2011, Annexes, paras. 25 and 27.

443.   In some serious and urgent cases, the IACHR has found that the conditions of detention, in addition to not conforming to applicable international standards, placed inmates at risk of suffering irreparable harm; thus, in those cases the IACHR has granted precautionary measures.

444.   During a recent visit to the province of Buenos Aires, the Rapporteurship noted that the 3rd Sectional Police Station of Ensenada was holding 20 detainees at the time of the visit, when its maximum capacity is for 6, thus creating conditions of absolute overcrowding (according to its registry book, that police station held up to 28 detainees the week before the visit). The detainees would be confined to these conditions for 24 hours a day without access to natural light, except from a small barred window, through which they have contact with attorneys and visitors. It was also noted that some detainees were sleeping on the corridor floor, one right next to the other. It was confirmed that all of the detainees at that police station had been held there for periods ranging from 3 to 18 months, and there was even a 75 year-old arthritic person who had been held there for 45 days.[528]

445.   Likewise, in June 2009, the IACHR granted precautionary measures to protect the persons incarcerated at *Polinter-Neves* detention center in Rio de Janeiro. At the time of granting these measures, the Commission took into consideration that this facility was housing some 759 people, despite having actual maximum capacity for 250, and these individuals were held in an alarming situation of overcrowding. They received none of the medical care they required, especially for treatment of tuberculosis and skin infections and they were housed in extremely hot and stuffy cells (as hot as 56º Celsius), dank, smelly cells, which lacked ventilation and natural light. It was reported that as a result of the lack of available floor space and bedding, some of the detainees would sleep tied up to the bars, and were commonly known as "bat men."[529]

446.   The general notion of conditions of imprisonment is very broad. It encompasses some aspects which, due to their nature and significance, are examined more specifically in later chapters or sections of this report, such as: health services, inmate contact with family members, rehabilitation programs and the duty of the State to ensure a safe environment for the lives and personal integrity of the inmates.   The next section focuses in the following fundamental aspects: overcrowding, accommodations, hygiene and clothing, and food and drinking water.

1.   Overcrowding

447.   As already discussed in this report, even though most States face very similar challenges in respecting and ensuring the human rights of persons deprived of liberty the most serious one currently affecting the absolute majority of the countries of the region is overcrowding. This is not a new reality, as the IACHR has been stressing this

---

[528] File of the Precautionary Measure MC-187-10.

[529] File of the Precautionary Measure MC-236-08. Subsequently the prison population of this facility fluctuated as follows: 575 people (August 2009), 727 (August 2009), 722 (November 2009), 622 (March 2010), 803 (May 2010), 570 (August 2010), 580 (September 2010), 453 (November 2010) and 544 (January 2011).

situation in the region for over 45 years,[530] and has done so repeatedly in almost all of its reports in which the topic of the situation of persons deprived of liberty has been addressed.

448.   The significance and scope of this reality has not only been highlighted by the IACHR in its capacity as monitor of human rights in the region, but it has also been recognized at the highest political level by the OAS member States at their General Assembly.[531] Additionally, the authorities responsible for penitentiary and prison policies of the OAS member States, in the context of REMJA, have pointed to overcrowding and infrastructure deficiencies at prisons as one of the principal challenges of the region.[532]

449.   Recently, the United Nations Latin American Institute for the Prevention of Crime and Treatment of Offenders (ILANUD) found in a regional survey that two of the main issues with prison systems in Latin America are, precisely, overcrowding and deficient quality of life in prisons[533].

450.   Accordingly, most of the States that submitted responses to the questionnaire that was published in conjunction with this report recognized that one of the principal challenges faced by them is precisely the lack of capacity to house the inmate population. Brazil, for example, stated that its prison system is at a critical juncture of inmate overpopulation with a deficit of 180,000 spaces. In this regard, one of the questions of the questionaire referred to the housing capacity of prison centres and their actual current populaition. In this regard, the States submitted the following informatoion.[534]

Argentina	The capacity of the Federal Penetentiary Service Units is 10,337 spots, and the population on April 2010 was 9,426 inmates. According to the information, each and every location is within its capacity limits.
Bolivia	The total capacity listed for the 23 penetentiaries in June 2012 was 3,738 and the population of prisoners was 7,700 inmates. The San Pedro prison in La Paz (capacity 400/population 1,450), and the Palmasola prison in Santa Cruz (capacity 600/population 2,186), are two of the most crowded. At the same time, the cells of Montero (Santa Cruz), San Pedro, and San Pablo (Cochabamba) prisons, all have a capacity for 30 persons, and each were housing in June of 2010: 162, 141 and 164 persons, respectfully.

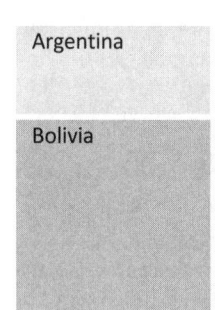

[530] See in this regard, *Report of the IACHR on its Activities in Dominican Republic,* OEA/Ser.L/V/II.13 doc 14 Rev. (available only in Spanish), adopted on October 15, 1965, Ch. II.A.

[531] OAS, General Assembly Resolution, AG/RES. 2510 (XXXIX-O/09), adopted on June 4, 2009; OAS, General Assembly Resolution, AG/RES. 2403 (XXXVIII-O/08), adopted on June 13, 2008; OAS, General Assembly Resolution, AG/RES. 2283 (XXXVII-O/07), adopted on June 5, 2007; and OAS, General Assembly Resolution, AG/RES. 2233 (XXXVI-O/06), adopted on June 6, 2006.

[532] OAS, Report of the First Meeting of Authorities Responsible for Penitentiary and Prison Policies of OAS Member States, OEA/Ser.K/XXXIV GAPECA/doc.03/03, adopted on October 17, 2003, available HERE.

[533] United Nations Latin American Institute for the Prevention of Crime and the Treatment of Offenders (ILANUD), *Crime, Criminal Justice and Prison in Latin America and the Caribbean,* 2009, pp. 28-31.

[534] Importantly, none of the answers given by the states provide data related to housing rates of people in Commissariats or Police Stations, which in fact are often used much like prisons.

Chile	According to official information updated on December 31, 2009, the relation between the capicity and the inmates population by regions in Chile is as follows:[535] • Arica and Parincota (1 UP): capacity 1,100/population 2,190; • Tarapaca (3 penitentiaries): capacity 2,233/population 2,628; • Antofagasta (5 Ps.): capacity 1,378/population 2,398; • Atacama (3 Ps.): capacity 524/population 1,147; • Coquimbo (4 Ps.): capacity 2,022/population 2,186; • Valparaiso (10 Ps.): capacity 2,574/población 5,749; • O'Higgins (5 Ps.): capacity 2,332/población 2,813; • El Maule (11 Ps.): capacity 1,985/población 2,819; • El Bío Bío (13 Ps.): capacity 3,245/population 4,820; • La Araucana (11 Ps.): capacity 1,759 /population 2,680; • Los Ríos (3 Ps.): capacity 1,473/population 1,191; • Los Lagos (5 Ps.): capacity 1863/population 1,840; • Aysén (4 Ps.): capacity 290/population 236; • Magallanes (3 Ps.): capacity 423/population 388; • Metropolitana (13 Ps.): capacity 12,011/population 20,588. In this context, and emphazised in the examples of the following Penal Units : *CDP* Santiago Sur (capacity 2,446/population 6,803); *CDP* San Miguel (capacity 892/population 1,790); *CP* Arica (capacity 1,100/population 2,190); *CCP* Antofagasta (capacity 684/population 1,251); *CCP* Copiapo (capacity 252/population 759); *CCP* Talca (capacity 566/population 1,002); and *CP* Concepción (capacity 1,220/population 2,255).
Costa Rica	The total capacity of housing in the Attention Centers of the Institutional Program (*Centros de Atención Institucional-CAI*) on May 20, 2010 was 8,523 spots and the population had risen to 9,770 inmates; being the biggest: CAI Reforma, San Rafael de Alajuela (capacity 2,016/population 2,231); the CAI Gerardo Rodríguez, San Rafael de Alajuela (capacity 952/population 1,121); the CAI Pococi, La Leticia Guápiles (capacity 874/population 970); and the CAI San Rafael, San Rafael de Alajuela (capacity 744/population 826).
Ecuador	The total housing capacity on the 42 Social Rehabilitation Centers as of September 30, 2010 was 9,403 spots for 13,237 inmates (this number includes those who had been sentenced, those who had been procesed, and those who had been convicted. At the same time, the State gave information that in July 2010 the total population of the penetentiary system (including the floating population) rose to 18,300 persons. According to the information presented by the State, the four prisons with the worst capacity problems (on Juy of 2010) are: the Guayaquil CDP (population 161/space for 140); the Quito CDP No. 1 (population 573/space for 275); the Guayaquil Varones No. 1 (population 3,598 space for 2,792); and the Quito CDP 24 de mayo No. 2 (population 168/space for 130).

---

[535] Due to the high number of prisons, detention centers and correctional institutions, the information has been presented by regions, and underscoring some remarkable examples.

El Salvador	The total capcity for the 20 penetentiary centers in April 2010 was 8,110 spots and, on this date, they housed 22,707 persons. By way of example: the Centro Penal de Apanteos prison, with a capcity for 1,800 inmates, housed on that date 3,344; the Centro Penal La Esperanza prison, with a cpacity to hold 850, 4,700; and the Centro Penal de Ilopango prison, whit a capacity of 250, 1477.
Guatemala	The total capacity in the 20 penetentiries of the country, on May of 2010, was 6,610 places and their actual holding was 10,512 persons deprived of liberty. The must overcrowded are: the Centro Preventivo de la Zona 18 (capacity 1,500/population 2,843); the Granja Cantel (capacity 625/populacion 1,167); the Granja Canadá (capacity 600/population 1,163); the Centro de Detención Los Jocotes de Zacapa (capacity 158/population 571); and the Centro de Detención de Mazatenango (capacity 120/population 402).
Guyana	The total capacity of country⊠ 5 prisons, in September 2010 was 1,580 spots and an actual population of 2,007 prisoners. The most populated is the prison of Georgetown, which housed 967 inmates on that date and its capacity is for 600.
México	The State of Mexico stated that, in September 2010, all of the Federal Centers of Social Readaptation, including the Federal Center of Psycological Readaptation had an internal population below the designed capacity. With regard to the Complejo Penitenciario de Islas Marías, it was stated that it housed 2,685 inmates and that "its current hausing capacity is about to increase."
Nicaragua	The total capcity of the 8 penetentiary centers of the country, in September 2010, was 4,742 spots, and they were being filled by 6,071 persons. The most populated is the Centro Penal de Granada, which capacity is for 469 persons and housed 851.
Panamá	The total capacity of the 19 penal centers of the country on September 2010 was 7,088 spots, and they had an actual population of 11,578 inmates; noting: the Centro Penitenciario La Joyita (capacity 1,850/population 4,027); the Centro Penitenciario La Joya (capacity 1,556/population 1,871); the Centro de Rehabilitación Nueva Esperanza (capacity 1,008/population 1,305); the Cárcel de David (capacity 300/population 906); and the Cárcel de La Chorrera (capacity 175/population 494).
Paraguay	The total capacity of the 15 penetentiary institututions in the country, on May 13, 2010 was 4,951 spots and their population 6,270 inmated. It is worth undercoring: the Penitenciaría Nacional de Tacumbú (capacity 1,800/population 3,138); the Penitenciaría Reg. PJ. Caballero y la Penitenciaría Reg. Misiones, both with a capacity for 90 persons, and which held 657 and 442 persons respectively.
Perú	According to official information updated on May 23, 2010, the relation between the capicity and the inmates population by regions in Perú is as follows:[536] • Northern Region (13 penitentiaries): capacity 4,840/population

---

[536] Due to the large amount of Penitentiary Establishments, information is organized according to the totals by region, and at the end some examples of representative cases are provided.

	6,264; Lima Region (16 Ps.): capacity 11,413/population 23,472; • Pucallpa West region (4 Ps.): capacity 1,734/population 2,941; • Huancayo Central Region (9 Ps.): capacity 1,763/population 4,026; • Cusco South West Region (10 Ps.): capacity 1,632/population 2,248); • Arequipa Southern Region (6 Ps.): capacity 1,010/population 1,785; • San Martín North West Region (8 Ps.): capacity 1,304/population 3,010; • Altiplano Puno Region (5 Ps.): capacity 1,198/population 1,014. The overall housing capacity of the State is 24,894 spots for a total population of 44,760 inmates; in this context, the following centers are in overflow: EP. Lurigancho (capacity 3,204/population 8,877); EP. Callao (capacity 572/population 2,598); EP. de Cañete 567/1,975); EP. de Pucallpa (capacity 484/population 1,340); EP. de Chanchamayo (capacity 120/population 497); and EP. de Ayacucho (capacity 644/population 1,706).
Suriname[537]	The four penetentiary centers of the country, in February 2011, had a total capacity of housing for 1,277 and a total population of 1,010, indicating that every one of its establishments was below capacity limits.
Trinidad y Tobago	On February 2010 the 8 penitentiaries of the country had a total capacity for housing of 4,386 places for a population of 3,672 inmated. However some specific prisons are considerably overpopulated, for example: the Prisión de Puerto España (capacity 250/population 460); the Carrera Prison for Convicted (capacity 185/population 380); and the Remand Yard Prison (capacity 655/population 981).
Uruguay[538]	The housing capacity for the Penetentary System of Uruguay in March 2010 was 6,413 places, with a prison population of 8,785 persons.
Venezuela	According to official numbers given in June 2010, the information is the following, by prison[539]: • Casa de Reeducación, Rehabilitación e Internado Judicial El Paraíso (La Planta): capacity 600/population 1940; • Internado Judicial Capital Rodeo I: capacity 750/population 2,145; • Internado Judicial Capital Rodeo II: capacity 684/population 1161; • Centro Penitenciario Metropolitano Complejo Yare: capacity 750/population 1,334;

---

[537] For a more recent reference regarding statistical information of Suriname, see, IACHR, Press Release 56/11, "Office of the Rapporteur on the Rights of Persons Deprived of Liberty Concludes Visit to Suriname," Washington, D.C., June 9, 2011, Annex.

[538] For a more recent reference regarding statistical information of Uruguay, see, IACHR, Press Release 76/11 - IACHR Recommends Adoption of a Comprehensive Public Policy on Prisons in Uruguay. Washington, D.C., July 25, 2011.

[539] In the case of those prison establishments that have cellblocks or attachments for female inmates, this population is included within the term "general population"; however in the case of those prisons that only house male prisoners, inmate total is called "population".

- Centro Penitenciario Metropolitano Yare III: population 140 (the capacity was not given);
- Instituto Nacional de Orientación Femenina (INOF): capacity 240/population 676;
- Internado Judicial de Los Teques: capacity 700/population 1,340;
- Cárcel Nacional de Maracaibo (Sabaneta): capacity 800/ general population 2,514;
- Internado Judicial de Falcón: capacity 750/ general population 898;
- Comunidad Penitenciaria de Coro: capacity 818/ general population 560;
- Centro Penitenciario de la Región Centro Occidental (Uribana): capacity 860/ general population 1785;
- Centro Penitenciario Los Llanos (Guanare): capacity 800/population 949;
- Internado Judicial de Trujillo: capacity 400/population 714;
- Internado Judicial de Barinas: capacidad 540/ general population 1616;
- Centro Penitenciario Región Andina: capacity 776/ general population 1550;
- Centro Penitenciario de Occidente (Santa Ana): capacity 1,500/ general population 2,254;
- Internado Judicial de Apure: capacity 418/ general population 500;
- Internado Judicial de Yaracuy: capacity 300/population 839;
- Internado Judicial de Carabobo (Tocuyito): capacity 1,200/ general population 3,810;
- Centro Penitenciario de Carabobo (Mínima): capacity 300/popuation 96;
- Centro Penitenciario de Aragua (Tocorón): capacity 550/ general population 3,332;
- Centro Experimental de Reclusión y Rehabilitación de Jóvenes Adultos (CERRA): capacity 50/population 5;
- Internado Judicial de Los Pinos: capacity 600/population 922;
- Penitenciaría General de Venezuela: initial capacity 3000/population 915;
- Internado Judicial de Anzoátegui (Puente Ayala): capacity 650/population 1071;
- Internado Judicial de Sucre (CUMANA): capacity 135/ general population 424;
- Internado Judicial de Carúpano: capacity 120/ general population 571;
- Centro Penitenciario Región Oriental (El Dorado): capacity 200/population 138;
- Internado Judicial de Ciudad Bolívar (Vista Hermosa): capacity 400/population 1,060;
- Internado Judicial de la Región Insular (Margarita): capacity 510/ general population 1,693;
- Centro Penitenciario Femenino Región Insular: capacity 54/population 18;

Internado Judicial de Monagas (La Pica): capacity 800/ general population 1156.

451.   The IACHR notes that overcrowding is the foreseeable consequence of the following fundamental factors: (a) lack of adequate infrastructure to house the growing prison population; (b) implementation of repressive policies of social control, which institute the deprivation of liberty as a fundamental response to the need for public security (so-called "iron fist" or "zero tolerance" policies); (c) the excessive use of preventive detention and deprivation of liberty as a criminal sanction;[540] and (d) the lack of a quick and effective response by the court systems to process, both criminal cases, and all motions that are part and parcel of the process of sentence execution (such as entertaining motions for probation).

452.   With respect to policies that foster the use of imprisonment as a tool to decrease levels of violence, the IACHR noted in its Report on Citizen Security and Human Rights that:

> With debatable efficacy, [these policies] have in fact increased the prison population. However, the vast majority of the countries of the region did not have –and do not have- either the infrastructure or the technical and human resources that their prison systems need in order to ensure that persons deprived of their liberty will receive humane treatment and to make that system an effective tool for prevention of violence and crime.[541]

453.   This reality was clearly observed by the Rapporteur on the Rights of Persons Deprived of Liberty on his visit to El Salvador when he witnessed that even though the Salvadoran prison system has installed capacity for 8,110 inmates, in October 2010 it was housing 24,000 people. However, criminal activity and levels of violence continue to rise despite the massive use of detention. In this regard, the IACHR considers that "penal reforms designed to produce significant changes must be accompanied by the corresponding modification of judicial and prison institutions, since these are the areas that will feel the direct impact of these legislative reforms."[542]

454.   Similarly, the UN Rapporteur on Torture has considered that, in general, the use of imprisonment as a habitual measure and not as a last resort has not curbed crime rates or prevented recidivism. On the contrary, it has had a negative impact on the prison system; consequently, instead of a punitive penal and penitentiary system directed at locking people up, the highest priority should be afforded to a comprehensive reform of the whole administration of justice system, introducing a new approach aimed at the rehabilitation and reintegration of offenders in society.[543]

---

[540] See also, United Nations, Working Group on Arbitrary Detention, Report to the [former] UN Commission on Human Rights, E/CN.4/2006/7, adopted on December 12, 2005, Ch. III:(B) *Over-incarceration*, paras. 60-67.

[541] IACHR, *Report on Citizen Security and Human Rights*, para. 157.

[542] IACHR, Press Release 104/10 - IACHR Office of the Rapporteur Attests to Structural Deficiencies in Prison System of El Salvador. Washington, D.C., October 20, 2010.

[543] United Nations, Special Rapporteur on Torture and other Cruel, Inhuman or Degrading Treatment or Punishment, Report of the Mission to Uruguay, A/HRC/13/39/Add.2, adopted on December 21, 2009. Ch. IV:

Continues...

455.   The overcrowding of persons deprived of liberty generates constant friction between inmates and increases levels of violence in prisons[544]. Overcrowding also makes it difficult for prisoners to have a minimum of privacy; reduces opportunity for access to showers, bathrooms and the prison yard, etc; fosters the spread of illness; creates an atmosphere in which health, sanitary and hygienic conditions are deplorable; constitutes a risk factor for fires and other emergency situations;[545] and prevents access to the –usually few– opportunities to work and study; thus, overcrowding poses a true barrier to the achievement of the purposes of the punishment of deprivation of liberty.

456.   The overpopulation generates serious problems in the management of prison facilities, adversely affecting, for example, the provision of medical services and implementation of prison security systems. Additionally, it creates conditions for the commission of routinely and systematic acts of corruption, in which prisoners must pay for receiving basic and necessary goods and even for the access to educational and working programs and other resources that should be normally provided freely by the State.[546]

457.   Another serious consequence of overcrowding is that it makes it impossible to classify inmates by categories; for example, accused and convicted persons, which is a breach of the Article 5.4 of the American Convention and of the duty of the State to treat accused persons differently, in accordance with the presumption of innocence.

458.   In countries where overcrowding has reached critical levels, authorities have resorted to the practice of imprisoning persons for extended periods of time at makeshift detention centers and police stations or headquarters.[547] The practice is a gross violation of inmates' human rights because, among other reasons: (a) these facilities are not designed to house people for extended periods of time, and therefore lack the basics services for this purpose; (b) it is impossible to classify inmates by category, which has

---

...continuation

Administration of criminal justice: underlying causes for collapsing administration of justice and penitentiary systems, paras. 100- 101.

[544] Overcrowding considerations have been a constant in those prisons with high rates of violence for which the Inter American Court has granted provisional measures. For example, the Tocoron prison in Venezuela, with a capacity of 750 had at the time of the granting of provisional measures a population of 3,211 inmates. I/A Court H.R., *Provisional Measures in the matter of Centro Penitenciario de Aragua "Cárcel de Tocorón"*, Venezuela, Order of the President of the Inter-American Court of Human Rights, November 1, 2010, Having seen paragraph 2a).

[545] For example, overcrowding was one of the key factors in the fatal outcome of deaths in fires in the Department Prison of Rocha, Uruguay on July 8, 2010; and in San Miguel Prison in Chile on December 8, 2010.

[546] See, *e.g.*, United Nations, CAT/OP/MEX/1, *Report on the visit of the Subcommittee on Prevention of Torture and Other Cruel, Inhuman or Degrading Treatment or Punishment to Mexico*, May 27, 2009, para. 169.

[547] See, *e.g.*, IACHR, *Observations of the Inter-American Commission on Human Rights upon conclusions of its April 2007 visit to Haiti*, OEA/Ser.L/V/II.131. Doc. 36, adopte don March 2, 2008, Ch. IV, para 34; IACHR, Report on the Situation of Human Rights in Brazil, OEA/Ser.L/V/II.97. Doc. 29 rev. 1, adopted on September 29, 1997. Ch. IV, para. 7; and IACHR, Press Release 64/10 - IACHR Rapporteurship Confirms Grave Detention Conditions in Buenos Aires Province. Washington, D.C., June 21, 2010. See also, United Nations, Special Rapporteur on Torture and Other Cruel, Inhuman or Degrading Treatment or Punishment, Report submitted pursuant to Commission on Human Rights resolution 2000/43, Addendum, Visit by the Special Rapporteur to Brazil, E/CN.4/2001/66/Add.2, adopted on March 30, 2001, paras. 119-120.

serious consequences in terms of security and treatment; and (c) police officers are not trained for direct custody of inmates, nor is that part of their normal duties.

459. On this issue, the IACHR has established that "the necessary legislative measures and structural reforms should be adopted so that detention at police headquarters is used as little as possible, only until a judicial authority determines the situation of the person under arrest."[548]

460. Overcrowding of persons deprived of liberty could constitute in and of itself a form of cruel, inhuman and degrading treatment, violating the right to humane treatment and other internationally recognized human rights. This situation amounts to a serious structural deficiency, which totally defeats the essential purpose that the American Convention assigns to punishments of deprivation of liberty: reform and social rehabilitation of convicts.

461. The IACHR recognizes that the creation of new prison capacity —either through the construction of new facilities or the modernization and expansion of existing ones— is an essential measure to combat overcrowding and adjust prison systems to present needs; however, this measure alone does not represent a sustainable solution over time. Measures of immediate effect such as presidential pardons or collective release of particular categories of prisoners, based on age, state of health, seriousness of the offense, among other factors, are not sustainable solutions to this problem either; even though in some cases these measures may be necessary and pertinent.

462. Effective attention to overcrowding also calls for States to adopt policies and strategies that include, among other things: (a) the legislative and institutional reforms required to ensure a more rational use of preventive detention, and for this measure to only be used as a last resort and an exception to the rule; (b) enforcement of the maximum time periods established by law for detainees to remain in preventive detention; (c) promotion of the use of alternative measures or substitutes for preventive detention and the deprivation of liberty as a sentence;[549] (d) the use of other methods to serve sentences such as probation, supervised release and work or school release; (e) modernization of administration of justice systems to streamline criminal proceedings; and (f) prevention of illegal or arbitrary detention by law enforcement agents.

---

[548] IACHR, Press Release 56/11, "Office of the Rapporteur on the Rights of Persons Deprived of Liberty Concludes Visit to Suriname," Washington, D.C., June 9, 2011, Annex, para. 23.

[549] In this regard, the authorities responsible for the penitentiary and prison policies of the OAS member States recommended: "[e]very effort shall be made to employ alternative sanctions within the framework of the domestic legislation in force. Preference should be given *inter alia* to the following: verbal sanctions, conditional liberty, sanctions that restrict rights, monetary penalties, seizure or confiscation, victim compensation, suspension or deferment of sentences, public service, the obligation to report regularly to a specific institution, house arrest, remission, pardon, and work or educational release programs." OAS, Recommendations from the Second Meeting of Officials Responsible for Penitentiary and Prison Policies in OAS Member States, OEA/Ser.K/XXXIV GAPECA/doc.8/08 rev. 2, adopted on December 16, 2008, available at: http://www.oas.org/dsp/English/cpo_documentos_carceles.asp.

463.   As a measure to counteract overcrowding, the Principles and Best Practices provide that occupation of an institution over its maximum capacity shall be prohibited by law and the law shall establish remedies intended to immediately address any situation of overcrowding. Additionally, the competent judicial authorities shall adopt adequate measures in the absence of effective legal regulation.[550]

464.   States have the fundamental duty to establish clear criteria to define the maximum capacity of prison facilities.[551] In this regard, the Principles and Best Practices establish that "such information, as well as the actual ratio of each institution or center shall be public, accessible and regularly updated." The Principles also prescribe that the law shall establish the procedures to dispute the data regarding the maximum capacity or the occupation ratio.[552]

465.   The housing capacity of centers of deprivation of liberty should be formulated by taking into account criteria such as: actual floor space available per inmate; ventilation; lighting; access to toilets; number of hours that inmates spend confined to their cells or sleeping quarters; the number of hours that they spend outside; and the chances they have to exercise, work, and engage in other activities. Nonetheless, actual housing capacity is the amount of space available to each inmate in the cell in which he or she is enclosed. Measurement of this space is the quotient of dividing the total floor space in the sleeping quarters or cell by the number of occupants. Furthermore, each inmate must at least have enough space to sleep lying down, to walk freely within the cell or sleeping quarters, and to accommodate his or her personal possessions.[553]

466.   If the true causes of overcrowding and possible long-term solutions thereto are not examined thoroughly, any plans or projects to create or refurbish spaces will be nothing more than palliative measures to a problem that will inexorably grow over time.

2.   Accommodation, hygiene and clothing

467.   With respect to accommodation, the Principles and Best Practices establish:

Principle XII.1: Persons deprived of liberty shall have adequate floor space, daily exposure to natural light, appropriate ventilation and heating, according to the climatic conditions of their place of deprivation of liberty. They shall be provided with a separate bed, suitable bed

---

[550] IACHR, *Principles and Best Practices on the Protection of Persons Deprived of Liberty in the Americas*, (Principle XVII).

[551] IACHR, *Fifth Report on the Situation of Human Rights in Guatemala*, Ch. VIII, para. 48.

[552] IACHR, *Principles and Best Practices on the Protection of Persons Deprived of Liberty in the Americas*, (Principle XVII).

[553] International Committee of the Red Cross (ICRC), *Water, Sanitation, Hygiene and Habitat in Prisons* (2005), pp. 19-20, available at: http://www.icrc.org/eng/assets/files/other/icrc_002_0823.pdf.

clothing, and all other conditions that are indispensable for nocturnal rest. The installations shall take into account the special needs of the sick, persons with disabilities, children, pregnant women or breastfeeding mothers, and the elderly, amongst others.

468.   In this regard, the IACHR has noted that one of the most frequent reasons why persons deprived of liberty do not have adequate accommodation conditions is because of the widespread practice of using buildings and facilities that were not originally designed for such functions as centers of deprivation of liberty; or that are extremely old, and are not actually fit to serve as deprivation of liberty centers.

469.   For example, on the mission to the province of Buenos Aires, the Rapporteur on the Rights of Persons Deprived of Liberty observed that the police headquarters he visited were not facilities designed originally to house persons for extended periods of time, but were instead structures of another kind which were subsequently refurbished.[554] Likewise, on his visit to Uruguay, the same Rapporteur noted serious structural deficiencies of the Women's Center of Cabildo, which was originally a convent built in 1898 and, in the present day, did not provide minimum conditions of security.[555]

470.   Moreover, in the questionnaire published in conjunction with this report, information pertaining to the age of prison facilities and whether they had been designed for that specific purpose was requested. In response, some States provided the following information:

Argentina	Of the 54 Penitentiary Units of the province of Buenos Aires, ten of them were not constructed for that specific purpose. Additionally, of the 54 Penitentiary Units, three of them were constructed between 1877 and 1882; four, between 1913 and 1951; and the rest, after 1960.
Bolivia	Of the 18 penitentiary centers of the country, three were constructed between 1832 and 1900; three, between 1935 and 1957; and the rest, after 1980.
Ecuador	Of the 40 rehabilitation centers of the country, four were constructed between 1860 and 1900; six, between 1915 and 1954; and the rest, as of 1964.
El Salvador	The State of El Salvador reported openly and transparently that: "The only Penal Centers that were built for that purpose are the Women's Re-adaptation Center (Centro de Readaptación para Mujeres) of Ilopango, the Maximum Security Penal Center of Zacatecoluca, and the Izalco Penal Center. The rest of them have been refurbished to serve as prisons, such as the case of the Security Penal Center of San Francisco Gotera and the Preventive and Sentence Execution Center of San Miguel, which used to be coffee processing plants; the Occidental Penitentiary of

---

[554] IACHR, Press Release 64/10 - IACHR Rapporteurship Confirms Grave Detention Conditions in Buenos Aires Province. Washington, D.C., June 21, 2010.

[555] IACHR, Press Release 76/11 - IACHR Recommends Adoption of a Comprehensive Public Policy on Prisons in Uruguay. Washington, D.C., July 25, 2011, Anex, para. 29.

	Santa Ana, which is an annex to the Second Infantry Brigade; and the Central Penitentiary la Esperanza, built originally to be a school."
Guyana	Of the five penitentiary centers of this State, three were originally built between 1832 and 1860, and the other two, during the 1970's.
Nicaragua	Of the eight penal centers of the country, three were not originally built to be prisons: the Penitentiary Center of Chinadega, which was originally a shelter for people awaiting the train to spend the night and also functioned as a public dormitory; the Women's Penitentiary Center of Veracruz, which was a private estate; and the Penitentiary Center of Bluefields, "which are very old facilities where King Mosco of the Caribbean Coast was established."
Panama	Of the 24 facilities officially used as Penal Centers, fifteen were built originally as police barracks about 50 years ago, most of which were refurbished subsequently. Additionally, the penitentiary centers of la Joya and la Joyita, the two most crowded in the country, were originally military and then police facilities, which were adapted to house inmates after the Carcel Modelo was shut down in the mid 1990's.
Trinidad and Tobago	Of the 8 penitentiary institutions of the State, only three have been built as jails, the other five were originally used for other purposes. They are: *Port Spain Prison*, built in 1812 as a mental institution and later remodeled to house prisoners; *Carrera Convict Prison*, built in 1877 as a welcome center for migrant workers, then used as a quarantined leper colony and, in the end, converted to a prison in 1937; *Tobago Prison*, a structure which originally was part of the Scarborough Police Station and was declared a district prison in 1902; *Golden Grove Prison*, built originally in 1940 as a movie theater for the Allied Forces during the Second World War, and was then converted to a preventive detention center in 1974.

471.   In this context, in addition to current international standards pertaining to infrastructure and living conditions, the IACHR notes that, at the technical level, prison authorities of the OAS member States have urged their countries to:

> [P]propose solutions to the deficiencies of prison infrastructure with the goal of preventing overcrowding and all its negative consequences, and aiming to provide minimum standards of care and personal security. Therefore, it is essential to work toward developing mechanisms that encourage the modernization of the infrastructure of prisons.[556]

472.   Basic requirements of accommodation encompass enough floor space for inmates to sleep in a separate bed. According to the technical criteria of the International Red Cross, the beds must at least be 2 meters long by 0.8 meters wide.[557] The IACHR has further established that the concept of "separate bed," according to current use of the

---

[556] OAS, Recommendations from the Second Meeting of Officials Responsible for Penitentiary and Prison Policies in OAS Member States, OEA/Ser.K/XXXIV GAPECA/doc.8/08 rev. 2, adopted on December 16, 2008, available at: http://www.oas.org/dsp/English/cpo_documentos_carceles.asp.

[557] International Committee of the Red Cross (ICRC), *Water, Sanitation, Hygiene and Habitat in Prisons* (2005), p. 21, available at: http://www.icrc.org/eng/assets/files/other/icrc_002_0823.pdf.

term, implies that the furniture or structure must have a mattress.[558] This indispensable minimum requirement for the dignified accommodation of persons deprived of liberty is not met by hammocks suspended from the cell walls –a common practice at prisons of the region-, which when hanging at a certain height from the ground, pose an inherent risk factor due to the potential of inmates falling from them.

473.   As to hygiene and clothing, the Principles and Best Practices establish:

Principle XII.2: Persons deprived of liberty shall have access to clean and sufficient sanitary installations that ensure their privacy and dignity. They shall also have access to basic personal hygiene products and water for bathing or shower, according to the climatic conditions. Women and girls deprived of their liberty shall regularly be provided with those articles that are indispensable to the specific sanitary needs of their sex.

Principle XII.3: The clothing to be used by persons deprived of liberty shall be sufficient and adequate to the climatic conditions, with due consideration to their cultural and religious identity. Such clothing shall never be degrading or humiliating.

474.   Compliance with these provisions means *inter alia* that the State must provide inmates with the essential articles of personal hygiene such as tooth paste and toilet paper, and may not require purchase of these items within the prison or force inmates to depend only on their family members or friends to provide these items to them.[559] Additionally, inmates should have a minimum of privacy to relieve themselves and should have toilets or latrines in their cells or else have the opportunity to have regular access to them, and not be required to hold urine or excrement in bags or plastic receptacles inside their cells or throw them through the window outside of the cells.

3.   Food and drinking water

475.   With regard to food, the Principles and Best Practices provide:

Principle XI.1: Persons deprived of liberty shall have the right to food in such a quantity, quality, and hygienic condition so as to ensure adequate and sufficient nutrition, with due consideration to their cultural and religious concerns, as well as to any special needs or diet determined by medical criteria. Such good shall be provided at regular intervals, and its suspension or restriction as a disciplinary measure shall be prohibited by law.

---

[558] IACHR, Press Release 56/11, "Office of the Rapporteur on the Rights of Persons Deprived of Liberty Concludes Visit to Suriname," Washington, D.C., June 9, 2011, Annex, para. 9. IACHR, *Fifth Report on the Situation of Human Rights in Guatemala*, Ch. VIII, para. 69.

[559] See in this regard, IACHR, Press Release 56/11, "Office of the Rapporteur on the Rights of Persons Deprived of Liberty Concludes Visit to Suriname," Washington, D.C., June 9, 2011, Annex, para. 8.

476.   In performance of its monitoring function, the IACHR, as well as the Office of Rapporteur on the Rights of Persons Deprived of Liberty, have observed at most centers of deprivation of liberty visited by them that food is not provided to inmates in appropriate conditions of quantity, quality and hygiene. Consequently, in practice, persons deprived of liberty must purchase or get their own food in some other way inside the prison,[560] and/or rely on their family members to provide it to them. In the end, this can give rise to inequality and corruption inside of penitentiary centers. Furthermore, it is common that at some prisons the inmates opt to cook their own food using makeshift devices inside their own cell, which increases the number of irregular electrical connections and the consequent fire hazard.[561]

477.   During the visit of the Rapporteur on the Rights of Persons Deprived of Liberty to El Salvador, one issue that was widely denounced and attested to at prison visits was the deficient food served to persons deprived of liberty. It was observed in general that the nutritional content and the conditions of quality and hygiene of the food were overtly insufficient, almost totally lacking in protein. Additionally, the food was served in a degrading way, with the inmates being forced to eat with their hands and on improvised dishes.[562] Similarly, on his visit to the province of Buenos Aires, the Rapporteur witnessed with concern that in the cellblock separated from the common areas, the inmates in solitary confinement did not have running water and had to eat with their hands. In this regard, the IACHR stressed that "it is indispensable for the State to provide those in custody with basic utensils so they can eat in minimum conditions of dignity."[563]

478.   Likewise, on his visit to Ecuador, the Rapporteur on the Rights of Persons Deprived of Liberty observed that there was an overall lack of resources available to provide adequate food to detainees, and that the daily budget of one dollar per person deprived of liberty is insufficient to adequately cover the nutritional needs of the prison population.[564]

479.   In some instances, it has been observed that the State allocates the resources required to feed the inmates; these products are illegally sold off by the prison

---

[560] See, *e.g.*, the Rapporteur of PDL during his visit to Uruguay, received testimony from a transgender inmate confined in the module 1of the Prison Complex Santiago Vasquez, who said he worked as a prostitute in exchange for money and basic necessities such as food.

[561] See in this regard, IACHR, Press Release 76/11 - IACHR Recommends Adoption of a Comprehensive Public Policy on Prisons in Uruguay. Washington, D.C., July 25, 2011, Annex, para. 28.

[562] IACHR, Press Release 104/10 - IACHR Office of the Rapporteur Attests to Structural Deficiencies in Prison System of El Salvador. Washington, D.C., October 20, 2010, Annex, section 6.

[563] IACHR, Press Release 64/10 - IACHR Rapporteurship Confirms Grave Detention Conditions in Buenos Aires Province. Washington, D.C., June 21, 2010.

[564] IACHR, Press Release 56/10 - IACHR Rapporteurship on Persons Deprived of Liberty Concludes Visit to Ecuador. Washington, D.C., May 28, 2010. Similarly, in its Special Country Report of Ecuador of 1997, the IACHR received information that the budget allocated to cover the three daily meals of prisoners was 70 cents. IACHR, *Report on the Situation of Human Rights in Ecuador*, Ch. VI.

authorities themselves and consequently, the food never makes it to the prisoners.[565] There is no tight control over the budget allocated for these purposes.[566] Likewise, the IACHR finds that delegating the authority of distribution of food within the prison to particular groups of inmates –usually those who are actually in charge of the institution or even religious leaders-[567] is a dangerous practice that prevents the reasonable and fair distribution of food and perpetuates the system of corruption and abuse in the jails.

480.   Moreover, some States have opted to contract out to private companies to supply food to penitentiaries, which are also known as catering services. While this initiative may seem in principle to be advantageous, the IACHR has noticed that even in States that have implemented this method, deficiencies still exist, both in the quality and quantity of food delivered, as well as in the distribution of the food to the prison population.[568] In this regard, the IACHR reiterates that even when feeding persons deprived of liberty is outsourced to a concessionaire, "the State remains responsible for oversight and control of quality of the products provided by the catering companies, and for ensuring that all the products in fact reach the prisoners."[569] The IACHR also holds that States must ensure full respect for the basic principles of free competition, equality among contracting parties, publicity and transparency in these processes of public procurement.

481.   With respect to drinking water, the Principles and Best Practices establish that "every person deprived of liberty shall have access at all times to sufficient drinking water suitable for consumption. Its suspension or restriction as a disciplinary measure shall be prohibited by law."[570]

---

[565] See in this regard, IACHR, *Report on the Situation of Human Rights in Brazil*, Ch. IV, para. 18; IACHR, Press Release 76/11 - IACHR Recommends Adoption of a Comprehensive Public Policy on Prisons in Uruguay. Washington, D.C., July 25, 2011 Annex, para. 55.

[566] See in this regard, IACHR, *Second Report on the Situation of Human Rights in Peru*, Ch. IX, para 15.

[567] IACHR, Public hearing: *Human Rights Violations in Prisons in Panama*, 131º Ordinary Period of Sessions, requested by: State of Panama, Comisión de Justicia y Paz de la Conferencia Episcopal de Panmá, Centro de Iniciativas Democráticas (CIDEM), Harvard University. March 7, 2008. In this regard, see the report: *Del Portón para Acá se Acaban los Derechos Humanos: Injusticia y desigualdad en las cárceles panameñas*, p.124, presented in the said hearing available at: http://www2.ohchr.org/english/bodies/hrc/docs/ngos/HarvardClinicPanamaprisons.pdf.

[568] See in this regard, IACHR, *Fifth Report on the Situation of Human Rights in Guatemala*, Ch. VIII, para. 57; IACHR, Public hearing: *Human Rights Violations in Prisons in Panama*, 131º Ordinary Period of Sessions, Participants: State of Panama, Comisión de Justicia y Paz de la Conferencia Episcopal de Panmá, Centro de Iniciativas Democráticas (CIDEM), Harvard University. March 7, 2008. In this regard, see the report: *Del Portón para Acá se Acaban los Derechos Humanos: Injusticia y desigualdad en las cárceles panameñas*, pp 59/64, presented in the said hearing available at: http://www2.ohchr.org/english/bodies/hrc/docs/ngos/HarvardClinicPanamaprisons.pdf. Likewise, the Rapporteurship on the Rights of Persons Deprived of Liberty noted the lack of quality of the services of catering in prisons in the course of its visit to the Province of Buenos Aires, IACHR, Press Release 64/10 - IACHR Rapporteurship Confirms Grave Detention Conditions in Buenos Aires Province. Washington, D.C., June 21, 2010.

[569] IACHR, Press Release 76/11 - IACHR Recommends Adoption of a Comprehensive Public Policy on Prisons in Uruguay. Washington, D.C., July 25, 2011, Annex, para. 55.

[570] IACHR, *Principles and Best Practices on the Protection of Persons Deprived of Liberty in the Americas*, (Principle XI.2).

482.   Moreover, the Court has established that "the lack of supply of water for human consumption is a particularly important aspect of the conditions of detention," and that:

> The absence of minimum conditions to ensure the supply of drinking water in a penitentiary center constitutes a serious failure of the State in its duties to ensure that the persons who are under its custody, inasmuch as the circumstances of imprisonment prevent persons deprived of liberty from satisfying on their own several basic necessities that are essential to the development of a dignified life, such as access to sufficient and healthy water.[571]

483.   In accordance with the technical criteria of the International Committee of the Red Cross, the minimum amount of water that a person requires to survive is from 3 to 5 liters per day. This minimum may be higher based on the climate and amount of physical exercise performed by the inmates. Moreover, the minimum requirement per person to meet all of his or her needs is from 10 to 15 liters of water per day, provided that sanitary installations are in proper working order; and the minimum amount of water that inmates should be able to store inside their cells is 2 liters per person per day, if they are confined for periods of up to 16 hours, and from 3 to 5 liters per person per day, if they are confined for more than 16 hours or if the climate is hot.[572]

484.   Failure to provide and treat drinking water,[573] as well as food in the proper condition[574] is a permanent factor of illness and health complications for inmates.

F.   Transfer and transportation of persons deprived of liberty

485.   The transfer and transportation of inmates is another one of the relevant elements of the special relationship between the State and persons under its custody, where both the right to humane treatment and other fundamental rights can be violated. In practice, both the transfer itself and the conditions in which it is carried out could have a significant impact on the situation of the inmate and on his family. Furthermore, when transfers are executed arbitrarily or in circumstances that are contrary to respect for the human rights of inmates, they could amount to invisible spaces or gray areas for the commission of abuses by authorities.

486.   It is precisely in light of this reality that international instruments pertaining to persons deprived of liberty establish a set of parameters and general

---

[571] I/A Court H.R., *Case of Vélez Loor V. Panama*. Preliminary Objections, Merits, Reparations, and Costs. Judgment of November 23, 2010 Series C No. 218, paras. 215-216.

[572] International Committee of the Red Cross (ICRC), *Water, Sanitation, Hygiene and Habitat in Prisons* (2005), pp. 34-36,

[573] See in this regard, IACHR, Press Release 56/11, "Office of the Rapporteur on the Rights of Persons Deprived of Liberty Concludes Visit to Suriname," Washington, D.C., June 9, 2011, Annex, paras. 6 and 20.

[574] See in this regard, IACHR, Press Release 104/10 - IACHR Office of the Rapporteur Attests to Structural Deficiencies in Prison System of El Salvador. Washington, D.C., October 20, 2010, Annex, section 6.

guidelines aimed at protecting the fundamental rights of prisoners during transfers. In this regard, the Principles and Best Practices provide:

> The transfers of persons deprived of liberty shall be authorized and supervised by the competent authorities, who shall, in all circumstances, respect the dignity and fundamental rights of persons deprived of liberty, and shall take into account the need of persons to be deprived of liberty in places near their family, community, their defense counsel or legal representative, and the tribunal or other State body that may be in charge of their case.
>
> The transfers shall not be carried out in order to punish, repress, or discriminate against persons deprived of liberty, their families or representatives; nor shall they be conducted under conditions that cause physical or mental suffering, are humiliating or facilitate public exhibition. (Principle IX.4).

Additionally, the Principles establish that transfers shall never be used to justify "discrimination, the use of torture, cruel, inhuman, or degrading treatment or punishment, or the imposition of harsher or less adequate conditions on a particular group." (Principle XIX)

487.   These standards are also recognized at the universal level in the Standard Minimum Rules for the Treatment of Prisoners, Rule 45; the Body of Principles for the Protection of All Persons under Any Form of Detention or Imprisonment, Principle 20; the United Nations Rules for the Protection of Juveniles Deprived of their Liberty, Rule 26; and the United Nations Principles on Mental Illness, Principle 7.2. Similarly, and concurring with these standards, European Prison Rules, Rules 17.1, 17.3 and 32.

488.   In performing its different functions, the Commission has, on several occasions, highlighted situations in which the transfer of persons deprived of liberty has violated the human rights of those transferred:

489.   For example, in the follow up on the human rights situation in Cuba, the IACHR has consistently mentioned the deliberate transfer of political prisoners to excessively far away places from where their families reside as an additional punishment to the inhuman regime of imprisonment to which they are subjected. On top of this circumstance, families of political prisoners face transportation difficulties, restrictions on visitation, and harassment perpetrated by the regime. The case of ex-political prisoner Pedro Pablo Alvarez is illustrative of this problem. He testified at a public hearing held at the IACHR on October 28, 2008 that he had been imprisoned at the Canaleta prison, in the province of Ciego de Avila, almost 500 kilometers away from the city of Havana.[575]

---

[575] IACHR, *Annual Report 2008*, Chapter IV, Cuba, OEA/SerL/V/II.134, Doc. 5, rev. 1, adopted on February 25, 2009, para. 194. See also, IACHR, *Annual Report 2005*, Chapter IV, Cuba, OEA/Ser.L/V/II.124. Doc. 7, adopted on February 27, 2006, para. 77; and IACHR, *Annual Report 2002*, Chapter IV, Cuba, OEA/Ser.L/II.117. Doc. 1 rev. 1, adopted on March 7, 2003, para. 69.

490.   During a recent visit to the province of Buenos Aires, the Rapporteur on the Rights of Persons Deprived of Liberty attested to the fact that prison authorities engaged in the practice of carrying out successive and arbitrary transfers of inmates as a form of internal control of prisons or as a disciplinary measure –which is known in the local jail slang as *la calesita* 'merry-go-round'–, with the aggravating factor that during the transfer the inmates are often subjected to different forms of cruel, inhuman and degrading treatment. In fact, one of the inmates who was interviewed during the visit claimed that he had been sent to more than 40 (of the 54) Penitentiary Service Units of the province of Buenos Aires. On this topic, the Rapporteur stressed that constant relocation of these persons in different facilities of the vast province of Buenos Aires had adversely affected regular contact with their family members and prevented them from gaining access to the necessary job and education programs for their rehabilitation.[576] The Rapporteur also confirmed first hand that this practice was not only the consequence of a deeply rooted institutional mindset, but also of overpopulation at the Penitentiary Units.

491.   Based on information received during that visit, the number of inmates who were transferred 3 or more times during 2008 was 5,643. Furthermore, during that year the Penitentiary System of the province of Buenos Aires allegedly ordered a total of 47,709 transfers, of which 26,385 were lacking a clear justification; 18,928, for "relocation"; 7,378, for unspecified reasons; and 79, for no reason at all. These transfers are usually carried out with prison staff perpetrating acts of violence, almost always beginning with pinning the inmate's arms painfully behind the back (*crique de brazos*) and "motor scooter" (*motoneta)* position, in order to make him/her feel pain and also neutralize any type of reaction, while the prisoner is beaten by the prison officers.[577]

492.   The IACHR also received reports that, in some instances, the transfer of persons as a form of punishment did not necessarily involve sending the person to a far off facility, but often the punishment involved intentionally transferring the person specifically to a jail where conditions were much worse.[578] Similarly, as a consequence of firmly rooted institutional customs, many times that the transfer of particular inmates to jails with better conditions of imprisonment –or VIP jails- are selectively authorized in light of social standing or the degree of influence of these inmates, and not necessarily based on criteria established by the appropriate law or regulation.[579] These patterns, which are quite

---

[576] IACHR, Press Release 64/10 - IACHR Rapporteurship Confirms Grave Detention Conditions in Buenos Aires Province. Washington, D.C., June 21, 2010.

[577] Comité Contra la Tortura de la Comisión Provincial por la Memoria, Annual Report 2009: *El Sistema de la Crueldad IV* [The System of Cruelty IV], pp. 109, 110 and 117.

[578] With regard to the practice of transferring prisoners from one prison to another as form of disciplinary measure see also, United Nations, Special Rapporteur on Torture and other Cruel, Inhuman or Degrading Treatment or Punishment, Report on the mission to Paraguay, A/HRC/7/3/Add.3, adopted on October 1, 2007. Ch. IV: *Conditions of detention*, para. 74.

[579] IACHR, Public hearing: *Human Rights Violations in Prisons in Panama*, 131º Ordinary Period of Sessions, Participants: State of Panama, Comisión de Justicia y Paz de la Conferencia Episcopal de Panmá, Centro de Iniciativas Democráticas (CIDEM), Harvard University. March 7, 2008. In this regard, see the report: *Del Portón para Acá se Acaban los Derechos Humanos: Injusticia y desigualdad en las cárceles panameñas,* pp. 96-97 and 128-131 presented in the said hearing available at: http://www2.ohchr.org/english/bodies/hrc/docs/ngos/HarvardClinicPanamaprisons.pdf.

widespread in the region, show that in fact "sub-systems" operate parallel to the regular prison system, in which different inmates are treated in different ways.

493. Likewise, persons deprived of liberty are also vulnerable to assaults by authorities during transfer or travel from one place to another. For example, the UN Subcommittee on Torture witnessed, on a mission to Mexico, that:

> Most of the alleged acts of police brutality reported to the delegation during its visit to the State party appear to have occurred in the street or in police vans during the transportation of detainees to police facilities. Almost all of the detainees who alleged having been subjected to some form of abuse said that these acts took place outside police facilities. Most of them also reported that they were blindfolded while they were being transported.[580]

Subsequently, the SPT reported that during its mission to Paraguay, the interviewed detainees repeatedly claimed "to have been the targets of torture and/or abuse during the arrest, transfer to the police station and/or during the first hours of the detention."[581]

494. On his visit to the province of Buenos Aires, it was brought to the attention of the Rapporteur on the Rights of Persons Deprived of Liberty that in 2008, inmate Oscar Chaparro had suffocated to death in a truck of the Ministry of Security during a transfer. The experts had verified that the cab section in which Chaparro was transported lacked ventilation and the temperatures reached 40º Celsius and, furthermore, a journey that should have taken five hours, took a full day.[582]

495. Likewise, it has been widely documented that, during transfers, the detainees at Guantanamo Bay were shackled, chained and hooded, or were forced to wear earphones and goggles.[583]

496. In this regard, the IACHR emphasizes that, in addition to international standards applicable to the transfer of prisoners, the special duties of the State to respect and ensure the right to life and humane treatment of persons under their custody, is not restricted to the specific context of the centers of deprivation of liberty, but also remain in effect at all times that these persons are in the custody of the State; for example, while

---

[580] United Nations, CAT/OP/MEX/1, *Report on the visit of the Subcommittee on Prevention of Torture and Other Cruel, Inhuman or Degrading Treatment or Punishment to Mexico*, May 27, 2009, para. 141.

[581] United Nations, CAT/OP/PRY/1, *Report on the visit of the Subcommittee on Prevention of Torture and Other Cruel, Inhuman or Degrading Treatment or Punishment to Paraguay*, June 7, 2010, para. 67.

[582] Comité Contra la Tortura de la Comisión Provincial por la Memoria, Annual Report 2009: *El Sistema de la Crueldad IV* [The System of Cruelty IV], p. 151.

[583] United Nations, Joint Report of the Working Group on Arbitrary Detention; the Special Rapporteur on the Independence of Judges and Lawyers; the Special Rapporteur on Torture and other Cruel, Inhuman or Degrading Treatment or Punishment; the Special Rapporteur on Freedom of Religion or Belief; and the Special Rapporteur on the Right of Everyone to the Enjoyment of the Highest Attainable Standard of Physical and Mental Health, E/CN.4/2006/120, adopted on February 27, 2006, para. 54.

they are transported to a detention center or from one center to other sites such as hospitals, courts, etc., or when they are transferred from one prison center of to another. In such cases, the peremptory obligation of the State remains in effect to not subject these persons to cruel, inhuman or degrading treatment. Additionally, the transportation of persons deprived of liberty for official reasons shall always be done at the administration's expense.

497. Furthermore, by way of guarantor of the right to life and humane treatment of the persons under its custody, the State must refrain from transferring inmates to prison facilities where there are clear indications of risk that they will sustain irreparable harm. In such cases, authorities must act with due diligence and objectivity in assessing potential risk factors and the feasibility of the transfer. This same criterion is applicable to the relocation of inmates in different modules, wards or cell blocks or sectors within the same prison facility.

498. Moreover, international standards applicable to the transfer and transport of persons deprived of liberty also establish as measures of protection –for example, against disappearance and incommunicado solitary confinement- the right of all detainees or prisoner to immediately inform his family or a third party of his transfer to another facility;[584] the duty of the authorities to keep records of the persons who enter centers of deprivation of liberty, which have to include: the authority ordering and executing the transfer and the date and time of day when it was carried out.[585]

499. Compliance with these provisions pertaining to publicity and registration of transfers of inmates is particularly relevant in the case of collective or group transfers of inmates as a measure of security or as part of operations designed to guarantee internal security at jails. In this type of situation, not only does the individual right of each inmate to inform a third party of the transfer remain in effect, but the State also has the duty to inform as soon as possible of the new location and the personal conditions of the inmates.[586]

500. The IACHR considers that the State must ensure effective judicial control over transfers, as provided in Article 8 and 25 of the Convention and XVIII of the American Declaration. This means that regardless of what authority is competent to authorize and/or execute transfers,[587] the said authority must inform the judge or court that is in charge of the person deprived of liberty regarding the transfer prior to carrying it out or immediately

---

[584] The Standard Minimum Rules for the Treatment of Prisoners (Rule 44.3); the Body of Principles for the Protection of all Persons under Any Form of Detention or Imprisonment (Principle 16); the United Nations Rules for the Protection of Juveniles Deprived of their Liberty (Rule 22); the European Prison Rules (Rule 24.8).

[585] IACHR, *Principles and Best Practices on the Protection of Persons Deprived of Liberty in the Americas*, (Principle IX.2).

[586] In this regard, see for example, I/A Court H.R., Provisional Measures in the matter of Venezuelan Prisons, Order of the Inter-American Court of Human Rights, July 6, 2011, Having seen 11 and Considering paragraphs 10 and 12.

[587] IACHR, *Principles and Best Practices on the Protection of Persons Deprived of Liberty in the Americas*, (Principle IX.4).

following it. The competent judicial authority should have the power to overturn said transfer if it deems the same as illegal, arbitrary or a violation of the fundamental rights of the inmate. In any case, the law should also make available suitable and effective judicial remedies to challenge said transfers when it is believed that they infringe the human rights of inmates.

G.   Conditions of imprisonment of death row inmates

501.   In several OAS member States the death penalty is still a legal form of punishment and is carried out in practice;[588] for example, in the United States, the death row inmate population (persons sentenced to the death penalty regardless of their particular procedural status) in 2010 totaled 3,242 persons.[589] A few countries of the English-speaking Caribbean, who still have convicts in their jails sentenced to death, total about the same number altogether.[590]

502.   In this context, in the last several years, the bodies of the Inter-American human rights system have made pronouncements, within the scope of their respective purview on different aspects relating to application of the death penalty in OAS member States. These pronouncements have encompassed issues such as the general trend toward abolishing the death penalty; the lack of any convention addressing the mandatory death penalty; the "test of the most rigorous scrutiny" of judicial guarantees in proceedings in which a person is sentenced to the death penalty; the application of standards of due process in entertaining requests for pardons, amnesty and commutations of sentence; and the so-called death row phenomenon,[591] which is the consequence of the mental anguish and uncertainty that is caused by waiting for a potential execution.

503.   Additionally, the constant in most of these cases is that the conditions of imprisonment to which those condemned to capital punishment were subjected are usually worse than those of the rest of the prison population, characterized cruel, inhuman and degrading treatment.

504.   For example, in its Reports on the Merits of the cases of *Whitley Myrie*; *Dave Sewell*; *Denton Aitken*; *Joseph Thomas*; *Leroy Lamey et al*; and *Desmond Mckenzie et al*, the IACHR addressed the conditions of imprisonment of death row inmates at the Penitentiary of the District of St. Catherine in Jamaica. In these cases, it was determined

---

[588] In this regard, see also the information published by the Death Penalty Project, available at: http://www.deathpenaltyproject.org/content_pages/5.

[589] According to the Death Penalty Information Center, this information is available at: http://www.deathpenaltyproject.org/content_pages/5.

[590] Currently all of the Anglophone Caribbean countries maintain the death penalty in their legal systems, although very few still apply it in practice; also Guatemala in its criminal law retains the death penalty, although the State applied it for a last time over a decade ago.

[591] With regard to the death row phenomenon see, European Court of Human Rights, *Case of Soering v. The United Kingdom*, (Application no. 14038/88), Judgment of July 7, 1989, Court's Plenary; and Pratt & Morgan v. Attorney General of Jamaica, 2 A.C.1, 4 All E.R. 769 (British Privy Council 1993). On this matter see also the information published by Death Penalty Information Center, available at: http://www.deathpenaltyinfo.org/.

that (a) the victims remained in conditions of confinement for more than 23 hours a day; (b) they were not given mattresses and, therefore, they had to sleep on the cement floor; (c) the only utensils that they had in their cells were a pitcher for drinking water and a bucket or receptacle to relieve themselves in, which they were only allowed to empty one time per day; (d) the cells were hot, uncomfortable and lacked sufficient ventilation; (e) the conditions of hygiene were deficient (the sewage drain across from the cell was always overflowing); (f) the food they were provided was insufficient and was served in poor condition; (g) they received no medical or adequate psychiatric care; and (h) they had no access to labor or educational activities.[592]

505.   Similarly, in the cases of *Benedict Jacob*; *Paul Lallion*; and *Rudolph Baptiste*, the IACHR made a pronouncement regarding the conditions of imprisonment of the death row inmates at Richmond Hill Prison in Grenada, who were housed in individual 2 x 3 meter cells, without any natural light entering or sufficient ventilation. They would have to relieve themselves in a plastic bucket, which they were only allowed to empty once a day. They were only allowed visitors once a month for 15 minutes and to write or read one letter per month. Additionally, they were not allowed access to prison services such as the library or religious services.[593] Moreover, in the Reports on the Merits in the cases of *Chad Roger Goodman* and *Michael Edwards et al*, it was confirmed that the conditions of imprisonment on death row of Foxhill Prison in Bahamas were substantially similar to those present in the other countries of the Caribbean described above, with the main difference being that at this prison the victims were only taken out of their cells for 10 minutes for four days a week, and were confined to their cell the rest of the time.[594]

506.   The IACHR recently approved its *Report No. 60/11* in which it finds admissible 14 petitions regarding the application of the death penalty in several states of the United States. In one of these petitions, conditions of death row inmates at Polunsky prison in Texas are described as follows:

> Those sentenced to death are confined in cells 60 square feet (5.57 m2) and are completely segregated from the other inmates. They are denied any physical contact with relatives, friends and attorneys, even in the days and hours leading up to their execution. Inmates with disciplinary

---

[592] IACHR, Report No. 41/04, Case 12.417, Merits, Whitley Myrie, Jamaica, October 12, 2004, paras. 17, 40-44; IACHR, Report No. 76/02, Case 12.347, Merits, Dave Sewell, Jamaica, December 27, 2002, paras. 110 y 111; IACHR, Report No. 58/02, Case 12.275, Merits, Denton Aitken, Jamaica, October 21, 2002, paras. 131-134; IACHR, Report No. 127/01, Case 12.183, Merits, Joseph Thomas, Jamaica, December 3, 2001, paras. 40, 42, 122, 130-132; IACHR, Report No. 49/01, Cases 11,826, 11,843, 11,846, 11,847, Merits, Leroy Lamey, Kevin Mykoo, Milton Montique, Dalton Daley, Jamaica, April 4, 2001, paras. 199-203; IACHR, Report No. 41/00, Cases 12.023, 12.044, 12.107, 12.126 and 12.146, Merits, Desmond McKenzie *et al.*, Jamaica, April 13, 2000, paras. 286-288.

[593] IACHR, Report No. 56/02, Case 12.158, Merits, Benedict Jacob, Grenada, October 21, 2002, paras. 91, 95 and 97; IACHR, Report No. 55/02, Case 11.765, Merits, Paul Lallion, Grenada, October 21, 2002, paras. 84, 88 and 90; IACHR, Report No. 38/00, Case 11.743, Merits, Rudolph Baptiste, Grenada, April 13, 2000, paras. 134, 137-138.

[594] IACHR, Report No. 78/07, Case 12.265, Merits, Chad Roger Goodman, Bahamas, October 15, 2007, paras. 31, 83, 84 and 87; IACHR, Report No. 48/01, Case 12.067, Merits, Michael Edwards *et al.*, Bahamas, 12.067, 12.068, 12.086, paras. 192-194.

problems −most inmates with mental conditions have disciplinary problems− are allowed outside of their cells only three to four hours per week, and only in what amounts to small "cages." [...] She [the petitioner] observes that conditions on death row in Texas are harsher than in many of the maximum-security prisons elsewhere in the country.[595]

507.   Moreover, in six of the fourteen known petitions which make up this case, it is argued that the victims suffered from what's known as "death row syndrome," due to the excessively protracted period of time they await execution. In this regard, the argument is made that: (a) Clarence Allen Lackey (Texas) was executed almost two decades after being convicted, and that he was allegedly forced to prepare for imminent execution on five occasions (two of which were stayed hours before the scheduled execution time); (b) Anthony Green (South Carolina) was on death row for 14 years; (c) Robert Karl Hicks (Georgia) had awaited execution for 18 years; (d) Troy Albert Kunkle (Texas) had been waiting for 19 years; (e) David Powell (Texas) had been tried three times and had been waiting on death row for 30 years; and (f) Ronnie Gardner (Utah) had awaited 25 years to be executed.[596]

508.   Likewise, in the context of precautionary measures granted on behalf of Mr. Manuel Valle (MC-301-11), who was sentenced to death in Florida, the IACHR noted that he had waited on death row for 33 years, since 1978.[597]

509.   The conditions of detention of persons sentenced to death have been the subject of the merits in several judgments of the Inter-American Court. For example, in the case of *Hilaire, Constantine and Benjamin et al.*, expert witness Gaietry Pargass (*Privy Council Officer*) described the following regarding death row at the Penitentiary of Port of Spain in Trinidad and Tobago:[598]

> Attorneys are not permitted to visit death row and hence a great deal of reliance is place on the information provided by the inmates themselves. There is one exception and this relates to the reading of the death

---

[595] IACHR, Report No. 60/11, Admissibility, Petitions 11.575, 12.201, 2566-02, 4538-02, 4659-02, 784-03, 580-04, 607-04, 187-05, 1246-05, 360-06, 1232-07, 873-10, 907-10, Clarence Allen Lackey *et al.*, United States, March 24, 2011, para. 90. In this regard and with respect to the Polunsky Prison in Texas, see, IACHR, Report No. 90/09, Merits, Case 12.644, Medellín, Ramírez Cárdenas and Leal García, United States, August 7, 2009, para. 60.

[596] IACHR, Report No. 60/11, Petitions 11.575, 12.201, 2566-02, 4538-02, 4659-02, 784-03, 580-04, 607-04, 187-05, 1246-05, 360-06, 1232-07, 873-10, 907-10, Merits, Clarence Allen Lackey *et al.*, United States, March 24, 2011, paras. 41-47.

[597] On September 28, 2011, and in spite of the precautionary measures still in force at that timem Manuel Valle was executed in a prison on the state of Florida. IACHR, Press Release 106/11 - IACHR Condemns Execution of Manuel Valle in the United States. Washington, D.C., October 6, 2011.

[598] I/A Court H.R., *Case of Hilaire, Constantine and Benjamin et al. V. Trinidad and Tobago*. Judgment of June 21, 2002. Series C No. 94, para. 77 c); expert evidence from Gaietry Pargass submitted to the Court on January 22, 2002, pages 3-7, available at: http://www.corteidh.or.cr/expediente_caso.cfm?id_caso=71. See also, IACHR, Report No. 28/09, Case 12.269, Merits, Dexter Lendore, Trinidad y Tobago, March 20, 2009, paras. 28-29. In this case the IACHR ruled with regard to the conditions of imprisonment in the death row of the Port Spain Prison, in Trinidad and Tobago.

warrant, in which case all interviews between the inmate and his attorney take place in the section of death row where the execution chamber is located.

The cells on death row are poorly ventilated and as a result are extremely hot and uncomfortable. Additionally, very little natural light enters the cells of inmates on death row. As a result, and notwithstanding the fact that fluorescent lights located just outside the cells are kept on 24 hours, the cells in the section of death row where the execution chamber is located were observed to be very dull and gloomy. The fluorescent lights, which are kept on 24 hours, affect the inmates' ability to sleep and the heat emitted by the lights exacerbates the already hot conditions of the cells.

There are no proper toilet facilities. Inmates are provided with a plastic bucket (slop pail) for this purpose, which are emptied twice a day. The smell, which emanates from their slop pails, is unbearable. The pail has to be used in the cell and with no privacy in front of other inmates and the security guards. During those periods when the water supply is cut off and the truck-borne supply is delayed, inmates are either unable to empty their pails or the pails are emptied but not washed.

Death row inmates are locked in their cells for up to 23 hours or more a day. They are allowed to leave their cell for approximately 15 minutes in the morning to empty their slop pail, fill their quota of drinking water and have a shower.

Moreover, they are only taken out of their cells to air from one to four times a week, and during this time each prisoner remains handcuffed. The airing area is small and tends to be crowded making even walking difficult. In addition, toilets are situated close to the airing area and the smell emanating from the toilets is unpleasant.

510.   In the case of *Raxcacó Reyes*, expert witness Aida Castro-Conde submitted an analysis of the situation of persons sentenced to death in sector 11 of the Men's Preventive Detention Center of Zone 18 and the Maximum Security Center of the Model Rehabilitation Farm, Canada de Escuintla ("The little hell") in Guatemala.[599] According to the aforementioned expert's report, there were 35 people on death row in Guatemala at that time.

511.   Psychologist Castro-Conde noted that convicts sentenced to death who were held in sector 11 of Zone 18 Preventive Detention Center lived in conditions of total

---

[599] I/A Court H. R., *Case of Raxcacó Reyes V. Guatemala*. Judgment of September 15, 2005. Series C No. 133, para. 37.e); expert evidence from Aída Castro-Conde submitted to the Court on May 20, 2005; See also, I/A Court H. R., *Case of Fermín Ramírez V. Guatemala*. Judgment of June 20, 2005. Series C No. 126. paras. 47.d), 54.54-54.61, 111-121.

confinement, and were never offered any opportunity to do exercise outside. She also indicated that permission to take part in recreational, educational or labor activities and even to attend religious services are systematically denied. Moreover, she reported that the only labor-related activities that the death row inmates engaged in were arts and crafts to make things with materials that they themselves had to try to gather or were provided by their family members or friends.

512.   Dr. Castro Conde also put on the record that medical care was insufficient and mental health care practically non-existent for death row inmates, for whom the stress of imprisonment and the uncertainty of the sentence increases the incidence of mental health problems and, consequently, physical health problems. According to this expert's report, death row inmates are under constant threat of being executed, and that this circumstance is terrifying to them, causes depression in them, causes sleep loss, gives them nightmares and even thoughts of suicide. Additionally, the uncertainty due to waiting for a decision on their appeals or an adverse decision is another important factor of stress and depression. In short, "persons sentenced to death are in a situation that affects their mental health and produces psychosomatic illness." In her conclusions, Dr. Castro-Conde claimed that the conditions of imprisonment of death row inmates are highly restrictive, and that this increases despair and psychological and psychosomatic harm.[600]

513.   In light of the foregoing considerations, the IACHR reaffirms that all persons deprived of liberty must receive humane treatment, in accordance with respect for the dignity inherent to them. In this regard, the duties of the State to respect and ensure the right to humane treatment of all persons under their jurisdiction apply regardless of the nature of the conduct for which the person in question has been deprived of his liberty.[601] This means that the conditions of imprisonment of persons sentenced to death must meet the same international norms and standards that apply in general to persons deprived of liberty. In particular, they must have access on an equal footing to the health care services of the jail; to education, job and training programs; to work shops and reading materials; and to cultural, sports and religious activities; and to contact with the outside world and their family members.[602]

---

[600] In this regard, Ms. Castro-Conde mentioned among the general recommendations of her opinion the following:

> (a) create permanent programs for psychosocial rehabilitation psychotherapy, (b) conduct a thorough examination of individual psychotherapy of the persons sentenced to death, (c) provide family group psychotherapy to strengthen the inmate's individual therapy, teaching them techniques for managing stress and depression and rethink new relationships between the inmate and the family supported by the analysis of past and present relationships, and (d) facilitating access to health care to provide appropriate treatment and medication to each inmate sentenced to death.

[601] IACHR, Report No. 41/00, Cases 12.023, 12.044, 12.107, 12.126 and 12.146, Merits, Desmond McKenzie *et al.*, Jamaica, April 13, 2000, para. 288.

[602] See, in general, UNODC, *Handbook on prisoners with special needs*, 2009, pp. 171-173, available at: http://www.unodc.org/documents/justice-and-prison-reform/Prisoners-with-special-needs.pdf.

514.   Death row inmates' access to these activities is essential in order to help these individuals to better endure the mental anguish that is typical of their status, and because, in the final analysis, to exclude them from such activities would amount to a form of discriminatory treatment.

515.   Therefore, there is no valid justification to subject this category of inmates to more restrictive or harsher conditions than those of the rest of the inmates. If they are subjected to such conditions, the State would be adding an extra measure of suffering to a plight which, in and of itself, is already anguish-producing enough to those who are facing potential execution, which could be delayed for years and even decades before there is a final outcome. On the contrary, prison authorities must adopt measures of protection to mitigate this level of suffering which is inherent to the condition of persons sentenced to death.

516.   In keeping with the UN standards currently in effect,[603] States must adopt concrete measures with regard to inmates sentenced to death, such as: (a) create adequate conditions to ensure that they have regular and effective access to their defense attorneys and their consular representatives, should they be foreign nationals;[604] (b) order that prison staff that directly guards these persons be carefully selected and trained for such duties, particularly, they should be capable of identifying the signs of anguish and mental disorder, and to react quickly to such situations; (c) provide regular psychological and/or psychiatric care; and (d) establish links with NGOs that have support programs for death row inmates and promote visits and assistance by such organizations.

517.   In conclusion, persons deprived of liberty who are sentenced to death should not be subjected to harsher conditions of imprisonment than those of the rest of the prison population just because of their status. In particular, they should not be subjected to segregation or solitary confinement as a regular condition of imprisonment,[605] but solely as a disciplinary punishment in those instances and under the same conditions in which these measures apply to the rest of the inmates. It is not reasonable to presume that all convicts sentenced to capital punishment necessarily have to be imprisoned under maximum security.

---

[603] UNODC, *Handbook on prisoners with special needs*, 2009, pp. 169-172, available at: http://www.unodc.org/documents/justice-and-prison-reform/Prisoners-with-special-needs.pdf.

[604] These measures in particular are based on the State's reinforced duty to ensure the rights to judicial guarantees and judicial protection in cases of persons prosecuted for crimes that support capital punishment or who have been sentenced to this punishment. On this matter, see also the Safeguards Guaranteeing Protection of the Rights of Those Facing Death Penalty, adopted by the Economic and Social Council in its resolution 1984/50, of May 25, 1984 (Articles 4-6); and, I/A Court H.R., *Hilaire, Case of Constantine and Benjamin et al. V. Trinidad and Tobago*. Judgment of June 21, 2002. Series C No. 94, para. 148.

[605] According to the Istanbul Statement on the Use and Effects of Solitary Confinement, adopted on 9 December 2007, during the International Psychological Trauma Symposium, it should be prohibited solitary confinement for persons sentenced to death on the basis of their condemnation of the death penalty. See also, UNODC, *Handbook on prisoners with special needs*, 2009, p. 161, available at: http://www.unodc.org/documents/justice-and-prison-reform/Prisoners-with-special-needs.pdf.

H.   Recommendations

518.   With regard to respecting and ensuring the right to humane treatment of persons deprived of liberty, the IACHR reiterates the recommendations put forth in Chapter II of this report, with regard to:

1. Maintaining effective control over centers of deprivation of liberty and preventing acts of violence.

2. Judicial control over the deprivation of liberty.

3. Entry, registration and initial medical examination of persons deprived of liberty.

4. The use of force by authorities in charge at centers of deprivation of liberty

5. The right to medical care of persons deprived of liberty.

Additionally, the IACHR recommends to the State, the following:

6. Promote a policy of general prevention of acts of torture and cruel, inhuman and degrading treatment by their agents and third parties. For this purpose, public campaigns should be waged in repudiation of torture and the culture of violence and impunity.

7. Publish, in a visible spot that is also available to the public at all police stations and facilities where persons deprived of liberty are held, information on the prohibition of torture, cruel, inhuman and degrading treatment and on how and to whom to report such acts.

8. Train police personnel to systematically inform persons under arrest or detainees of their rights and to provide assistance for the exercise of such rights from the time of the detention. The police training should be of a preventive nature.

9. Adopt measures necessary to ensure that those who file reports or complaints of torture are protected against retaliation.

10. Adopt measures necessary to ensure that statements or confessions obtained under any type of duress are not accepted as evidence; for in this regard, the authorities should carry the burden of proof that the statement were voluntarily made. No statement or confession made by a person deprived of liberty that is not given in the presence of a judicial authority or of his attorney should have any probative value, except as evidence against those charged with obtaining these statements by illegal means.

11. Ensure that all persons accused of a crime are assisted by an attorney or public defender as of the time when they must give their first statements.

12. Draft clear protocols and procedures establishing how to conduct interrogations, and periodically review this practice. The identity of the officials who carry out the arrest and the interrogation must be properly recorded. Both defendants and their attorneys, as well as judges, must have access to this information.

13. Adopt the legislative, administrative and institutional measures necessary to ensure that the exercise of disciplinary functions at centers of deprivation of liberty are duly regulated. Additionally, it is strongly recommended that States eradicate for good the practice of delegating disciplinary powers to the inmates themselves, particularly the ability to apply sanctions.

14. Establish a uniform system of registry of disciplinary measures, indicating the identity of the offender, the punishment given, the duration thereof and the official who ordered it.

15. Adopt the legislative, administrative and institutional measures necessary to ensure that solitary confinement is truly used as an exception, for the shortest period of time possible, subject to judicial control and medical supervision, and in the conditions set forth in the chapters on the topic in this report.

16. Make sure that disciplinary rules are known by the authorities and officials who are in charge of centers of deprivation of liberty, and that they are widely disseminated among the inmate population, and available to any other interested party.

17. Adopt the measures of control and monitoring necessary to ensure that bodily searches at centers of deprivation of liberty are conducted in such a way as to respect the right to personal integrity of inmates, in particular, so that officials do not resort to the disproportionate use of force, nor use the procedure of searching as a form of assault and humiliation of prisoners.

18. Adopt any measures that may be necessary, as provided in this report, to ensure that persons deprived of liberty are imprisoned in dignified conditions that are consistent with the principle of humane treatment. In particular, adopt concrete measures of immediate and medium and long term impact to prevent and eradicate overcrowding.

19. Establish effective systems of supervision or internal control over the conditions of imprisonment and of treatment received by persons

deprived of liberty at police headquarters and stations. Additionally, to the extent possible, allow persons deprived of liberty at police headquarters or stations for more than 24 hours to have a chance to exercise outside of their cells, at least once a day, for no less than one hour.

20. Ensure that the procedures and guidelines established in the *Manual on the Effective Investigation and Documentation of Torture and Other Cruel, Inhuman or Degrading Treatment or Punishment* –commonly known as the Istabul Protocol– are systematically follow by the authorities in charge of investigating, assessing and reporting allegations of torture. Such guidelines are crucial given that most torture methods are often designed to have maximum impact while leaving minimum detectable signs.

V.   MEDICAL SERVICES[606]

A.   Basic standards

519.   The obligation to provide adequate medical care for persons deprived of their liberty arises directly from the State's duty to ensure the humane treatment of such persons under Articles 1.1 and 5 of the American Convention and Article I of the American Declaration. In this respect, the IACHR has established that "where persons deprived of liberty are concerned, the obligation of States to respect their physical integrity, not to use cruel or inhuman treatment, and to respect the inherent dignity of the human person, includes guaranteeing access to proper medical care."[607]

520.   The Inter-American Court has established as follows:

Under Article 5 of the American Convention, the State has the duty to provide prisoners with regular health screening and adequate care and treatment when necessary. Furthermore, the State must allow and assist prisoners to be seen by a consulting physician chosen by them or their legal representatives or guardians,[608] according to the specific requirements of the actual case.[609]

521.   With respect to the general content and scope of the right to medical care of persons deprived of their liberty, Principle X of the Commission's Principles and Best Practices establishes as follows:

Persons deprived of liberty shall have the right to health, understood to mean the enjoyment of the highest possible level of physical, mental, and social well-being, including amongst other aspects, adequate medical, psychiatric, and dental care; permanent availability of suitable and impartial medical personnel; access to free and appropriate treatment

---

[606] The Commission received technical support in preparing this chapter from the GDR team (Gender, Diversity and Human Rights Office) of the Pan American Health Organization, which provided valuable assistance with respect to international data, studies, and standards.

[607] IACHR, Application to the I/A Court H.R. in the *Case of Pedro Miguel Vera Vera*, Case 11.535, Ecuador, February 24, 2010, para. 42. The IACHR has also established that "[i]f the State does not fulfill its obligation, by action or omission, it violates Article 5 of the Convention and, in cases of deaths of prisoners, violates Article 4 of the Convention." *Third Report on the Human Rights Situation in Colombia*, Ch. XIV, para. 33.

[608] I/A Court H.R., *Case of Montero-Aranguren et al. (Detention Center of Catia) V. Venezuela*. Judgment of July 5, 2006, Series C No. 150, para. 102. I/A Court H.R., *Case of García-Asto and Ramírez-Rojas V. Peru*. Judgment of November 25, 2005, Series C No. 137, para. 127. I/A Court H.R., *Case of Tibi V. Ecuador*. Judgment of September 7, 2004, Series C No. 114, para. 156.

[609] I/A Court H.R., Provisional measures for María Lourdes Afiuni, Venezuela. Order of the President of the Inter-American Court of Human Rights of December 10, 2010, recital 11. In this case, given the specific conditions of the beneficiary and of the measures and the conduct of the State, the Court held that, without prejudice to the medical care available from State institutions, the State should take the necessary steps for Ms. Afiuni to be seen by physicians of her choosing in the event that she required specialized medical attention (recital 12 and operative paragraphs 2 and 3).

and medication; implementation of programs for health education and promotion, immunization, prevention and treatment of infectious, endemic, and other diseases; and special measures to meet the particular health needs of persons deprived of liberty belonging to vulnerable or high risk groups, such as: the elderly, women, children, persons with disabilities, people living with HIV/AIDS, tuberculosis, and persons with terminal diseases.

522.   Regarding the quality of medical care, Principle X establishes that "treatment shall be based on scientific principles and apply the best practices" and that "the provision of health services shall, in all circumstances, respect the following principles: medical confidentiality;[610] patient autonomy; and informed consent to medical treatment within the physician-patient relationship."

523.   The IACHR has consistently considered, as applicable international standards the Rules 22 to 26 of the United Nations Standard Minimum Rules for the Treatment of Prisoners,[611] as well as the Principles of Medical Ethics relevant to the role of health personnel, particularly physicians, in the protection of prisoners and detainees against torture and other cruel, inhuman or degrading treatment or punishment,[612] which establish the following basic principle:

> Health personnel, particularly physicians, charged with the medical care of prisoners and detainees, have a duty to provide them with protection of their physical and mental health and treatment of disease of the same quality and standard as is afforded to those who are not imprisoned or detained. (Principle 1)

524.   However, when the Rapporteur on the Rights of Persons Deprived of Liberty visited Suriname, the majority of inmates interviewed in the adult prisons reported

---

[610] In practice, medical personnel only need to disclose on rare occasions the patient's confidential information to the prison director or other authorities (such as when the interests of the inmates or the outside community are at risk). Also, given that the prisoner must be guarded while he or she is in the medical facilities, steps should be taken to ensure that the guards can see the prisoner without overhearing the conversation. The principle of confidentiality also implies the need for due precautions to ensure that the institution's medical personnel alone have access to the prisoners' medical records.

[611] See, *e.g.*, IACHR, Report No. 67/06, Case 12.476, *Oscar Elías Biscet et al., Cuba*, October 21, 2006, Merits, para. 155.

[612] Adopted by the United Nations General Assembly in its resolution 37/134 of December 18, 1982. Another relevant standard is the Oath of Athens, which was adopted by the International Council of Prison Medical Services in 1979 and is available at: http://www.medekspert.az/pt/chapter1/resources/The%20Oath%20of%20Athens.pdf. The oath asks health professionals to endeavor to provide the best possible health care for those who are incarcerated in prisons for whatever reasons, without prejudice and in accordance with their respective professional ethics. Specifically, they are required (1) to abstain from authorizing or approving any physical punishment; (2) to abstain from participating in any form of torture; (3) not to engage in any form of human experimentation amongst incarcerated individuals without their informed consent; (4) to respect the confidentiality of any information obtained in the course of their professional relationships with incarcerated patients; and (5) to base their medical judgments on the needs of their patients, which must take priority over any non-medical matters.

that they received deficient medical care and were not given proper medication. Some said that checkups were extremely superficial and brief and that the doctors prescribed only analgesics, without paying much attention to their symptoms.[613] During the Rapporteur's visit to Uruguay, he found that the free dental care provided to the inmates of the ancient Cabildo women's facility was limited to tooth extractions.[614]

525.   As has been already established, persons deprived of their liberty are in a position of subordination vis-à-vis the State, meaning they are dependent in law and in fact for all of their needs. By depriving a person of liberty, the State acquires a special level of responsibility and becomes the guarantor of the person's fundamental rights, including his or her rights to life and humane treatment. Thus, it owes a duty to protect the health of prisoners by providing them, among other things, the required medical care.[615]

526.   Adequate medical care is a minimum and indispensible material requirement for the State to be able to ensure the humane treatment of prisoners in its custody.[616] Loss of liberty should never mean loss of the right to health. Incarceration may not be allowed to compound the deprivation of liberty with illness and physical and mental distress.[617]

527.   As the Inter-American Court has indicated, this duty of the State "does not imply the existence of a duty to satisfy all wishes and preferences of a person deprived of liberty regarding medical assistance, but only those real needs consistent with the actual circumstances and condition of the detainee."[618] Therefore, "lack of adequate medical assistance could be considered *per se* a violation of Articles 5(1) and 5(2) of the Convention, depending on the specific circumstances of the person, the type of disease or ailment, and the time spent without medical attention and its cumulative effects."[619]

528.   In reference to the content and scope of Article 3 of the European Convention, the European Court has established that the demands of imprisonment, health, and well-being must be adequately secured by, inter alia, providing the requisite

---

[613] IACHR, Press Release 56/11, "Office of the Rapporteur on the Rights of Persons Deprived of Liberty Concludes Visit to Suriname," Washington, D.C., June 9, 2011, Annex, para. 11.

[614] IACHR, Press Release 76/11, "IACHR Recommends Adoption of a Comprehensive Public Policy on Prisons in Uruguay," Washington, D.C., July 26, 2011, Annex, para. 30.

[615] I/A Court H.R., *Case of Vélez Loor V. Panama*. Preliminary Objections, Merits, Reparations and Costs. Judgment of November 23, 2010. Series C No. 218, para. 198. Cf. also IACHR, Report No. 67/06, Case 12.476, *Oscar Elías Biscet et al., Cuba*, Merits, October 21, 2006, para. 155.

[616] I/A Court H.R., *Case of García-Asto and Ramírez-Rojas V. Peru*. Judgment of November 25, 2005, Series C No. 137, para. 126.

[617] According to Article 6 of the Code of Conduct for Law Enforcement Officials, "Law enforcement officials shall ensure the full protection of the health of persons in their custody and, in particular, shall take immediate action to secure medical attention whenever required."

[618] I/A Court H.R., *Case of Montero-Aranguren et al. (Detention Center of Catia)*. Judgment of July 5, 2006, Series C No. 150, para. 102.

[619] I/A Court H.R., *Case of Montero-Aranguren et al. (Detention Center of Catia)*. Judgment of July 5, 2006, Series C No. 150, para. 103.

medical assistance.[620] Consequently, depending on the specific circumstances of the case, the absence of adequate medical attention may constitute a violation of the right to humane treatment.[621]

529.   Similarly, the Constitution of the World Health Organization (WHO) establishes as a fundamental international principle that "the enjoyment of the highest attainable standard of health is one of the fundamental rights of every human being."[622] The right to the enjoyment of the highest attainable standard of health (hereinafter "the right to health") can be secured only by complying with the obligations of international human rights. As all of the member States of the Pan American Health Organization (PAHO)[623] have agreed and documented in Directing Council resolution CD50.R8 (Health and Human Rights),[624] and as this chapter illustrates, international human rights offer a valuable conceptual and legal framework for unifying strategies to improve the health of the poorest, most excluded segments of society, which include the group of persons deprived of their liberty.

530.   The State's duty to provide adequate and appropriate medical care to people in its custody is all the greater where a prisoner's injuries or health concerns are the direct result of action by the authorities.[625] The same is true where persons deprived of their liberty suffer from diseases that may prove deadly if left untreated.

531.   It is also important to underscore that even when the State has outsourced prison health care to private companies or agencies —as is the case of Colombia, for example— it remains responsible for the adequacy of such care. This has a general foundation in well-developed and well-established Inter-American human rights system doctrine, which holds that States are responsible not only for the direct actions of their agents but also for that of third parties acting at the request of the State or with its tolerance or acquiescence.

---

[620] European Court of Human Rights, *Case of Mouisel v. France*, (Application no. 67263/01), Judgment of November 14, 2002, First Section, para. 40; European Court of Human Rights, *Case of Kudla v. Poland*, (Application no. 30210/96), Judgment of October 26, 2000, Grand Chamber, para. 94.

[621] European Court of Human Rights, *Case of Keenan v. the United* Kingdom, (Application no. 27229/95), Judgment of April 3, 2001, Third Section, para. 111; European Court of Human Rights, *Case of of İlhanm v. Turkey*, (Application no. 22277/93), Judgment of June 27, 2000, Grand Chamber, para. 87.

[622] WHO Constitutior, available at: http://apps.who.int/gb/bd/PDF/bd47/EN/constitution-en.pdf.

[623] The Pan American Health Organization (PAHO) is an international public health agency with over 100 years of experience working to improve health and living standards of the people of the Americas. It enjoys international recognition as part of the United Nations system, serving as the Regional Office for the Americas of the World Health Organization, and as the health organization of the Inter-American System.

[624] PAHO, Resolution CD50.R8, Health and Human Rights, adopted on September 29, 2010.

[625] I/A Court H.R., *Case of the Miguel Castro-Castro Prison*. Judgment of November 25, 2006. Series C No. 160, para. 302.

532.   In the *Ximenes Lopes* case, for example, the Inter-American Court established as follows:

> Acts performed by any entity, either public or private, which is empowered to act in a State capacity, may be deemed to be acts for which the State is directly liable, as it happens when services are rendered on behalf of the State. [...] States must regulate and supervise all activities related to the health care given to the individuals under the jurisdiction thereof, as a special duty to protect life and personal integrity, regardless of the public or private nature of the entity giving such health care.[626]

The IACHR considers that the State's duty to regulate and monitor medical care provided by private agencies is even greater in the case of persons deprived of liberty in the broadest sense,[627] precisely because of the special position of guarantor that the State assumes with respect to the persons under its custody.

533.   The absence of adequate medical services and the medical care required to control contagious diseases in correctional facilities constitutes a particularly serious situation that can become a public health problem, as will be discussed later in this chapter in the section of contagious diseases. Prisons and detention centers are not isolated, self-contained environments. They are places with a constant flow of people (in addition to the inmates themselves, employees, visitors and so forth). This creates high risk for the spread of the contagious diseases present in correctional facilities (such as HIV/AIDS, tuberculosis, hepatitis, sexually transmitted diseases, and neglected diseases) and can have serious consequences for the surrounding communities and the population at large.

534.   Moreover, besides the existence of important considerations regarding the basic human rights of persons deprived of liberty, the States must give priority to the health conditions in prisons as a fundamental component of any public health policy. In this connection, the IACHR has established as follows:

> The State shall ensure that the health services provided in places of deprivation of liberty operate in close coordination with the public health system so that public health policies and practices are also applied in places of deprivation of liberty.[628]

In this regard, the IACHR considers it crucial to take a preventive approach to the presence of disease in prisons and organize prison health care systems or mechanisms around it.

---

[626] I/A Court H.R., *Case of Ximenes-Lopes V. Brazil*. Judgment of July 4, 2006. Series C No. 149, paras. 87 and 89.

[627] As defined in the General Provision of the Principles and Best Practices on the Protection of Persons Deprived of Liberty in the Americas.

[628] IACHR, *Principles and Best Practices on the Protection of Persons Deprived of Liberty in the Americas*, (Principle X); in accordance with the Standard Minimum Rules for the Treatment of Prisoners (Rule 22.1).

535.   Additionally, the IACHR reiterates the necessity for States to adopt special measures to address the particular health needs of persons deprived of liberty belonging to vulnerable or high risk groups, such as the elderly, women, children, persons with disabilities, people living with HIV/AIDS and tuberculosis, and persons with terminal diseases.[629] However, comprehensive analysis of States' obligations vis-à-vis such groups would require a much more extensive, in-depth study and is beyond the scope of this report.

B.   Main challenges and applicable standards

536.   The principle deficiencies in the region's prisons noted by the IACHR include:

(a)   Lack of appropriate and sufficient medical personnel;

(b)   Inadequate medicine and medical supplies and equipment;

(c)   Deficiencies in the infrastructure of prison clinics and hospitals;

(d)   Inadequate working conditions for health professionals to carry out their professional duties, and inadequate security;

(e)   Shortage of items such as furniture, stretchers, bedclothes, cleaning materials and other basic materials for providing health care in minimally acceptable conditions; and

(f)   Absence of clear, effective procedures to ensure that inmates requiring specialized medical care or procedures that are not available in the prison can obtain care and be taken with due haste to hospitals where such procedures can be performed.

1.   Challenges on the lack of access to the medical services

537.   The widespread reality is that the majority of the region's countries do not have sufficient medical personnel assigned to their prisons to meet the minimum necessities of the prison population. Doctors —especially specialists— are often available sporadically, for a few days a week or a few hours a day. As a result, the services provided generally do not meet minimum standards of care.

538.   The following situation described by the United Nations Special Rapporteur on Torture after his 2000 visit to Brazil is illustrative of this reality:

In the *casa de detenção* of Carandiru (São Paulo), the Special Rapporteur noted with concern a sign on the fifth floor stating that the prison

---

[629] IACHR, *Principles and Best Practices on the Protection of Persons Deprived of Liberty in the Americas*, (Principle X).

infirmary had "no medication", that the doctor would come once a week and that only the names of 10 prisoners would be handed to the doctor for treatment. Medical treatment outside the prisons was reportedly arranged unwillingly and rarely. The alleged unavailability of vehicles or military police personnel to accompany the transport to hospital, lack of planning or appointments and, in some cases, the unwillingness of doctors to treat prisoners often lead to the denial of prompt and appropriate medical treatment. [630]

539.   Furthermore, in many of the region's prisons, responsibility for medical services falls mainly to non-doctor health professionals such as paramedics, nurses, or nurse's aides, who often handle delicate and highly complex medical situations beyond their capabilities. There are even reported cases in which the inmates themselves are informally employed to perform medical duties that by their nature should not be assigned to them. This does not mean that there should not be work opportunities for prisoners in clinics or hospitals, but only that such work should be within their capabilities.

540.   Another widespread and deep-seated problem in the region's correctional institutions involves the lack of access to medical care or barriers to such access. [631] In prisons with self-governance or power-sharing systems, where the prison authorities delegate or hand over power to certain inmates, these inmates decide who will or will not obtain medical care. In some prisons, there is a practice of collecting money (derechos de paso) for the "right to transit" on certain areas, which prevents or seriously impedes access to medical services for prisoners who do not have the resources to move about the prison.

541.   In other cases, it is the security officers or civil authorities themselves who charge prisoners to let them out of their cells and take them to clinics, or who decide which prisoners will receive medical attention arbitrarily, without applying any urgency or pathology based selection criteria or following scientific medical care guidelines of any kind. In some cases, the authorities themselves or certain prisoners run illegal rackets, selling medicines that should be distributed free by the State[632] at inflated prices, medical prescriptions, transfers to outside hospitals, and more.

542.   As a result, the prisoners with the most power or money frequently receive preferential treatment, monopolizing scarce available health resources to the detriment of the rest of the prison population. The resulting web of real power relationships and corruption effectively prevents prisoners who really need medical care from accessing it.

---

[630] United Nations, E/CN.4/2001/66/Add.2, *Report of the Special Rapporteur on the question of torture and other cruel, inhuman or degrading treatment or punishment, Addendum, Visit to Brazil*, March 30, 2001; Section II. Protection of Detainees against Torture, para. 125.

[631] See, *e.g.*, IACHR, Press Release 64/10, IACHR Rapporteurship Confirms Grave Detention Conditions in Buenos Aires Province. Washington, D.C., June 21, 2010.

[632] See, *e.g.*, IACHR, Press Release 76/11, IACHR Recommends Adoption of a Comprehensive Public Policy on Prisons in Uruguay, Washington, D.C., July 25, 2011, Annex, para. 55.

543.   Another *de facto* situation with a serious impact on the availability and adequate delivery of health care is the lack of prison security. One of the arguments for provisional measures initially presented by the petitioners in *Mendoza Prisons* was that doctors would not enter the cell blocks for fear of their lives and physical safety, forcing inmates to initiate habeas corpus proceedings in order to see a doctor.[633] In fact, it was found that even the prison employees rarely entered the cell blocks. In this respect, as indicated earlier in this report, the State has the unavoidable duty to enforce prison order, which is an essential condition for access to health care.

544.   The IACHR also notes that, as a general rule in the region, the availability of medical services in police stations and other temporary detention facilities is even more uncertain than in correctional institutions.[634] Generally, facilities intended for temporary detention have neither adequate medical services nor, in many cases, the capacity to take detainees to outside hospitals if necessary. In addition, the police agents, who usually have no medical training, decide whether persons deprived of liberty will have access to medical care.

545.   During his visit to Suriname, for example, the Rapporteur on the Rights of Persons Deprived of Liberty noted that at the Geyersvlijt Police Station, regular medical care consisted of a nun who came once a week to provide nursing services.[635]

546.   In the case of *Pedro Miguel Vera Vera et al.*, recently decided by the Inter-American Court, the Commission established that the victim, who had received a gunshot wound to the abdomen during his arrest, had died from complications due to inadequate medical treatment while in police custody during the first days of his detention.[636]

547.   These considerations are important because many of the States of the region use police stations and other detention facilities as regular prisons for large number of persons already convicted. Even though these facilities were not designed for such purposes and do not have the services required for housing people for prolonged periods of time. The lack of capacity of formal prisons and the overpopulation of the same creates this situation.

---

[633] I/A Court H.R., Provisional measures, Matter of Mendoza Prisons, Order of the Inter-American Court of Human Rights, June 18, 2005, Recital 9(f).

[634] See in this regard, United Nations, CAT/OP/HND/1, *Report on the visit of the Subcommittee on Prevention of Torture and Other Cruel, Inhuman or Degrading Treatment or Punishment to Honduras*, February 10, 2010, paras. 177-178; United Nations, CAT/OP/PRY/1, *Report on the visit of the Subcommittee on Prevention of Torture and Other Cruel, Inhuman or Degrading Treatment or Punishment to Paraguay*, June 7, 2010, para. 129.

[635] IACHR, Press Release 56/11, Office of the Rapporteur on the Rights of Persons Deprived of Liberty Concludes Visit to Suriname, Washington, D.C., June 9, 2011, Annex, para. 20.

[636] IACHR, Application to the I/A Court H.R., *Case of Pedro Miguel Vera Vera*, Case 11.535, Ecuador, February 24, 2010, paras. 21-32.

548.   At such facilities, prisoners generally do not undergo intake medical examinations to evaluate their health or check for recent injuries. If they do, the exam is either cursory or performed by health professionals who lack the necessary independence.[637]

549.   As previously mentioned, in the vast majority of the countries of this regions persons deprived of liberty find themselves forced to depend largely on their families or third parties for their basic needs, including medicine, special diets, and other prisoner health care necessities such as glasses and prostheses. The IACHR reaffirms the State's duty to supply prisoners with certain basic necessities, such as medicine, especially in the case of those who do not have the resources to purchase them themselves. In any case, when prisoners' needs are met by family members or third parties, controls intended to intercept illegal substances should not hinder the delivery of basic necessities.

550.   In very specific contexts, such as the repression of political prisoners in Cuba, the IACHR has noted the use of the withholding of medical care as a very real form of aggression against prisoners and has repeatedly expressed concern:

> The Commission has previously expressed its concern regarding the large number of political prisoners reportedly suffering from chronic visual, renal, cardiac, and pulmonary ailments and not receiving appropriate medical attention, including several prisoners of advanced years. Moreover, the IACHR is aware that the prison authorities prevent the relatives of imprisoned political dissidents from supplying them with medicines needed to treat their illnesses and not provided by the Government.[638]

2.   Challenges on the lack of access to the specialized medical care

551.   There are also recurring shortcomings involving the transfer of prisoners to outside clinics and hospitals for specialized treatment or treatment unavailable in correctional facilities.[639] Causes include the inefficiency of the judicial or administrative

---

[637] See in this regard, United Nations, CAT/OP/MEX/1, *Report on the visit of the Subcommittee on Prevention of Torture and Other Cruel, Inhuman or Degrading Treatment or Punishment to Mexico*, May 27, 2009, paras. 130-139; United Nations, CAT/OP/PRY/1, *Report on the visit of the Subcommittee on Prevention of Torture and Other Cruel, Inhuman or Degrading Treatment or Punishment to Paraguay*, June 7, 2010, paras. 91-98; United Nations, CAT/OP/HND/1, *Report on the visit of the Subcommittee on Prevention of Torture and Other Cruel, Inhuman or Degrading Treatment or Punishment to Honduras*, February 10, 2010, paras. 152-156.

[638] IACHR, *Annual Report 2010*, Chapter IV, Cuba, OEA/Ser.L/V/II.Doc.5 corr. 1, March 7, 2011, para. 361; IACHR, *Annual Report 2009*, Chapter IV, Cuba, OEA/Ser.L/II, Doc. 51 corr. 1, December 30, 2009, para. 281; IACHR, *Annual Report 2008*, Chapter IV, Cuba, OEA/Ser.L/V/II.134, Doc. 5, rev. 1, adopted on February 25, 2009, para. 197; IACHR, *Annual Report 2007*, Chapter IV, Cuba, OEA/Ser.L/II.130, Doc. 22 Rev.1, December 29 2007, para. 110; IACHR, *Annual Report 2006*, Chapter IV, Cuba, OEA/Ser.L/V/II.127. Doc. 4 ver. 1, March 3, 2007, para. 70. Cf. also IACHR, Report No. 67/06, Case 12.476, Merits, IACHR, Report No. 67/06, Case 12.476, *Oscar Elías Biscet et al., Cuba*, October 21, 2006, para 157.

[639] See in this regard, IACHR, *Fifth Report on the Situation of Human Rights in Guatemala*, Ch. VIII, para. 60; IACHR, *Report on the Situation of Human Rights in the Dominican Republic*, Ch. VI, para. 291; IACHR, *Report on the Situation of Human Rights in Brazil*, Ch. IV, para. 16.

authorities who must authorize the transfers; the unavailability of vehicles or personnel to conduct the transfers; the arbitrary, unjustified refusal of the authorities or, quite simply, the geographic isolation of the correctional institution in question.

552.   In emergency situations, failure or delay in transporting prisoners to hospitals can result in death or other irreversible harm. In other situations, it can cause prisoners to forfeit doctor's appointments or the continuity of treatment essential for their particular medical condition.

553.   The IACHR's Special Report on the Human Rights Situation at the Challapalca Prison in Peru gives a clear example of this problem:

> Using the prison's only vehicle, a mid-sized cargo truck, it takes more than five hours to get to the nearest hospital in the town of Juliaca. This has led to situations of such magnitude as those that affected prompt care for prisoner Manuel Ipanaqué Tovar, who died October 13, 1999, at the Hospital Regional de Juliaca after having suffered injuries to his neck and chest, apparently due to an accident with steel weaving needles (or reeds), at about 2 p.m. that day and not having received medical care until 9 p.m., when he entered the hospital.[640]

554.   In some cases, prisoners receive discriminatory or unequal treatment in outside hospitals simply because they are prisoners. On this subject, the United Nations Basic Principles for the Treatment of Prisoners establish that "prisoners shall have access to the health services available in the country without discrimination on the grounds of their legal situation." The United Nations Special Rapporteur on Torture has subsequently underscored that "[s]tates are under the obligation to respect the right to health by, inter alia, refraining from denying or limiting equal access for all persons, including persons deprived of their liberty, to preventive, curative and palliative health services."[641]

3.   The Impact of the conditions of imprisonment on the health of persons deprived of their liberty

555.   In other cases, the correctional institution's location itself puts the inmates' health at risk. During a visit to the Challapalca Prison in Peru, for example, the Commission noted that, owing to its location at 4,600 meters above sea level, the air was thin, making inmates prone to acute mountain sickness or *soroche*, which could become chronic (also known as "monk's disease"). The problem was intensified by the inadequacy of the prison's health services, as well as the fact that many of the inmates came from areas close to sea level.[642]

---

[640] IACHR, *Special Report in the Human Rights Situation at the Challapalca Prison*, para. 66.

[641] United Nations, Special Rapporteur on Torture and other Cruel, Inhuman or Degrading Treatment or Punishment, Third Report to the [former] Commission on Human Rights, E/CN.4/2004/56, adopted on December 23, 2003, para. 56.

[642] IACHR, *Special Report in the Human Rights Situation at the Challapalca Prison*, paras. 62-63.

556.   In addition to previously mentioned factors, the IACHR attributes the health care shortcomings in the region's prisons to two other fundamental problems: (1) the absence of preventive measures and (2) overpopulation and overcrowding. Due attention to these two aspects of prison administration can lead to much sounder, more efficient use of the available medical services.

557.   With respect to the first point, the Commission emphasizes the need to give priority attention to structural, health, and hygiene conditions in prisons; to ensure sufficient natural lighting and ventilation; to provide prisoners with sufficient quality food, as well as safe drinking water; and to perform intake medical examinations and provide adequate treatment for incoming prisoners with contagious diseases. It also emphasizes the implementation of health education and promotion programs; as well as employee training; immunization, prevention, and treatment for infectious, endemic, and other diseases; distribution of condoms and lubricants, and other similar measures.[643] Even the isolation cells used for disciplinary purposes should be evaluated by the medical authorities in order to prevent psychological disturbances, including suicide.[644]

558.   The other problem with serious consequences for prison health is overcrowding. Its effects include the overwhelming of medical care facilities; the spread of contagious diseases of all kinds; uncertain availability of space to provide adequate treatment for inmates requiring special treatment; and, as previously noted, increased friction and quarreling among prisoners that often results in serious injury, including death.[645]

559.   The Commission highlights that, regardless of its economic difficulties at any given moment, by depriving a person of liberty, the State has acquired an unavoidable duty to provide adequate medical attention, which includes preventive measures, diagnosis and treatment. In its view, moreover, responsibility for compliance with this duty of the State is not the sole responsibility of medical staff. Fundamental responsibility lies with prison management and with the authorities whose job it is to develop public health policy and allocate the implementing resources.

4.   Medical personnel

560.   Medical personnel should not treat inmates in an authoritarian or arrogant manner or behave in a way that suggests that they are doing inmates a favor or

---

[643] See, e.g., IACHR, Press Release 56/11, "Office of the Rapporteur on the Rights of Persons Deprived of Liberty Concludes Visit to Suriname," Washington, D.C., June 9, 2011, Annex, para. 13.

[644] This obligation derives from the general duties of the doctors or competent health authority to inspect, evaluate and advise the management of detention centers in regards to the sanitary conditions and hygiene of the establishment, and constantly monitor the health conditions of persons subject to isolation as a disciplinary sanction. See, Standard Minimum Rules for the Treatment of Prisoners (Rules 26.1 and 32.3), and European Penitentiary Rules (Rule 44.b).

[645] As an specific example of this, the SPT during its visit to Mexico reported on the case of a person that lost his life as a result of a serious overcrowding situation. United Nations, CAT/OP/MEX/1, *Report on the visit of the Subcommittee on Prevention of Torture and Other Cruel, Inhuman or Degrading Treatment or Punishment to Mexico*, May 27, 2009, para. 177.

that medical care is a privilege. This kind of behavior is contrary to the ethical principles that should guide the actions of health personnel,[646] compromises the quality of care and does not promote patient trust.

561.   To safeguard against the torture and physical or mental abuse of prisoners, it is crucial for health professionals providing medical care to persons in State custody to operate with due autonomy and independence, free from any form of interference, coercion or intimidation by other authorities.[647] This independence and autonomy should cover not only for members of prison medical staff but also the outside hospital personnel who provide medical care to detainees and prisoners brought to them for medical care under certain circumstances.

562.   The Istanbul Protocol[648] recognizes that doctors working with State security services encounter circumstances where:

> The interests of their employer and their non-medical colleagues may be in conflict with the best interests of the detainee patients. Whatever the circumstances of their employment, all health professionals owe a fundamental duty to care for the people they are asked to examine or treat. They cannot be obliged by contractual or other considerations to compromise their professional independence. They must make an unbiased assessment of the patient's health interests and act accordingly.

563.   During his visit to Uruguay, the Rapporteur on the Rights of Persons Deprived of Liberty noted as a good practice: that prison medical care there is gradually being handed over to the State Health Services Administration (ASSE)[649]. This transfer of duties, which has been implemented in four correctional institutions, presents various advantages, both in terms of quality of care and in terms of the institutional independence of health care staff, who are not under the authority of the Ministry of the Interior.

564.   According to the Istanbul Protocol, doctors working with State security services must refuse to comply with any procedures that may harm patients or leave them physically or psychologically vulnerable to harm. Where the detainee is a minor or a

---

[646] Laid down *inter alia* in the *Principles of Medical Ethics relevant to the role of health personnel, particularly physicians, in the protection of prisoners and detainees against torture and other cruel, inhuman or degrading treatment or punishment,* adopted by the United Nations General Assembly in its resolution 37/134; and the *Oath of Athens,* adopted by the International Council of Prison Medical Services in 1979.

[647] I/A Court H.R., *Case of Vélez Loor V. Panama.* Preliminary Objections, Merits, Reparations, and Costs. Judgment of November 23, 2010 Series C No. 218, para. 236; I/A Court H.R., *Case of Bayarri V. Argentina.* Preliminary Objection, Merits, Reparations and Costs. Judgment of October 30, 2008. Series C No. 187, para.. 92; I/A Court H. R., *Case of Montero Aranguren et al. (Detention Center of Catia) V. Venezuela.* Judgment of July 5, 2006. Series C No. 150, para. 102.

[648] *Manual on the Effective Investigation and Documentation of Torture and Other Cruel, Inhuman or Degrading Treatment or Punishment (Istanbul Protocol),* Office of the United Nations High Commissioner for Human Rights, para. 66.

[649] IACHR, Press Release 76/11 - IACHR Recommends Adoption of a Comprehensive Public Policy on Prisons in Uruguay. Washington, D.C., July 25, 2011, Annex, para. 13.

vulnerable adult, doctors have an additional duty to act as an advocate.[650] Doctors also have a duty to speak out and to report any unethical, abusive, or inadequate treatment of patients by members of their employing security services, but without exposing patients, their families, or themselves to foreseeable serious risk of harm.[651]

5.   Prevention and treatment of contagious diseases

565.   Although the list of contagious diseases prevalent in correctional facilities is extensive, we will focus specifically on issues relating to HIV/AIDS and to tuberculosis and other neglected diseases (primarily skin disease). This does not mean, however that these diseases are more important than the many others that are a fact of prison life, including, for example, hepatitis, sexually transmitted diseases and gastrointestinal diseases.

HIV/AIDS

566.   Inside prisons, people living with HIV are often the most vulnerable and stigmatized segment of the prison population. Fear of HIV and AIDS often places HIV-positive prisoners at increased risk of social isolation, violence and human rights abuses from both prisoners and prison staff. This fear is often fed by misinformation about routes of transmission, as well as the closed, intimate nature of the prison environment and/or stigma and discrimination against vulnerable groups such as sex workers, drug users, and LGTB people.[652]

567.   According to information received by the IACHR in the context of a thematic hearing on the human rights situation in the province of Buenos Aires, the principle causes of prison deaths in 2009 were HIV/AIDS and opportunistic disease. According to information supplied by the Committee against Torture of the Provincial Memory Commission:

> [In Buenos Aires province,] the death of a detainee with HIV/AIDS is classified by the correctional services as "non-traumatic" or "natural." This classification rules out any court-led investigation into the treatment impact of the kind and conditions of detention (poor diet, bad hygiene, unsuitable building conditions, absence or inadequacy of medical care, or inadequate or sporadic treatment).[653]

---

[650] The duty of health personnel to refrain from participating in any way in acts that violate the right to the integrity of the persons in custody of the State is widely developed in the Principles of Medical Ethics Relevant to the Role of Health Personnel, particularly Physicians, in the Protection of Prisoners and Detainees against Torture and Other Cruel, Inhuman or Degrading Treatment or Punishment.

[651] *Manual on the Effective Investigation and Documentation of Torture and Other Cruel, Inhuman or Degrading Treatment or Punishment (Istanbul Protocol)*, Office of the United Nations High Commissioner for Human Rights, para. 67.

[652] WHO, *Health in Prisons: a WHO guide to the essentials in prison health*, 2007, p. 61, available at: http://www.who.int/hiv/pub/idu/euro_health_prison/en/index.html.

[653] IACHR, Public hearing: *Human Rights Situation of Persons Deprived of Liberty in the Province of Buenos Aires,* 141º Ordinary Period of Sessions, requested by: State of Argentina, Centro de Estudios Legales y Sociales (CELS), Comisión Provincial por la Memoria de la provincial de Buenos Aires, March 28, 2011. See also,

Continues...

568.   The IACHR urges States to adopt any legislative, institutional, or other measures needed to prevent and eliminate discrimination against inmates with HIV/AIDS. Prisoners discriminated against by reason of their gender, sexual orientation, religion, or race can be victims of multiple discrimination when they are also HIV-positive.[654] Particular attention should be paid to the question of sexual orientation-based discrimination against HIV-positive prisoners. In the words of the UN Special Rapporteur:

> Attitudes and beliefs stemming from myths and fears associated with HIV/AIDS and sexuality contribute to stigma and discrimination against sexual minorities. In addition, the fact that members of these minorities are perceived as transgressing gender barriers or challenging predominant conceptions of gender roles seems to contribute to their vulnerability to torture as a way to "punish" their unaccepted behavior.[655]

569.   In *Jorge Odir Miranda Cortez et al.*, the Inter-American Court ruled, inter alia, on the State's duty to protect HIV-positive individuals. Following the line of European Court case law, it found that the effectiveness of legal remedy for protecting the rights of such persons is inextricably linked to prompt delivery of the decision. In the above case, the IACHR held that what was at issue in the victims' petition for *amparo* was not health alone but survival and that the national courts therefore had a duty to accelerate the judicial decision-making process. Thus, the IACHR has established that in situations of this nature the courts processing such petitions must give them priority, regardless of their other caseload.[656]

...continuation

Comité Contra la Tortura de la Comisión Provincial por la Memoria, Annual Report 2010: *El Sistema de la Crueldad V* [The System of Cruelty IV], p. 98.

[654] United Nations, Special Rapporteur on Torture and other Cruel, Inhuman or Degrading Treatment or Punishment, Third Report to the [former] Commission on Human Rights, E/CN.4/2004/56, adopted on December 23, 2003, para. 63.

[655] United Nations, Special Rapporteur on Torture and other Cruel, Inhuman or Degrading Treatment or Punishment, Third Report to the [former] Commission on Human Rights, E/CN.4/2004/56, adopted on December 23, 2003, para. 64.

[656] IACHR, Report No. 27/09, Case 12.249, Merits, Jorge Odir Miranda Cortez *et al.*, El Salvador, March 20, 2009, paras. 47-48 and 52-53. On this matter, see also, United Nations, Special Rapporteur on Torture and other Cruel, Inhuman or Degrading Treatment or Punishment, Third Report to the [former] Commission on Human Rights, E/CN.4/2004/56, adopted on December 23, 2003, para. 59.

Tuberculosis[657] and other neglected diseases[658]

570.   As the IACHR has observed, tuberculosis (TB) is another disease prevalent in prisons.[659] Despite the importance of this subject and the fact that most of the regional and international human rights mechanisms working in the prison context consider it a priority, the Commission finds a lack of comprehensive, in-depth studies on how best to approach the question of TB in prisons from the human rights perspective, so that the necessary efforts are made to combat the stigma and discrimination attached to inmates suffering from this disease.

571.   As discussed previously, correctional institutions are not closed environments. Security personnel, health workers, technical staff, and manual laborers come and go daily, in addition to the visitors, who go in and out after close and frequent contact with the inmates. As major reservoirs of tuberculosis, correctional institutions expose inmates to the disease, in violation of their right to health, and threaten the population in general. Tuberculosis in prisons is therefore a major public health concern and a reason why government authorities should make correctional health a part of health policy.

572.   The TB/HIV coinfection in prisons also represents a serious health problem because of the high transmission rates for both diseases. The gradually deteriorating immunity of HIV-positive individuals makes them prone to opportunistic infections like tuberculosis. For this reason, it is impossible to address the control of TB prisons without also addressing the prevention and control of HIV.

573.   In this context, as the United Nations Special Rapporteur on torture has emphasized:

> To deny detained persons access to HIV-related information, education and means of prevention, voluntary testing, counseling, confidentiality, and HIV-related health care and access to and voluntary participation in treatment trials could constitute cruel, inhuman or degrading treatment.[660]

---

[657] See, PAHO, *Guide for Tuberculosis Control in Populations Deprived of Liberty in Latin American and the Caribbean,* 2008, available at: http://www.paho.org/english/ad/dpc/cd/tb-prisiones-guia-ctl.htm.

[658] See, PAHO, *Report on the Elimination of Neglected Diseases and Other Poverty-Related Infections,* CD49/9, adopted on July 10, 2009, available at: http://new.paho.org/hq/dmdocuments/2009/CD49-09-e.pdf; PAHO, Resolution on the Elimination of Neglected Diseases and Other Poverty-Related Infections, CD49.R19, adopted   on   October   2,   2009,   available   at: http://joomla.salumedia.com/index.php?option=com_docman&task=doc_details&gid=3124&Itemid=4031.

[659] See in this regard, IACHR, *Report on the Situation of Human Rights in the Dominican Republic,* Ch. VI, para 292. In addition to the materials presented in the present section, see also, ICRC/TBCTA, *Guidelines for control   of   tuberculosis   in   Prisons*   (2009),   available   at: http://www.tbcta.org/Uploaded_files/Zelf/GuidelineTBPrisons1252321251.pdf.

[660] United Nations, Special Rapporteur on Torture and other Cruel, Inhuman or Degrading Treatment or Punishment, Third Report to the [former] Commission on Human Rights, E/CN.4/2004/56, adopted on December 23, 2003, para. 54.

574. The Commission underscores that, as with all diseases in the prison environment, it is crucial to take a preventive approach to HIV/AIDS. In this connection, carriers should receive free treatment and should not be isolated solely because they are infected.[661]

C. Recommendations

575. The Commission makes the following recommendations with respect to the State's duty to provide medical care to persons deprived of their liberty:

1. Adopt and implement comprehensive public policies to ensure healthy conditions in correctional facilities. These policies should focus on the prevention, diagnosis, and timely treatment of diseases, as well as on attention to at-risk groups in the prison population, as outlined in this chapter and in accordance with the health-related regional and international human rights instruments.[662] Concretely, States should:

   a. Incorporate regional and international human rights norms and standards into national policies on persons deprived of their liberty and legislation drafted in this area;

   b. Promote and improve the knowledge of prison health personnel with respect to international human rights instruments relevant to the prison context;

   c. Seek technical assistance from entities and agencies specializing in development, review, and, where necessary, reform of correctional health-related national plans and legislation;

   d. Participate in regional events to learn about relevant best practices in other countries and discover examples of how to encourage recognition of the right to health as a fundamental right of persons deprived of their liberty.

2. Budget sufficient funds in the context of the above-mentioned government policies to ensure that correctional facilities have qualified health personnel and sufficient medicine, equipment, and supplies for the population they house.

3. Implement external supervision and monitoring mechanisms for prison health care and adopt the legislative, administrative, budgetary, and

---

[661] With regard to the confinement of persons with HIV/AIDS see also the European Penitentiary Rules (Rule 42.3.i).

[662] See, PAHO, Resolution on Health and Human Rights (CD50/R.8), adopted on September 29, 2010.

other measures needed to insure that such health care is provided by persons who are not responsible to the correctional authorities.

4. Approach access to health care in correctional facilities as a public health concern. The Commission suggests that the various ministries involved in prison health care coordinate their efforts and establish joint priorities for protecting and promoting universal access to health care for persons deprived of their liberty.

5. Cooperate with existing human rights mechanisms working to protect the basic rights of persons deprived of their liberty. This includes:

    a. Facilitating initiatives with regional and international human rights mechanisms by extending invitations for country visits and organizing and implementing them;

    b. Taking the steps needed to comply with recommendations made by rapporteurs, committees, and other human rights mechanisms following official country visits;

    c. Promoting the ratification of any human rights instruments relating to persons deprived of their liberty that have not yet been ratified (e.g. Optional Protocol to the Convention against Torture/OP-CAT).

6. Adopt the measures required to guarantee the independence, at all times, of medical personnel who provide health care for persons in State custody, in order to ensure that they are free from the interference, intimidation, or influence of other, non-medical authorities in the course of their work. For this purpose, the Commission recommends widely promoting and distributing the contents of the Protocol and best Protocol implementation practices among prison administrators.

7. Streamline procedures in order to ensure timely transportation for prisoners requiring medical care outside the prison. Ensure that these prisoners do not receive discriminatory, inferior quality treatment or face barriers of any kind to medical care.

8. Take the steps necessary to ensure that prisoners have free, fair, and transparent access to correctional facility medical services that meet their medical needs effectively.

9. Promote a system of comprehensive, systematic medical record-keeping. Promote the right of prisoners to have access to a medical professional at all times, without charge. States have a duty to adopt measures to enforce this right. Prisoners must be able to consult medical professionals

confidentially, without having their requests blocked or filtered by guards or other prisoners.

10. Adopt policy guidelines to keep prisoners' clinical records strictly confidential and accessible only to medical staff. Adopt appropriate administrative measures to ensure that the inmates' clinical records accompany them, including when prisoners are transferred to different correctional facilities, and that they are kept for a reasonable period of time, in the event that former inmates reenter the system.

11. Encourage all relevant stakeholders, including civil society, to participate in the analysis of best practices for combating prison overcrowding. This analysis should take into consideration the negative consequences of overcrowding at every level and should treat it as a public health issue in the case of infectious diseases like HIV/AIDS or TB.

12. Adopt comprehensive public health policies to prevent and treat diseases with high prison incidence such as HIV/AIDS, tuberculosis and other neglected diseases, hepatitis, sexually transmitted diseases, and gastrointestinal disorders (caused by bacteria, protozoa, parasitic worms, or viruses), as outlined in this chapter.

13. Contribute to the knowledge of neglected infectious diseases by developing joint studies and participating in national, regional, and international workshops aimed at quantifying the prison incidence of the different neglected infectious diseases, particularly skin diseases. The Commission also recommends analyzing best practices for caring for the specific needs of these groups. Such activities should be aimed at helping to combat discrimination against this segment of the prison population.

14. Provide training for prison health workers in neglected infectious diseases, their modes of transmission, and prevention and treatment methods.

15. Make a commitment to eliminate or reduce neglected infectious diseases and other poverty-related infections. To this end, the Commission urges States to determine which neglected infectious diseases should take priority in the prison context.

VI.   FAMILY RELATIONS OF INMATES

A.   Basic standards[663]

576.   The IACHR has established that the State has the obligation to facilitate and regulate contact between inmates and their families, and to protect their fundamental human rights against all abusive and arbitrary interference. In this respect, the IACHR has reiterated that family visitation to prisoners is a fundamental element of the right to the protection of the family of all parties in this relationship that are affected; therefore:

> Because of the exceptional circumstances that imprisonment creates, the State is obligated to take steps to effectively ensure the right to maintain and cultivate family relationships. The need for any measures that restrict this right must fit the usual and reasonable requirements of incarceration.[664]

577.   Out of the general obligations to respect and guarantee the human rights established in Article 1.1 of the Convention and the specific obligation to protect the family imposed in its Article 17.1, stems the positive obligation of the State, as guarantor of the rights of persons under its custody, to create the conditions necessary for enabling contact between persons deprived of liberty with their families (which as a general rule occurs in three ways: mail, visits, and telephone calls). In particular, the State must correct all structural deficiencies that keep contact and communication between inmates and their families from taking place on a sufficiently regular basis under secure conditions that respect their dignity.

578.   For persons deprived of liberty, family support is essential in many areas and ranges from the emotional support to material assistance. In the majority of prisons in the region, the items that prisoners need to meet their most basic needs are not provided by the State, as they should be, but by their own families or third parties. Furthermore, at the emotional and psychological level, maintaining family contact is so important for inmates that its absence is considered an objective factor contributing to a heightened risk of their resorting to suicide.[665]

---

[663] In the case of children and adolescents, the subject of family and community contact is extensively developed by the IACHR at: IACHR, *Juvenile Justice and Human Rights in the Americas*, paras. 389-405.

[664] IACHR, Report No. 67/06, Case 12.476, Merits, Oscar Elías Biscet *et al.*, Cuba, October 21, 2006, para. 237; IACHR, Report No. 38/96, Case 10.506, Merits, X and Y, Argentina, October 15, 1996, para. 97- 98. Similarly, the European Court has indicated that any deprivation of liberty carried out in accordance with the law by its nature involves a limitation on private and family life. However, it is an essential part of every prisoner the respect to the right for family life and that prison authorities provide the necessary facilities so they can maintain contact with their family. European Court of Human Rights, *Case of Messina v. Italy* (No. 2), (Application no. 25498/94), Judgment of September 28, 2000, Second Section, para. 61.

[665] World Health Organization (WHO), *Preventing Suicide in Jails and Prisons*, (update 2007), p. 16, available at: http://www.who.int/mental_health/prevention/suicide/resource_jails_prisons.pdf.

B.   Main challenges and applicable standards

579.   The IACHR has observed the there are essentially two major obstacles to maintaining normal interaction between inmates and their families: (a) lack of conditions that allow visits to be made in a manner that respects their dignity; that is, under acceptably private, sanitary, and secure conditions; and (b) humiliating or degrading treatment of inmates' families by prison authorities on visiting days. This type of situation, in addition to directly affecting the prisoners' families, constitutes a disincentive for them to visit, which definitely affects maintenance of the inmates' family ties.

1.   Lack of conditions that allow visits to be made in a manner that respects their dignity, under acceptably private, sanitary, and secure conditions

580.   The IACHR has observed that in the majority of the countries in the region, prisons lack the basic facilities and conditions to enable visits to be made in an environment that offers a minimum of privacy, sanitation, and security for visitors. In many cases, the lack of appropriate spaces obliges families to meet in cells, hallways, cell blocks, and internal areas where the inmates are housed; and in many cases as well, relatives who come to visit are exposed and even subjected to the dynamics of violence that prevail in the prisons.

581.   Thus, for example, in a recent thematic hearing on the situation of persons deprived of liberty in Venezuela, the petitioners said that the violence that inmates experience in prisons also affects their families,[666] and provided information that in 2010 four relatives of inmates had been murdered with guns in incidents in three correctional facilities.[667]

582.   Likewise, based on information that was widely broadcast, the IACHR took note of the fact that in August 2010 a Dutch national held in San Pedro (formerly Lurigancho) Prison, in Peru, had killed his girlfriend on visiting day and buried her inside his cell. The victim's body was found three months later after the presumed culprit confessed.[668]

---

[666] See also, I/A Court H.R., *Matter of the Penitentiary Center of the Central Occidental Region (Uribana Prison) regarding Venezuela*, Order of the Inter-American Court of Human Rights of February 2, 2007, Having seen, para. 2(g).

[667] IACHR, Public hearing: *Situation of Persons Deprived of Liberty in Venezuela*, 141º Ordinary Period of Sessions, requested by: State of Venezuela, Center for Justice and International Law (CEJIL), Observatorio Venezolano de Prisiones (OVP), Comisión de Derechos Humanos de la Federación de Abogados de Venezuela, March 29, 2011.

[668] See in this regard, Perú 21, *Holandés mató y enterró a mujer en penal*, November 29, 2010, available at: http://peru21.pe/noticia/676510/holandes-mato-enterro-pareja-penal; RPP. *Separan a funcionarios por asesinato de mujer en penal de Lurigancho*, November 29, 2011, available at: http://www.rpp.com.pe/2010-11-29-separan-a-funcionarios-por-asesinato-de-mujer-en-penal-de-lurigancho-noticia_314749.html; La República, *Reo Holandés asesina a joven peruana y la entierra en su celda de Lurigancho*, November 30, 2010, available at: http://www.larepublica.pe/30-11-2010/reo-holandes-asesina-joven-peruana-y-la-entierra-en-su-celda-de-lurigancho; El Comercio, *Familiares de mujer asesinada en penal de Lurigancho reconocieron el cadáver en la morgue*, november 29, 2010, available at: http://www.larepublica.pe/30-11-2010/reo-holandes-asesina-joven-peruana-y-la-entierra-en-su-celda-de-lurigancho.

583.   In addition, relatives and others visits in correctional facilities run by systems of "self-governance" or "shared governance" are directly exposed to kidnapping, extortion, acts of forced prostitution, and all types of abuse and assault perpetrated by those who *de facto* exercise control in these prisons. These cases represent the State's neglect of its international responsibilities by failing to maintain a system that protects the lives and integrity of people who visit the prisons and allowing and tolerating the violation of their rights by third parties.

584.   It is likewise unacceptable from any standpoint that prison authorities demand payment or other actions from inmates in return for visitation days or permission to use the public telephones or to send letters.[669] The State has the obligation to detect and eliminate these types of practices and to investigate and punish employees who commit them or cover them up.

585.   Maintaining a proper visitation system also implies that visits take place in locations other than those in which the inmates are housed. The State has the obligation to create adequate facilities for visits to take place in a manner respectful of dignity under secure conditions, without having relatives, including children, to enter internal areas devoted to inmate housing and activities. States should eliminate these type of practices, even though they are deeply rooted, and regardless if the prisoners themselves prefer them. Efforts should also be made to ensure that children and adolescents who enter correctional facilities as visitors are accompanied at all times by a relative, guardian, or someone that he or she appoints.

586.   States must likewise guarantee that the conjugal visits of both male and female inmates take place in a manner that respects their dignity under basic conditions of sanitation, security, and respect on the part of prison staff. This implies creating rooms for this purpose and avoiding the practice of inmates receiving their partners in their own cells. Furthermore, States should adequately supervise and strictly monitor how such visits are arranged to prevent any type of irregularity, both in granting authorization for conjugal visits and how they are handled. The lack of supervision in this area facilitates irregularities ranging from the extortion of money for the authorization of this type of visit[670] to illegal prostitution.[671]

---

[669] See, *e.g.*, the IACHR Turing its 1997 *in loco* visit to Colombia the Commission "received reiterated information indicating that in some prisons the detainees or their families must secretly pay for visitation authorization". *Third Report on the Human Rights Situation in Colombia*, Ch. XIV, para. 40.

[670] For example, during the work visit by the Commissioner Rodrigo Escobar Gil to Mexico in September 2011, he received a report by the Human Rights Commission in the Federal District which stated that: "Another persistent problem is the lack of specific requirements in the regulations of the detention centers that allow for criteria for access to conjugal visits, which are favored by corrupt practices for the conduct of clandestine private visits, as in the case of the North, East and South Prison of the Federal District, where this practice has been documented within the so-called "cottages" (*cabañas*) Report prepared for purposes of the above-mentioned visit, entitled *La Figura del Arraigo y la Situación de las Personas Privadas de Libertad*. Likewise, the UN Rapporteur on Torture during his visit to Paraguay on 2006 noted "the establishment of so-called *privados*, small rooms for intimate meetings. However, he received repeated allegations that detainees have to pay substantial sums of money to be allowed to use a *privado*, both officially and unofficially. This means, on the one hand, that poor detainees are deprived of this right and, on the other hand, that *privados* contribute to the corruption in the prison system". ONU, United Nations, Special Rapporteur on Torture and other Cruel, Inhuman or Degrading Treatment or Punishment, Report on the mission to Paraguay, A/HRC/7/3/Add.3, adopted on October 1, 2007. Ch.

Continues...

2.   Humiliating or degrading treatment of inmates' relatives

587.   During visits to prisons, the detainees' relatives, who are generally women, children, and elderly people, must often wait their turn for several hours, often outdoors   and carrying packages; submit to close examinations of their body and belongings, which in many cases are degrading; and finally, submit to the police or military guards responsible for the external security of the prisons – personnel who as a rule are not properly trained to deal with visitors and who are not subject to civilian authorities but answerable only to their chain of command, a situation that creates opportunities for arbitrary behavior with no supervision or accountability.

588.   In this respect, one problem that has been amply documented by both the IACHR and UN mechanisms is the practice of subjecting female visitors to degrading searches, which may include vaginal and anal searches. Thus, for example, during its on-site visit to Peru in 1998, the IACHR reported after visiting several jails, that:

> Women, for example, are generally subjected to a denigrating check, including a vaginal inspection, which is reportedly performed using the same glove for all the women who visit a given prison. It is added that women are then required to jump, half-naked, and crouching, and that they are touched.[672]

589.   Special note was taken of this practice of conducting degrading, intrusive bodily searches of women and girls who visit prisons by the IACHR Rapporteur on the Rights of Persons Deprived of Liberty during his mission to Chile in 2008 and El Salvador in 2010[673] and by other UN mechanisms, such as the UN Subcommittee on Prevention of

---

...continuation

IV: *Conditions of detention*, para. 72. Similarly, the IACHR, as part of a thematic hearing held in 2006, received information that Paraguay had been observed in the widespread practice of charging fines to women prisoners to exercise their right to conjugal visits. IACHR, Public hearing: *Situation of Women Deprived of Liberty in Argentina, Bolivia, Chile, Paraguay and Uruguay*, 126º Ordinary Period of Sessions, Participants: Center for Justice and International Law (CEJIL), Capítulo Boliviano de Derechos Humanos, Democracia y Desarrollo, Coordinadora de Derechos Humanos de Paraguay (CODEHUPY), Instituto de Estudios Comparados en Ciencias Penales y Sociales (INECIP), CLADEM-Chile, Universidad Diego Portales, October 24, 2006.

[671] See, *e.g.*, IACHR, Public hearing: *Situation of the Prison System in Brazil*, 138º Ordinary Period of Sessions, requested by: State of Brazil, Justiça Global, Comissão Parlamentar de Inquérito (CPI) do Sistema Carcerário Brasileiro, Núcleo de Estudos Pela Paz e Direitos Humanos da Universidade de Brasília (UnB), Pastoral Cercerária Nacional, Associação dos Cristãos para a Abolição da Tortura (ACAT Brasil), Centro Feminista de Estudos e Assessoria (CFEMEA), Comissão de Direitos Humanos e Minorias (CDHM) da Câmara dos Deputados, Associação de Advogados de Trabalhadores Rurais no Estado de Bahia (AATR), March 19, 2010. In this regard, see the report: *Sistema Carcerário Brasileiro* (2009), pp. 260-262 presented in the said hearing available at: http://bd.camara.gov.br/bd/bitstream/handle/bdcamara/2701/cpi_sistema_carcerario.pdf?sequence=1.

[672] IACHR, *Second Report on the Situation of Human Rights in Peru*, Ch. IX, para 19. See also, IACHR, *Report on the Situation of Human Rights in the Dominican Republic*, Ch. VI, para 298; IACHR, *Third Report on the Human Rights Situation in Colombia*, Ch. XIV, para. 41.

[673] IACHR, Press Release 104/10 - IACHR Office of the Rapporteur Attests to Structural Deficiencies in Prison System of El Salvador. Washington, D.C., October 20, 2010; IACHR, Press Release 39/08 - Rapporteurship on the Rights of Persons Deprived of Liberty concludes visit to Chile. Santiago, Chile, August 28, 2008.

Torture in its mission to Mexico in 2008[674] and the Special Rapporteur on Torture during his mission to Brazil in 2000.[675] The use of these types of practices in Brazil was also recently exposed during a thematic hearing held at the headquarters of the IACHR in March 2010, during its 138th Session.[676]

590.   Under the standards set by the IACHR in its Principles and Best Practices (Principle XXI), bodily searches of persons deprived of liberty and their visitors shall not be conducted indiscriminately, but must meet the criteria of necessity, reasonableness, and proportionality. In addition, they shall be carried out "under adequate sanitary conditions by qualified personnel of the same sex, and shall be compatible with human dignity and respect for fundamental rights. In line with the foregoing, member States shall employ alternative means through technological equipment and procedures, or other appropriate methods." Moreover, "[i]ntrusive vaginal or anal searches shall be forbidden by law."[677]

591.   The IACHR reiterates that the States not only have the authority but the obligation to maintain security and order inside prisons, which implies proper control of the entry of illicit articles such as weapons, drugs, liquor, cell phones, etc. However, implementation of these security systems must take place in a way that respects the fundamental rights of inmates and their families. It is essential that prison guards and external security personnel be trained to strike a balance between exercising their security functions and treating visitors with dignity.

592.   It is important to have clear standards and information about the types of items that are allowed to enter the prison or are prohibited, and that relatives be made aware of them. A best practice in this respect is to hang posters or signs in locations visible to the public. The important thing is to create a system in which variations are infrequent and these standards are applied in a consistent and organized manner to reduce opportunities for arbitrariness and maintain a climate of mutual respect between authorities and visitors.

---

[674] United Nations, Special Rapporteur on Torture and Other Cruel, Inhuman or Degrading Treatment or Punishment, Report submitted pursuant to Commission on Human Rights resolution 2000/43, Addendum, Visit by the Special Rapporteur to Brazil, E/CN.4/2001/66/Add.2, adopted on March 30, 2001, para. 122.

[675] United Nations, CAT/OP/MEX/1, *Report on the visit of the Subcommittee on Prevention of Torture and Other Cruel, Inhuman or Degrading Treatment or Punishment to Mexico*, May 27, 2009, para. 267.

[676] IACHR, Public hearing: *Situation of the Prison System in Brazil*, 138º Ordinary Period of Sessions, Participants: State of Brazil, Justiça Global, Comissão Parlamentar de Inquérito (CPI) do Sistema Carcerário Brasileiro, Núcleo de Estudos Pela Paz e Direitos Humanos da Universidade de Brasília (UnB), Pastoral Cerceraria Nacional, Associação dos Cristãos para a Abolição da Tortura (ACAT Brasil), Centro Feminista de Estudos e Assessoria (CFEMEA), Comissão de Direitos Humanos e Minorias (CDHM) da Câmara dos Deputados, Associação de Advogados de Trabalhadores Rurais no Estado de Bahia (AATR), March 19, 2010. In this regard, see the report: *Sistema Carcerário Brasileiro* (2009), presented in the said hearing available HERE.

[677] This new standard set forth by the IACHR in its Principles and Bests Practices constitutes a progressive advance of its own decision delivered twelve years earlier in the case of X and Y, Argentina, Report No. 38/96, in which the Commission held that vaginal searches could be permissible as long as they meet certain specific requirements, *e.g.*, its authorization by a competent judge.

593.   Furthermore, in practice, degrading or arbitrary treatment of inmates' relatives is a factor that significantly raises tension and stress levels in the prison population, which can eventually result in violence or protest demonstrations.

C.   Transfers to distant locations

594.   When access to detention centers and prisons makes it extremely difficult or onerous for families, to the point of making regular contact impossible, it inevitably infringes on the right of both parties to maintain family relations. Therefore, depending on the particulars of each case, this may constitute a violation of the right to family protection, and eventually, of other rights such as the right to personal integrity or due process.

595.   Thus, for example, the IACHR has determined that the geographic conditions of Challapalca Prison in Tacna, Peru make family visits so difficult that they constitute an undue infringement of this right. This prison is located in the Andes at an elevation of 4,600 meters above sea level and is two days' journey from Lima, requiring relatives to take turns to make the weekly visits. Moreover, the high elevation makes visits by children and the elderly impossible.[678]

596.   In the case of *Oscar Elías Biscet et al.,* the IACHR concluded that the deliberate transfer of political prisoners to prisons located extreme distances from their families and the arbitrary restrictions on family visitation and conjugal visits were violations of the right to the formation and protection of the family.[679]

597.   Moreover, in the context of the general monitoring of the human rights situation in Cuba, the IACHR has verified that one of the principal punitive and humiliating measures deliberately employed by the government against political dissidents is their incarceration in prisons located at extreme distances from their home. In this regard, the IACHR has received information according to which:

> They are held in prisons far away from their home towns in order to make visiting difficult; family visits are restricted or denied; foodstuffs or medicines sent by their relatives are restricted or denied; and they are kept from meeting with officials from international human rights bodies.[680]

---

[678] IACHR, *Special Report in the Human Rights Situation at the Challapalca Prison*, paras. 20, 88-89 and 117.

[679] IACHR, Report No. 67/06, Case 12.476, Merits, Oscar Elías Biscet *et al.*, Cuba, October 21, 2006, paras. 239-240. See also, IACHR, Report No. 3/11, Petition 491-98, Admisibility, Néstor Rolando López y otros, Argentina, January 5, 2011. In this case, the IACHR established the prima facie characterization of the alleged violations of Articles 17 (right of the family) and 5 (right to humane treatment) of the Convention, in relation to the transfer of inmates from the province of Neuquén to Federal Prison Service Units, which are considerably fran from their home towns.

[680] IACHR, *Annual Report 2008*, Chapter IV, Cuba, OEA/Ser.L/V/II.134, Doc. 5, rev. 1, adopted on February 25, 2009, para. 194. See also, IACHR, *Annual Report 2010*, Chapter IV, Cuba, OEA/Ser.L/V/II.Doc.5 rev. 1, adopte don March 7, 2011, para. 362.

[...] [I]n most cases prisoners are only allowed one family visit per month and in some cases, for no particular reason, only once every three months. The Commission was also informed that in several cases, when relatives have arrived on visiting day, having waited for weeks and traveled large distances to the prisons, they are forbidden entry without any explanation given and forced to return home and wait another month.[681]

598.   Likewise, during the course of his recent visit to Argentina the Rapporteur on the Rights of Persons Deprived of Liberty verified the Buenos Aires Penitentiary Service's practice of repeatedly transferring inmates, compelling them to move from one prison to another in the vast territory of the province of Buenos Aires, which in the majority of cases subjects them to excessive isolation from their families for prolonged periods.[682] This practice is particularly hard on poor families, as travel to distant locations is excessively onerous.

599.   In addition, confining persons in places extremely far from their homes, and, in many cases, from the courts in which their cases were adjudicated, can be a circumstance that impedes access to their defense counsel and their very appearance at their trial or other procedure in which their presence is required.[683] Moreover, in the case of indigenous persons, distancing them from their communities can also unleash a series of consequences that must be analyzed from the standpoint of the significance to these people of maintaining ties to their place of origin.[684]

600.   With respect to transfers, the Principles and Best Practices state:

Principle IX (4). The transfers of persons deprived of liberty shall be authorized and supervised by the competent authorities, who shall, in all circumstances, respect the dignity and fundamental rights of persons deprived of liberty, and shall take into account the need of persons to be deprived of liberty in places near their family, community, their defense counsel or legal representative, and the tribunal or other State body that may be in charge of their case.[685]

---

[681] IACHR, *Annual Report 2005,* Chapter IV, Cuba, OEA/Ser.L/V/II.124. Doc. 5, adopted on February 27, 2006, para. 78.

[682] IACHR, Press Release 64/10 - IACHR Rapporteurship Confirms Grave Detention Conditions in Buenos Aires Province. Washington, D.C., June 21, 2010.

[683] IACHR, *Second Report on the Situation of Human Rights in Peru*, Ch. IX, para 21; IACHR, *Report on the Situation of Human Rights in the Dominican Republic*, Ch. VI, paras. 161-162.

[684] IACHR, *Fifth Report on the Situation of Human Rights in Guatemala*, Ch. VIII, para. 65.

[685] In the same vein, the Body of Principles for the Protection of all Persons under Any Form of Detention or Imprisonment (Principle 20); the United Nations Rules for the Protection of Juveniles Deprived of their Liberty (Rule 30); and the Principles for the Protection of Persons with Mental Illness and the Improvement of Mental Health Care (Principle 7.2).

601.   While in some cases the transfer of a person to a location far from his home might be justified, it is important that the domestic law regulate this matter according to clear criteria that prevent the potential arbitrary or unjustified use of this measure. Moreover, in any case in which the person deprived of liberty believes that he/she has suffered specific harm or the infringement of some of his/her fundamental rights as a result of his/her transfer, he/she should be able to seek remedies from the competent judicial authority.

602.   In light of these considerations, the IACHR observes that the State should take all steps conducive to ensuring that persons deprived of liberty are not confined to facilities located at extreme distances from their community, family, and legal representatives. The State should likewise examine the individual case of each prisoner and wherever possible, arrange for transfer to a prison located near family's residence.[686]

603.   In many cases, the incarceration of prisoners in facilities far from their homes is a consequence of the overpopulation of the prisons in their jurisdiction. It is therefore essential that the States correct the structural deficiencies that lead to the concentration of prisoners exclusively in certain geographical areas and build prisons in jurisdictions where the judicial activity demands it so as to maintain a rational geographical distribution of the prison population.

D.   Recommendations

604.   With respect to maintaining the family ties of inmates and their contact with the outside world, the IACHR recommends:

1.   Regulating by law all aspects related to visitation in order to promote and guarantee maintenance of the family ties of persons deprived of liberty.

2.   Providing adequate physical spaces in detention centers for visits to be made under secure and sanitary conditions that permit privacy.

3.   Setting clear standards for visitation and the entry of items by visitors—standards that should be posted for public viewing.

4.   Properly training security personnel at prisons in security and searches, as well as how to treat visitors to the facility. Also, implement means of regular searches and inspections, and by using technological and other appropriate methods, including searches to personnel, in order to not subject the families of the inmates to humiliating body searches.

5.   Ensuring that the security personnel in direct contact with visitors are prison staff specialized in the work of correctional institutions and are accountable to civilian authorities, and not army or police personnel.

---

[686] United Nations, CAT/OP/HND/1, *Report on the visit of the Subcommittee on Prevention of Torture and Other Cruel, Inhuman or Degrading Treatment or Punishment to Honduras*, February 10, 2010, para. 248.

6.   Providing for conjugal visits, regulating them without distinctions based on considerations of gender or sexual orientation. Moreover, undertaking all the necessary improvements and adaptations to ensure the conjugal visits are conducted under sanitary conditions with dignity and privacy.

7.   Providing condoms, lubricants, and basic information on sexual and reproductive health available to inmates who will be receiving conjugal visits.

8.   Taking the necessary steps to ensure that persons deprived of liberty are confined to prisons located at a reasonable distance from their family, community, legal representatives, and the courts with jurisdiction over their respective cases, save in exceptional situations where such measures are duly justified.

9.   Implementing medium- and long-term plans of action to guarantee rational and proportional distribution of the prison population by geographic area and existing penal jurisdictions.

10.   Ensuring that each prison has enough public telephones to guarantee the inmates' communication with the outside world according to the regulations.

VII.   CONCLUSION

A.   Purpose of prison sentences: content and scope of Article 5.6 of the American Convention

605.   Article 5.6 of the American Convention states that: "[p]unishments consisting of deprivation of liberty shall have as an essential aim the reform and social readaptation of the prisoners." This provision constitutes a standard with its own scope and content, whose effective enforcement implies that the States must adopt all measures necessary to achieve those purposes. Using similar terms, Article 10.3 of the International Covenant on Civil and Political Rights states that: "[t]he penitentiary system shall comprise treatment of prisoners the essential aim of which shall be their reformation and social rehabilitation [...]".

606.   Likewise, according to the information provided by the States that responded to the questionnaire sent for the purposes of this report, the Constitutions of Bolivia (Article 74), Ecuador (Article 201), El Salvador (Article 27.3), Guatemala (Article 19), Mexico (Article 18), Nicaragua (Article 19), Panamá (Article 28), Paraguay (Article 20), Peru (Article 139.22), Uruguay (Article 26), and Venezuela (Article 272) expressly attribute purposes to sentences that deprive persons of liberty that are consistent with those established in international human rights law.

607.   Moreover, the IACHR, in an evolved interpretation of the aforementioned Article 5.6 of the Convention, established in the Preamble to Principles and Best Practices that "punishments consisting of deprivation of liberty shall have as an essential aim the reform, social readaptation, and personal rehabilitation of those convicted; the reintegration into society and family life; as well as the protection of both the victims and society;" this clause is further developed in Principles XII and XIV.

608.   Thus, even though there exists a close relation between the deprivation of liberty as punishment and the prevention of crime and violence (the protection of victims and society), [687] the mandate of Article 5.6 of the Convention mainly refers to the obligation of the State to provide the necessary assistance and opportunities to convicted persons, so they can develop their individual potential and deal with their return to society. [688] In other words, the direct object of the norm is the person convicted, which necessarily implies that inmates should have real access to productive activities designed to foster his/her rehabilitation. [689]

---

[687] IACHR, *Report on Citizen Security and Human Rights*, para. 155.

[688] For example, in its *Report on the Situation of Human Rights in the Challapalca Prison*, the IACHR considered that the policies of the National Penitentiary and the prison not only did not provide the means for detainees work programs or productive activities, but actually restricted the few initiatives of legitimate economic activities of the inmates as an additional circumstance for them to experience the rigor of the sentence imposed. IACHR, *Special Report in the Human Rights Situation at the Challapalca Prison*, para. 107.

[689] IACHR, Report No. 118/10, Case 12.680, Merits, Rafael Arturo Pacheco Teruel *et al.*, Honduras, October 22, 2010, para. 86.

609.   Thus, the States must adopt comprehensive public policies aimed at rehabilitating convicts and reintegrating them into society. Meeting those objectives necessarily depends on developing a comprehensive system in which the States devise plans and programs for work, education, and other activities to provide prisoners with the tools they need for their eventual return to society.[690]

610.   The IACHR observes that one of the most serious and widespread problems in the region, is precisely the lack of public policies that promote the rehabilitation and reintegration into society of persons that have been deprived of their liberty.[691] In this regard, the fact the prison population of the State is significantly young makes it all the more necessary to carry out effective rehabilitation policies that include opportunities for study and work because this represents a group of people who could have a productive life in the future. This is not done, that population runs the risk of remaining in a cycle of social exclusion and criminal recidivism.[692]

611.   In this respect, the IACHR emphasized that the basic condition for achieving the purposes of the sentence is for the State, as guarantor of the rights of persons deprived of liberty, to take the necessary steps to respect and guarantee the right to life and personal integrity of prisoners and to ensure conditions of confinement compatible with human dignity. Any expectation of personal rehabilitation and reintegration into society is impossible in correctional systems where systematic torture and cruel, inhumane, and degrading treatment of inmates by the authorities themselves occur; in which high indices of prison violence are reported; existence of prisons where the actual control of internal security is exercised by the prisoners themselves and not the competent authorities; and in which the State does not provide the minimum space, nourishment, sanitation, and medical attention.

612.   Another serious structural deficiency that hinders effective implementation of any inmate activity system is overpopulation. Overcrowding in prisons impedes access to the few work and educational opportunities for the majority of inmates, making their proper classification impossible;[693] this creates a situation that is *de facto* contrary to the system established in Article 5.6 of the Convention. Therefore, fulfillment of

---

[690] IACHR, Press Release 56/11, "Office of the Rapporteur on the Rights of Persons Deprived of Liberty Concludes Visit to Suriname," Washington, D.C., June 9, 2011, Annex, para. 17

[691] A recent study by ILANUD concluded that of the five major problems or needs of the prison systems in Latin America, the first is the lack of comprehensive policies that include, among other things, the rehabilitation of prisoners. Instituto Latinoamericano de las Naciones Unidas para la Prevención del Delito y Tratamiento del Delincuente (ILANUD), *Cárcel y Justicia Penal en América Latina y el Caribe*, 2009, pp. 28-31.

[692] IACHR, *Report on the Situation of Human Rights in Brazil*, Ch. IV, para. 24. See also, United Nations, Special Rapporteur on Torture and other Cruel, Inhuman or Degrading Treatment or Punishment, Report on the mission to Paraguay, A/HRC/7/3/Add.3, adopted on October 1, 2007. Ch. IV: *Conditions of detention*, para. 76.

[693] According to the Standard Minimum Rules for the Treatment of Prisoners, the classification of inmates by category has among its essential purposes to attend the individual needs of prisoners with regard to rehabilitation or self-development (Rule 67). Likewise, the Rule 63(3) establishes that, "[i]t is desirable that the number of prisoners in closed institutions should not be so large that the individualization of treatment is hindered. In some countries it is considered that the population of such institutions should not exceed five hundred. In open institutions the population should be as small as possible."

the essential purpose of the sentence through appropriate treatment in prison necessarily assumes the elimination of overpopulation and overcrowding.[694]

613.   If States fail to guarantee basic conditions in which the human rights of inmates are respected and fail to allocate sufficient resources to permit the implementation of these plans and projects, the rehabilitation and reintegration of prisoners into society claimed by the legal order –and political discourse– as the purpose of the penitentiary system will have no relevant practical impact. Therefore, the first step in any comprehensive policy devised by the State to fulfill the purposes of the sentence must be to correct structural deficiencies.

614.   The IACHR observes that the execution of rehabilitation programs can also be affected, among other things, by the following factors: (a) lack of transparency and equity in the assignment of slots to participate in these activities;[695] (b) lack of technical staff to conduct the assessments necessary for inmates to enter the programs;[696] (c) judicial delays, which, moreover, contribute to the increasing overpopulation;[697] (d) geographic dispersal and distancing from urban centers;[698] (e) the arbitrary exclusion of

---

[694] IACHR, *Report on the Situation of Human Rights in Mexico*, Ch. III, para. 236.

[695] IACHR, Press Release 64/10 - IACHR Rapporteurship Confirms Grave Detention Conditions in Buenos Aires Province. Washington, D.C., June 21, 2010; see also on this matter: IACHR, Press Release 56/11, "Office of the Rapporteur on the Rights of Persons Deprived of Liberty Concludes Visit to Suriname," Washington, D.C., June 9, 2011, Annex, para. 16.

[696] See in this regard, IACHR, Public hearing: *Human Rights Violations in Prisons in Panama*, 131º Ordinary Period of Sessions, requested by: State of Panama, Comisión de Justicia y Paz de la Conferencia Episcopal de Panmá, Centro de Iniciativas Democráticas (CIDEM), Harvard University. March 7, 2008. In this regard, see the report: *Del Portón para Acá se Acaban los Derechos Humanos: Injusticia y desigualdad en las cárceles panameñas*, p. 108 presented in the said hearing available at; http://www2.ohchr.org/english/bodies/hrc/docs/ngos/HarvardClinicPanamaprisons.pdf. See also, IACHR, Public hearing: *Situation of the Persons Deprived of Liberty in Honduras*, 124° Ordinary Period of Sessions, requested by: State of Honduras, Center for Justice and International Law (CEJIL), Comité para la Defensa de los Derechos Humanos en Honduras (CODEH), Comité de Familiares de Detenidos y Desaparecidos de Honduras (COFADEH) and Centro para la Prevención, Tratamiento y Rehabilitación de las Víctimas de Tortura (CPTRT). March 7, 2006. In this regard, see the report: *Situación del Sistema Penitenciario en Honduras*, drafted by CPTRT and COFADEH, pp. 37-38, presented in the said hearing available at: http://www.cptrt.org/pdf/informesistemapenitenciarioCIDH.pdf; and IACHR, Public hearing: Human Rights Situation of Persons Deprived of Liberty in Guatemala, 141º Ordinary Period of Sessions, requested by: State of Guatemala, Center for Justice and International Law (CEJIL), Unidad de Protección de Defensores y Defensoras de Derechos Humanos (UDEFEGUA), Instituto de Estudios Comparados en Ciencias Penales de Guatemala (ICCPG, March 29, 2011.

[697] See, *e.g.*, IACHR, *Report on the Situation of Human Rights in Ecuador*, Ch. VI,

[698] For example, in the context of a thematic hearing on the situation of persons deprived of liberty in the Atlantic Coast of Nicaragua, the IACHR received information that the conditions of confinement in the Penitentiary Center of Bluefields and in police cells Puerto Cabezas are extremely poor, and that prisoners have no possibility of accessing the same work program like inmates of other areas of the country, so neither can access the sentence reductions for work performed. For this reason, many of the inmates in this area, which are mostly people of African descent or belonging to Miskito communities, ask to be transferred to other prisons, which often brings problems of discrimination and uprooted from their communities and their families. IACHR, Public hearing: *Prison conditions of persons deprived of liberty on Nicaragua's Atlantic Coast*, 133º Ordinary Period of Sessions, requested by: State of Nicaragua, Center for Justice and International Law (CEJIL), Centro Nicaragüense de Derechos Humanos, October 27, 2008.

certain groups of prisoners;[699] (f) lack of enough security personnel to supervise educational, work, and cultural activities; and (g) the constant arbitrary transfer of inmates, which interrupts the continuity of any productive activity in which they are engaged.[700]

615.   Furthermore, participation of inmates in these activities must always be voluntary and not coerced, since the current concept of rehabilitation entails that real personal changes and self-development stem from the choice of the prisoners themselves.[701] This also implies that treatment in prison should be geared to fostering the self-respect of inmates and developing their sense of responsibility[702]

616.   In this regard, the educational model adopted by the State should not be designed solely to treat the possible psychological deficiencies of criminals, foster their moral development, or be conceived merely as a means of providing job training for inmates; instead, the main concern in prison education should be human dignity. Human dignity implies respect for the individual, in his/her actuality and also in his/her potential. Therefore, education must be geared to the integral development of the individual.[703]

617.   In terms of what the nature of prison work should be, the Standard Minimum Rules state *inter alia* that it must be "productive"; that "[s]o far as possible the work provided shall be such as will maintain or increase the prisoners' ability to earn an honest living after release"; and that "Vocational training in useful trades shall be provided for prisoners able to profit thereby."[704] That is, in addition to promoting a work ethic and combating idleness, prison work should be useful for the good operation of the prison and/or the training of the inmate himself.

618.   Concerning this matter, one of the items in the questionnaire distributed for purposes of this report inquired about the percentage of the country's prison population that participates in work or educational programs (whether intra- or extramural). The information provided by the States that responded to this question is the following:

| Argentina | In penitentiaries of the Federal Prison System, by the end of the 2009 academic cycle, 1.3% (of the total 4,560 inmates) had attended literacy programs; 34% primary education; 19.35% |

---

[699] For example, in the context of Rafael Arturo Pacheco Teruel case established that inmates associated with the "Mara Salvatrucha (MS-13)" are in fact excluded from most of the productive activities that had access to the rest of the criminal inmates of San Pedro Sula in Honduras. IACHR, Report No. 118/10, Case 12.680, Merits, Rafael Arturo Pacheco Teruel *et al.*, Honduras, October 22, 2010, para. 86.

[700] See in this regard, IACHR, Press Release 64/10 - IACHR Rapporteurship Confirms Grave Detention Conditions in Buenos Aires Province. Washington, D.C., June 21, 2010.

[701] Penal Reform International (PRI), *Manual de Buenas Práctica Penitenciaria: Implementación de las Reglas Mínimas de Naciones Unidas para el Tratamiento de los Reclusos,* 2002, p. 117.

[702] Standard Minimum Rules for the Treatment of Prisoners (Rule 65).

[703] United Nations Special Rapporteur on the Right to Education, *Report on the right to education of persons in detention,* A/HRC/11/8, adopted on April 2, 2009, paras. 17-18.

[704] Standard Minimum Rules for the Treatment of Prisoners (Rules 71.3, 71.4 and 71.5).

	intermediate-level *polymodal*; and 3.8% of the total prison population had received university-level instruction. Moreover, the State indicated that 48% of the total prison population had participated in working programs.
Brazil	Of the country's 1,148 prisons, 448 have structures in place for productive activities (38%). Within this context, 89,009 prisoners work, representing 24% of the country's prison population.
Chile	(1) In the traditional prison system, with approximately 31,200 inmates, on December 31, 2009, 6,302 inmates were enrolled in basic education (5,674 men and 628 women) and 6,278 in intermediate education (5,805 men and 473 women); moreover, on that date, 16,497 were participating in working programs. (2) Also on December 31, 2009, in private prisons (under concession contracts with the government), 28% of convicted inmates were enrolled in educational activities, and 32% of the prison population was engaged in work activities.
Colombia	On May 12, 2010, 25,408 inmates were participating in educational programs, 22,927 in working programs, and 945 in training programs, for a total of 49,280 inmates; this represented 61% of the resident population on that date.
Costa Rica	In 2010 the percentage of students at the different educational levels was 43% of the total prison population, whether indicted or sentenced (an estimated total of 9,793 persons). In the sentenced population, students accounted for 59% of the rough total of 6,164 prisoners.
Ecuador	In June 2010, 39.86% of the 11,440 inmates were engaged in some sort of working activity (this figure does not include minor offenders).
Guatemala	In 2010, 843 out of 10,512 inmates participated in educational programs in the Guatemalan prison system.
Mexico	The national percentages for inmate participation in productive activities are 50% in working activities and 45% in educational activities.
Nicaragua	Some 40% of the total prison population participates in educational and vocational training programs. In addition, 193 inmates in an open regimen participate in community programs.
Panama	The following figures were provided: 2,273 inmates were participating in educational programs; 15 had permission to study outside the prison; 1,001 were participating in work activities inside the prison; 30 had permission to work outside the prison; 150 were doing community service; and 51 were in a home detention program. This, out of a total prison population of 12,172 in August 2010 (4,760 sentenced and 7,412 indicted).
Suriname	Less than 15% of the inmates participate in training programs; these activities are not regulated by the legal system.
Trinidad and Tobago	The percentages of participation in education and work programs in the period from January to December 2009 were, 20% of convicted male inmates, 18% of convicted female inmates, 58% of children and adolescents deprived of liberty; and roughly 40% of the population in preventive detention.

Uruguay	The number of working and educational slots throughout the country increased in 2004 from 1,103 and 435, respectively, to 2,444 and 1,313 slots, respectively, in 2010 (all filled), representing 42% of the prison population.
Venezuela	Up to March 2010, 7,141 inmates were participating in working activities in the various correctional facilities, and 6,042 were enrolled in formal educational programs. Moreover, at that time, a total of 98 academic training courses (non-formal education) were being offered, in which 1,875 persons deprived of liberty participated. In 2009 the prison population numbered 32,624.

619. Notwithstanding the official figures that the States tend to provide, the IACHR has observed that a constant in prison systems is the lack of work opportunities for inmates, especially productive work. Normally, due to their very nature, prisons use inmates for janitorial and kitchen work, service in kiosks and the prison store, and even as assistants in certain office work (photocopying, etc.) but these cannot be the only work options always offered to prisoners. States must take the necessary steps to implement other initiatives and projects, and, in observance of the current legal requirements and controls, to promote extramural work for inmates much more.

620. At the same time, the IACHR has observed, on various occasions, that national authorities often provide information about the implementation of work and vocational training programs, such as workshops on carpentry, cabinetmaking, bread making, etc., but the reality is different. These workshops often lack the basic equipment needed for their operations, and, in many cases, it has even been observed that the inmates themselves must procure the materials and supplies. Generally the product of these workshops is little more than a crafts activity in which few inmates participate. Likewise, many prisons in the region award preferentially to certain inmates, the lightest work slots and where the environment is safer and more comfortable.

621. It has also been observed that a large number of inmates engages in informal activities, such as selling candies, cigarettes, groceries or toiletries, shining shoes, among other similar things, which cannot be described as work *per se*, since it is not productive in terms of the prison's operations, nor does it develop the inmates' capacities or potential.

622. Something similar happens *mutatis mutandis* with educational activities; a large number of inmates are enrolled on paper in courses and programs of all types, but the figures do not necessarily reflect the reality, because records are not always kept on the number of inmates who actually attended the classes on a regular bases or on the number who completed them.

623. Likewise, several States in the region have enacted laws (known as the "2x1" or "3x1" laws) whereby days worked or spent in educational activities are deducted from the inmate's sentence as an incentive to participate in them. The IACHR positively considers these kinds of legislative initiatives; which can constitute, if properly implemented, valuable tools for achieving the purposes of the sentence. In this regard, the IACHR reiterates that the main thing is for States, in addition to adopting these norms, to

develop plans and projects to create the necessary work and/or educational slots so that prisoners have real access to these options established by law.[705] In addition, the competent prison and judicial authorities must exercise the necessary control so that these mechanisms for sentence reduction are not used fraudulently by certain prisoners as a pathway to impunity, destroying the original purpose of the incentive and promoting corruption.

624.   Furthermore, the IACHR stresses that correctional policies must include programs and projects aimed to released prisoners that provide the assistance and opportunities to enable them to readapt to their communities and to reduce the bias against them. [706] This post-prison assistance can be achieved with the involvement and aid of the community and public and private institutions and along with due respect for the interests of the victims. In this regard, the incentives, including fiscal incentives that the State can offer private businesses that actively participate in these plans can play an important role.

625.   In the case of children, adolescents and young people released from prison, this assistance is even more necessary, as they are in the most productive stage of their lives and it is important to prevent recidivism.[707] Noting the importance of post-prison assistance for children and adolescents, the United Nations Rules for the Protection of Juveniles Deprived of their Liberty states that: "[a]ll juveniles should benefit from arrangements designed to assist them in returning to society, family life, education, or employment after release. Procedures, including early release, and special courses, should be devised to this end."[708]

626.   Finally, the IACHR reiterates that work and education are economic, social, and cultural rights recognized for all persons at the Inter-American and universal level, and whose full effect the States have committed to gradually implementing to the maximum of their available resources.[709] Thus, the State is obligated to improve the situation involving those rights and, at the same time, to prohibit any reduction in the protection of those rights or their abolition without sufficient justification.[710] Indeed, this obligation translates into the State's duty to adopt public policies aimed at steadily

---

[705] IACHR, Press Release 76/11 - IACHR Recommends Adoption of a Comprehensive Public Policy on Prisons in Uruguay. Washington, D.C., July 25, 2011, Annex, para. 56.

[706] Standard Minimum Rules for the Treatment of Prisoners (Rule 64); and United Nations Rules for the Protection of Juveniles Deprived of their Liberty (Rule 80).

[707] In this regard, the IACHR stresses that the objectives of sanctions on juvenile justice require the implementation of educational programs, including formal schooling, vocational training and work, and recreational and sports. This subject is extensively developed by the IACHR in its Report on Juvenile Justice and Human Rights in the Americas, OEA/Ser.L/V/II. Doc. 78, adopted on July 13, 2011, paras 474-517.

[708] Standard Minimum Rules for the Treatment of Prisoners (Rule 64); and United Nations Rules for the Protection of Juveniles Deprived of their Liberty (Rule 80).

[709] On this matter, see, the Protocol of San Salvador (Articles 1, 6, 7 and 13) and the International Covenant on Economic, Social and Cultural Rights (Articles 2, 6, 7 and 13).

[710] IACHR, *Guidelines for Preparation of Progress Indicators in the Area of Economic, Social and Cultural Rights*, OEA/Ser.L/V/II.132 Doc. 14, adopted on July 19, 2008, para. 6

increasing the quality, availability, and scope of educational, cultural, and work activities designed to fulfill the purposes of sentences that deprive persons of liberty.

B.   Groups at particular risk or historically subjected to discrimination

627.   As already mentioned, the objectives of this report are to identify the main challenges to the OAS member States in respecting and guaranteeing the rights of persons deprived of liberty; reiterate and set the applicable standards for protecting those rights; and formulate pertinent recommendations for effective enforcement of those standards. Understandably, there are a whole range of fundamental issues that are addressed in the present report due to its scope and orientation.

628.   These matters include but are not limited to: the excessive use of pretrial detention; isolation and the conditions of detention for persons deprived of liberty who are awaiting trial; judicial monitoring during execution of the sentence depriving a person of liberty; the right to consular assistance for the accused; conjugal visits; and particularly, the special obligations of the State to protect persons deprived of liberty who are at risk of experiencing violations of their human rights, namely: women, especially those who are pregnant or nursing; children; older persons; persons with disabilities; and lesbians, gays, bisexuals, and trans (LGTBI communities), who, taken as a whole represent a significant percentage of the population deprived of liberty in the Americas.

629.   Therefore, given the importance and complexity of these issues, the Inter-American Commission on Human Rights and its Rapporteurship on the Rights of Persons Deprived of Liberty will explore these issues in future studies.

C.   Recommendations

630.   Concerning fulfillment by the States of the purposes of sentences the deprive persons of liberty, the IACHR recommends:

1.   Adopting comprehensive prison policies geared to the personal rehabilitation and reintegration of convicts into society. A basic element of these policies should be opportunities for work, vocational training, and education for persons deprived of liberty, and the necessary human and financial resources should be allocated for their implementation.

2.   Establishing nimble, equitable, and transparent mechanisms for the awarding of slots or places in educational, vocational training, and work programs. In this respect, the activity of the Technical Boards or Councils should be reviewed in order to adapt their capabilities to the needs of the prison population.

3.   Adopting the legislative, institutional, and other measures necessary to guarantee effective judicial monitoring of the enforcement of sentences that deprive persons of liberty. In particular, judges that oversee the execution of sentences should be given the material and human

resources necessary to exercise their mandate under the proper conditions, including provision of the necessary means that allow them to visit regularly correctional facilities.

4. Adopting the measures necessary for providing public legal aid to persons serving their sentence who are in a position to request prison benefits.

5. Monitoring the activities and decisions of administrative and judicial authorities with respect to the assignment of work, vocational training, and education slots; the bestowing of prison benefits; and the adoption of decisions pertaining to the sentencing execution phase to prevent, investigate, and sanction any irregularities and corruption.

6. Guaranteeing that notification of release orders effectively reaches inmates or their legal representatives, and that they are immediately carried out. In addition, maintaining systems that make it possible to determine the potential existence of persons deprived of liberty who have already finished serving their sentence.

7. Setting up databases with personal and judicial information on all persons subject to criminal proceedings so that the information is easy accessible to the competent authorities and the families and legal representatives of the inmates.

8. Implementing post-prison follow-up and support programs for the reintegration of persons who have finished serving their prison term into society and family life. In this regard, the importance of coordinating these measures with existing community services and even the private sector should be borne in mind.